走进美国大报

MEETING U.S. NEWSPAPERS

辜晓进 / 著

透视 21 世纪报业趋势的必读之作

A MUST-READ TO SEE THROUGH 21st CENTURY PRESS INDUSTRY TREND

THE MEDIA OF THE SOUTH
南方 傳媒

图书在版编目（CIP）数据

走进美国大报(修订版) / 辜晓进 著.
—广州：南方日报出版社，2002
ISBN 7-80652-172-0

Ⅰ.走…　Ⅱ.辜…　Ⅲ.报社—经济管理—经验—美国　Ⅳ.G219.712

中国版本图书馆 CIP 数据核字（2002）第 071900 号

走进美国大报(修订版)　辜晓进 著

出版发行：南方日报出版社
地　　址：广州市广州大道中 289 号
电　　话：（020）87373998-8502
经　　销：广东新华发行集团股份有限公司
印　　刷：佛山市浩文彩色印刷有限公司
开　　本：787mm×1092mm　1/16
印　　张：30.5
字　　数：512 千字
版　　次：2004 年 11 月第 2 版第 1 次印刷
定　　价：56.00 元

投稿热线：（020）87373998-8503　读者热线：（020）87373998-8502

网址：http://www.nanfangdaily.com.cn/press　http://www.southcn.com/ebook

如发现印装质量问题，影响阅读，请与承印厂联系调换。

受访美国报业老总一览

凯伦·朱尔金森
《今日美国》总编辑

保罗·斯泰格尔
《华尔街日报》执行总编辑

豪厄尔·雷恩斯
《纽约时报》总编辑

约翰·卡罗尔
《洛杉矶时报》总编辑

伦纳德·唐尼
《华盛顿邮报》总编辑

爱德华·科斯纳
纽约《每日新闻》总编辑

兰德尔·魏斯曼
《芝加哥论坛报》副执行总编

安东尼·马罗
《新闻日报》总编辑

肯·钱德勒
《纽约邮报》发行人

马丁·巴伦
《波士顿环球报》总编辑

雅丝曼·娜米尼
《波士顿环球报》副总裁

约翰·克鲁克香克
《芝加哥太阳一时报》副执行总编

罗伯特·罗森塔尔
《费城问讯报》总编辑
兼执行副总裁

约翰·沃尔什
《费城问讯报》高级副总裁

托德·布朗洛特
《费城问讯报》高级副总裁

杰弗里·普拉斯
《费城问讯报》助理执行总编

布赖恩·莱朗
《斯塔藤岛前进报》总编辑

爱德华·休伊特
《巴尔的摩太阳报》行政主编

菲利普·R.柯里
甘尼特公司报业高级副总裁

米歇尔·J.福斯特
甘尼特公司报业副总裁

史蒂文·戈尔茨坦
道·琼斯公司副总裁

鲍勃·萨瑟兰
底特律报业公司副总裁

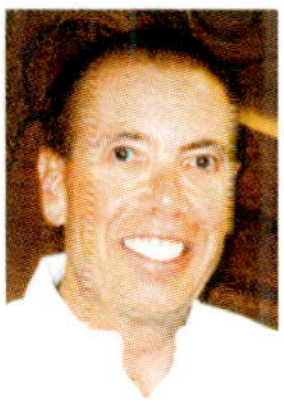

迈克尔·史密斯
西北大学媒体管理中心主任

戴维·威廉斯
论坛公司新闻社总裁兼
首席执行官

受访美国报纸版面一览

The New York Times

U.S. ATTACKED

HIJACKED JETS DESTROY TWIN TOWERS AND HIT PENTAGON IN DAY OF TERROR

President Vows to Exact Punishment for 'Evil'

Awaiting the Aftershocks

《纽约时报》
2001年9月12日头版
（“9·11”事件特别版）

Los Angeles Times

THURSDAY, JANUARY 17, 2002

Stalking the Web Predator

4 SLA Figures Arrested in '75 Bank Slaying

Victim's Son Wouldn't Let the Case Die

Enron Exec Warned Auditors on Practices

IRS Plans Intensive Auditing

Ex-Enron Employees Suggest Andersen Helped Veil Deals

Sept. 11 Fund's Fine Print Angers Many Relatives

Russian Scientist, U.S. Poles Apart Over Rescue

《洛杉矶时报》
2002年1月17日头版

Chicago Tribune

Report criticizes work in Lee case

Bayer to cut Medicaid drug prices

Officers guilty in shakedowns

Girl in kidnap case gets wish

Israeli tanks, troops enter Palestinian city

Asia bristles as Koizumi pays respects at war shrine

《芝加哥论坛报》
2001年8月14日头版

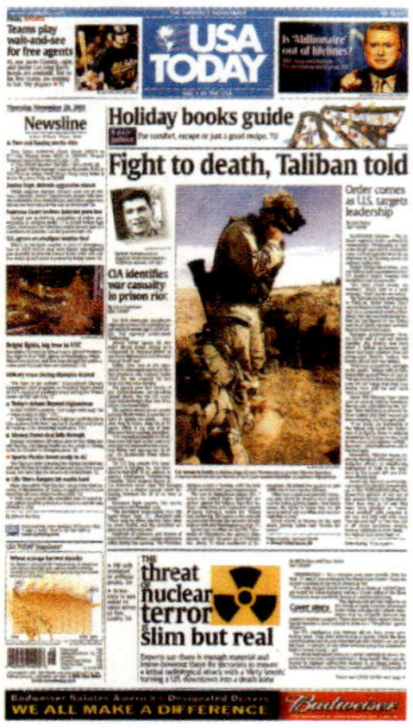
USA TODAY

Holiday books guide

Fight to death, Taliban told

Order comes as U.S. targets leadership

CIA identifies war casualty in prison riot

threat nuclear terror slim but real

《今日美国》
2001年11月29日头版

The Washington Post

Anthrax Cited in 2 D.C. Postal Deaths

U.S. Planes Bomb Taliban Front Lines

Congress Returns, Warily

Attacks Restrained by Political Goals

On Way to Afghan Valley, Relief Travels a Perilous Road

《华盛顿邮报》
2001年10月23日头版

Newsday

ENRON'S ACCOUNTANTS

Heads Roll

Arthur Andersen Fires Top Auditor, Suspends 3, Demotes 4

Gunfire At NYC High School

《新闻日报》（4开报纸）
2001年10月23日头版

THE WALL STREET JOURNAL.

What's News—

《华尔街日报》
2001年12月10日头版

Rudy Inc. open for business

Hockey-slay dad tells his story

DAILY NEWS

U.S. REFUELING PLANE LOST IN PAKISTAN —7 MARINES DEAD

TANKER CRASH

SEE PAGES 2-3

纽约《每日新闻》（4开报纸）
2001年1月10日头版

NEW YORK POST

'Poor fellow' or traitor?

Looks like a rat
Talks like a rat
Smells like a rat
Hides like a rat

IT IS A RAT

《纽约邮报》（4开报纸）
2001年12月5日头版

Lansing's three-run homer lifts Sox to win over Orioles, 5-1 — C1

Boston Sunday Globe

Monitoring concerns arise amid outages

Hezbollah gains clout as political, social force

IT'S STILL THE PLACE TO CELEBRATE GAY AND LESBIAN CULTURE, BUT PROVINCETOWN IS CHANGING.

Life is a carnival

On Hill, a rush to fund pet plans

Scientific maverick on a quest for old age 'cure'

《波士顿环球报》星期天刊
2001年8月19日头版

In Sports: Paterno ties Bear Bryant's record for victories

The Philadelphia Inquirer

U.S. Raids Called Success

Special forces inflict casualties on Taliban

Experts say damage more psychological than military

Loss, life and love: A tribute

The Ones We Lost

Postal staff in region get antibiotics

It's only rock and roll – and a headache

《费城问讯报》星期天刊
2001年10月21日头版

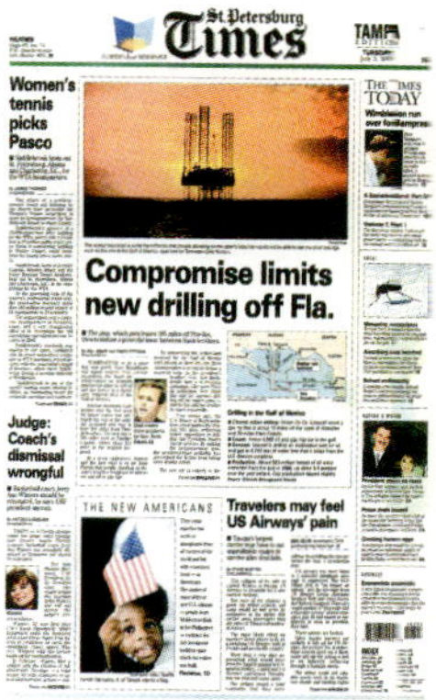
St. Petersburg Times

Women's tennis picks Pasco

Compromise limits new drilling off Fla.

Judge: Coach's dismissal wrongful

THE NEW AMERICANS

Travelers may feel US Airways' pain

《圣彼得斯堡时报》
2001年7月3日头版

Chicago Sun-Times

PHIL ROSENTHAL REVIEWS IYANLA'S NEW DAYTIME TALK SHOW

CUBS FACE FIRST-PLACE SHOWDOWN SERIES; WOOD ON DISABLED LIST

ANOTHER BOMB ROCKS MIDEAST

SUICIDE ATTACKER INJURES 20 AT RESTAURANT NEAR TOWN OF HAIFA

'I FEEL ALONE'

《芝加哥太阳一时报》（4开报纸）
2001年8月3日头版

THE SUN

CARROLL COUNTY

Bombings raise tensions along the front lines

Anthrax fears widen

Disease suspected in deaths of 2 D.C. postal workers

U.S. cracks door for N. Alliance

D.C. postal workers rankled

Studying mission ahead

Russia republic, Sudan seek deals on arms, oil

《巴尔的摩太阳报》
2001年10月23日头版

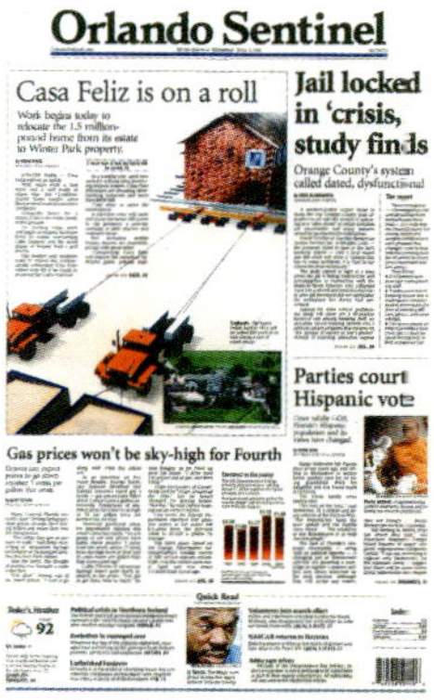
Orlando Sentinel

Casa Feliz is on a roll

Jail locked in 'crisis,' study finds

Parties court Hispanic vote

Gas prices won't be sky-high for Fourth

《奥兰多前哨报》
2001年7月2日头版

Detroit Free Press

CRUISIN' ALL WEEK

Car companies are hogging the Dream Cruise's road

Pointe teen is charged in crash

Hispanic community makes its voice heard

No fish tale: Worms get scarce, pricier

《底特律自由报》
2001年8月16日头版

The Detroit News

Chippewas kick out dead

Druggist charged in drug dilution

U-M rides on NASCAR

Driver, 17, hit with 3 murder charges

Wolverine image races for revenue

Name recognition may lift longshot candidates

GALLON MILK

《底特律新闻》
2001年8月16日头版

Staten Island Advance

Teen mom charged in newborn's death

Go take a hike

Ex-Enron executive found dead in his car

Fossella to Cuban detention center critics: 'Get a life'

Man charged with bribing cop

《斯塔藤岛前进报》
2002年1月26日头版

作者在哥伦比亚大学新闻学院进修

作者在驱车采访途中

目录

Contents

第5章　《今日美国》

全国大报后来居上
彩色版式引领潮流

第6章　《斯塔藤岛前进报》

纽约老牌社区报纸
斯塔藤岛唯我独尊

第7章　《奥兰多前哨报》

论坛公司南方大报
旅游名城独领风骚

第8章　《圣彼得斯堡时报》

佛州大报特立独行
坚守贞操傲视群雄

第9章　《芝加哥太阳—时报》

布氏集团美国旗舰
都市小报读者青睐

第10章　《芝加哥论坛报》

老七地位虽然失守
北部大报仍霸一方

第11章　论坛公司

报业兼并气势如虹
论坛公司后来居上

第12章　西北大学媒体管理中心

媒体管理教研基地
美国报界“黄埔军校”

第13章　底特律报业公司

两报同城捉对厮杀
新式合作谋求双赢

第14章　《波士顿环球报》

报纸摇篮一枝独秀
立足波城坐拥六州

修订版序

解读美国大报的生动教材

□ 郑兴东　张金玺

正当中国报业走进新世纪，谋求新发展之际，一位中国报纸总编怀着了解美国同行的强烈愿望，走进20多家美国著名大报，访问总编、总裁、发行人，参加编辑部工作会议，探索美国报业的运作理念……寒来暑往，辗转东西。经过无数个深夜的打磨，终于有了我们面前的这本《走进美国大报》。

作为一份“来自美国报业现场的最新报告”，《走进美国大报》有几个鲜明特点。

第一，作者全面地勾勒出美国报业的整体结构，并紧紧抓住了各大报的特色。《走进美国大报》共写了18家报纸和4家报业集团的故事。在这些报业机构中，有历史悠久的严肃大报，如《纽约时报》、《华尔街日报》；有后来居上、开创美国报业新气象的新兴报纸，如《今日美国》；有生动活泼但不乏严肃性的小报（tabloids），如纽约《每日新闻》、《纽约邮报》；还有社区生活须臾不可缺少的社区报纸，如《斯塔藤岛前进报》。作者选择的采访对象基本上囊括了美国报业的主要层次，能较全面地勾勒美国报业整体状况。

与此同时，记者在访问写作过程中，还着力突出各报的不同特点，即使同为一个层次的报纸，作者也尽力描绘它们的独特之处。例如，虽然同为全国性的大报，《华尔街日报》、《今日美国》、《纽约时报》就各具个性。《华尔街日报》是著名的财经类报纸，为了强调财经新闻的严肃性和权威性，该报采取朴实甚至呆板的版面风格，多年沿用垂直式版面，极少使用图片，拒绝彩色印刷，甚至排斥通栏标题，整份报纸保留着强烈的铅印时代的气息，看上去像出土文物。诞生于电视业勃兴的视觉文化时代的《今日美国》则恰好相反，它率先使用彩色印刷，异常慷慨地使用图片，苛刻而吝啬地对待文字新闻，报纸放在售报机里就像一幅静止的电视画面。被喻为“灰贵妇”的《纽约时报》高贵严肃，它的风格介于《华尔街日报》和《今日美国》之间，在保持严肃简朴的同时不乏现代感。此外，与《今日美国》短小精悍的文风截然相反，《纽约时报》是著名的“档案记录报”，每当发生重大事件，它总是不惜版面，大量刊载枯燥但重要的文件原文。1945 年 8 月 30 日，它曾以 15 个版的篇幅刊登长达 13 万字的珍珠港事件调查报告全文。因此，很多美国人知道，“每逢大事，欲求信息之全，非买《纽约时报》不可。”这也就是为什么“9·11”事件发生后，《纽约时报》加印 70 万份仍供不应求的原因。

第二，美国报人的专业精神也是本书反映的一个重要内容。美国报界的职业精神和新闻专业主义（Journalistic Professionalism）理念表现在本书的各个不同章节。这种新闻专业主义强调传媒作为一个独立的社会子系统收集、整理、传播信息的功能和责任。它包括一套关于新闻媒介的社会功能的信念，一系列规范新闻工作的职业伦理，一种服务公众的专业精神。

2001 年 9 月 11 日，被恐怖分子劫持的客机撞向纽约世贸大楼，仅一街之隔的《华尔街日报》地处灾难中心。万分危急之中，该报执行总编和部门负责人仍然坚守岗位，助理执行总编在被保安人员拖出大楼前还在给同事们发 E-mail 传达工作信息。在如此艰难的条件下，该报第二天依然准时送达读者手中。我们从这里看到了美国报业的新闻专业主义精神。

翻开每天的《纽约时报》，你都可以在第一版组的第二版看到四栏宽的“更正”专栏。美国主流大报以“对读者负责、对社会负责”的态度对待错误，主张“不怕有错，只怕不认错”，一旦有错，立刻纠正。发生重大错误时，大报还会辟出可观的版面自曝其丑，向社会大众道歉。

第三，本书的目光不局限于传统报纸业务，而是延伸到了整个报业运营之上。作者身为报社管理人员，对报业的管理有浓厚兴趣，早年还曾翻译引进新中国第一部外国报业管理专著《报业管理艺术》。他在访问之前就决心考察美国大报成功的经营之道，并由此为转型期的中国报业提供可资借鉴的运营思路。

“报纸的教育工程”、“6 点钟报纸送到，广告额全国称冠”、“13 万售报机与发行奇迹”、“接触，从促销电话开始”、“情人节广告叹为观止”、“女老总的发行观”、“插页广告的地区化”……这些章节的标题明显地提示读者，广告、发行等内容是作者关注的重点之一。面对商业化的冲击，面对同行间的激烈竞争，面对电子媒体对市场的侵蚀，面对不景气的经济气候，美国报业的经营也经常处于矛盾困境之中，但唯其如此，才促成了如此丰富多样的报纸经营方式。这些经营方式，有些已经为中国报界所熟悉，并开始慢慢借鉴引进，有些则完全是新事物。比如报纸的教育工程，报社致力与学校教育有机结合或创办辅助性刊物和印发相关资料，养成青少年的阅读习惯和阅读依赖，为报纸培养未来的潜在订户。比如“合作经营协议”，确保一个市场有两家竞争报纸存在，为公众提供多渠道的信息来源。再比如《斯塔藤岛前进报》充满了浪漫温情的情人节广告、洋溢着亲切感的促销电话……作者对这些经营方式的生动描绘和细致考察对中国报业的运营无疑有着借鉴意义。

第四，作者访问美国大报之时恰逢多事之秋，作者在采访写作之中，把美国报业现状放在当时的美国及世界局势的大背景中考察，充分借用具体事件作为切入点，既透过国内外事件来反映美国大报的特质和生存环境，也使得本书叙事对象形象饱满，有血有肉。本书的第一个讲述对象是《华尔街日报》，开头是这样写的：“最后一次见到保罗·斯泰格尔，是在CNN的电视新闻节目上……保罗脸上的善意微笑不见了，代之以愤怒而略显迷茫的表情……他说：‘根据我们从美国国务院和巴基斯坦信德省得到的消息，丹尼尔·珀尔已被绑匪杀害，我们对他的被害感到万分悲伤。’”作者以丹尼尔·珀尔被害事件为由头介绍《华尔街日报》的执行总编斯泰格尔，显然是借用了记者经常使用的导语写作方法，自然而生动地切入了叙事主体。

除了以上特点，《走进美国大报》还使用了社会科学研究中的“质的研究方法”（qualitative research），采用了大量的观察法和焦点访谈（focus interview），文风清新自然，如叙家常，娓娓道来，增强了行文的生动性和现场感，使读者不知不觉地跟随作者一起走进了美国大报。

读完40万字的《走进美国大报》，掩卷思索，本书的价值在于它不仅提供了美国报业生态的第一手文献，同时，它也为国内报人留下了丰富的思考空间。如，在市场环境中，如何能在不减少经济收益的情况下保持报纸的严肃品格？《纽约时报》就是一个好例子，这份严肃大报恪守新闻专业主义，同时，它的广告额又是全国第一。再如，为什么不同种类、不同品位的报纸能在美国共存共荣，形成美国报业市场多层次的生存格局？为什么《华盛顿邮报》刻意强调自己只是地方报纸？这些问题值得中国报人思考。同时我们必须认识到，不同的社会语境和发展历程决定了中美两国报业存在着性质及发展阶段的本质性差别。如果不考虑这一点，简单移植美国社会文化语境中的办报理念，未必能收到预想的效果。对于中国的新闻业界而言，我们要走进美国大报，汲取其养分；但是，最后也要走出美国大报，回到中国社会的现实中，结合中国本土的特殊环境，批判性地借鉴美国的成果，坚实地走自己的道路。

（作者郑兴东系中国人民大学新闻学院教授、博士生导师，张金玺系中国人民大学新闻学院博士研究生）

原版序

来自美国报业前沿的最新报告

□ 喻国明

接到辜晓进先生的《走进美国大报》书稿时确实吃了一惊：40 多万字的庞大篇幅，与当今美国报业泰斗们的逐个访谈，大量最新报业数据的获取，以及书中所披露出的许多报界大事趣事等，都有些出乎我的意料。

近年来，随着媒体产业发展与研究的升温，中国新闻界许多有识之士开始关注发达国家媒体产业所走过的历程。其中作为世界报业最为发达的美国，更成为人们研究的重点。

美国的日报发端于 18 世纪末，虽略晚于欧洲的英、德、法、意等国，但在报纸制作和生产等技术环节上多有创新，加上长时期在经济上的强劲发展，因而后来居上。美国早在第一次世界大战之后即成为全球报业大国，其实力迄今尚无任何国家可以比拟。

综观美国报业发展之路，有多方面经验值得我们借鉴，诸如报纸内容的扩展，版面设计的革新，发行方式的多样化，分类广告的组织，报业资源的重组与合理分布，报纸间的兼并，报业集团的成长，报业的跨媒体扩张，现代化信息技术的广泛采用，等等。有关这些经验的文字，正越来越多地见诸中国的书报刊。因此可以说，对美国报业的研究，并不算什么新鲜话题。

但辜晓进先生的《走进美国大报》却较为独特。它不同于我们所见过的关于美国报业研究的著作，而实际上是一部以深入采访美国著名报纸和报业集团负责人为手段，以全面了解美国报业现状为目的的长篇调查报告。其覆盖面之广、信息量之丰，使得现在的书名难以涵盖其全部内容。

首先，作者对访问的报纸和采访对象作了精心而内行的选择。中国报人所熟悉的美国著名大报几乎悉数“入网”，一些中国人不太熟悉但在美国新闻界很有代表性的报纸也搜罗其中，如独立报纸的典型代表《圣彼得斯堡时报》。访问单位还包括了排在前几名的报业集团。至于采访对象，虽首选各报老总，但对关键部门的负责人、著名评论家、普利策奖获得者等人物也尽量拜访，以收信息全面之效。

其次，全书较为务实，选材尽量贴近中国报人应知而未知或已知而不详的办报业务。作者有近 20 年报纸从业经历，熟悉中国报纸的生产和发展过程，曾亲眼目睹中国报业在铅字铸排、激光照排、卫星传版、电脑采编、企业经营、集团扩张等方面的变革兴替，因而其所观、所闻、所问都极有针对性，这大大增加了这样一部调查报告的实用价值。

另外，作者将美国报业放在 2001 年特殊的国际大背景下考量，引用最新数据，书中时代气息扑面而来。从这部书中，我们可以看到，在经济衰退、“9·11”恐怖袭击、炭疽疑案等重大事件中美国报纸的生存状态；可以看到，在刚刚过去的 20 世纪末美国报界发生的一些重要事件；可以看到，美国报纸正在进行的有益改革。

总之，这是一部读来饶有兴味的专业著作。而本书作者辜晓进先生的职业背景，也再次表明，来自报纸业务第一线的新闻工作者，正积极介入对媒体产业的研究，甚至向我们这些专业教研人员发起了挑战。我认为，这是一个非常可喜的现象。当前的中国媒体产业，对国内外媒体发展信息及经验的需求，超过以往任何时期，而这些信息和经验的总结则有赖于教研与媒体从业人员的共同努力。

（作者系中国人民大学新闻学院副院长、舆论研究所所长、博士生导师）

修订版代序

“丑闻”的另一面

□ 辜晓进

这个世界充满了变化，包括美国的报业。

拙著《走进美国大报》于2002年出版后的这两年里，来自美国报界的新闻不断。这些新闻中令人吃惊的案例，是美国乃至世界都具有较大影响力的著名报纸屡屡发生造假丑闻，导致一些报业巨子被迫下马。对这些丑闻，我作为旁观者在看了一阵热闹之后，竟产生了一些复杂的想法，觉得莫名其妙，甚至私底下还有些汗颜。

那么让我们先来看看那边究竟发生了什么。

先是《纽约时报》有个叫杰森·布莱尔的记者在2003年美国发动的伊拉克战争期间，写了一组据称是发自美国的“女英雄”林奇家乡的5篇系列报道。报道绘声绘色地描写了采访林奇家人的大量细节，生动感人，首篇报道刊发于2003年4月27日的《纽约时报》。报道见报后，有人投诉说文中所叙大都子虚乌有，林奇的家人没有一个记得曾与一个叫布莱尔的记者交谈过，更有人指布莱尔压根儿就没去过林奇在弗吉尼亚州的家乡。后来查布莱尔的电子信箱和移动电话记录，证明其采写这组报道时正身在纽约。此事一出，舆论哗然。《纽约时报》迅即组织调查，最后查明，这位高产的27岁的黑人记者，在4年新闻生涯中有很多编造新闻的劣迹。他依靠一台笔记本电脑和一部手机迷惑了读者和报社的编辑，常常给人以在马里兰州、得克萨斯州或者其他遥远之地的印象，然后编造现场情景，从新闻图片或电视报道中摘选所谓亲眼所见的细节。从华盛顿郊区恐怖的连环枪击事件到亲人在伊拉克阵亡的悲痛家庭，布莱尔使用上述手段“如临其境”地伪造了近期美国充满戏剧色彩的悲情时刻。布莱尔自2002年10月接受国内报道委派以来完成的73篇稿件中，至少有36篇存在问题。《纽约时报》对其在10月以前超过

600 篇的稿件抽检后同样发现了明显的编造个案。

《纽约时报》是美国发行量排行第三而声望高居首位的报纸，这一事件的出现，成为该报创刊 152 年来最大的丑闻。布莱尔自然在该报呆不下去自不必说，该报曾两次接受过笔者专访的总编辑豪厄尔·雷恩斯以及一位执行总编辑也双双辞职，则震惊了报界。

谁知此事余波尚未平息，又传来《今日美国》记者造假的丑闻。《今日美国》是美国发行量最大的报纸，也是美国真正意义上的第一份全国性大报，隶属于世界最大报业集团甘尼特公司。而此番造假的主角，竟是该报的王牌记者杰克·凯利。凯利 1982 年于《今日美国》创刊时即加盟该报。此后，他常年采访国际新闻，先后到过全球 90 个国家和地区，几乎所有国际大事发生地都有他的身影。他报道的 1991 年海湾战争、卢旺达种族灭绝事件、索马里大饥荒等重大事件为他赢得了读者的好评和业界的尊敬，是该报创刊以来首位入围普利策奖最后角逐名单的记者。多年来，他平均每年代表《今日美国》进行 30 多场演讲。可是，就在 2003 年 5 月，报社接到一封匿名举报信，说凯利涉嫌在报道中捏造细节。《今日美国》高层随即展开调查，最后于 2004 年 3 月 1 日公布长篇调查报告，揭露凯利至少在 8 篇主要报道中有造假或剽窃行为。

《今日美国》发表的调查报告中披露了一则典型事例，说凯利 2000 年报道了一位古巴女偷渡者在偷渡到美国的过程中死亡，并配了该女子的一幅照片。但照片中这位妇女于本月（即 2004 年 3 月）被《今日美国》记者发现，其实是一位古巴旅馆的女服务员，是凯利在古巴偷拍的。事实证明，照片中的这位古巴女工既不是偷渡者，也没有死亡，与凯利报道的新闻毫无关系。调查报告还说，凯利的报道常常耸人听闻，至少有 10 次提到他亲眼目睹新闻主角的死亡。这件事在美国再次引起轰动，并导致公众纷纷质疑报上新闻的可靠性，造成了一次大众传媒的信任危机，后果十分严重。尽管凯利始终未承认自己造假，但他还是于 2004 年 1 月 6 日辞职。2004 年 4 月 20 日，就在自己的报纸公布调查结果后半个月，曾抱病接受过笔者专访的该报总编辑朱尔金森和负责新闻的执行总编哈尔· 里特也先后宣布辞职。

时间到了 2004 年的夏天，美国的报纸还在上演着新的闹剧。这回事情发生在美国长期排名第八的报纸《新闻日报》身上。这一年的 6 月～7 月，先是美国报纸，进而是包括中国报纸在内的世界其他国家报纸，都在传播该报虚报发行量的“丑闻”。在美国，报纸和刊物的发行量，都由一个民间组织“报刊发行量稽核局”（简称 ABC）对外公布。

公布的大致程序是，由会员单位（报刊）自己上报报纸或刊物的发行量，然后由稽核局进行审核和抽查，每半年公布一次，精确到个位数。这一发行量，以报刊的有价发行为准（免费赠送的概不计算入内），而且是半年内的平均发行量（不能以某一天最高的发行量来报告），可谓既科学又严格。美国各报的广告定价，主要以发行量的大小为基准。因此，发行量的大小，早已不是报纸自己的事，而是关系到公众利益和市场秩序的公共大事。长期以来，各报都希望自己的发行量能够增长，但也都保持诚信，不敢多报一份发行量。然而，2004 年初，《新闻日报》及其姊妹报纸、美国最大的西班牙语报纸《嘿!》（*Hoy*!）上一个半年的平均发行量却遭到 ABC 的质疑。2 月，三位广告商即因虚报发行量被侵权将该报告上美国联邦法院，要求赔偿。此事惊动了《新闻日报》的母公司、美国第二大报业集团论坛公司。公司随即派出由集团发行管理部门组成的调查小组，对近两年《新闻日报》和《嘿!》两家报纸的实际发行情况进行彻底调查。

论坛公司在掌握了两报虚报发行量的全部情况后，于 2004 年 6 月 17 日正式向外宣布调查结果。根据 2004 年 6 月 18 日的《新闻日报》报道，论坛公司调查的范围并不限于 ABC 提出质疑的 2003 年 4 月至 9 月这半年的报纸发行期，而是扩大至 2002 年和 2004 年第一季度。调查发现，在截至 2003 年 9 月的整整 12 个月中，《新闻日报》将平日刊的有价发行量平均多报了约 4 万份，约占实际发行量的 7%；星期天刊的平均有价发行量多报了约 6 万份，约占实际发行量的 9%。而该报向 ABC 报告的 2003 年 4 月至 9 月的平均发行量，分别为 579,729 份和 671,819 份。《嘿!》是《新闻日报》创办的西班牙语报纸，每日出版，发行量近 10 万份，在纽约、芝加哥和洛杉矶三大城市发行。《新闻日报》随时报—镜报公司被论坛公司吞并后，《嘿!》归公司直接领导，成为《新闻日报》的姊妹报纸。调查也揭露了《嘿!》在同一时期的虚报行为，其中平日刊平均虚报 1.5 万份，星期天刊平均虚报 4000 份。两报同时对截至 2004 年 3 月份的为期 6 个月的报纸平均发行量作了“小幅调整”。

那么，这些所谓虚报的报纸发行量是否无中生有？倒也不是。实际上，两报报告的发行量从未超出其实际印刷或实际到达读者手中的数量，问题在于这些数量中有一些是免费赠送的。根据调查，在被调查的这段时期里，有些未收费的住户投递报纸被当成正常的有价发行量而统计上去了。同时，零售报纸也有将无偿赠送代替实际销售的情况。更有甚者，有员工向调查人员揭露说，有的订户已经去世了，不可能再订报纸了，但其住所仍每天收到报纸。还有投递人员揭露说，他们曾被要求向从未订报的客户投递报纸，这类免费报纸最多时一天达到1000多份。

这件事对两报及其母公司造成了极大伤害。论坛公司的股票从2月份的53美元陆续跌至报纸公布调查结果当天的42美元，跌幅之深为该公司近10年来所仅见。公司还一次性拿出3500万美元赔偿广告商，创了美国报纸因夸大发行量而赔偿广告商的最高纪录。不仅如此，就在报纸公布调查结果之前，《新闻日报》将该报负责发行的副总裁撤职。一个月后，论坛公司又分别将两报的发行人（报社最高领导，很多报纸这一职务由老板兼任）免职。这两位发行人分别担任此职10年和6年，均年逾六旬，平常深受员工爱戴。在这样的严厉处分之后，外界对《新闻日报》等报纸的批评仍不绝于耳，说报纸这样做与偷窃无异，虚报发行量就等于从广告商口袋里偷钱。

三件丑闻，把美国报业搅得惶惶不安。素来较讲规矩的美国报界接连出丑，也使中国民众对美国媒体的阴暗面有了更深刻的认识。笔者在这里不惜笔墨将事情详加介绍，目的在于更好地“告诉你一个真美国”。

如果我们因为上述“丑闻”而觉得美国的报业漆黑一团，比我们差得太远，那就离认识一个“真美国”相去甚远了。这样既不利于中国的媒体从中吸取教训，更不利于中国的媒体反观自己的不足。实际上，我们从上述三件丑闻的披露过程和处理结果上，仍可看到“诚信”二字在闪光，而诚信正是现代文明社会得以存在和发展的基本人文环境。在看到人家“丑”的时候，竟还看到人家丑中之俊，继而还发现自己之丑，这大概就是我在查看了大多数关于丑闻的报道之后产生复杂想法的缘由吧。

首先，应当看到，“丑闻”之发生和被揭露，依然体现了美国报纸的自律精神。

众所周知，美国的报纸都是对法律负责的独立经营实体，在其上面并无什么机构或政府部门来管束。但上述事情一旦发生，当事的报社无一例外地都做到了雷厉风行、迅速处理，各类调查真刀真枪，绝无敷衍之嫌。《今日美国》的事情源自一封内部的匿名信，起初外界并不知晓。可是报纸却大动干戈，展开调查。由于详情复杂，调查一时难以得出定论，当事人凯利也死不承认。于是在凯利辞职后，报社又重新调查。这次的调查组不仅由一名主编和五名记者组成，还聘请经验丰富的三位外报退休主编担任顾问，以确保调查的客观公正。在为期7个星期的调查中，调查小组审读了凯利自1993年至2003年发表的720篇新闻作品，每篇作品至少有两名小组成员阅读和讨论。同时，调查小组派员分头远赴古巴、以色列、约旦等凯利曾发回重头报道的国家和地区，核查了凯利在这些国家相关旅馆的通讯、电话及手机记录，约谈了10多位凯利的同事，三位外报前主编还先后与凯利面谈累计不下20小时。调查发现，720篇报道虽然大多数属于正常的日常报道，但有20多处引用自其他媒体的信息未注明消息来源，另有至少8篇重点报道有明显的造假行为。

《纽约时报》也是如此。2003年4月底记者的造假报道败露后，报社赶紧抽调精兵强将组成调查小组，以特别高的效率在两周内，对记者布莱尔加入报社4年来共发表的673篇新闻稿进行调查核实，甚至调出当初讨论录用该记者的会议记录，又通过电信部门查询其工作通信记录，最终查清了布莱尔的所有劣迹以及相关人员的责任。

《新闻日报》的发行量虚报事件，涉及到一个集团内的两家著名报纸，于是由集团高层亲自安排调查，在2月份广告商提出起诉而外界对此事尚未广泛传播之时，即开始调查，且将发行量的调查范围扩大到18个月。这个调查花费了4个多月时间，总算水落石出。

事情发生后，未等别人来批评，自己先内查外调弄个底朝天，处处争取主动，这正是一种可贵的自律精神在起作用。联想到国内的媒体，这么多年来造假的事情也时有发生，处理起来却总是遮遮掩掩。我们所见到的媒体报道造假大致可分为四类：第一类是奇闻轶事造假，记者道听途说甚至任意编造耸人听闻的事情，常常查无实据，又似乎事出有因，很少有人去认真核实；第二类是批评报道造假，最容易败露，受冤枉者自会鸣不平；第三类是表扬报道造假，常常是无中生有、编造细节或任意拔高，或为达到某种目的（包括为配合某种宣传）而将此因此果、多因一果故意说成彼因此果、一因一果，此类造假说的都是好话，当事人往往安之若素，所以很少被揭露；第四类是政务报道造假，领导人在现场未说过、未说全或说错了的话，为确保"宣传效果"而在报道中任意增添、"补全"、纠正这些讲话。凡此种种，迄今笔者还从未见到哪家报纸为任何一种造假行为主动进行过彻底的调查呢。

其次，报纸在"丑闻"发生后积极自揭家丑、勇于承担责任的态度值得我们尊敬。

《纽约时报》布莱尔的系列报道刊登于4月下旬，4月底接到投诉，报社随即进行调查，生怕读者等不及，5月初未等调查结果出来，就先在报上刊出对读者的致歉信。调查结果出来的第二天，即2003年5月12日（距事情发生仅两周时间）便刊登长达15,000多字的调查报告，以《辞职的时报记者留下了一长串造假记录》为题公开了造假记者所有劣迹，并配以编者按。《今日美国》在当事记者2004年1月6日辞职后进行了为期七个星期的重新调查，3 月 1 日即在报上刊登了长篇声明，公布了全部调查结果。论坛公司对《新闻日报》和《嘿!》两报虚报发行量的调查是 2004 年 6 月 17 日结束的，6 月 18 日《新闻日报》就详细刊登了调查结果。

事实上，包括美国媒体在内的世界传媒所获得的关于上述丑闻最详细、最权威的信息，恰恰都是来自当事报纸自己的报道。中国媒体的大多数相关报道，也都是直接或间接来自这些当事报纸。对这样的后果，上述报纸事先不会料不到，但明知有碍名声却非要大肆张扬，确实需要非凡勇气。

丑闻发生后，当事记者马上辞职，这均在情理之中。但老总纷纷引咎辞职，就很有一些悲壮的意味。《纽约时报》的雷恩斯是 2001 年 9 月才走上总编辑岗位的，此前他是社论版主编。根据该报的运作机制，社论版主编无权过问新闻编辑部的事，因此对 1999 年就到报社并已有造假行为的那位"问题记者"不负任何责任。当上总编辑后，这位领导着 1100 人的庞大编辑部的第一把手，对布莱尔这位一线记者的事也并不知晓，从无人向他报告过对他的任何怀疑。不仅如此，雷恩斯还是《纽约时报》历史上功勋最为卓著的总编辑之一。这位普利策奖获得者在当上总编辑后即遇到"9・11"事件，他在事件中指挥若定、表现出色，使该报当年获得 7 个普利策奖（此前《纽约时报》最多一年才获得 3 个普利策奖），创了美国报纸的惊人纪录，功莫大焉。这样一位当了不到两年的杰出总编辑，在事件发生后，不顾发行人的再三挽留而坚决辞职了。和他一起辞职的还有该报历史上迄今唯一一位黑人执行总编辑。《今日美国》的总编辑朱尔金森是该报的创始人之一，也是美国报界赫赫有名的女报人，事情发生后也主动引咎辞职。在她之后辞职的是该报负责新闻的执行总编。《新闻日报》的丑闻事关经营，与总编辑无关，在免除分管发行的副总裁职务后，该报的最高首脑、发行人雷蒙德・詹森也提前退休、辞去了职务。这位在发行人岗位上干了 10 年的 65 岁老人在离职前给员工写了一封信，信中说："我原本打算年底退休的，但我意识到，为修复因发行问题而对报社造成的损害，显然我应当提前离开。"

出事后，报社的主要负责人纷纷主动承担责任，并以辞职的方式来向社会昭示报纸因此受到的惩罚，尽量努力挽回报纸的负面影响。这样的态度，在我们的圈子里也是很少见到的。

第三，关于发行量的诚信问题，值得中国报人深思。

《新闻日报》等报的虚报发行量事件给报社及其母公司带来的惨重

损失，联想到前几年香港《星岛日报》高层负责人因虚报1万份发行量而被刑事拘留的事件，使我们再次看到报纸对外公布的发行量之准确与否，对报纸本身和整个社会的重要意义。反观国内报纸，发行量在各类统计数据中，却可以说是最模糊、最不确、最易变甚至最诡谲的数据之一。一位报纸总编辑面对有关发行量的提问，常常脑子里要转几圈，要考虑用哪一套数据来说话。报社老总们对外宣布的发行量，常常含有较多水分。于是有人说，报纸的发行量就像女人的年龄一样，是问不得的。这也不能全怪报社老总们，国情如此。大家都不说真话，大家都在虚报，说真话的岂不要吃亏？管理部门每年统计上报的各报发行数据，因为任由各报自己上报而没有审核程序，虚夸之处比比皆是。由此，我们也可基本认定，全国的报纸发行量综合统计是不准确的。

事实上，尽管业界呼吁引入发行稽核制度多年，但中国迄今并无任何地方建立有效的报刊发行量的公布机制。前些年，有报纸寻求通过公证的方式来证明自己发行量之准确。这个探索虽不无价值，但也带来两个明显的问题：一是此类报纸往往是在当地发行量较大或者占统治地位的报纸，也即发行量之公布对它有百利而无一害，而对竞争对手也许是致命的；二是自西安彩票等事件发生后，人们知道公证也是可以造假的，因为其公证的过程很令人怀疑。例如在没有一个固定程序的情况下，公证员怎样核查报纸的发行量？要知道，报纸发行量是由投递、零售、赠送（如果也计入发行量的话）等多种因素组成并且其完成需要一个较长的过程，而且是一个每天变化的数量。只查看一下印刷厂的印数是远远不够的，那里面至少包括了废报、零售点的退报、赠报（按美国报纸的做法不计入发行量）等非发行因素。以发行量最多的某一天为标准统计也是不科学的，因为这不能反映报纸平时的实际发行量。

那么，中国报纸的发行状况如此糊涂难辨，是不是因为中国的社会对报纸发行量是否准确持无所谓态度？显然不是。中国的经济已经在市场化道路上行走了多年，自负盈亏、自主经营也早已成为大多数主流报纸的基本生存状态，而企业也因此习惯了“花钱买吆喝”这样一种自我信息披露方式。目前中国报纸的收入主要来自广告，而广告定价也基本依照与发行量挂钩的原则。这样一来，报纸的发行量就与刊登广告的广大企事业单位和个人密切相关了。可惜，在绝大多数情况下，广告商们对报纸提供的发行量明知不确也无法进行核实。有实力的大企业不得不通过自己进行的调查研究来判断各报的真实发行量和读者状况，而广大中小企业只能凭感觉寻找合适的广告媒体。正是在这样的环境中，多年前曾出现报纸“AB版”广告的奇闻，即某报收了广告商的钱，却并不在其正常报纸中编印，而是单独极少量地印了另一套报纸给做广告的企业。如此糊弄客户的做法当然只是个别现象，更多的情况是报纸随意夸大发行量，然后通过广告业务员去欺骗客户（这在杂志方面更为普遍），受损害的是广大广告商。由此可见，报纸发行量公布机制的缺位和各报发行量数据的模糊不确，使广告商处于不利地位，受到不公平待遇，是明显违反市场经济的游戏规则的。中国的市场早已在呼唤公开、透明的报刊发行量公布机制了，只是不知何时得以施行！

最后，让我们再回到“自律”这个话题。严格地讲，美国报纸的“自律”也并非完全出于自愿。报纸之所以自曝家丑唯恐不及，是因为有广大读者和社会大众在监督着。丑闻发生后，大众都盯着当事的报纸，看它们到底如何表现。这个时候，只有依靠真正的诚信，才能挽回信誉上的危机。报纸若表现不佳，则必然失去“社会公器”的权威价值而渐渐遭社会所唾弃（美国历史上如此“死亡”的报纸不在少数）。所以，当事报纸在“出事”后，个个如芒刺在背，不向社会交代清楚，很难蒙混过关。报纸一方面监督社会、监督政府，一方面又无时不在接受社会大众的监督，这样一种机制确实值得我们研究。

顺便说一句，在短短两年时间里，笔者当初访问过的 18 家著名报社中，竟有 7 家报社的 8 位总编辑或发行人离职，其中仅两位总编辑是因退休而“安全降落”的。看来，在美国报社当老总，也不易。

辜晓进
2004 年 9 月 3 日

自序

21 世纪美国报业现状

□ 辜晓进

一、报业帝国地位稳固

仅以报纸数量而论，美国在世界报业之老大地位不可动摇。据美国报纸协会 2003 年公布的最新数据，2002 年，全国各类报纸的总数达 9069 家，其中日报（即每日出版的报纸，包括晚报，下同）1457 家，周报 6699 家，以及美国各大报单独发行的 913 家星期天刊。这一数据比本书第一版公布的 2000 年的统计数据要少一些，这表明美国报纸总的数量有所下降，但依然居世界第一。2000 年，美国日报广告总收入达到 486.7 亿美元，处于近年来的巅峰状态，随后开始下降，直到 2003 年第四季度才开始回升，2003 年全年报业广告收入达 449.4 亿美元，继续保持全球最高额。中国也算得上世界报业大国了，但根据 2003 年 5 月中国《新闻出版报》公布的数据，截至 2002 年，中国报纸总数为 2137 种，其中日报仅为 491 种。如果考虑到 2003 年全国报业整顿被关停的报纸，中国报纸的最新数量还会减少许多。

美国于 1783 年即已诞生全国第一份日报《宾夕法尼亚晚邮报》，但报纸的大发展却是在 19 世纪末廉价而大众化的“便士报”（指一分钱一份报纸）出现之后。到 1910 年，美国的日报已经达到最高峰——2433 家，此后该项纪录再也未能打破。1960 年，美国的报纸达到近 50 年来的最高峰：日报近 1800 家，周报 8100 多家，加上其他报纸，总数逾万家。60 年代以后，城市人口向郊外的大量迁移，导致中等以上城市的非主流报纸大量“死亡”，主流报纸的发行量也开始缩水，但郊外新建立的社区或小城镇又催生出许多新报纸，所以报纸的总数起落并不太大，特别是近20年来报纸的数量已相当稳定（如1985年全国日报1674家，周报及其他报纸7711家，与目前十分接近）。报纸的发行总量自60年代以来也变化不大，其中日报的期发行总量在5000万～6000万份之间，其他报纸也在6000万份左右，总数1亿多份。

美国报纸种类繁多，按美国人自己的分类大致有以下九个类别：第一类是全国性日报，类似于中国的中央级报纸，但美国真正意义上的全国性报纸并不多，仅有《今日美国》、《华尔街日报》、《纽约时报》和《基督教科学箴言报》等少数几家报纸（有的分类将《纽约时报》也归入地方报纸，这是不合理的，因为《纽约时报》以大量篇幅覆盖全国和国际新闻，并在各主要城市设有记者站和报纸分印点，是名副其实的全国大报）；第二类是城市及地区报纸，主要指中等以上城市，类似于中国的《北京日报》、《广州日报》、《深圳特区报》，以《洛杉矶时报》、《华盛顿邮报》、《波士顿环球报》和《芝加哥论坛报》为代表；第三类是地方及社区报纸，类似于深圳的《宝安日报》，以我在美国居住地的报纸《斯塔藤岛前进报》为代表，该报是大型对开日报，每日出版的页数比中国页数最多的报纸还多一倍，已有116年的历史，但发行范围局限于纽约市的一个区；第四类是非每日出版的综合类报纸，主要指周报，此类报纸数量庞大，但无著名报纸，很多还是免费发行的；第五类是少数民族报纸，但仍使用英语；第六类是外语报纸，2001年统计全国共有152家，其中发行量最大的是中文《世界日报》，其他著名的中文报纸还有《星岛日报》、《侨报》、《明报》等；第七类是宗教类报纸；第八类是军事类报纸；第九类是其他专业报纸。若按中国习惯划分，美国的日报还可再分为晨报和晚报，大报和小报（去年美国日报中有53家是4开的小报，但在当地同样有很大影响）。

二、报纸布局更加均匀

美国的报纸建立在城市和社区的基础上，没有类似于中国省报那样的州报，在1982年《今日美国》创刊之前也没有形式上的全国性报纸，《基督教科学箴言报》发行量仅9万份，称全国性报纸就很勉强。现有屈指可数的全国性报纸也没有一家总部设在首都华盛顿，与任何国家机构均无组织上的关联，并不具备中国中央级报纸那种号令天下的功能。因此，美国报纸的发行量较为均衡，没有像日本的《朝日新闻》、前苏联的《真理报》和中国的《人民日报》那样横扫全国而发行量巨大的报纸，其发行量居第一的《今日美国》也才210多万份（去年“9·11”

事件后第二天，该报发行超过 300 万份，但那是特例）。美国社会城乡差别不大，凡有城镇的地方，必有自己的报纸，且这些报纸独自拥有各自的市场，很少互相重叠，自己覆盖的区域和读者层次十分清晰。如宾夕法尼亚州有 88 家日报，数量在全国 50 个州居第二，该州最大的报纸《费城问讯报》并不能独霸全州，市场不得不分割成数十个小块，大家各分一杯羹。

在优胜劣汰的长期竞争中，消亡最剧的报纸正是那些在各城市中排行第二的报纸。人口密集的地方报纸减少，而人口稀少的地方报纸增多，这使得报纸的分布更加均匀。如今在美国 1500 多个大小城市中，只有 132 个城市有两家和两家以上的主流报纸，一城一报的格局在美国已稳定多年。报业目前的竞争不再像人们想象的那样激烈，报纸间真正惨烈的厮杀仅局限在纽约市、洛杉矶、芝加哥等少数几个大都市。即便在这些大都市，报纸也努力寻找自己的空间和定位，尽量减少正面碰撞。如纽约市（包括附近的长岛）就拥有全国发行量前 10 名报纸中的 5 家报纸，另外还有若干发行量不太大的日报，总数超过 10 家。这些报纸中，排行第一的《华尔街日报》以财经为主，特色明显，在这一领域还无人可与其争锋，它正盯住国际市场，目前已出版欧洲《华尔街日报》和亚洲《华尔街日报》；而在美国人心目中始终居第一位的《纽约时报》，着眼点也在全国，其在纽约市的发行份额甚至还不如居全国第六位的纽约《每日新闻》；另外还有若干小报和晚报，纽约市报业最激烈的竞争恰恰发生在 3 份著名的小报之间。

美国报业的这一格局，当然是报业集团化扩张和兼并以及市场这只无形的手长期作用的结果，而非来自行政或法律干预。

表 1：美国十大报纸平日刊发行量

（2002 年 4 月～9 月平均数）

序号	报纸名称	发行量	比上年增长
1	今日美国	2,136,068	0.6%
2	华尔街日报	1,800,607	1.1%
3	纽约时报	1,113,000	0.3%
4	洛杉矶时报	1,006,130	0.5%
5	华盛顿邮报	746,724	1.8%
6	纽约每日新闻	715,070	2.5%

序号	报纸名称	发行量	比上年增长
7	芝加哥论坛报	679,327	0.5%
8	纽约邮报	590,061	10.5%
9	长岛新闻日报	578,809	0.3%
10	休斯敦纪事报	552,052	0.0%

表 2：美国十大星期天刊报纸发行量

（2002 年 4 月～9 月平均数）

序号	报纸名称	发行量	比上年增长
1	纽约时报	1,671,865	0.2%
2	洛杉矶时报	1,376,932	0.6%
3	华盛顿邮报	1,048,122	1.2%
4	芝加哥论坛报	1,012,240	0.2%
5	纽约每日新闻	801,292	0.2%
6	丹佛邮报	789,137	2.3%
7	达拉斯晨报	784,905	1.1%
8	费城问讯报	747,969	2.1%
9	休斯敦纪事报	744,935	0.0%
10	底特律新闻	738,709	1.4%

（以上均据 *Editor & Publisher*，November，6，2002）

三、 集团兼并打破纪录

21 世纪初，美国报业的扩张主要体现在集团之间的兼并，而非集团对单个家族报纸的收购。

2000 年是美国报业兼并数额最大的一年，共实现 53 笔交易，涉及 135 家日报，交易总额达 142.5 亿美元，创历史最高纪录。查近 10 年美国报业交易记录，1997 年成交 62 笔，涉及 162 家日报，两个数字均居 10 年之首，但交易金额仅 26.1 亿美元，不到 2000 年交易额的零头。集团间的兼并占了 2000 年报业交易的绝对多数，其中论坛公司兼并时报—镜报公司就花了 80 亿美元，创了美国报业单项交易额的最高纪录。时报—镜报公司旗下有著名的《洛杉矶时报》、《新闻日报》和《巴尔的摩太阳报》等日报，是一家老牌家族公司，报纸的总发行量在被兼并前居全国第四，而论坛公司报纸的发行量居第八，因而这一兼并事件引起业内很大震动。这一年，美国最大报业集团甘尼特公司以28亿美元的价格收购中部报团（Central Newspapers Inc.），交易额在历史上仅次于论坛公司的80亿美元。同年，甘尼特公司又以10亿多美元的价格买下老牌报业集团汤姆森报团在美国的几乎所有报纸，计有19家日报和数十家周报。可见，仅论坛公司和甘尼特公司这两大报业集团就完成了近120亿美元的交易，占总额的84%。其余交易也主要在霍林格国际公司、社区报团、纪事报集团等报业集团间进行。

这种集团兼并，是21世纪美国报业扩张的最大特点。经过2000年的大兼并，美国15家最大报业集团中的3家从此消失，报业集团的数量进一步减少，而平均每个集团控制的报纸显著增多。

目前，美国日报总发行量的50%掌握在10家最大的报业集团手中，而全国1/3的日报变为报团成员。就报业员工而言，2000年因兼并而换了老板的员工数量也达到历史之最。

四、 晚报数量开始减少

许多中国同行并不了解的一个有趣现象是，美国的晚报多于晨报。晚报即午后出版发行的报纸，涵盖了中午出版的午报和傍晚出版的晚报。美国历史上第一家每日出版的报纸就是晚报，即前述《宾夕法尼亚晚邮报》。目前美国连续出版最久的日报《纽约邮报》，其前身也是晚报——《纽约晚邮报》。和美国同行聊及此事，他们解释说早期的报纸生产效率低，采集新闻的速度也慢，加上早期报人还不习惯彻夜工作，夜间工作将增加工人工资进而加大成本，因而早期报人都盛行办晚报。

沿着这一惯性，美国的晚报便一直大大多于晨报。不过，比较中国及亚洲其他国家和地区的晚报多为4开小报，美国的晚报多为对开大报，且并不都热衷于市井新闻，因此看上去和普通日报没有两样，与中国新闻教科书中给晚报下的定义也相去甚远。及至1950年，美国晚报在日报中所占比例达80%，且这一比例一直保持到70年代，波动很小。但从1980年起，晚报数量开始减少，其所占比重到1995年已下降至60%。到1999年晚报与晨报数量已经相若，分别为760家和736家，晚报占日报总数的50.8%。2000年，全国晚报的数量进一步下降至727家，占日报总数的48.7%，首次低于半数。本书第一版出版后，笔者继续观察美国报业这一趋势，发现晚报减少的势头仍在继续。至

2002年，晚报数量减至692家，而晨报的数量却增至777家。这一趋势与中国大陆、香港、台湾等地区的情况相吻合。中国大陆的晚报数量于90年代中期达到顶峰，全国一度超过150家晚报，但到20世纪末，这些晚报的数量已明显减少，目前很多冠以“晚报”的报纸，已“晚报不晚报”，改为凌晨印刷、上午投递，成为实质上的日报。与此同时，香港的晚报也逐渐消亡，至1997年7月27日，全港最后一家晚报《新晚报》宣布停刊，香港从此没有了晚报。

据了解，美国晚报的式微主要有四大原因：1. 大量城市晚报是以城市蓝领工人为主要读者的。这些蓝领工人早起上班时晨报还没上街，下午下班时却可在地铁、公共汽车或火车上读到新鲜出炉的晚报。但到了1980年前后，城市工厂大量迁移，工人也跟随外流，留在城里的工人很多变为写字楼里的白领，因此，城市晚报渐渐失去读者，难以支撑下去。2. 相当一部分晚报停刊，并非因为它们是晚报，而是因为它们是所在市场中的第二类报纸。近20年来，特别是经济不景气的时期，广告商总是喜欢在当地发行量最大的报纸上做广告，而忽略了第二类报纸，导致晚报度日艰难。前述我在纽约市居住地的《斯塔藤岛前进报》，其实就是一份晚报，但在这个四面环水的区域里，它尽管发行量仅9万份却是地道的龙头老大，因此地位稳固，广告商要在这个区做生意，非选它不可。如果在它上面还有一份发行量更大的晨报，它就命运堪忧了。3. 随着报纸现代化印刷设备的普及和发行效率的提高，绝大多数市区的读者在早晨上班前即可读到晨报；同时不少大型日报增出下午版，这都在一定程度上抢了晚报的市场，而很多晚报又不能在内容上与晨报明显区别，地盘便渐渐失去。4. 晚报主要是大城市的产物，但近20年来大城市交通的拥挤令晚报送报车在午后的繁忙城市街道上举步维艰，大大影响了投递和发行效率，很难按时投递到户，而晨报的送报车在早上6时以前畅行无阻，投递迅速及时。

美国不少专家甚至认为，晚报消亡是迟早的事情。

五、报业经济开始不景

美国经济在持续多年快速发展之后，随着纳斯达克股票泡沫的破灭，于2000年下半年开始出现颓势，至小布什上台，已有盛极而衰的迹象。这一经济大势，令美国的报业经济从2000年第四季度起表现不景。实际上，经济不景对美国报业的影响，比对其他任何媒体都来得快，来得早；因为报纸广告比任何媒体都贵，而从报纸上撤销广告又比任何媒体都容易，而广告恰是报纸生存的命脉。相比之下，广播电视等电子媒体在经济起伏时总显得稳定得多。

美国报业经济的黄金时期是2000年上半年，其良好业绩带动报业全年有较大幅度增长。笔者2001年2月刚到美国时查阅各大报和报业集团2000年的财务状况，可谓一片喜人景象。以全国两个年收入最多的报业集团为例：甘尼特公司的报纸广告收入在持续八年增长的情况下，2000年较上年再增22%；论坛公司的报纸经营性收入在连续四年增长的情况下，2000年又大增70%（当然包含上年收购《洛杉矶时报》等报的因素）。另据《总编辑与发行人》杂志报道，美国排列前100名的报纸2000年广告收入平均增幅为6.8%，总额达64亿美元。

但到2000年第三季度，报纸广告增幅就开始放缓。当年上半年全国报纸广告收入平均增幅为5.5%，第三季度即降为4.3%，第四季度特别是12月，不少报纸已出现负增长。如《纽约时报》2000年12月的广告收入较上年同期减少1000万美元，减幅8.9%。2001年1月，美国报纸广告收入全面下跌，其中零售商广告下跌21%（均较上年同期，下同），全国广告下跌12%，分类广告和插页广告下跌10%。此后数月，广告市场持续恶化，其中与经济环境关系最直接、在分类广告中占大头的招聘广告跌幅最大。《纽约时报》2001年头四个月广告收入就下降16%。笔者8月份访问全美第七大报纸《芝加哥论坛报》时，该报老总痛心地告诉我说："我们去年星期天版的招聘广告最多一天达100多页，但今年到现在最多一天仅30多页。"

在美国，分类广告中招聘广告是检验报业经济的晴雨表。20多年来，美国报纸的招聘分类广告得到迅猛发展。1980年，美国报纸分类广告占全部广告额的28.5%，总额为42亿美元；2000年分类广告占总额的40%，总额高达196亿美元。这其中，招聘分类广告所占比重由1975年的4%增至2000年的18%，对广告总额增长的贡献最大。但到2001年，各报的招聘分类广告量急剧减少。2001年上半年，除了前述《芝加哥论坛报》外，甘尼特公司旗下大型报纸的招聘分类广告减少了20%，奈特—里德报团所属32家日报的招聘广告减少了26%，《华盛顿邮报》的招聘广告减少了31%。

"9·11"事件虽然刺激一些大城市报纸的发行量上升，但却令所有传媒进入近10年来广告收入的最困难时期。全年报业经济负增长已成定局。

报业经济的衰退，导致业内大量裁员。5月份，全国报纸发行总量居第二位的报业集团奈特—里德集团首先宣布将从2.2万员工总数中裁员 2100 人，接近 10%，引起很大反响。紧接着一个月后，报业收入总数居第二、发行总量居第三的报业集团论坛公司也宣布将裁员 1400 人，占员工总数的 6%；纽约时报集团宣布将裁员 9%，大约 1200 人；《华尔街日报》宣布裁员 2%……连 1982 年创刊以来从无裁员记录的《今日美国》也于 2001 年解雇了 6 名记者和 7 名网站员工。

美国报业经济之颓势，直到 2002 年 10 月本书第一版出版时仍未能被遏止，报纸广告呈持续下滑态势。据美国报业协会统计，2001 年，美国报纸全行业广告收入为 443.05 亿美元，比上年大幅减少 43 亿美元；2002 年广告总额进一步跌至 441.02 亿美元。但到 2003 年第四季度，广告出现明显回升，达到 131.44 亿美元，首次超过 2001 年和 2002 年同期，接近黄金年份 2000 年第四季度 139.34 亿美元的水平。这一回升，将 2003 年全年广告总额拉升至 449.39 亿美元的三年来最高位。2004 年第一季度的广告额又比 2003 年同期增长了 3.46%。这一情况表明，美国人期待已久的报业复苏，终于来临了，尽管这比人们预料的晚了近两年。

引言

"A Chinese editor asks for visiting your paper"（一位中国编辑希望访问贵报）。当含有上述主题词的电子邮件发至美国某著名报社时，我并不知道对方会作何反应。无非是"泥牛入海无消息"罢了，我想。

果然，当我以此次访美计划中最小的报纸为对象小试牛刀时，立刻碰壁。当时我三箭齐发，分别致信《斯塔藤岛前进报》的总编辑、公关部主任、发行部经理，并将自己的电话、手机、电子邮箱和住址统统附录于后，一个月竟无任何回音。

面对美国大公司老总"先预约然后见面"的铁律，程门立雪或贸然闯入均无济于事，只好埋头做"home work"（家庭作业）。我将自己的意图和对方的情况整理成简洁的文字，使之烂熟于心、呼之欲出，然后一遍遍地"call"。后来，我又利用该报发行部经理寄来的一封例行公事的促销信，通过信上附的电话致电给他。于是，通过他的秘书再和他联系，又通过他帮忙介绍给总编辑的秘书。也记不清有过多少次的往来，终于有一天，电话那头传来总编辑秘书艾琳小姐亲切的声音："那么，您希望何时到访?"

2001 年我对美国 20 多家著名报纸及报业集团的访问，便由身边这家有着 116 年历史的地方报纸打开了缺口……

对美国报纸的好奇由来已久，但这好奇与《美国梦寻》（*American Dreams：Lost and Found*）中所表达的对个人成功的向往无关，而纯粹来自一种职业上的比较欲望。

世界近代化、现代化的报纸缘起欧美。英国作为欧洲老牌资本主义国家的代表，报业曾盛极一时，其《每日电讯报》曾多年傲居世界报纸发行量之首。可惜好景不长，该国最负盛名的两份报纸《泰晤士报》和《每日电讯报》，一个被"澳大利亚小子"默多克据为己有，一个被"加拿大狂人"布莱克捏入掌心，连发行量最大的《太阳报》也落入默多克的新闻集团。如同经济上的鼎盛时期已经过去一样，英国报界称大的日子似乎也一去不返。在世界报业史中后来居上者，恰是本土幸免于两次世界战祸的那个新大陆——美国。

美国自1783年诞生全国第一家日报以后，即不断在报纸生产领域创造世界第一：1845年发明用于传递新闻的电码电报；1866年发明木浆造纸法；1867年发明双面轮转印刷机，使大批量快速印刷报纸成为可能；1886年发明可大大提高报纸排版效率的成行铸排机（六年后又改进成自动铸排机）；1951年发明整体字模自动照排机；1962年发射世界第一颗传播电视节目的通信卫星；同年研制成功世界第一台电子计算机新闻图片处理系统……美国的日报早在20世纪初即达到2433家，居世界第一。到2000年，美国的日报加周报的总数比过去稍有减少，但仍有9169家之多，报纸广告收入则增至486.7亿美元，继续领先世界。强大的报业经济实力和庞大的报纸数量，奠定了美国报业的世界霸主地位。

12年前，已干了七年报纸编辑的我正是出于了解美国同行的强烈愿望，仔细阅读了美国原版新书 *Newspaper Leadership*，并将其翻译出版（中文版书名为《报业管理艺术》）。但说实话，读完那本书，我对美国报纸的运作仍不甚了了，只不过勾起了我更浓厚的兴趣。1995年12月，我终于随一个新闻代表团首次涉足北美大陆，但短短十来天的走马观花太不解渴，如对《洛杉矶时报》的访问只是公关经理5分钟的介绍加10分钟的参观，满脑子问题仍得不到解答。

2001年，真正的机会姗姗而来。这年2月，我通过一系列的考试，受深圳市政府委派，以访问学者身份赴美进修一年，直到2002年2月归国。其间除了在纽约市立大学斯塔藤岛学院和哥伦比亚大学新闻研究生院进修两学期外，我将最饱满的热情和最充沛的精力用在了对美国重要报纸和报业集团的访问上。

一辆1991年产的红色丰田加美小汽车、一部IBM手提电脑、一台山水牌数码录音机以及一大摞地图和联系人电话，是我此次访问的基本工具。没有单位安排介绍，也几乎不依靠任何团体或个人引荐，全凭难以计数的电话、E-mail和信件来往，加上对美国新闻界以诚相待的信赖。

寒假暑假，冬来夏往。我驾车两万余公里，历经周折终于成功访问了《斯塔藤岛前进报》、《奥兰多前哨报》、《圣彼得斯堡时报》、《芝加哥太阳—时报》、《芝加哥论坛报》、《底特律新闻》、《底特律自由报》、《波士顿环球报》、《巴尔的摩太阳报》、《华盛顿邮报》、《费城问讯报》、纽约《每日新闻》、《今日美国》、《纽约时报》、《纽约邮报》、《华尔街日报》、长岛《新闻日报》、《洛杉矶时报》共18家报社，其中9家报纸位居全国十大报纸行列。还访问了全国首屈一指的报业集团甘尼特公司、目前综合实力排第二的论坛公司、综合实力位居第五的道·琼斯公司共3家大型报业集团以及两大报业集团合作的产物——底特律报业公司。

上述绝大多数报纸或报团，既是当今美国报界百里挑一的赫赫代表，也是历史上名闻遐迩的业内先驱。很多报纸的名字过去仅从新闻教科书中见过，如今我却到达它们内部，与总编辑、总裁或发行人促膝交谈……掐指算来，此次在美国共采访了近40位报界专家，其中近30位是各报或报团的老总，包括12位总编辑、1位发行人。

这一年，又恰逢新世纪开年，而美国报业遭遇经济衰退和“9·11”事件的双重打击，还有始终缠绕报界而阴魂不散的炭疽恶魔……种种事件、灾难和不测，使新闻界本身充满了新闻，也为我此次访问增添了某种戏剧性效果。

在如此独特的大背景下与美国报界老总对话和深入大报内部窥察体验，较大程度地满足了我的求知欲望。回国后于复又繁忙起来的工作之余，忆及在美所观所感，不忍自专，遂有这部文字……

THE WALL STREET JOURNAL.

DOWJONES VOL. CCXXXVIII NO. 113 EE/CP ★★★★ MONDAY, DECEMBER 10, 2001 WSJ.com $1.00

Another Autumn

A Top German Cop Won Fame and Blame For Profiling in 1970s

New Terrorist Hunt Recalls 'Red Army' Campaign, Bitter Debate on Privacy

The Fears of 'Glass People'

By IAN JOHNSON

Campaign Against Terror

What's News—

Business and Finance

World-Wide

Inside Today's Journal

A REPORT ON E-COMMERCE

BUYER'S CHOICE
Consumers pick their favorite shopping sites

ALSO IN THIS ISSUE
- Instant messaging for adults
- Comparing online payment services
- The rules for online sales taxes

See Section R

The Bubble Economy: Packaging Firm Faces Fight in Field It Began

Sealed Air Gets a Pop in Orders As Nation Goes to War; 3M Shakes Up the Industry

By MICHAEL J. MCCARTHY

The Outlook

How Will Households Deploy Stash of Cash?

Philadelphia

Money Mountain

Vital Signs

In the Drive to Mine Medical Data, VHA Is the Unlikely Leader

Oft-Derided Veterans Agency Puts Vast Trove Online, Saving Time—and Lives

Wanding In a Prescription

By RHONDA L. RUNDLE

Thomas L. Garthwaite

Kenneth W. Kizer

Horst Herold

TODAY'S CONTENTS

MONEY & INVESTING

《华尔街日报》2001 年 12 月 10 日头版

第 1 章

《华尔街日报》

The Wall Street Journal

"9·11" 事件硝烟弥漫
道·琼斯旗舰遇难呈祥

《华尔街日报》，创刊于 1889 年，道·琼斯公司属下最大报纸，是美国唯一全国性财经类报纸，风格严谨，无新闻图片，无周末版，2002 年 4 月 9 日起改版，但变化不太大。海外办有《亚洲华尔街日报》和《欧洲华尔街日报》，零售价 1 美元，是美国日报中售价最高的报纸。2003 年 10 月至 2004 年 3 月半年，平均日发行量为 2,091,062 份，居全国第二，近两年保持强劲上升势头。

一、重见保罗

最后一次见到保罗·斯泰格尔（Paul E. Steiger），是在CNN的电视新闻节目上。那天是2002年2月20日，我刚回到深圳不久，通过家中的电视看着他。保罗脸上的善意微笑不见了，代之以愤怒而略显迷茫的表情。一大群记者簇拥着听他讲话。他说："根据我们从美国国务院和巴基斯坦信德省得到的消息，丹尼尔·珀尔（Daniel Pearl）已被绑匪杀害，我们对他的被害感到万分悲痛。"他神情激愤地讲了一通之后，不等大家提问便点头告辞，行色匆匆。

他是在为自己的同事被杀发表谈话。被杀的记者名叫丹尼尔·珀尔，1990年加盟《华尔街日报》（*The Wall Street Journal*），被绑架前是该报驻印度孟买的南亚分社社长。2002年1月23日，就在美国在阿富汗打响反恐战争后3个半月，当时正在巴基斯坦首都卡拉奇采访反恐战争活动的珀尔不幸被伊斯兰教激进分子绑架，命悬一线。记得当时美国电视记者立刻采访了珀尔在巴基斯坦的年轻漂亮的妻子玛丽安（Mariane Pearl）。身怀7个月头胎身孕的她围着一面大披巾，神态安详地接受采访，甚至面露微笑。身处大悲，面对摄像镜头却强呈笑颜，这是很多美国人的作派，"9·11"事件之后我见得多了。但突闻噩耗仍如此镇定，却也让人称奇。昔日英俊潇洒的夫君，如今阴阳两隔（虽然至今仍死不见尸），妻子承受的伤痛，别人恐难真切体验。后来听说她曾一再乞求恐怖分子手下留情，甚至表示自己愿意代丈夫充当人质。

大将骤折，保罗·斯泰格尔的脸上满是悲伤。美国驻巴使馆收到的一盒录像带显示，38岁的珀尔正在讲话时被人割开喉咙，然后斩首。虽然自美国独立战争以来，世界累计有1400名记者和编辑在执行工作当中殉职（据不完全统计），虽然自这次美国反恐战争以来已有8名新闻工作者在工作中丧生，但这样残酷地将斩首场面录像示人，还真是闻所未闻。当时，美国所有电视台都不敢向公众播出这盘录像带。就在保罗讲话的当天，正在北京访问的美国总统乔治·W. 布什（George W. Bush）说，他和夫人劳拉"更为珀尔仍未出世的孩子感到悲伤，他的孩子只能通过其他人的回忆认识自己的生父"。[①] 2月21日，《华尔街日报》发表一则声明说："丹尼尔是一位杰出的同事，伟大的新闻记者，也是我们很多人的好朋友。对他的杀戮是一种极其野蛮的行径，也是对绑匪

---

① 新加坡《联合早报》，2002年2月23日

宣称的一切信仰的嘲笑。……我们将在接下来的几个月里，通过公开的和私下的方式，以表彰丹尼尔所做的卓越工作，然而今天是令人悲痛的一天。……”① 记得那天在电视里，也听到保罗讲过类似的话。

在本书第一版出版后笔者获悉，珀尔身后屡获殊荣，比较重要的一次是于 2002 年 4 月 10 日获得著名的“乔治·波尔克杰出记者奖”(George Polk Awards)。该奖项是由长岛大学为纪念在报道希腊内战中遇害的美国哥伦比亚广播公司（Columbia Broadcasting System，简称 CBS）记者乔治·波尔克而于 1949 年设立的。保罗·斯泰格尔应邀出席了这个向公众开放的颁奖仪式并发表了对珀尔的赞词。关于珀尔，最新的消息来自位于长岛的《新闻日报》。据该报 2004 年 3 月 30 日引述珀尔遗孀玛丽安的律师的话说，玛丽安要求获得美国联邦“9·11”补偿基金资助的申请已被拒绝。这里有必要交代一下“9·11”遇难者的巨额补偿情况。

“9·11”事件发生后，美国人爱国热情空前高涨，对遇难者家属及受伤者的捐助也铺天盖地而来。我在纽约亲眼见到市民们排队争着要求到既危险又肮脏的世贸大厦废墟去做清理工作，更多的人向消防局、医院、警察局等机构报名参加义务劳动。送钱送物的行动遍及大街小巷，美国国旗在几乎所有住家、商店、车辆上飘扬。事件发生 24 小时内，自发捐助的资金就达 1500 万美元。政府干脆设了个基金会专门接受各类捐助，报纸广播电视不断播出或刊登基金会的电话和网址。据该机构 2003 年 9 月 11 日事件发生两周年时公布的报告称：两年来，基金会共收到捐助和利息共 5.3 亿美元。该基金共向 10 万人提供了资助，其中 13，000 人得到免费医疗卡，6000 人得到精神治疗，11，000 人在基金会的帮助下获得就业机会（包括必要的培训）。此外，美国联邦政府还专设了联邦补偿基金，用于向在“9·11”中遇难者家属和受伤者的补偿。补偿金额很高，一度引发争议，过去在一些恐怖事件（如俄克拉荷马州政府大厦爆炸案）中遇难者的家属也来攀比。补偿高到什么程度？据《华盛顿邮报》2002 年 10 月 1 日报道：“14 个遇难者的家庭刚刚获得平均每个家庭 175 万美元的补偿，这个数字远远高于他们的预料。”报道说，补偿的主要依据是遇难者生前的收入及对家庭生活的支持程度（在世贸大厦办公的职员大都收入较高——笔者）。在一群律师的自愿免费帮助下，每个家庭获得 60 万美元到 390 万美元不等。但即便如此，在世贸大厦和 4 架飞机上的近 3000 位遇难者中，迄今（报道之日）只

① *The Wall Street Journal*，2002 年 2 月 21 日

有 724 个遇难者家庭申请补偿。当局鼓励更多的人去申报。

但珀尔死在国外，未包括在这一补偿计划之内，而补偿行动到 2004 年 1 月 1 日已经截止。玛丽安抱怨说，他的丈夫是因为自己那“美国人的形象”才遭到绑架并被杀害的。言下之意，丈夫乃为国捐躯。可惜她的申请未被采纳。

回到保罗吧。保罗就是《华尔街日报》的执行总编辑。采访时他喜欢我称他保罗（而不是斯泰格尔这个姓），他的同事们也亲切地称他保罗，所以我这里仍用此名。我是 2001 年 12 月访问他的，但很不容易。由于总编辑罗伯特·L. 巴特利（Robert L. Bartley）当时只负责社论版且行将退休，保罗实际上是编辑部的一号人物。道·琼斯公司（Dow Jones & Company）有关资料中的最新排名也将他排在前面。“9·11”事件后保罗不得不在三个临时办公地点轮换办公，仿佛狡兔三窟，是个大忙人。从 2001 年 11 月起，我苦苦寻找的《华尔街日报》主要采访对象正是他，但整个位于自由街国际金融中心的《华尔街日报》大厦已人去楼空、一片狼藉。我早在上半年即辗转查询到的所有电话均告停机，给保罗及其秘书、助理们发去的信件也石沉大海。无奈，只好与道·琼斯公司联系。道·琼斯公司是《华尔街日报》的母公司，也是美国年收入排名第六的著名报业集团。

一天下午，突然接到道·琼斯公司副总裁史蒂文·戈尔茨坦（Steven Goldstein）的秘书打来的电话，说老总愿意接受我的采访。我正欲大声言谢，对方又加了一句：“至于是否见保罗要等这次谈话后才能确定。”言外之意，我能否采访《华尔街日报》的总编辑，需先过道·琼斯副总裁这一关。这也说明，见保罗比见集团副总还难。

二、走进道·琼斯

2001 年 11 月 21 日上午 10：30，我如约来到纽约美洲大道 1155 号。这座裙楼用黑色大理石装饰的高楼，矗立于曼哈顿中心地带 44 街至 45 街之间，与著名的洛克菲勒中心遥相呼应。由于一楼门卫及时通报，我刚出 6 楼电梯便见到等候在此的戈尔茨坦先生。这位副总看上去约 50 岁，大腹便便，活泼热情，酒糟鼻子给人满脸通红的印象。还未在他那简陋的办公室坐下，他就解释何以在此办公。

原来，道·琼斯公司总部和《华尔街日报》过去都设在金融中心的自由街 200 号大厦，与世贸中心相距不到 100 米远。“9·11”事件中世贸中心两座塔楼倒塌，将 200 号大厦所有窗户玻璃震碎，大量粉尘和建筑碎块涌入楼内，不少房间的天花板在重压之下坠落，水管电线也遭到破坏，大楼顿时瘫痪。此后，员工即分散于公司在纽约和新泽西州的数处建筑办公。眼下我到访的大厦，便是公司和报社部分行政人员临时办公之地。这里是道·琼斯公司的另一处地产，大多数房屋已出租给外面公司。

作者在道·琼斯集团楼前

赴美之前，我知道著名的道·琼斯平均工业指数等系列指数是纽约股票交易所的关键指标，世界股海的弄潮儿们不可不察；更知道《华尔街日报》在美国何等了得，曾持续多年居全国报纸发行量第一把交椅；但直到这次我才真正将二者联系起来予以考察，从而意识到，道·琼斯公司在当地还是以大型报业集团著称，《华尔街日报》则是该公司的核心大报，即美国人喜欢说的 flagship（旗舰）。

史蒂文介绍了公司不少情况。公司旗下有报纸 22 家，现有员工 8000 多人，2000 年总收入 23.2 亿美元，其中《华尔街日报》的广告收入占了近半数。2000 年公司净利润 2.95 亿美元。至 2001 年 6 月 30 日，公司向公众发行的股票共 8674 万股。他不无自豪地说："美国只有三家全国性报纸——《华尔街日报》、《今日美国》(*USA Today*）和《纽约时报》(*The New York Times*)。《纽约时报》不像我们那样全国化，但你可以在洛杉矶和芝加哥等地买到。我们除总部以

采访道·琼斯集团副总裁史蒂文·戈尔茨坦

外，还在各地全资拥有17个自己的分印点，是真正的全国大报。我们的广告价格也是全国最高，一个整版的彩色广告最高达16.5万美元，无人可比。”他还说：**“《华尔街日报》的读者平均年龄在55岁，都是中产阶级以上人士。也有很多做小生意的人看我们的报纸，那是因为他们想赚大钱。”**

据他介绍，道·琼斯公司的主营业务主要有三块：一是印刷媒体，二是电子媒体，三是社区报纸。他怕自己说得不完整，后来还通过E-mail给了我一些补充资料。资料显示，在印刷媒体中，有以下主要报刊：

《华尔街日报》；

《欧洲华尔街日报》（*The Wall Street Journal Europe*），1983年创刊，发行量95,000份，总部设在比利时首都布鲁塞尔，在博洛尼亚（意大利）、布鲁塞尔、法兰克福（德国）、伦敦（英国）和苏黎世（瑞士）设有分印点；

《亚洲华尔街日报》（*The Asian Wall Street Journal*），1976年创刊，发行量82,000份，总部设在香港，在曼谷（泰国）、香港、雅加达（印尼）、吉隆坡（马来西亚）、马尼拉（菲律宾）、汉城（韩国）、新加坡、台北、东京（日本）设有分印点；

《华尔街日报特刊》（*Wall Street Journal Special Editions*），是在世界一些国家的主要报纸上用当地文字印刷的使用《华尔街日报》报头的专版，在亚、欧、非、北美、南美洲的33个国家出版，另有一个《美洲华尔街日报》，也是特刊，在拉丁美洲23个国家的主要报纸上刊登，上述特刊总发行量超过500万份；

《星期天华尔街日报》（*The Wall Street Journal Sunday*），也是一种刊登在其他报纸上的特刊，通常对开4版，创刊于1999年，是美国很多大城市报纸星期天刊的财经专版，截至2001年4月底，已有41家美国大型日报刊载此版，目前总发行量达880万份；

《华尔街日报课堂版》（*The Wall Street Journal Classroom Edition*），是一种配合报纸教育工程的月刊，1991年创刊，在全国高中学校发行，目前发行量为每期13.8万份；

《巴伦氏》（*Barron's*），是创刊于1921年的财经周刊，发行量30万份；

《远东经济评论》（*Far Eastern Economic Review*），创刊于1946年的著名财经周刊，主要提供亚洲的权威论述和政治分析，总部设在香港，发行量9.2万份；

《聪明花钱》（*Smart Money*），是《华尔街日报》与赫斯特报业集团合办的个人理财杂志，创刊于 1992 年，2001 年每期发行 80 万份。

电子媒体方面有：

道·琼斯新闻电讯网（Dow Jones Newswires），向世界 34.6 万名金融界专业人士提供全球财经信息，并在海外与美联社合作向 65 个国家提供国际经济和金融新闻，这一服务可以追溯到 1897 年；

华尔街日报在线（The Wall Street Journal Online），于 1996 年开通，是世界上最大的付费财经网站，到 2001 年 6 月 30 日有用户 59.1 万户；

法克提瓦（Factiva），是道·琼斯公司与英国路透社合办的财经咨询网站，1999 年创办，主要向全球客户提供资产交易及专业市场方面的信息；

道·琼斯指数（Dow Jones Indexes），最早创立于 1896 年 5 月 26 日，是股票市场的一种概略性指标，后经发展扩大，现包括道·琼斯平均工业指数、道·琼斯欧洲指数和道·琼斯全球指数，这些指数记录了世界 33 个国家的 2900 个有代表性的股票数据。

在社区报纸方面，公司全资拥有渥太维报业公司（Ottaway Newspapers Inc.），这家公司在全国范围拥有 19 家日报和 15 家周报，分布很广，但发行量都不太大，未能进入前 100 名的报纸行列。

此外，道·琼斯还与美国全国广播公司（NBC）合资在亚洲和欧洲各办有一个电视台（CNBC），目前电视观众达 1.7 亿户。

他以同样自豪的口吻特别谈到公司的优质网络服务："《华尔街日报》的电子版是美国唯一向读者收阅读费的报纸网站，自 1996 年开通以来已成为世界热门网站，现有订户近 60 万个。我们做得很好，收费订阅竟还有那么多客户。该网站连同其他一些网上收费项目，去年收入达 3.28 亿美元。"见我表示惊讶，他笑了，说美国的同行都像我一样感到吃惊。

的确，报纸网站能够赚大钱的，《华尔街日报》大概属绝无仅有。美国目前报纸网站多至上万家，基本上都免费。2001 年我在美国时，报界正在讨论是否要取消网络读者的"免费午餐"。不少专家认为，报纸开设免费进入的网站已持续多年，不少读者因为习惯于这种上网阅读的方式，渐渐不再订印刷的报纸，而报纸却不断为网站投入，年年亏损，这是很不公平的。他们建议从现在起，报纸适当收取上网费，这样也有利于报纸在网站上再投入，以进一步提高网站质量。有些报纸已开始尝试收费或表示要考虑收费。《纽约时报》网站已经开始对两周前的内容收费。但也有专家担心风险太大，因为网站多如牛毛，网民们的选择余地很大，收费只会将他们赶到其他地方去。就在我访问该公司前几天，即2001年11月15日，微软网站公布一项调查称，绝大多数网络用户不愿意付费阅读。这项调查涉及300多万用户，结果显示只有12%的人愿意付费，其余均表示如果收费就会放弃阅读。我自己的经历也大体如此：我在登录《纽约时报》网站后，一旦要查询两周前的文章全文，就被提示每篇须付费4.9美元，每到这时我便中途而返，因为似乎没必要付这种代价去读一篇报纸文章。《华尔街日报》电子版却能拥有60万付费用户，堪称奇迹。

我们谈得很愉快，但在结束时他仍未明确安排我和保罗见面，只希望我回去将此次采访中他未能回答的问题及必须由保罗回答的问题写给他，等候他的回话。不过他在送我到电梯口时告诉我，保罗目前在纽约和新泽西三个办公地点游动，问我希望在曼哈顿还是在新泽西见他，似乎担心新泽西州离我太远而不方便。我心中一喜，忙说“哪里都行，到新泽西开车更方便，不像曼哈顿那样难停车”。

我当晚便通过E-mail将问题清单发去，其中单列了一堆让保罗回答的问题。5天后，他的助手一一回答了我向史蒂文提的问题并帮助核实了有关数据。几乎同一天，保罗的助理卡西·雷诺兹（Cathy Reynolds）小姐终于来电，与我商定了访问保罗的时间和地点。

有趣的是，我第二次见戈尔茨坦副总裁与第二次见保罗一样，也是在电视里，也与珀尔有关。2002年1月25日，我在纽约从哥伦比亚广播公司（CBS）的电视新闻中，见到他正代表道·琼斯公司向新闻界证实珀尔已在两天前失踪，但未提任何细节。

三、主宰华尔街信息的耶鲁精英

保罗约见我的地点，在美洲大道100号的一栋极不起眼的小楼房里。此地距曼哈顿市中心较远，但离人气旺盛的曼哈顿唐人街很近，从唐人街东端的Canal地铁站下车，步行10分钟即到。

进入小楼狭窄的灰门，再上电梯到达3楼，出来竟是死角。角落有一窄门像是厕所，趋前再看，见里面有人影晃动，敲门进去，方知这里是《华尔街日报》的一个邮件收发室。穿过狭窄的收发室，眼前豁然开朗，这便是该报若干采编部门的工作室了。保罗临时出门未归，一位保卫人员应我要求领我走了一圈。其中一间稍大些的工作室挂着块牌子，上书“MONEY”，屋内排着密密的电脑工作台。我知道这就是该报著名的“金钱与投资”编辑部的一部分了，20 来位记者正在忙碌着。

采访《华尔街日报》执行总编辑保罗·斯泰格尔

“金钱与投资”（MONEY & INVESTING）是《华尔街日报》四大板块之一，也是该报的核心，属于最有卖点的部分。当日这一板块共 18 页，包括金融要闻、证券分析、股市数据库、纽约股票行情、纳斯达克股票行情、世界各国股票行情、期货行情、债券及共同基金等。过去在浏览《华尔街日报》这一部分时，从未留意到关于中国股市的信息，因而想当然地认为中国封闭的股市不在该报覆盖之列。不料后来见到保罗聊及这一印象时，他笑着摇摇头，从身边抽出一份报纸，指着密密麻麻一份行情表最底端一个小方块给我看。只见在 ASIA（亚洲）的标题字下，果真有深圳、上海两地股市信息夹杂于香港、台湾、新加坡、韩国、印度尼西亚等地行情之间，两地各选 10 多只股票价格作为代表，但无指数。该报股市信息之全，由此可见一斑。

回到收发室坐等保罗。在这间狭小的屋子里，任何进出编辑部的人都必须从我膝前经过。这让我明白了为什么保安人员爱待在这里。不一会儿，一位身材高挑的“绅士”进得门来。不用介绍，我即知道他是保罗，因为此前见过他的相片。他显然也猜出我是谁，一面自我介绍，一面表示歉意。我随他走进一间简陋的小办公室，屋内只有两张桌子和一台电脑，四壁空空荡荡。这就是保罗当时在曼哈顿的临时办公室。

我们的谈话随即开始。应我的要求，他先介绍了自己的背景。原来，这位《华尔街日报》编辑部的一号人物，早年毕业于常春藤名校耶鲁大学，专修经济学。他 1966 年进入《华尔街日报》，任该报驻洛杉矶记者，并很快崭露头角，两年后即被西部最大报纸《洛杉矶时报》（*Los Angeles Times*）挖去。保罗笑着说，当时该报给他的薪水比在《华尔街日报》高得多，所以他决定过去，谁知一干就是 15 年。在《洛杉矶时报》总部干了 3 年后，保罗被派驻华盛顿分社，从事经济报道，历时

7年。后来他又回到洛杉矶，被提升为经济部主编。但他怎么也没想到，自己离开《华尔街日报》那么多年，一举一动仍在该报高层的注视之下。显然，他的出色表现受到母报同仁们的赞赏。1983年，就在他当了5年《洛杉矶时报》经济部主编后，《华尔街日报》总裁让人传话给他说："回来吧，保罗，这里需要你。"《华尔街日报》给他的职位是助理执行总编，负责经济采编工作，主要任务是指导和组织记者采写经济及证券市场方面的报道。保罗从此进入当时国内发行量居第一的大报的高层岗位。不久，他又升任副执行总编。1992年，他开始任执行总编至今。

保罗的经济教育背景加深了我对这家全美头号金融报纸的专业性印象。交谈中，我脑子里闪过一个念头：在美国报界普遍关注"共同兴趣"（general interest）的氛围里，这样一家财经类报纸究竟是怎样产生并获得大众青睐的？要知道，中国的经济类报纸近年虽如雨后春笋般涌现，有的还办得不错（如南方日报报业集团的《21世纪经济报道》），但真正赚钱的极少。可惜由于"9·11"事件对《华尔街日报》图书馆造成破坏，我未能从该报及其母公司的临时办公室获得任何有关报纸和公司的书面历史资料，甚至连保罗的名片都未得到（秘书说恐怖事件发生时，保罗的名片全丢在原办公室了，后来他一直未重印名片，是因为办公地点和电话都不固定）。我又不愿将有限的采访时间过多纠缠于历史，好在后来从1998年出版的 *History of the Mass Media in the United States*（《美国大众传媒史》）中了解到一些道·琼斯公司及《华尔街日报》的过去：

19世纪，位于纽约市曼哈顿区的华尔街金融区，有几家新闻社，专门收集金融证券信息并向金融类企业和研究机构出售。1882年，两位通讯社的记者查尔斯·道（Charles H. Dow）和爱德华·琼斯（Edward D. Jones）在此创办了道·琼斯公司，从事类似的服务，与那些新闻社竞争。他们编印了一份名叫《客户晚函》（Customer's Afternoon Letter）的金融布告向外发售。由于信息比其他竞争对手更及时和更可靠，该印刷品很受欢迎，订户迅速增多。1889年，两人将《客户晚函》扩容，注册出版《华尔街日报》。出版该报的同时，他们编制了12类主要股票的指数，用以表现股票市场的变化。这些指数后来扩大到20种，到上世纪90年代后期进一步发展至30种。它们被习惯称为道·琼斯平均工业指数，迄今仍是世界股票市场的重要指标。

1902年，两位创始人将公司连同报纸变现卖给一位名叫克拉伦斯·W.巴伦（Clarence W. Barron）的商人，但将名称固定不变列为转让的先决条件。巴伦于1921年又出版了《巴伦氏》（*Barron's*）财经周刊。该周刊直到现在仍是《华尔街日报》的重要姊妹刊。但那时的《华尔街日报》局限于金融机构和证券炒家，发行量有限。直到上世纪40年代巴尼·基尔格（Barney Gilgore）执掌该报帅印，并将内容大大拓宽，使之照顾到广大非专业人士兴趣后，报纸发行量才大幅增长，进而成为一份全国性大报。1976年，该报在全国率先采用卫星传版技术，将在纽约排好的版面通过卫星送往全国各地18个分印点。1980年，该报的发行量首次超过纽约《每日新闻》（*Daily News*），成为全国发行量最大的报纸，1983年首次突破200万份的发行量，此后在10多年的时间一直居全国第一。

据保罗介绍，如今的《华尔街日报》拥有的驻外分社或记者站数量居全国报纸之首，仅亚洲就设有北京、上海、台北、香港、新加坡、吉隆坡、印度尼西亚、菲律宾、东京、汉城、印度、巴基斯坦等记者站。交谈中，他还非常友好地谈到他对中国的印象。他说他到过北京一次，到过上海四次。他说："我喜欢上海，那是座奇妙的城市。在上海我喜欢玩卡丁车，就是在特定跑道上开的那种，太棒了。我穿着特殊的制服驾驶那小汽车，它的速度很快。我的同事们玩得比我好，他们开起来比我快多了。"我说："深圳也有这样的小卡丁车，欢迎你今后到深圳来过过瘾。"他高兴地回应："好啊，听香港的同事说那是座很漂亮的城市，我愿意去看看。"

我们的谈话一开始就很轻松。

四、听到"我是保罗"时，副执行总编哭了

不过，坐在这简陋的大报总编办公室，话题很容易扯到导致这一结局的"9·11"事件上去。实际上是保罗本人的故事对我产生了吸引力，因为在"9·11"事件中他所扮演的角色，我已有所耳闻。于是，我们很快将话题转到三个月前发生在他周围的变故。

保罗似乎陷入了沉思，说话声在这狭小而空旷的屋子里嗡嗡作响。我从谈话中得知，"9·11"事件后，《华尔街日报》的人马就一分为四，分别在曼哈顿的三处建筑和新泽西州靠近普林斯顿（Princeton）的印刷厂办公，其中新闻编辑部及其他部门的编辑主要集中在新泽西，行政人员在前述市中心和另外一处道·琼斯公司物业办公，记者们则主要在我们现在谈话的地方工作。"9·11"事件使原本采编合一的部门，变成采编分开了。

坐在这间临时办公室里，保罗向我谈起了当时一段感人的故事。

2001 年 9 月 11 日上午 8 时 45 分，保罗像往常一样和报社绝大多数员工正埋头工作，一切平静如常。大约两分钟后，突然当头一声巨响，接着就是玻璃窗劈里啪啦坠落的声音，所有的人都惊得站立起来。记者很快向保罗报告情况：一架大型波音客机撞入世界贸易中心两座高楼的北楼，楼顶正在燃烧。大家惊魂未定时，保罗已意识到事态严重，立即大声招呼编辑们将已出样的报纸和所有小样稿件收集起来准备带走。话音未落，大约 9 时 3 分，又响起惊天动地的另一爆炸声——世贸中心南楼被另一架飞机撞中并爆炸起火。电视里已明确证实这是一起蓄意实施的恐怖袭击事件，袭击的目标正是举世闻名、以两座姊妹摩天大厦（曾为世界最高楼）为标志的世界贸易中心。世界贸易中心与纽约世界金融中心只隔一条狭窄的街道，而《华尔街日报》就在世界金融中心办公，其在自由街 200 号的办公楼距爆炸起火的两座塔楼仅数十米之遥。

情况万分危急，大楼内员工立即开始撤离。此刻，两座塔楼的瓦砾已散落到报社窗前，人们惊恐地看到楼上有人从 200 多米的高空坠落，周围呼声四起。就在大家蜂拥出走时，保罗和一些部门负责人还坚守在自己的岗位上。

保罗在离开这座大楼前下了最后一道命令，要求在场的主编们通过手机和互联网向所有编辑部工作人员传达他的紧急决定："编辑、技术人员、排版制作人员等统统乘船到南布伦瑞克（South Brunswick，道·琼斯公司在哈德逊河对面的新泽西州的印刷基地，距世贸中心约 50 英里——笔者注）集结，记者回家继续办公，电脑全部打开，电话保持畅通。"

后来美国新闻界把《华尔街日报》遇此大难而能如期出版，归功于保罗在紧要关头作出的一系列正确决策。

大约上午 10 时 5 分，人们继续走出大楼四处分散时，烧了一个多小时的世贸中心南大厦轰然倒塌，浓烈的烟雾和大量的尘土呛得人们几乎喘不过气来。

说到这里，容我插一段自己当时在纽约见到的情景。我当时住在与世贸大厦一河之隔的纽约市斯塔藤岛区。从电视中获知消息后，我立即带上摄像机、录音机、照相机等设备，驱车往世贸大厦附近的南渡口方向疾驶。沿途见很多汽车停在路边，车门大开，司机和周围的行人都屏住呼吸仔细听车内收音机直播的现场新闻。每个公共电话亭旁都有人排队打电话，有位中年妇女在电话亭里痛苦失声。离码头还有约七八百米时道路拥堵得实在无法通行，我干脆将车停在一个巷子口，下车向码头奔跑。到了河边，只见对面整个曼哈顿下城区全部笼罩在浓浓的黄色烟雾中，过去矗立在对面河边的世贸大厦姊妹塔楼，倒了一座，剩下的那座也朦朦胧胧看不太清。那里的烟雾形成一条长龙，又像是一面阔大无边的灰黄色旗帜，飘过南边的布鲁克林区、著名的维拉扎诺海峡悬索桥（Verrazano-Narrows Bridge，1964年建成时是世界最长的吊桥）及望不到尽头的远方，只有北侧上风头的自由女神雕像尚清晰可辨。恰在这时，周围传来人们疯狂的叫喊声，只见剩下的那栋世贸大厦仿佛电影里的慢镜头，正缓缓倒塌，甚至听不到太大的声音，一切如在梦中，我惊得竟然忘了拿摄像机拍摄。我曾经进出过无数次的码头已被警方封锁了，旅客只准出不准进。只见从渡船上下来的人个个灰头土脸、惊恐万状，有人边哭边讲述现场情况，旁听者唏嘘不已。虽然隔着哈德逊河，我的嗓子也被呛得痒痒的，说不出话来。我当即采写了现场目击新闻并拍了数码相片传给了自己在国内的单位——深圳特区报业集团。一连三天我发回7篇稿件，可惜当时报社接到上面要求不得采用新华社以外的稿件，因此多数稿件未能见报，已经见报的稿件也不敢突出处理，这是后话。

回到保罗的叙说。大约10时27分，第二座大厦倒塌。因地下油库的燃烧和大厦的倾轧，姊妹大厦旁两座10多层高的裙楼也分崩离析，成为瓦砾。地处灾难中心的《华尔街日报》员工们于烟雾尘埃中找寻着逃生之路，彼此难以互顾。《纽约时报》在9月14日一篇报道中有如下描写：

《华尔街日报》的编辑们不得不在堆满瓦砾和尸块的街巷中奔走……在那天（指9月11日——笔者注）的大部分时间，很多编辑部员工是在担心斯泰格尔（即保罗）遇难的极度惊恐中度过的。

较早逃到渡船上的“金钱与投资”部主编劳伦斯·英格拉西亚（Lawrence Ingrassia）回忆说：“看到塔楼上的人往下跳时，我难受极了，视线简直无处躲藏。到了河对岸，我耳朵里仍回响着绝望者们的呼号。大楼倒塌时，我脑子里只有一个想法——那些在我后面撤离的同事们全完了。”他一直在想：“保罗·斯泰格尔死了吗?”

在他之后上了另一条渡船的助理执行总编詹姆斯·潘西洛（James Pensiero）也同样为留在后面的保罗担心。撤出大楼前，他还在给同事们发最后的E-mail传达保罗的指示，是一位安全人员一把将他从电脑桌前拖走逼他立刻逃生的。他于中午到达副执行总编卡拉美Byron E. Calame）在新泽西的一座公寓，随后劳伦斯和项目主编拉里·卢特

（Larry Rout）及另一名编辑也相继赶到卡拉美的宿舍。很快，他们接到前方记者的第一个电话。记者在电话中哭着描述布满尸体和四处溅血的街道，然后问谁负责记录他们的稿件。①

诚如《纽约时报》所言，保罗是最后一批离开大楼的员工之一。他刚出大门就见南大厦倒塌，和他同行的几位同事很快就在烟尘中走散。在两座大厦倒塌之后，道·琼斯公司还有约900名员工正由金融中心向外奔逃，保罗就是其中一位。他回忆说："当时的景象就像庞贝城被维苏威火山吞没前的那一刻（庞贝是意大利古都，公元79年在欧洲大陆唯一活火山维苏威火山爆发时被毁灭——笔者注），任何人都难卜生死。"他拖着一条有点跛的腿艰难地摸索前进，正举步维艰时，一辆收容汽车将他载离险境。渡过哈德逊河后已近下午1时，疲惫不堪的他赶紧掏出手机致电给后来《纽约时报》提到的副执行总编拜伦·E. 卡拉美（Byron E. Calame），他曾要求另3位副执行总编到卡拉美家集合。说到"我是保罗"时，卡拉美愣了一下，然后激动地迭声反问："保罗，保罗？你是保罗·斯泰格尔吗？啊？"

卡拉美这样说着，自己已泣不成声，三位副执行总编、主编也泪流不止。

保罗赶忙去与他们会合。他们在卡拉美家接收着从华盛顿办事处及新泽西印刷基地编辑们处理过的新闻稿。该报一版版式独特而保守，很少用大字标题，更难得用通栏标题。但是这次他们决定使用通栏大字标题。接着，他们反复斟酌推敲标题内容，最后一致同意用保罗做的标题：

"恐怖分子劫持客机摧毁世贸中心，击中五角大楼"

(Terrorists Destroy World Trade Center, Hit Pentagon in Raid with Hijacked Jets)

同日《纽约时报》在"美国遇袭"的特大字号主标题下，也用了如下通栏标题：

"被劫持客机摧毁双塔击中五角大楼"

(Hijacked Jets Destroy Twin Towers and Hit Pentagon)

---

① Wall Street Journal Find a Way to Print, *The New York Times*, 2001年9月14日

总部设在纽约的美国两大报纸的思路完全一样，真可谓英雄所见略同。

与此同时，道・琼斯公司首席技术官比尔・戈弗雷（Bill Godfrey）紧急订购了 100 台电脑并安装全部软件后，又设法遥控打开原办公大楼卫星控制室的电脑，并与之连通；记者们通过家中的电脑撰写并发出各类稿件；该报在全国全资拥有的 18 个分印点全力配合。《华尔街日报》次日凌晨终于如期出版，当日 160 万份报纸全部售罄。在此后的两三个星期中，该报记者始终在各自家中发稿，编辑们则在新泽西遥控指挥。《华尔街日报》在相当困难的条件下每日如期付印，质量未受影响。

2002 年 4 月 8 日，设在哥伦比亚大学新闻学院的普利策奖评选委员会决定授予《华尔街日报》普利策突发新闻奖，以表彰该报在异乎寻常的艰苦环境下对这次事件所做的杰出而及时的报道。以牺牲一名记者和办公楼被毁损为代价而获此殊荣，保罗心情复杂。他面对编辑部全体员工说："这（指'9・11'事件）对我们来说是一个巨大的灾难，不过每个人都干得那么棒，我为大家感到自豪，这次得的奖包含了每个人的贡献。我对大家表示衷心的感谢。"①

五、历史上第三次通栏标题

在当今世界各国报纸版面不断推陈出新且崇尚斑斓色彩的潮流中，《华尔街日报》看上去简直像是出土文物。请看它的头版：

5 条栏线纵向将全部内容分成整齐的 6 栏，没有大字标题，没有破栏，没有新闻图片，没有彩色，整个版面黑乎乎的，全是密密麻麻的正文文字，而且一律采用古老的垂直编排版式。该版最大的标题也比《今日美国》头版最小的标题字号小，而且不用粗体。除了发生"9・11"这样惊天动地的事件，它的标题永远限于一栏宽。这种样式与笔者看过的欧美 17 世纪的报纸十分相似，所不同者就是有两三幅经美术处理的人物肖像，另外纸张质量要好些。它怎么看也不像一张报纸的头版，不过它在报摊上反倒显得十分突出，一眼就能认出。该报的内页和封底也差不多，除了广告，很难见到突出的大字标题和新闻照片。

在注重版面设计的美国报界，《华尔街日报》算得上是个另类了。

但在 9 月 12 日这一天，《华尔街日报》出现了罕见的通栏大字标

① Pulitzer Prize Focus on Sept. 11，*The New York Times*，2002 年 4 月 9 日

题。在该报1889年创刊以来112年的漫长历史中，这是第三次。

第一次通栏标题出现于1941年12月8日，即美国夏威夷州珍珠港遭日本重创的第二天。在这次事件中，有2403名美国人丧生，1178人受伤，被当时的美国人认为是有史以来最屈辱的经历。随后，美国正式卷入二战，开始了惊心动魄的太平洋战争，并为此付出了4万多条生命。第二次通栏标题出现于1991年1月18日，是以美国为首的多国部队对伊拉克发动海湾战争的第二天。在由美国及其盟国用高科技武器闪电般打赢的被称作“沙漠风暴”的这场战争中，伊拉克人至少付出了10万条生命，但美国人伤亡无几。而在“9·11”事件中，美国遇难和失踪的人数最初被统计为6000多人，到年底确定的死亡人数为近3000人。2002年6月30日，世贸大厦的清理工作正式宣告结束，死亡人数的最终统计结果为2823人。《华尔街日报》第三次通栏标题发表后25天，即2001年10月7日，美国在阿富汗打响了针对塔利班武装和基地组织的反恐战争。

由此可以发现，《华尔街日报》的三次通栏标题都与战争和血腥事件有关。这多少反映出美国人判断新闻的价值取向，例如普利策奖就一向钟情于战争报道。2002年4月8日评出的14项普利策新闻奖中，有8项是关于“9·11”事件及反恐战争的。

但我此刻关心的是《华尔街日报》那“可憎”的面孔，因为我对此感到不解。在听完保罗关于“9·11”的惊险故事后，我立刻向他一口气倒出对该报版式的全部疑问，诸如“你们为什么选择这样的版式?”“你们的版式有多久未变了?”“你们为什么不用新闻图片?”“读者喜欢这样的面孔吗?”“哪里是贵报的头条?”……

听完我的提问，保罗开心地笑出声来。他说：**“告诉你吧，我们一版的风格有60年未变了，我们的确极少用新闻图片，本报甚至没有摄影记者。**但我们有一位图片编辑，他主要负责处理周末版（指星期五版，该报没有星期六和星期天版）的一些图片。我们的读者已经习惯并喜欢我们的样式，我们每天发行180万份报纸可以证明这一点。头版样式也是我们区别于其他报纸的最明显的表面特征。当然，这种固定的格式也方便排版，几乎不需要每天设计。‘9·11’事件发生那天，我们就是从新泽西州的办公室将几天前的版式调出来后灌入新内容的，否则我们不会那么快。”

“至于本报的头条，”他指着面前小圆桌上的报纸说，“不是最左边，也不在最右边，而是左起第二、第三栏这两栏的第一条稿件。”“这么说有两个头条了?”我看着冠以“What's News”（今日新闻，这也是头版最大的标题，但其实是个栏名）的并列栏，疑惑地问。他点点头说："一个是财经新闻的头条，一个是其他新闻的头条。"接下来，保罗详细介绍了《华尔街日报》版式的来历和缘由。

《华尔街日报》的头版有三方面在美国是独一无二的：一是纸型最宽，超过美国所有报纸的宽度（与中国报纸相仿），宽达 38.5 厘米，而《纽约时报》为 34 厘米，《今日美国》经过一再压缩，目前最窄，为 31.5 厘米。该报的栏也宽，两边接近边缘，给人版面容量特大的感觉。二是几乎没有图片（该报曾经给"今日新闻"栏加上小刊头插图，但没多久就被认为是浪费空间而取缔了）。三是没有破栏或跨栏的标题，所有新闻都在一栏内走完，如果排不完，宁可转版。这一风格是该报前总裁凯西·霍加特（Casey Hogate）在第二次世界大战期间确定的。1945 年接替霍加特担任总裁的巴尼·基尔格（Barney Gilgore）高度认同这一风格，认为该报应从外表到内里区别于其他任何报纸。他还认为，财经新闻是最朴实的，财经新闻的读者也最注重实际。对他们来说，内容是最重要的，报纸无需华丽的外表，也不需要靠大字标题去吆喝。

事实上，《华尔街日报》头版最受欢迎的内容之一的确就是保罗所指的那个双头条栏——"今日新闻"。这两栏中，左栏是财经新闻，右栏是世界范围的重要新闻，各栏有 10 多条简短新闻。每条新闻都不加标题，只是开头几个字用黑体，看上去有点像简讯。大约半数新闻文后有提示内页详细报道的页码。据说，这两栏是上世纪 30 年代美国经济大萧条期间创立的，旨在向那些日理万机的企业家们提供一个快捷的信息渠道。首次"今日新闻"就是由后来升任总裁的基尔格撰写的，他当时还是个年轻记者。几十年来，该报保持了最早的风格，由一帮编辑和记者精心编写这两栏的稿件。有时记者采访一天获得的重要新闻，也只能浓缩成几十个字放在头版。只有编辑认为真正值得深入报道的新闻，才被允许写成长篇新闻在内页刊登。

保罗说，非财经类的重要新闻，很多都不需要作详细报道，还是留给其他报纸去报吧。但要把这几十个、上百个字的短新闻写好也绝非易事。"我们要求仅凭这短小内容就能抓住读者，或让匆忙的读者仅此一瞥即可了解个大概。我们还要求开头几个字就切中要害，让它们起到标题的作用。我们还有一批人每天就哪些新闻有资格入此栏进行磋商。"

说实话，我原来并不喜欢《华尔街日报》，它那黑压压的面孔让你不由得心生畏惧，担心自己买到报纸不知从何看起，担心大部分文章难以卒读。但后来我渐渐喜欢上了，原因之一就是它有这么两个精心编辑的头条专栏，可以在 5 分钟之内尽知天下大事。而且，该报头版的其他文章有些也很生动。如左数第一栏的特稿就很有特色。该栏每天刊登一篇 1000 多字的特稿，从极普通的、看上去并无多少新闻价值的事情入手，以小见大地反映当前经济状况，颇有可读性。如 2001 年 7 月 19 日我首次购买该报，即见该栏特稿报道纽约市一位写字楼里的中年女清洁工，正为家中一大堆账单发愁。原来，她已无力付清这些账单，因为尽管纽约当年将最低工资标准提高到每小时 5.5 美元，她却仍然无法维持一家的基本生活费用。而 20 年前她干同样的活，最低工资每小时仅 4.5 美元，却活得比现在好，从未发生付不起账单的事。报纸绘声绘色，借此平凡故事反映社会公众及部分官员对新公布的纽约最低工资标准的担忧。这种贴近读者的选题和报道手法使该栏成为非常受欢迎的《华尔街日报》名牌专栏之一。

因此，尽管《华尔街日报》面目如此“可憎”，尽管它的的售价冠盖全国（每份 1 美元，《纽约时报》比它内容丰富，却只售 75 美分），我却在相当长一段时间坚持每天阅读该报。

六、60 年后的变化

我知道，美国有相当一批报纸是较为保守的，特别是某些根深叶茂的权威大报。《今日美国》从 1982 年创刊之初就率先在一版刊登彩色新闻照片，后来有许多地方报纸纷纷效仿，但实力雄厚的《纽约时报》直到 1997 年才在一版采用彩色照片。《今日美国》的短新闻风格至今被大多数美国报纸所排斥。不过，变总是大势所趋，《纽约时报》不也变了吗？所以，面对保罗我想知道的是，《华尔街日报》当真还要继续那 60 年不变的样式和风格？《华尔街日报》的读者，特别是越来越年轻化的读者，就那么迷恋这古板的头版面孔？

保罗回答说：“我们的读者数量庞大，但这还不是主要优势，更重要的是我们的读者层次很高，绝大多数属于高收入、高学历、高职位的富有阶层。**本报读者的平均家庭年收入在 10 万美元以上，如果包括房地产，平均家庭财产接近百万美元。但我们读者的平均年龄偏大，约在 50 岁以上。**随着大量小业主和年轻创业者进入本报读者层，本报读者的年轻化趋势将加快。我们已经决定于明年（指 2002 年）4 月 9 日重新设计我们的版面。我相信我们的读者会欢迎一切微小的改革尝试。这次‘9·11’事件我们不就用了通栏标题吗？但那是很反常的。我们不敢贸然做太大的变动。正如我刚才说的，读者已经习惯现在的样式。所以我们明年的重新设计也只是局部的。例如，我们会增加图片的运用，

《华尔街日报》执行总编辑斯泰格尔（右二）于2002年4月8日在新泽西州的临时办公室审阅将于次日面世的改版后的样报

会增加使用跨栏和破栏的标题，仅此而已。《华尔街日报》的总体风格不会变，它还是像过去那样一眼就能认出，还是那样朴实无华。本报的核心还是金融、经济和企业。”

保罗不敢大变，这是可以理解的。一份有着悠久历史的大报，其风格形成不易，变必然存在风险。2001年11月，美国的中文报纸《侨报》作了一次大胆的改革，破天荒将繁体中文改为简体中文并坚持至今，使之成为全美国乃至整个北美洲目前唯一的简体中文报纸。据该报社长范东生和总编辑郑依德向我介绍，他们改革的目的，是瞄准大陆移民增多和侨民年轻化的现状，以争取更多新读者。他们同时也将版式作了革新，版面比过去漂亮多了。但在一个月内，该报发行量非但未增，反倒有所减少，一些老侨民愤而弃订该报。《侨报》负责人说，对此他们是有思想准备的，希望早日渡过难关。

但《华尔街日报》的变化并不仅局限于破栏标题和启用图片。据保罗介绍，该报在内容上也有了一些改变，并将进行更多的变化，主要是增加综合性内容，如体育，以适应年轻读者的需求。已有的变化是该报加大了周末版的分量，将星期五报纸由过去的三叠增至四叠，这增加的部分主要就是体育和休闲的内容。该报一般每日出三叠，即三大板块。其中A板块通常18页左右，主要是新闻和综合内容，除了财经要闻、国内国际新闻外，还有政策、来信、艺术、休闲等内容；B板块是市场(MARKET PLACE)，通常16页，包括市场要闻、重要兼并或交易、合作经营、行业日志、外汇交易、经济简讯等，这一板块最有特色的一页是“企业版”，上面按字母顺序列出当日出现在该报的所有企业名称，读者和有关企业都可循此轻易查找到任何企业的报道；C板块即前述金钱与投资，通常18页，包含金融市场日记、道·琼斯等各类股票指数、股市数据库、股票行情、基金行情、债券行情、期货行情、货币利率、世界各国股市动态等。保罗说，现在该报星期一有时也出到4叠，明年有可能将星期二、星期三和星期四的报纸也增至4叠，这样《华尔街日报》就是日出4大叠的名副其实的大型日报了。

保罗强调说，那些受到普遍欢迎的地方都不会变，如头版的“今日新闻”栏，最左边的特稿栏等，还有那独特的美术肖像。

爱用人物肖像，是该报极有趣的个性。该报对一版和内页一些新闻版的所有较重要的新闻和特稿，都配有新闻人物的肖像。如前述那位女清洁工，也有肖像刊于一版。不仅如此，这些肖像并非照片的直接扫描，而是经过美术加工，图像都由无数个小点组成，看上去宛如一幅幅钢笔画而不失人物神韵，报纸也因此更加显得古朴和经典。当我问起这些肖像的制作方法时，保罗面露得意神情：“你看到的这些肖像，既非照片，亦非绘画。那是在照片基础上用手工制作的，不用电脑。美工们将被访问者的照片复制在画板上，然后用钢笔在另外一张纸上用小点描出。一幅小小肖像总有好几百个点呢!”“那要耗费多少人工啊!”我不禁感叹。他说：“是啊，我们每天有八九个美工啥事不干，专做此活，而且都要当天完成。编辑们总是选好最重要的新闻才决定配图，一旦确定，美工们就忙开了。有时定稿较迟，美工的工作是很紧张的，常常要上夜班。”

看来，《华尔街日报》不设摄影部，是把劲儿用在这上面了。

在本书第一版出版之后，我了解到了该报的改版情况。诚如保罗所预言，改版是从2002年4月9日起实施的。改版后的《华尔街日报》在头版开始运用彩色图片，增加了图表的运用，各板块增加了彩色版，开辟了一些新的专栏，还新增一叠名为“个人华尔街”（Personal Journal）的板块。新版还增加了导读内容，以方便读者阅读。但总的来说变化不是太大，为的是保持其原有的风格。

该报上次改版是1942年，这次改版距上次改版正好60年。所以，虽然变动不像外界想象的那么大，对该报而言也是很大的动作。为这次改版，该报早在1999年就邀请著名跨国媒体设计咨询公司Garcia Media帮助设计。当时为慎重起见，先对《华尔街日报》欧洲版和亚洲版这两个国际版进行重新设计，并于2000年推出新的国际版。此次改版，思路与这两个国际版基本一样。

七、永不退休的编辑

在前面谈到自己简历时，保罗说：“这个执行总编将是我一生中最长时间的岗位了，因为今后已时日无多。”说到这里，他大笑起来，脸上泛着红光。

我理解他的意思，大概是指再过几年就该退休了。推算起来，他应该有 60 岁，但看上去面色红润，身体还硬朗，只是一条腿似乎不太灵便。美国很多报社一般并不强制退休（如《纽约时报》过去并无退休制度，但后来规定编辑记者可干到 65 岁，这也比中国的退休制度宽松许多，而社论版的政治专栏作家仍可终生不退）。因此，保罗应该还可干好几年，甚至干到他自己不想干为止。很多美国人到了 62 岁左右即申请退休，可能就是因为这一年龄是美国社会通行的老年人的“标准线”（例如很多公共场所门票的老人免费或折价优惠，都把界限订在 62 岁以上），人们劳作到这把年纪，也想歇歇了。

但我在《华尔街日报》访问时却听人说起该报一位普通编辑活到老、干到老，最后倒在工作岗位上的故事。这个故事我后来又从一本题为《华尔街日报内幕》（*Inside The Wall Street Journal*）的旧书中得到印证。

奥利弗·金戈尔德（Oliver J. Gingold）是“金钱与投资”板块名牌专栏“与市场同行”的编辑。他 1900 年进入道·琼斯公司，当时的工资仅每星期 4 美元，而他还是个十几岁的少年。1933 年担任“与市场同行”的编辑后，显示了他这方面的才能，引起其他传媒的注意。很多公司都打他的主意，希望把他挖过去，有的给的薪水甚至比他后来最高时期的收入还要多。但他却不为所动，一再谢绝对方的邀请，表示他热爱现有的岗位，不会离开《华尔街日报》。

在崇尚“人往高处走”、人才流动如家常便饭的美国社会，金戈尔德表现出的“忠诚”显得很不寻常，自然感动了报社及道·琼斯公司高层。1945 年上任的报社总裁基尔格表示：金戈尔德离不开《华尔街日报》，《华尔街日报》也离不开他；“他永远也不会退休，并将成为本报的一员直到生命的最后一天。”①

上世纪 50 年代初，金戈尔德不幸感染脊髓灰质炎，只能借助轮椅行动。但尽管饱受病痛折磨，他依然乐观豁达，每天仍是最早到达办公室的员工之一。他被称为编辑部的教练，经他指导过的编辑、记者超过 100 人，有的后来被提升为主编或总编，他自己却在编辑的岗位原地踏步而毫无怨言。他晚年开始写回忆录，题为《我与 37 位执行总编共事》

---

① Jerry M. Rosenberg：*Inside The Wall Street Journal*，Macmillan Publishing co.，Inc. 1982 年

(*I Survived* 37 *Managing Editors*),可惜至死也未完成。1966 年,在连续为《华尔街日报》工作第 66 年之际,金戈尔德去世,享年 80 岁。《华尔街日报》罕见地发表了一篇社论纪念这位老员工。社论的笔调很动情,其中有这样一段文字:

"当一位像奥利弗·金戈尔德这样的老朋友走完人生之路时,我们从两个方面感到了悲伤。

一方面是个人的体验,这种体验除了我们这些与他共过事或对其 80 年人生有所了解的人以外,别人是难以分享的。

另一方面是任何人都可以共同感受到的,不论他们是否认识他,只要他们读过这份报纸。他向读者贡献的,远不止'与市场同行'专栏上方他的署名。

人们从奥利弗·金戈尔德的名字旁获得可贵的信息,使我们的编辑部变得热闹起来。他的学生包括了现任的总编辑和最新到岗的年轻记者。他是连接我们报纸的今天与 60 年前查尔斯·道时代的报纸的桥梁。

……在全国各地都充满困难与挑战的时刻,我们别无选择,徒增对这样一位老人的不尽思念。"①

不过,我后来从其他资料中得知,《华尔街日报》历史上也发生过几件丑闻。一次是上世纪 20 年代,几位专栏编辑与证券商串通发表股市评论从中牟利;还有一次影响很大的是 1982 年一位编辑将拟在"华尔街见闻"(Heard on the Street,关于股市交易信息的一个颇受欢迎的专栏)发表的文章,提前卖给一位证券商。该专栏的位置正好在"与市场同行"专栏的下方。与那些丑闻的主角们相比,金戈尔德的优良品质愈显珍贵。

八、报纸教育工程

在访问《华尔街日报》的过程中,我再次听到"NIE"这个缩写词,也再次感受到美国报纸对自己的未来是多么关注,在培养学生方面是多么舍得下功夫。这里不妨将自己此次访美获得的这方面印象归拢在此一并谈谈。

---

① Jerry M. Rosenberg: *Inside The Wall Street Journal*, Macmillan Publishing co., Inc. 1982 年

NIE 是“报纸参与教育”——Newspaper In Education 的英文缩写。第一次听说 NIE，是 2001 年 8 月 24 日访问《波士顿环球报》（*The Boston Globe*）时从该报分管发行的副总裁雅丝曼·娜米尼（Yasman Namini）女士口中听到的。从此我就把对这一情况的了解纳入自己的采访计划中，于是渐渐弄明白了广泛存在于美国报界并得到各报负责人高度重视的美国报纸教育工程。

原来，美国各类报纸，特别是有一定影响力的日报，近年来都把触角伸向学校。这些报纸通过与学校教育的有机结合或创办辅助性刊物和印发相关资料，扩大报纸在学校的发行量，千方百计地培养青少年阅读报纸的习惯。这一做法的结果，既扩大了未来潜在读者的队伍，又扩大了报纸现实的发行量，且得到社会各界的支持，因而效仿者不断增多。

美国报业开展教育工程主要基于这样一个事实：最近几十年来，美国日报的销量在持续下降，特别是那些发行量大的报纸。

美国报纸销量的黄金时代是第二次世界大战结束后的几年，到 1947 年达到顶峰。据 1996 年出版的《传媒与美国》（*Press and America*）称，1947 年仅纽约六家日报的星期天刊期发行量就达到 1010 万份。这个数字比 2001 年全国十大星期天刊的期发行总量还要多（后者约 970 万份）。当年纽约《每日新闻》的晨刊期发行量达 240 万份，如今全国已没有一家报纸达到这个数。1990 年美国有五家报纸的平日刊（指周一至周五的报纸）期发行量超过 100 万份，如今超过这个数的只有三家，即《今日美国》、《华尔街日报》和《纽约时报》。纽约《每日新闻》的数量也跌至 73 万份，昔日辉煌不再。

美国传媒研究学者将报纸销量减少的原因之一，归结为在各种传媒的诱惑下，一些读者特别是年轻读者弃报纸而去，转向电视和网络。而美国又是一个重视阅读的国家，在地铁、车站、码头等很多公共场所，你都能见到人们在阅读书报刊。美国报纸的星期天版庞大厚重，也就是因为大量居民将星期天半天甚至一天的阅读当作最好的休闲。都说美国的初级教育不如中国抓得紧，孩子们有大把时间玩耍。但美国人在阅读方面就比中国抓得紧，例如纽约市的小学一年级学生，就被学校要求在一年内阅读不少于 22 本课外读物。**美国的社会智囊们都认为，文本阅读的兴趣，反映出社会大众的基本文化水准。如今年轻人开始忽略报纸这样一个最大众化的文本阅读材料，自然引起政府、教育界、社会学家及各类团体的不安。知道这一背景，就不难理解为什么美国那么多的报纸热衷于培养校园读者。**

《波士顿环球报》是美国新英格兰地区六个州中发行量最大的报纸，

2001年4～9月平日刊的日平均发行量为47万多份，星期天刊发行量为70万多份，在全国1400多家日报中分别居第14位和第11位。该报设有相关的校园栏目，在当地学校有近2万份的发行量，其中绝大多数在中学。娜米尼女士说："我们花很大精力将报纸介绍给在校的年轻读者，因为他们被认为是报纸的未来。我们现在所做的，就是为10年、20年后考虑。"据这位来自《纽约时报》的副总裁介绍（该报于1993年6月以创纪录的11亿美元天价被纽约时报集团收购），全国NIE做得最好的报纸当推《纽约时报》。

于是，当我于2001年12月12日第二次采访《纽约时报》总编辑豪厄尔·雷恩斯（Howell Raines）时，就曾请他着重谈了他们的NIE情况。他说："NIE的目的是令年轻人从学校起就成为我们的读者。我希望他们从学生时代就开始习惯于阅读《纽约时报》，毕业后成为我们的订户或稳定的读者。"

据雷恩斯称，《纽约时报》早在20世纪60年代即开始NIE工程，而当时并无电子媒介的冲击。报纸这样做的目的就是以该报强大的文化科技教育内容影响下一代，同时为自己培养未来读者。但该工程在70～80年代的经济衰退期停了约20年，报社现任领导认为停止的决策是错误的，因为这减少了许多潜在订户。该报于90年代恢复这一工程，甚至专设两个部门负责此事：一个叫做"下一代部"（Next Generation Department），还有一个叫做"学校部"（School and College Department）。

下一代部专门负责策划和设计，并编印适合青少年读者阅读的材料和设法与课堂教育配合。《纽约时报》目前出版每周一期的刊物配合学校的时事和法律教育，使读报与学生的学习有机地结合起来。遇有总统选举等全国大事，还加印有关知识帮助老师开展相关课堂教育。有时还将一些学校配合时事的作文编成专辑随报送往各校。如该报2001年9月份一期NIE期刊，实际上是一所名叫施托伊弗桑特的高中的秋季刊。该高中位于世贸中心附近，"9·11"事件发生时，校舍完全瘫痪，师生历险逃出，此后3000多名学生不得不分散到其他学校上课。这份特刊记述了当时的情景，并随《纽约时报》送往全国。

学校部则负责报纸在学校的有效发行。为了确保在学校的覆盖面，学校部内再分为四个科室，一个针对高校，一个针对高中，一个针对初中，一个专做捐助人工作。报社通过与一些个人、社会团体或企业的合作，动员他们以半价购买报纸送给学校。这些个人或企业就是所谓的捐助人。

如今，该报在全国大中学校的发行量达 95,000 份，其中至少有 10 所州立大学的新生被要求阅读该报。雷恩斯举例说，美国西点军校的学生被要求每人订阅《纽约时报》，校方要求未来的军官们把熟知当前时事置于与掌握军事技能同等重要的地位。我在大学新闻系听课时也发现，不少高校新闻系学生很看重该报，上课时几乎人手一份《纽约时报》。

原以为《华尔街日报》这样专业性强的报纸，满纸深奥的金融术语，不会重视学校的教育。但我大错特错了。

此次访问《华尔街日报》灾后那简陋的临时办公室，并和执行总编辑保罗·斯泰格尔先生谈到《纽约时报》的 NIE 时，他明确宣称《华尔街日报》也有很好的 NIE，在全国有很大影响。他说，该报不仅向大中学生优惠提供半价的报纸及其电子版，也设有专门机构精心编辑出版每月一期的“课堂版”（Classroom Edition）。他向我出示的“课堂版”是一份 4 开小报，24 页，随大报向校园读者免费赠送。报纸内容深入浅出，将身边生活与金融理财等知识有机结合起来，其可读性之强出人意料。

应我要求，保罗的秘书卡西小姐在我回国前向我提供了最新一期“课堂版”。这份标明 2002 年 1 月号的报纸，头版是一叠美钞的大幅图片，下面是三行题的大字标题——“一位病人在医院住了 34 天（引题）一张 520 万元的账单（主题）怎么可能？它包含了什么？（副题）”，内页是长达 4 页的新闻大特写。头版的 5 则提示性导读分别为：1. 你的钱——贷款意味着什么；2. 身体租借——运动员皮肤上的广告；3. 校园故事——求职被拒绝怎么办；4. 网上音乐可能成为主流——唱片商被迫推出新服务；5. 减肥运动大行其道。据卡西小姐介绍，“课堂版”稿件全部出自《华尔街日报》获奖记者之手，达到示范作文的水平，对学生们的写作也很有帮助。

跟随这份“课堂版”送到教师们手中的，还有一份 16 开 12 页的教师辅导读物《教师指南》（Teacher Guide）。该读物提供了本期课堂版封面故事的内容提要及文章的关键段落、主要文章的主题和关键概念、难题解答、教师提示、针对主要文章的练习题、各类文体写作要求等。读物还附有《华尔街日报》课堂版负责人的电子信箱，欢迎教师垂询。瞧，报纸俨然做起教育工作来了。

据介绍，《华尔街日报》的 NIE 工程在全国 4500 所高中实施，占 26，000 所高中的 17%。其中，公立学校占 89%，教会学校占 5%，私立学校占 4%，另有少量高等院校。该报目前在校园的读者高达 75 万人。该报所做的2000～2001年度阅读效果调查表明，教师和学生对该报NIE的满意程度分别为99%和96%。

美国报纸的教育工程既引导青少年阅读报纸，也促进了学校的教育，有助于保持和提高整个社会的文化水平，因而符合公众利益，得到社会各界的支持。当然，对报纸来说，这一工程也有扩大发行量的好处，因为报纸在学校的发行都是有价发行，可列入ABC（美国报纸发行稽核局的简称）的统计范畴。通常的做法是，报纸寻求一些热心教育事业的赞助伙伴，赞助人帮助学校（特别是中小学）支付半价甚至全价订报费，报社本身也给一定折扣（最多为半价）。

这种“双赢”的做法使越来越多的美国报纸加入了NIE队伍，如全国发行量排行第一的《今日美国》大约从1997年起开展NIE工程，目前在全国高等院校内销量与《纽约时报》并驾齐驱，大中学校的总发行量约10万份。该报总编辑凯伦·朱尔金森（Karen Jurgensen）女士2001年11月29日告诉我：“我们过去在高中学校开展NIE工程，现在扩大到一些高等院校。我们把在高等院校的NIE工程称作‘阅读工程’，因为我们希望在阅读工程的帮助下学生能从报纸上读到更多的东西。我们把报纸送到学生宿舍或校园公共场所，学校和学生按一定折扣付钱购买，这两三年来发展很快，我相信这方面的潜力很大。但我们只向中学生提供辅助读物。我们向中学老师提供课程计划，使他们可以和学生们交谈报纸上的新闻。”

与上述各报面向高中以上学生的做法不同的是，东部老牌著名报纸《费城问讯报》（*The Philadelphia Inquirer*）则把重点放在小学。费城位于宾州，而宾州一向以重视教育著称。该报高级副总裁约翰·G. 沃尔什（John G. Walsh）2001年10月25日在接受笔者采访时说：“我们平日刊发行量的2.5%和星期天刊发行量的1.2%发往各校，其中大多数发往小学和初中，其次是高中，少量在大学。我们向小学提供大量的辅助教学材料，包括专供教师用的材料。

很多报社还直接在报纸上开辟教育版，少则每周一次，多则每周五次。这些版面大都版式活泼大方，内容生动有趣，且尽量与新闻有所结合。尽管这些版面毫无广告效益，但很多报纸乐此不疲。

2001年10月23日我去《华盛顿邮报》（*The Washington Post*）访问的当天，意外地发现这家全国排行第五的著名大报竟也舍得拿出版面送给孩子们。只见该报C14版辟有《儿童邮报》（*Kids Post*）彩色学生专版。该版版式花哨热闹，内容琳琅满目：报头左侧是天气，右侧是纵横字谜游戏；报头下左侧“今日新闻”栏内是适合孩子兴趣的简短新闻，如“恐龙蛋的最新发现”、“科学家进行舒适试验”（即让 10 个人在床上待一个月）、“小型飞机空中演特技”等；报头下方右侧是一篇关于秋天的特稿；左下方是新闻猜谜，如第一条是“很多孩子向白宫寄东西，那是什么东西?”等等。该报总编辑小伦纳德·唐尼（Leonard Downie，Jr.）对我说：“我们的儿童专版是针对小学生的，一般不往中学发行。它每周出版五次，从周一至周五。我们这样做的目的是为将来考虑，我们需要更多的年轻读者。我们甚至成立了一个教育公司，名叫 CAPLAM，专门用来向年轻人提供教育服务。”

发行量在全国排第八的长岛《新闻日报》（*Newsday*）被认为是全国 NIE 做得最好的报纸之一，该报每周星期二、星期四和星期五三次在报上刊出名为《学生简要新闻版》（*Student Briefing Page on News*）的彩色教育专版，向学生解读当前重要的或有趣的新闻，很受师生们欢迎。另外，该报还开辟《历史上的长岛》知识性专版，其主要读者对象也是学生。该报总编辑安东尼·马罗（Antony Marro）在接受笔者采访时介绍说：“我们专设一个部门来推进 NIE 工程，这个部同时负责编发学生专版和其他辅助材料。这一工程由一些个人或公司赞助，他们购买报纸由我们送往学校，因而这些报纸属于有价发行，可列入 ABC 统计范畴。我们希望通过 NIE 工程和对报纸的阅读加强学生与世界的联系。我们每天进入学校的报纸大约有 12,000 份。”

其他如《洛杉矶时报》、《底特律自由报》（*The Detroit News*）、《纽约邮报》（*New York Post*）、《斯塔藤岛前进报》（*Staten Island Advance*）等报纸也都辟有教育类专版。总之，我 2001 年访问过的所有报纸，无论是对开大报还是 4 开小报，无一不在学校方面下功夫。这样一批生机勃勃的教育专版出现在美国几乎所有重要报纸上，是我过去从未想到过的。**据美国报纸协会（Newspaper Associaion of America）统计，2000 年全国有 950 家日报定期开展 NIE 工程。这些报纸向全国 106,000 所学校提供报纸，有 381,000 位教师在课堂上使用报纸提供的内容辅导学生，当年美国日报的学生读者达 1450 万。**①

① *Facts about Newspapers*，Newspaper Association of America，2001 年

"All the News That's Fit to Print"

The New York Times

Late Edition
New York: Today, scattered light showers, high 58. Tonight, fog and rain arriving, low 52. Tomorrow, rain ending late, high 59. Yesterday, high 47, low 40. Weather map, Page B10.

VOL. CLI . . . No. 51,966 — NEW YORK, THURSDAY, DECEMBER 13, 2001 — 75 CENTS

U.S. Recently Produced Anthrax In a Highly Lethal Powder Form

Army Says Strain Isn't the One Tied to 5 Deaths

By WILLIAM J. BROAD and JUDITH MILLER

As the investigation into the anthrax attacks widens to include federal laboratories and contractors, government officials have acknowledged that Army scientists in recent years have made anthrax in a powdered form that could be used as a weapon.

Experts said this appeared to be the first disclosure of government production of anthrax in its most lethal form since the United States renounced biological weapons in 1969 and began destroying its germ arsenal.

Officials at the Army's Dugway Proving Ground in Utah said that in 1998 scientists there turned small quantities of wet anthrax into powder to test ways to defend against biowarfare attacks.

A spokeswoman at Dugway, Paula Nicholson, said the powdered anthrax produced that year was a different strain from the one used in the recent mail attacks that have killed five people. Dugway officials said powdered anthrax was also produced in other years but declined to say whether any of it was the Ames strain, the type found in the letters sent to two senators and news organizations.

Government records show that Dugway has had the Ames strain since 1992.

Dugway officials said in a statement that the Federal Bureau of Investigation was looking into "the work at Dugway Proving Ground," along with that of other medical facilities, universities and laboratories. "The Army is cooperating with and assisting the F.B.I.'s efforts," the officials said.

The disclosure at Dugway comes as federal agents, as part of a vast investigation of the anthrax attacks that has made little apparent headway, are trying to figure out where stores of anthrax are housed around the nation and who has the skill to create the powdered form — a major technical step needed to make the anthrax used in the terror attacks.

The F.B.I. declined to detail its strategy other than to say its agents have visited some laboratories and are identifying new ones that may have handled, or had access to, the Ames strain.

"We're following every logical lead," said one law enforcement official who spoke on the condition of anonymity.

The F.B.I has subpoenaed records from dozens of laboratories that do pathogen research, drawing up a list of places that possess the Ames strain. The bureau, citing the criminal investigation, will not release the list or identify the labs being scrutinized. But private experts say the list is most likely short.

Barbara Hatch Rosenberg, a biological arms control expert at the State University of New York at Purchase and chairwoman of a biowea-

Continued on Page B7

BOMBS HAVE KILLED 3 QAEDA LEADERS, U.S. NOW BELIEVES

NETWORK IS DISRUPTED

Credible Evidence Is Cited — bin Laden Still Thought to Be Hiding at Tora Bora

By JAMES RISEN

WASHINGTON, Dec. 12 — United States intelligence officials said today that they believed that they now had credible evidence that three senior Qaeda leaders had been killed by the American bombing campaign in Afghanistan, causing serious disruptions to the terrorist network.

These intelligence officials also said that they believed that Osama bin Laden and many of the surviving leaders of Al Qaeda were holed up in the mountains in the Tora Bora area of eastern Afghanistan, dismissing reports that Mr. bin Laden had tried to flee into Pakistan in recent days.

As for Mullah Muhammad Omar, the head of what remains of the Taliban, these officials said that they thought he was somewhere in the region of Kandahar, the Taliban stronghold that was last to fall to rebel forces. There is no evidence, the officials said, that Mullah Omar and Mr. bin Laden have tried to meet or join forces in recent days.

These assessments, some of which appear to be based on intercepted communications, provide the best tally yet of the toll that the American-led war has taken on the leadership of Al Qaeda and represent the clearest information yet on the location of Taliban and Al Qaeda leaders.

Officials said that the Central Intelligence Agency now believed that Tariq Anwar al-Sayyid Ahmad, an Egyptian who had been the chief of the special action committee of the Egyptian Islamic Jihad and a longtime bin Laden associate, was killed in the bombing of a building in Khost, in mid-November. The agency also believes, these officials said, that Muhammad Salah, a Qaeda lieutenant and a former operations officer for Egyptian Islamic Jihad, was killed in mid-November in a bombing also in the Khost area.

The evidence that the two Egyptian terrorist leaders were killed followed earlier reports that Muhammad Atef, Al Qaeda's chief of military operations and another veteran of the Egyptian Islamic Jihad, died

Continued on Page B3

ISRAEL BREAKS WITH ARAFAT AFTER PALESTINIAN ASSAULT ON BUS IN WEST BANK KILLS 10

Agence France-Presse

Palestinians detonated bombs under a bus carrying more than 40 people to Immanuel, in the West Bank.

Mideast Crisis Point

A Fed-Up Israel Turns Its Back on Arafat, But Stops Short of Forsaking Peace Pact

By CLYDE HABERMAN

News Analysis

JERUSALEM, Thursday, Dec. 13 — In announcing that it would break off contact with Yasir Arafat and conduct military operations in Palestinian cities, the Israeli government of Prime Minister Ariel Sharon came close this morning to proclaiming the end of the peace process that flowered eight years ago in Oslo.

But even though Israel said it was fed up, it stopped well short of actually declaring the Oslo peace agreement dead. That left many questions and few immediate answers.

In effect, after the latest Palestinian terrorist attack, Israel was saying that when it comes to Mr. Arafat, it can't live with him but it can't live without him.

"Chairman Arafat had made himself irrelevant as far as Israel is concerned," the security cabinet said in a statement early today. But in announcing the decision, Justice Minister Meir Sheetrit also said that Israel had "no intention to get Arafat, to assassinate Arafat or to hurt him." That message was clearly intended to allay fears, in Washington and other capitals, that Israel might take drastic measures that could further threaten stability in the region.

The practical consequences of isolating Mr. Arafat were unclear. As it is, the Israelis have had little to no contact with him during the last 14 months. Mr. Sharon, who does not disguise his contempt for Mr. Arafat, has refused to meet him, leaving that to his son, Omri, and to his foreign minister, Shimon Peres.

A more immediate question is whether the suspension of contact extends to all members of the Palestinian Authority. For example, Israeli and Palestinian security officials have met often, including three times in the last week alone, under the auspices of the new American Middle East envoy, retired Gen. Anthony C. Zinni. The fate of such meetings now is uncertain.

A riskier matter is the cabinet's decision to "rapidly deploy Israeli forces for military operations in cities in the West Bank and Gaza Strip to carry out arrests and confiscate

Continued on Page A10

RESPONSE IS SWIFT

Planes and Tanks Attack — Effort Stepped Up to Arrest Militants

By JAMES BENNET with JOEL GREENBERG

JERUSALEM, Thursday, Dec. 13 — The Israeli government decided early this morning to break off contact with Yasir Arafat after Palestinian militants killed 10 people Wednesday evening. The Israelis died when members of Hamas detonated bombs underneath a bus in the West Bank and gunned down passengers as they fled.

"Chairman Arafat had made himself irrelevant as far as Israel is concerned," the security cabinet announced in a statement in which it also warned of a stepped-up military campaign to arrest Palestinian militants and confiscate weapons.

As the ministers debated the decision this morning, the Israeli Air Force was already pounding targets in Gaza and the West Bank. Before dawn today, Israeli tanks shelled a Palestinian checkpoint in Ramallah, on the West Bank, and pushed into a Palestinian area in southern Gaza. Mr. Arafat was in Ramallah.

The cabinet's announcement underscored the fact that more than a year of conflict has brought the eight-year relationship between the government and the Palestinian leadership to the brink of collapse.

The government said its decision "does not include any directive to attack Arafat personally." But senior military officials have predicted that if the government rallies other nations to treat Mr. Arafat as an outcast, he will fall from power.

The Bush administration had no immediate comment.

Yassir Abed Rabbo, the minister of information for the Palestinian Authority, warned this morning that Prime Minister Ariel Sharon was preparing "a comprehensive war against the Palestinian Authority in order to destroy it.

"We should not have any illusions about Sharon's intentions," Mr. Abed Rabbo said. "He is deceiving the whole world and the American administration about what he is doing."

Mr. Arafat has been under tremendous international pressure to crush Hamas and Islamic Jihad, two vio-

Continued on Page A10

New Deadline Set for Qaeda After Deal on Surrender Fails

By JOHN KIFNER

TORA BORA, Afghanistan, Dec. 12 — Afghan fighters set a new deadline of Thursday for Al Qaeda fighters bottled up in mountain canyons and caves to give up, after an agreement for a surrender this morning collapsed in confusion amid continued American bombing.

The commanders of the Afghan tribal forces — spurred by American pressure and the possibility of a $25 million reward — are now demanding that Al Qaeda forces turn over their leader, Osama bin Laden, although his presence in these eastern Afghan mountains could not be confirmed.

"If they don't give us Osama, we are preparing ourselves for a big offensive against these people," said one of the main commanders, Hazarat Ali.

But even as they negotiated and threatened, the commanders conceded that the delay had probably allowed some foreign Qaeda fighters, mostly from Arab lands, to escape into Pakistan.

A spokesman for the American-led coalition said today that the number who had escaped was probably small.

"We have a feeling that some have actually made it through to Pakistan," Kenton Keith, the spokesman, said at a news conference in Islamabad, Pakistan. "This is a very minute percentage of people." Officials at the Pentagon concurred.

Earlier in the day, before Mr. Keith's remarks, Pakistan's interior secretary, Tanseem Noorani, said no Al Qaeda or Taliban forces had escaped through the rugged mountain passes. Pakistan has deployed several thousand soldiers, backed by armed helicopters, along its border with Afghanistan to stop the fighters from crossing into the country. The Pakistani forces are concentrated on a 25-mile stretch opposite Tora Bora.

The new surrender ultimatum — set variously from 10 a.m. to noon on Thursday, depending on who was announcing it — came after a day of crushed hopes and steady American bombing that sent huge clouds of

Continued on Page B3

Ruth Fremson/The New York Times

G.I.'S IN KANDAHAR Americans on their way to camp yesterday in the former Taliban stronghold. Page B4.

A NATION CHALLENGED

Al Qaeda's Trial by Proxy
The defendant is Zacarias Moussaoui, but the government seems intent on putting Al Qaeda on trial in the Sept. 11 hijackings. PAGE B5

A Focus on Fireproofing
A fire protection expert said inadequate or faulty fireproofing might have played a role in the collapse of the twin towers on Sept. 11. PAGE B1

Student Visa Crackdown
Immigration officials arrested 10 young people from the Middle East in what was called the first wave of a crackdown on visa abuses. PAGE B1

ALSO INSIDE

Yale Proposal on Admissions
The president of Yale University said that he would like to abandon the frenzied process of early-decision admissions. PAGE D1

Jolted by Sept. 11, Many Rush to Make Wills

By ADAM NAGOURNEY

Ellen and Mark Genender showed up at their lawyer's office in Manhattan at 9:15 a.m. Friday to complete a task they had begun more than a year ago, but could never quite bring themselves to finish. They signed their wills and put their affairs in order.

For Mr. and Mrs. Genender, a couple in their 30's who live with their three children on the Upper East Side, that hour at their lawyer's office was the uneasy, and possibly inevitable moment familiar to trust and estate lawyers everywhere: an implicit, if grudging, acknowledgment of mortality.

And in the three months since the attack on the World Trade Center, it has taken place across New York, and to a lesser extent the nation, at a brisk and unabating pace.

If there is any business that is booming since Sept. 11, it is the business of writing wills. Starting about 10 days after the collapse of the towers, and continuing ever since, trust and estate law firms say, they have been overwhelmed with requests from people who suddenly want to prepare their wills. A specialty of law once noted for its procrastinating clients and mordant put-the-client-at-ease jokes has suddenly become serious and urgent.

Many of the requests are from people like Mr. and Mrs. Genender, affluent families with children — though Mr. Genender, a partner in a private equity firm, has the added prods of working on the 59th floor of a Midtown office tower and flying often on business.

But estate lawyers say the influx is astonishing for its breadth as well as its volume: from people of all ages and economic classes, from married and gay couples and singles, from people with children and without, and

Continued on Page B8

Officials Recount Road to Deadlock Over Missile Talks

By DAVID E. SANGER and PATRICK E. TYLER

WASHINGTON, Dec. 12 — Six months of negotiations between the United States and Russia over the 1972 Antiballistic Missile Treaty failed because the Bush administration was unwilling to discuss each missile test with Moscow in advance, senior administration officials said today, and because Russia refused any change that would allow unrestricted testing.

The officials said that the critical moments in their talks came when President Vladimir V. Putin of Russia told Defense Secretary Donald H. Rumsfeld in Moscow on Nov. 3 that the American plans for extensive testing would gut the landmark accord.

Mr. Rumsfeld shot back that if that was Russia's position, then the United States would withdraw from the treaty — exactly what President Bush is expected to announce Thursday.

Any hope of reaching an accord was finally buried in the opening hours of Mr. Putin's visit to the White House on Nov. 13. Neither president had any new proposals to break their impasse, each recognizing that there was simply no way to accommodate the Pentagon's aggressive testing program in a treaty that was clearly

Continued on Page A18

《纽约时报》2001年12月13日头版

第 2 章

《纽约时报》

The New York Times

超级报纸博大精深
新总上任再创奇迹

《纽约时报》，创刊于1851年，美国人心目中最伟大的报纸，也是美国社会公认的历史纪录性报纸，2000年10月被美国《财富》杂志评选为全球最受尊敬的15家印刷传媒集团公司第一名、全球最佳产品及服务类企业第一名以及全球社会和环境最有责任企业第二名。2003年10月至2004年3月平日刊平均日发行量为1,133,763份，居全国第三；星期天刊平均发行量为1,671,865份，居全国第一。

一、闹市中的报业巨头

提起《纽约时报》，中国新闻界可谓无人不晓。若论当今世界影响力最大的报纸，只要不带偏见，很多人都会推举这家有着150多年历史的报业巨头。2001年11月20日下午我要去访问的，正是这家报纸；我要见的最重要人物，恰好是该报当时的总编辑——豪厄尔·雷恩斯。

此刻我已置身纽约。位于大西洋西岸的纽约其实是一群岛屿，数十座桥梁与隧道将五大行政区相互连接并通往市外，弄得城市交通既错综复杂又富有特色。就是这样一座既非美国首都也不是纽约州首府的城市，却是美国的经济文化中心和最大的城市，也是世界人口最多的大都市之一，人口总量近1000万。曼哈顿位于五大区中央，《纽约时报》又雄居曼哈顿的中心地带。

在纽约住过一段时间的人会注意到，在美国邮政地址中有资格使用New York City（纽约市或纽约城）的，也只有曼哈顿，其他四个区只能在纽约州名下使用区的名称。这与纽约市的发展起源于曼哈顿有关。1626年，早期荷兰殖民者用区区24美元的小商品即从印第安人手中换下的当地第一座岛屿便是曼哈顿岛。到1790年，曼哈顿人口已发展至33,000人，城市初具规模。按照美国“无报不成镇”的历史发展规律，这一新兴城市很快成为美国报纸竞相登场的舞台。

首先亮相的是1801年创刊的《纽约晚邮报》（*New-York Evening Post*），该报后来更名为《纽约邮报》，是迄今美国连续出版时间最长的日报。然后进入人们视线的是《纽约太阳报》（*New York Sun*）、《纽约论坛报》（*New York Tribune*）、《纽约先驱报》（*New York Herald*）、《纽约日报》（*New York Daily*）、《纽约每日时报》（即后来的《纽约时报》）等一批后来赫赫有名的报纸。到1864年林肯参加美国总统大选时，纽约市的日报已经多达17家，成为全国报业重镇。**在1896年8月18日阿道夫·S. 奥克斯（Adolph S. Ochs）以7.5万美元买下《纽约时报》时，该报在纽约10家主要日报中排行垫底，日发行量仅9000份**（实际印21,000份，多数赠送），与普利策的《纽约世界报》（*New York World*，晨刊发行20万份，晚刊发行40万份）和赫斯特的《纽约日报》（晨刊发行30万份，晚刊发行13万份）等报纸不可同日而语，比倒数第二名的《纽约论坛报》（发行1.6万份）还少近一半。但经过一个多世纪的淘洗，硕果仅存者只有《纽约邮报》和《纽约时报》两家，后者之影响力又远在前者之上。

这样一家报纸占据了曼哈顿市最繁华的中心地区，倒也不足为奇。

《纽约时报》位于曼哈顿西 42 街 229 号，介于 7 大道与 8 大道之间，紧挨著名的“时报广场”（该广场原名 Longacre Square，1905 年《纽约时报》迁至这里百老汇的时报大厦后不久，广场即以《纽约时报》的名字命名。不知道该广场来历的人，喜欢顾名思义，称其为“时代广场”，也渐渐被接受，不能算错），与纳斯达克股票交易所仅一街之隔。游人摩肩接踵的百老汇大道和高楼鳞次栉比的 42 大街纵横相交。在它周围方圆数百米范围内，有曾是世界最高楼的帝国大厦（世贸大厦倒塌后，它再度成为纽约市最高建筑，为防恐怖袭击而一度关闭），有每年圣诞节期间被挤得水泄不通的洛克菲勒中心建筑群，有以光亮夺目的不锈钢尖顶为特色、在帝国大厦之前曾是世界最高建筑并被称作艺术装饰建筑典范的克莱斯勒大厦，有古老而宏大的纽约图书馆，有每隔半小时在拱形大屋顶上演示激光图画音乐的大中央火车站，还有数十家大型影剧院……

我乘坐地铁，在总长达 390 公里、被视为世界上最复杂地铁线路的黑色通道中穿行，直至时报广场站。十几路通往全市各地的列车在这里地下三层立体空间交汇，站内几乎任何时候都人流如潮，街头艺术家们在地下各个角落尽情表演，似乎并不介意你是否给钱。我随着人流涌入 42 大街，到达纽约时报社时正好下午两点，比约定的时间早了半小时。我打电话给该报公关部主任托比·乌斯尼克（Toby Usnik），此次访问正得益于他的安排。对方婉转地要我“稍候”15 分钟，于是，我借此机会打量起这家闻名世界的报社大楼。

纽约时报现在的大楼已不是 1905 年设在百老汇大街 1475 号的“时报大厦”了。现在的大楼也有些年代了，其外墙用大石块垒成，楼高虽仅 14 层，却占据近半个街区，一看就知至少是半个世纪以前的建筑（据后来介绍大约有七八十年历史）。大楼的中段稍稍缩进处有几扇一人多高的黑色大门，门边镶着金色铜条，门楣上书有金黄色“The New York Times”（纽约时报）字样。这几个字很小，竟与其上方“229”这个门牌号码字号差不多，给人一种深藏不露的感觉。字的下方，就是该报的正大门了，唯因其灰暗狭小，与这座庞大建筑显得有些不相称。除了缩进去的那几个字以外，大楼任何地方均看不到纽约时报招牌，若非大楼沿街墙上装有一排写着“Times”的乳白色路灯，人们很难将这座大楼与著名的《纽约时报》挂起钩来。这种不事张扬的做法，倒是与《纽约时报》稳健持重的报纸风格十分协调。

大门内是同样狭小的大厅，若按面积算，这个大厅比不上中国国内许多报业大楼的厅堂，最多也就相当于深圳特区报业大厦大厅的 1/20。大厅中央是来客登记和保安人员检查出入者证件的通道，右侧靠墙 6 部电话供来客与楼内职工联络，左侧一个圆柱上印着早期纽约时报的报纸图案，左侧唯一空着的墙上挂着一帧大幅黑白照片，十分醒目。照片上是该报记者对埃及木乃伊考古发现的报道。我拿起摄像机打算拍摄，却被刚才还在门外应我要求帮我留影的一位秃头穿制服的先生阻止了。他说："在门外拍可以，楼内任何地方不得拍照或摄像，这是规定。"他这一阻拦，使我猛然想起炭疽病事件发生以来纽约各新闻单位所采取的严密的保安措施。当纽约首宗炭疽病信件在美国广播公司（American Broacasting Company，简称 ABC）总部被发现时，《纽约时报》也出现可疑信件，报社大楼一度被关闭检查。

正胡思乱想间，一位小姐站在通道口叫我的名字，并自我介绍是公关部的职员，说乌斯尼克主任正在等我。我赶紧跟她上楼。经过安全通道时，保安朝我做个鬼脸，悄悄说："不让你拍照的那人是我的老板。"我笑着说了声"谢谢"。边走边与那位小姐聊了几句，知道她是韩国人，在时报已工作好几年。

乌斯尼克主任说话利落，步履匆匆，看上去很精干。我再次说明来意，他寒暄几句即领我来到三楼开放式的编辑部大厅，绕过许多电脑台，到达一间宽大的办公室外间，将我介绍给一位自称罗丝玛丽·希尔兹（Rosmary Shields）的小姐。这位小姐正是雷恩斯总编辑的秘书，进去通报后她即笑容可掬地带我往里走。未等我进屋，雷恩斯先生已迎了出来。握手时我感到那只手的肥厚和力度。然后我们坐在他那猩红色天鹅绒沙发上，开始了我的采访。谈话前，我刚把录音机取出，他出人意料地先拿出一部袖珍采访录音机置于茶几上，并笑着征询我的意见说："可以录音吗？只是用作日后参考。"这话本该由我说的。我一边将自己的录音机置于他的录音机旁，一边也笑着表示完全可以，并也征得他的同意。

在对美国新闻界近 40 位高层人士的正式采访中，雷恩斯是唯一对访谈过程进行录音的美国人。

二、 新总编甫上任即遇天大事件

雷恩斯看上去个头约一米七五，头发灰白，两眼炯炯有神，身材敦实，说话略带鼻音。他不像保罗那样健谈，但态度和蔼，在温文尔雅中让你略微感觉出彼此间的距离。

雷恩斯当上美国最显赫报纸的总编辑，完全是历经 37 年奋斗，一步一个脚印从最底层提上来的。他 1964 年开始其新闻生涯，起初是在其家乡亚拉巴马州伯明翰市的《伯明翰先驱邮报》（*The Birmingham Post-Herald*）当记者，同时也为该市的《塔斯卡卢萨新闻报》（*The Tuscaloosa News*）和一家电视台工作。一人同时打 3 份工，足见其年轻时之勤奋。1971 年他实现第一次跨越，进入本州也是美国东南部各州最大的报纸《亚特兰大宪章报》（*The Atlanta Constitution*，该报 2001 年发行量 31 万多份，全国排第 29），不久即升任政治部主编。1976～1978 年，他被邻近的佛罗里达州《圣彼得斯堡时报》（*St. Petersburg Times*）挖去担任政治部主编。1978 年他再次跳槽，终于鲤鱼跳进龙门，进入美国报界人人垂涎的《纽约时报》，成为该报驻亚特兰大记者站首席记者。1984 年，在当了 3 年白宫记者后，雷恩斯被提升为该报华盛顿分社首席政治记者，一年后又升任分社的副主编，然后当了一年驻伦敦分社社长。1988 年，他一个回马枪又杀回华盛顿，任该报华盛顿分社社长，一干就是 4 年。1992 年，他的一篇特稿荣获普利策奖，成为他迄今最引以为荣的经历之一。1993 年，他被任命为《纽约时报》社论版主编，坐上直接归发行人领导的编辑部高位。2001 年 5 月 21 日，他被任命为总编辑，但直至 9 月 5 日前任总编辑约瑟夫·莱利维尔德（Joseph Lelyveld）退休后才正式履新（这位退休总编辑后来又戏剧性地反过来接替雷恩斯重新担任总编辑，个中原因容后再叙）。接替他担任社论版主编的是女评论家盖尔·柯林斯（Gail Collins）。在他正式上任前的 2001 年 8 月 8 日，雷恩斯和该报发行人小阿瑟·苏兹贝格（Arthur Sulzberger，Jr.）前往中国北戴河采访了中国国家主席江泽民，成为当时世界一大新闻。

雷恩斯上任不久即遇震惊世界的“9·11”恐怖袭击事件，这对他来说既是一次突如其来的严峻考验，也是一次展示能力的难得机会。结果，他大获全胜，获得近乎完美的结果：该报因对“9·11”事件及反恐战争的出色报道而一举夺得 6 项普利策奖，加上另一项普利策奖，总共为 7 项，远远超过 45 年前该报一次独得 3 项普利策奖的历史纪录，在美国新闻界引起轰动。在 6 项与“9·11”事件有关的奖项中，包括普利策奖中分量最重的“公共服务奖”。此次事件中，《纽约时报》将其“档案纪录报”的特色发挥得淋漓尽致，连贯且全面地报道了“9·11”事件，阐述了整个事件的来龙去脉及其对全球安全局势的影响，还对受害者的情况予以跟踪报道。除在事件发生当天进行大篇幅的全景式报道外（容后详叙），第二天该报又将版面作大幅调整，将整个 B 叠约 10 页

"All the News That's Fit to Print"

The New York Times

Late Edition
New York: Today, sunny, a few after noon clouds. High 77. Tonight, slightl more humid. Low 65. Tomorrow, su then clouds. High 81. Yesterday, hig 81, low 63. Weather map, Page C1

VOL. CL . . No. 51,874 NEW YORK, WEDNESDAY, SEPTEMBER 12, 2001 75 CENTS

U.S. ATTACKED

HIJACKED JETS DESTROY TWIN TOWERS AND HIT PENTAGON IN DAY OF TERROR

A CREEPING HORROR

Buildings Burn and Fall as Onlookers Search for Elusive Safety

By N. R. KLEINFIELD

It kept getting worse.

The horror arrived in episodic bursts of chilling disbelief, signified first by trembling floors, sharp eruptions, cracked windows. There was the actual unfathomable realization of a gaping, flaming hole in first one of the tall towers, and then the same thing all over again in its twin. There was the merciless sight of bodies helplessly tumbling out, some of them in flames.

Finally, the mighty towers themselves were reduced to nothing. Dense plumes of smoke raced through the downtown avenues, coursing between the buildings, shaped like tornadoes on their sides.

Every sound was cause for alarm. A plane appeared overhead. Was another one coming? No, it was a fighter jet. But was it friend or enemy? People scrambled for their lives, but they didn't know where to go. Should they go north, south, east, west? Stay outside, go indoors? People hid beneath cars and each other. Some contemplated jumping into the river.

For those trying to flee the very epicenter of the collapsing World Trade Center towers, the most horrid thought of all finally dawned on them: nowhere was safe.

For several panic-stricken hours yesterday morning, people in Lower Manhattan witnessed the inexpressible, the incomprehensible, the unthinkable. "I don't know what the gates of hell look like, but it's got to be like this," said John Maloney, a security director for an Internet firm in the trade center. "I'm a combat veteran, Vietnam, and I never saw anything like this."

The first warnings were small ones. Blocks away, Jim Farmer, a film composer, was having breakfast at a small restaurant on West Broadway. He heard the sound of a jet. An odd sound — too loud, it seemed, to be

Continued on Page A7

President Vows to Exact Punishment for 'Evil'

By SERGE SCHMEMANN

Hijackers rammed jetliners into each of New York's World Trade Center towers yesterday, toppling both in a hellish storm of ash, glass smoke and leaping victims, while a third jetliner crashed into the Pentagon in Virginia. There was no official count, but President Bush said thousands had perished, and in the immediate aftermath the calamity was already being ranked the worst and most audacious terror attack in American history.

The attacks seemed carefully coordinated. The hijacked planes were all on route to California, and therefore gorged with fuel, and their departures were spaced within an hour and 40 minutes. The first, American Airlines Flight 11, a Boeing 767 out of Boston for Los Angeles, crashed into the north tower at 8:48 a.m. Eighteen minutes later, United Airlines Flight 175, also headed from Boston to Los Angeles, plowed into the south tower.

Kelly Guenther for The New York Times

SECOND PLANE United Airlines Flight 175 nearing the trade center's south tower.

Then an American Airlines Boeing 757, Flight 77, left Washington's Dulles International Airport bound for Los Angeles, but instead hit the western part of the Pentagon, the military headquarters where 24,000 people work, at 9:40 a.m. Finally, United Airlines Flight 93, a Boeing 757 flying from Newark to San Francisco, crashed near Pittsburgh, raising the possibility that its hijackers had failed in whatever their mission was.

There were indications that the hijackers on at least two of the planes were armed with knives. Attorney General John Ashcroft told reporters in the evening that the suspects on Flight 11 were armed that way. And Barbara Olson, a television commentator who was traveling on American Flight 77, managed to reach her husband, Solicitor General Theodore Olson, by cell phone and to tell him that the hijackers were armed with knives and a box cutter.

In all, 266 people perished in the four planes and several score more were known dead elsewhere. Numerous firefighters, police officers and other rescue workers who responded to the initial disaster in Lower Manhattan were killed or injured when the buildings collapsed. Hundreds were treated for cuts, broken bones, burns and smoke inhalation.

But the real carnage was concealed for now by the twisted, smoking, ash-choked carcasses of the twin towers, in which thousands of people used to work on a weekday. The collapse of the towers caused another World Trade Center building to fall 7 hours later, and several

Continued on Page A14

A Somber Bush Says Terrorism Cannot Prevail

By ELISABETH BUMILLER with DAVID E. SANGER

WASHINGTON, Sept. 11 — President Bush vowed tonight to retaliate against those responsible for today's attacks on New York and Washington, declaring that he would "make no distinction between the terrorists who committed these acts and those who harbor them."

"These acts of mass murder were intended to frighten our nation into chaos and retreat, but they have failed," the president said in his first speech to the nation from the Oval Office. "Our country is strong. Terrorist acts can shake the foundation of our biggest buildings, but they cannot touch the foundation of America."

His speech came after a day of trauma that seems destined to define his presidency. Seeking to at once calm the nation and declare his determination to exact retribution, he told a country numbed by repeated scenes of carnage that "these acts shattered steel, but they cannot dent the steel of American resolve."

Mr. Bush spoke only hours after returning from a zigzag course across the country, as his Secret Service and military security teams moved him from Florida, where he woke up this morning expecting to press for his education bill, to command posts in Louisiana and Nebraska before it was determined the attacks had probably ended and he could safely return to the capital.

It was a sign of the catastrophic

Continued on Page A4

Paul Hosefros/The New York Times

AMERICAN TARGETS A ball of fire exploded outward after the second of two jetliners slammed into the World Trade Center; less than two hours later, both of the 110-story towers were gone. Hijackers crashed a third airliner into the Pentagon, setting off a huge explosion and fire.

Ruth Fremson/The New York Times

Awaiting the Aftershocks

Washington and Nation Plunge Into Fight With Enemy Hard to Identify and Punish

By R. W. APPLE Jr.

News Analysis

WASHINGTON, Sept. 11 — Today's devastating and astonishingly well-coordinated attacks on the World Trade Center towers in New York and on the Pentagon outside of Washington plunged the nation into a warlike struggle against an enemy that will be hard to identify with certainty and hard to punish with precision.

The whole nation — to a degree the whole world — shook as hijacked airliners plunged into buildings that symbolize the financial and military might of the United States. The sense of security and self-confidence that Americans take as their birthright suffered a grievous blow, from which recovery will be slow. The aftershocks will be nearly as bad, as hundreds and possibly thousands of people discover that friends or relatives died awful, fiery deaths.

Scenes of chaos and destruction evocative of the nightmare world of Hieronymus Bosch, with smoke and debris blotting out the sun, were carried by television into homes and workplaces across the nation. Echoing Franklin D. Roosevelt's description of the attack on Pearl Harbor as an event "which will live in infamy," Gov. George E. Pataki of New York, a Republican, spoke of "an incredible outrage" and Senator Charles E. Schumer of New York, a Democrat, spoke of "a dastardly attack."

But mere words were inadequate vessels to contain the sense of shock and horror that people felt.

As Washington struggled to regain a sense of equilibrium, with warplanes and heavily armed helicopters crossing overhead, past and present national security officials earnestly debated the possibility of a Congressional declaration of war — but against precisely whom, and in what exact circumstances? Warships were maneuvering to protect New York and Washington. The North American Air Defense Command, which had seemed to many a relic of the cold war, adopted a pos-

Continued on Page A24

《纽约时报》2001 年 9 月 12 日头版（“9 · 11”事件特别版）

的篇幅辟为《国家面临挑战》特刊，连续刊登数月（直到我 2002 年回国前还在刊登）。这是该报获得“公共服务贡献奖”的全部理由。其他 5 个奖是解释性报道奖、国际报道奖、新闻评论奖、独家报道奖、现场新闻照片奖和特写照片奖（一张照片独得双奖）。其中新闻评论奖被评价为“准确、全面，并深入分析了‘9·11’事件对全球局势产生的恐怖威胁”。①

以上都是后话。我那天坐在雷恩斯办公室那猩红色天鹅绒沙发上时，《纽约时报》这位老总并未预知即将丰收的普利策奖。他闭口不谈自己当时的表现，尽管他是当时编辑部的最高指挥者和适时辟出《国家面临挑战》特刊的主要决策人，尽管在他的主持下该报用了 96 磅字号的特大主标题——**“美国遇袭”（U.S. ATTACKED）。这个标题的字号比《纽约时报》的报头字还大近乎一倍，是该报有史以来第三次用 96 磅字号。第一次是上世纪 60 年代美国阿波罗号载人飞船登月，当时的标题为“人类漫步月球”（MAN WALKS ON MOON）；第二次是上世纪 70 年代尼克松下台，标题为“尼克松辞职”（NIXON RESIGNS）。**看得出来，由于字号特大，标题用字也就特少，只有 2～4 个字。

在谈话中，他只是对编辑部员工的出色工作嘉勉有加。的确，《纽约时报》获得的这块“公共服务贡献奖”金牌，虽无任何人的名字，却是很多人忘我劳动的结晶。据 2001 年 9 月 17 日出版的《总编辑与发行人》（*Editor & Publisher*）杂志报道，在“9·11”惨剧发生的当天，《纽约时报》至少有 100 名记者投入现场的采访报道活动，其中至少有 24 人于上午 10 时即到达世贸中心附近。该报大都市新闻部主编约翰·兰曼（John Landman）说：“当时所有人都行动起来，编辑部人手不够，行政经营方面的人员自觉前来帮忙。广告部的员工来帮助接听电话，财务人员来帮助记录前方记者的稿件，甚至保安人员也跑来尽力。”报道称，一位家住新泽西州的记者闻讯欲赶回报社，不料所有通过哈德逊河进入曼哈顿的桥梁、隧道和渡轮都封闭了，情急之下，他疯狂拦住一艘在河面巡逻的船只，终于渡过河赶到了报社，很快投入为前方记者改写稿件的紧张工作。当然，所有稿件都不会署他的名。②

在后来采访该报企业发展部主任约翰·戴利（John Daly）时，我进一步获悉：9 月 11 日下午，当该报意识到曼哈顿下城的戒严将影响到次日报纸向这一地区的发送时，报社分管发行的副总裁立刻联合《华

---

① Pulitzer Prize Focus on Sept. 11, *The New York Times*, 2002 年 4 月 9 日

② New York Newspapers Performed Admirably, *Editor & Publisher*, 2001 年 9 月 17 日

尔街日报》向纽约州长帕塔基求援。结果在州警察局警员的护送下，两报的运报卡车于次日下午3时进入被封锁的下城区，使这一地区的读者及时获得《纽约时报》和《华尔街日报》。

这一天的《纽约时报》很快脱销。当天我接连三次到附近的超市购买《纽约时报》，每次都扑了空。后来还是戴利送给我一份9月12日的报纸，那是重新印刷的。戴利说："袭击后的第二天，我们实际上将零售数量加印了一倍，即增加了50万份，因此那天报纸的发行量约为180万份。但还不够，我们又加印了10万份。后来我们不得不重新开机，再印10万份，以满足读者需要。所以，9月12日的报纸我们总共发行了200万份，这在我们报纸的历史上是绝无仅有的。"

新总编上任第一个月，《纽约时报》就打了一场漂亮仗。

三、 与保姆一段情竟导致普利策奖

出乎我的意料的是，雷恩斯获普利策奖的作品，不是他所擅长的社论和新闻评论，更不是对新闻事件的报道或摄影图片。他的作品软得不能再软，获奖的是一篇关于他与童年时家中保姆间个人友谊的自传体特稿。

这篇特稿发表于1991年12月1日的星期天版第六板块的《纽约时报杂志》，篇幅长达5335个字。文章表达了他少年时期对位于南方的家乡城市伯明翰市种族歧视的不满与无奈，而在他7岁时到他家当保姆的少女恰是一位黑人。他认为这位后来一度不知所终的黑女人对他一生有很大影响，他一直心存感激，谁知34年后雷恩斯一家与这位保姆又意外重逢，惊喜之情难以言表。文章透露出雷恩斯本人也是出身寒门，父辈从穷苦劳工起家。

这篇文章既以一位黑女佣的命运反映出上世纪50年代美国南方种族歧视的罪恶历史，也透露出当今世界最著名报纸总编辑的少年经历，同时还依稀可见普利策奖的某种价值取向。应我要求，雷恩斯让秘书罗丝玛丽小姐给我寄来了这篇作品，我读后十分感动。这里不妨节选部分内容试译如下，供读者欣赏：

格雷迪的礼物

格雷迪（Grady）有一天出现在伯明翰第五大道西1409号的我们家时，我才7岁。她渐渐改变了我看待世界的方式。她为我们家熨衣、清洁和做饭，一干就是 7 年，我们每周付她 18 美金。她和我之间的谈话成为我们家在亚拉巴马州许多个炎热下午不可或缺的内容，家中每一个成员也逐渐接受了这一被我父亲称之为“伟大而冗长的谈话”的闲聊。

一个业已消逝的时代是很难描述甚至也难以在记忆里保留的，如西部的拓荒时代就离我们很远了。但我却是在一个今天已经不复存在的世界长大，那个世界就在我们国家，也并非很久以前。那就是伯明翰，那里曾经盛行着本世纪美洲大陆最典型的种族隔离制度！

我们在 50 年代那行将消失的世界长大，过着世俗的、无关紧要的日子，而马丁·路德·金（Martin Luther King）和警察局长 T. 尤金·康纳（T. Eugene Connor）正为其历史性的抗争做准备。多年来，在我的记忆里，我和格雷迪像孩子与成年人一样生活着。但现在看来，我们那时都是孩子，只不过一个是白人而年纪尚幼，另一个是黑人正步入青年；一个享受特权，另一个遭遇贫穷。

不久前，我们在伯明翰郊外我姐姐家那所大房子相聚。现年已 57 岁的格雷迪是亚特兰大医院的厨师。我开租来的车将她接到姐姐家，正在停车时，现已退休而住在佛罗里达的我父母亲开着他们那灰色卡迪拉克轿车也刚刚赶到。我父亲虽年近 84 岁却身材魁梧，精力充沛，停下车一言不发，径直走向格雷迪，一把将她揽在怀里。

过了好一会儿，格雷迪才说：“我从未想到过会再见到你们一家。我想这真是天意，是上帝要我们相见的。”

这是 34 年来我们大家第一次重聚。对我而言，随着时间的流逝，能够找到格雷迪显得越来越重要，因为我深感应当在我的那些启蒙老师们还健在的时候让其听到我的感谢话语。格雷迪一直是我们的“女仆”，但她给我上了作家应学到的最有价值的一课，那就是以诚实的且直逼要害的眼光去观察我们的世界。她走了很久之后，我才意识到，她是一个多么勇敢而慷慨的人，或者说，我竟欠了她那么多。

我们这次有缘相聚，是因为去年春天姐姐碰巧遇见格雷迪一位亲戚并得到了她的电话号码。我获悉后立即到亚特兰大拜访她，并促成数月后在伯明翰聚集，让大家共同回忆一同度过的岁月。我们再次体会到爱是如何持久的，她不仅绽放在丰饶之沃土，也会灿烂于贫瘠之沙丘。

旁观者通常以为，在整个南方，种族隔离的形式大体相仿。其实不然，这种隔离在某些地方尚存人性，而在某些地方却包含着不可宽恕的残忍。在伯明翰，可以发现种族隔离最残暴和最有组织的形式——由白人刺客夜间偷袭所造成的隔离；由合众钢铁公司老板所制造的隔离；由普遍缺乏道德的警察们强加的隔离。

马丁·路德·金曾经说过，伯明翰与整个南方的关系，有如约翰内斯堡与整个非洲的关系。他认为，伯明翰简直就像南非种族隔离的美国版，如果种族隔离能够在这座城市被打破，它就可以在美国任何地方被打破。这就是为什么1963年声势浩大的民权运动在伯明翰爆发，为什么一旦其咽喉在伯明翰英格兰公园被切断，以合法形式存在的种族隔离这条巨龙也就倒地身亡。这便是“肮脏的伯明翰”的结局。

在伯明翰的全盛时期，一条由炼钢厂组成的宽广地带延伸达10英里长。像格雷迪父亲和我父亲那样的黑人和白人从南方各地蜂拥而来，干着炼钢、挖煤、采铁矿等各类工作。每到夜晚，钢铁厂永不熄灭的红色光芒照耀着夜空，直到格雷迪·威廉斯出生的1933年。工种的分配遵循着简单的惯例：白人炼钢，黑人洗煤。

格雷迪的父亲亨利·威廉斯（Henry Williams）来自俄克拉荷马。他身材矮小，只有5英尺3英寸，非洲和切诺基血统各占一半，却非常潇洒，但也有些偏执。当白人工头去世时，他相信自己会升上去，不料却把死去的白人的外甥招进来顶了缺，自己反倒要去教会新上司所有有关洗煤的知识。

他为此愤愤不平，抱怨自己被一个新手晾在一边。妻子伊丽莎白总是劝他：“算了吧，亨利，不和他们计较。”

一个星期六，亨利·威廉斯交给格雷迪一个任务说：“去那座小山告诉戴维斯先生，就说我向他要三颗可用在我那38型手枪上的子弹，我想去宰一条狗。”

同一天下午，他在自己的卧室开枪自杀。格雷迪发现了尸体，那年她才7岁。

多年来，伊丽莎白·威廉斯（Elizabethe Williams）支撑着全家。她当时是一名见习护士，若非当地医院的种族歧视，她本来可以成为一名注册护士的。

格雷迪上了一个黑人高中学校，那时14岁，已经在白人家兼职干些零活了。16岁高中毕业后，成绩优秀的她在考试中不想过于突出，但最后的分数仍很高。她原计划到新奥尔良一所黑人大学的医护分校读书，但她需要先靠一份全职的工作来挣学费，于是来到我们家。

在大萧条时期（指20世纪30年代——笔者）和第二次世界大战之间，我父亲和他两位兄弟从亚拉巴马山区迁移到伯明翰。他们是壮实、朴素的乡村小伙子，知道如何甩大锤。到1948年杜鲁门当选总统时，他们通过向A&P公司贩卖木材和建筑架而腰包渐鼓，于是在海边买下房子，为他们的妻子们雇佣了女仆，共育有8个子女，并决心让他们上大学。我是最后一个出生的，前程灿烂。

这帮粗手笨脚的山民能够发达起来并宠爱子女，在他们来说是一件光宗耀祖的事。但那个时候我身边围绕的尽是女人：我妈妈；我姐姐，她大我12岁，把我当宠物般抱来抢去；我那鸡皮鹤发的老外婆，一位寡妇，除我之外她不喜欢任何人，因为我用了她丈夫的名字；还有我姑妈，一位红头发的老处女，她为我制作很多小吃，我父母不在家时我就睡在她房间里的小床上。其他还先后有3位黑人女仆，格雷迪是其中最后一位。

我们家的女人大都太过苗条瘦弱，唯格雷迪身材丰满，皮肤光鲜。她穿着蓝色制服，两条棕黑色的小腿胖鼓鼓的，门牙有一个缝（我也是）。依我的记忆，格雷迪告诉我的第一件事情就是，一旦她赚足了钱，她就为自己的牙齿镶上一个钻石套，那牙一定会让男人发狂的！

我14岁时，她就离开了。过了许多年，我才意识到，在那个充满暴力的年代里，在那座残酷无情的城市里，无论是处于偶然，抑或天意，格雷迪都以一种微妙的、轻柔的、充满爱意的方式，如同那座欢乐的庭院里胡桃树发芽落叶一般，馈赠给了我最珍贵的礼物，而这礼物为在彼时彼地长大的一名放纵的白人男孩所接受。据大我10岁的哥哥回忆，我那时一个劲地跟在格雷迪后面，不停地向她发问，要求和她闲扯。

我那时大约9岁或10岁。我们二人独处一室，她在熨衣。强烈的光线流水般穿过窗户，盛暑像一张地毯，沉重地笼罩着整个伯明翰。她讲起了从未告诉过我的秘密世界。她讲到警察用橡胶水龙头所实施的街头暴行，讲到黑人区以枪杀一名行动太迟缓的地板清洁工而闻名的副警官，讲到“狗日”（Dog Day），即一年一度黑人被允许参与国事的日子，还有全国有色人种协会。

1951年，带着在我家工作的积蓄，她终于上了那所大学的护理学校。她成绩优良，并热爱那所学校及其所在的新奥尔良城。可惜那笔钱仅支撑了一个学期，因此在夏季报名之际，她又来打扫我的房间了。从此，她打消了成为一名注册护士的梦想。几年之后，格雷迪出嫁了。1957年，她移居纽约，干的仍是女仆的工作，从此便从我的生活中消失。但我从未忘却她是如何向往获得教育的。

时间到了1991年4月23日。我走近亚特兰大一幢看上去不起眼的公寓那扇关闭了的安全门。门后，在阴影里等候着的是一位身材娇小的妇女，头上长着一圈白发，门牙上有着明显的裂缝——仍然没有镶上钻石。格雷迪打开门说：“我要拥抱你一下！”

格雷迪的房间朴素简洁，最显著的特征是躺椅旁边一排排的书籍。

中断了这么多年的谈话，我们没费力气就续上了。几分钟内，我们二人都在大笑我们回忆起的完全同样的事情。格雷迪早已知道当我接近青春期时对自己的相貌缺乏自信。她总是找机会来肯定我，且喜欢用最令人振奋的方式。有一天，我穿着硬挺挺的衬衣，头发向后梳得光溜溜的，准备去参加一个生日派对。格雷迪见了大叫道："你看上去就像要去泡妞似的！"以至我妈妈听到从隔壁房间喊道："格雷迪，你知道你在说什么吗？"我对格雷迪说"是的"，我还想说"我是想去销魂啊"，但未说出口。

阅读已成为格雷迪生活中的一股激情，尽管她从未获得过更多的正统教育。当年正是格雷迪把海明威介绍给了我。在 1952 年那个秋天，我得了腮腺炎，而《老人与海》正在《生活》上刊出。格雷迪坐在我的床边，为我读完了整部小说。我们二人都冲着这句话咯咯地笑："有一次他站起身来，就在小艇旁边撒尿……"

她后来解释说，部分是为了挣钱，部分是为了逃避那烦人的婚姻，她去纽约当女仆，每月挣 125 美元。她丈夫后来也去了。"雇佣我的那个家庭也给了他一份工作，"她回忆道，"我们住在一起，相处了 31 年，这 31 年太漫长了，毫无生气。"他们育有三个子女，最大的已 37 岁，在纽约地铁工作。

在南方的黑人中，格雷迪属于眼睁睁看着自己的机遇被种族隔离最后的喘息所焚毁的那一代人。今天无论哪个种族的青年都很难理解这个正逐渐减少的一代人所遭遇的赤裸裸的不公正待遇。当你从华莱士（指当时亚拉巴马州州长——笔者）的言词中剥去有关宪法的废话后，实际上他正在告诉格雷迪的母亲，一位辛勤劳动并在亚拉巴马州付了 40 多年的财产税、消费税和收入税的母亲，她的孩子并不能去就读由这些税款所资助的学校！

所以，当我开玩笑问起在她身后是否会把骨灰带回伯明翰的普拉特城（Pratt）时，引起了她的不快。她坚决地回答："不。我宁愿它被丢进纽约的东河（East River）。我从不喜欢亚拉巴马。你这样说，难道不太可怕了吗？你知道我多么恨那个城市。"

现在我们几乎能回忆起所有当时的情景和细节：格雷迪和我在那间熨衣室又单独在一起了，还是那漫长而酷热的下午。我们看着杂志，听她读书……已经赐给我这么多的格雷迪，就这样带着最后一件礼物进入我的生活。她为我带来童年电影里失去的一幕。

我们的团聚成为一个发现的日子，充满丰富的感情和特别的幽默。漫长的午餐快结束时，我的姐姐和我的嫂子开始准备咖啡。格雷迪愉快地讲起我已去世的姑妈制作可可饼子的技艺。她又说："我年轻时常常希望自己能买上一座大房子，然后让白人为我准备咖啡，"格雷迪靠着座椅继续说，"我虽然没买上大房子，但是我现在已经喝上了白人为我倒的咖啡。我曾经追逐过彩虹，我抓住了它。"

当然，她并没有追上彩虹。她永远也追不上了。在种族主义的牺牲品中，格雷迪就像战争即将结束时阵亡的士兵。就在她接受教育的梦想破灭后的几年内，地方大学便对黑人开放了。她的妹妹、侄子成了幸运儿。妹妹 1964 年在高中合唱团时展露才华，获得一笔奖学金，后来成为爵士乐歌手。侄子从哈佛大学法学院毕业后，如今已是亚拉巴马立法会的成员。如果格雷迪再小上几岁的话，她就会走上她妹妹和侄子的道路。如果她是白人，亚拉巴马的公立教育体制也一定会保送她的，即使她家境贫寒。即使在 1950 年，凡是读完高中的，失去父亲的白人子弟都不允许在亚拉巴马耽误前程。但格雷迪时运不济，既身为黑人又失去父亲，真是祸不单行。

就在我们午餐聚会的某个时刻，屋里每个人都意识到，在所有当格雷迪还是一名小女孩时就认识她的人中，有一群人本来可以送她上大学的——那就是我们家啊。第二天早上，我妹妹向我讲起发生在同一天的令人遗憾的谈话。"昨天晚上，妈妈在晚餐时说，如果我们早知道这样的话，我们本来可以做点事情的，"妹妹说，"唉，我们怎么早不知道呢?"

是的，确切地说，我们怎么早不知道呢——我们又如何不知道，在当时这个国家的年轻黑人中正在进行的生命、思想和灵魂的大屠杀呢?

当我听布什总统（指老布什）或他的顾问、当局民权政策的主要设计师博伊登·格雷（Boyden Gray）谈论起"反面的待遇差别"和"种族限额"这类冠冕堂皇的字眼时，我就会联想到华莱士州长。他们并不像那些老一辈南方政客，他们并非一些无知的人。他们都彬彬有礼，是受过良好教育的特权的后代。但当他们争论说，这个国家根本无须为过去的不公正作出弥补时，我仿佛就听到了那些从未见过如此伤痛的、被放纵了的白人小孩所使用的成人般的口吻。我于是再次想起格雷迪以及她很多年前智慧地、慷慨地赠予这样一个男孩子的无价的礼物。

格雷迪告诉我，当她在一家图书馆看到我的书时，她非常感动。那是一部取名为《我心安息》（*My Soul Is Rested*）的关于民权运动的口述历史，在大学校园里作为有关南方以及有关我从事新闻工作经历的基本读物而广泛流传，我对此最引以自豪。但当这本书在 1977 年首次刊行时，格雷迪并没有意识到，她正是这本书的灵感源泉。这是我的错。

我等待了太久太久，才找到她并告诉她，这真正是她的书，是在那漫长酷热的下午，她在我心灵里写下的。

雷恩斯的这篇作品写得很动情，篇幅也比上述文字长一倍多。他对幼时保姆的感情真挚可信，对当时的种族歧视深恶痛绝，对当时在台上的某些政治家的态度给予了直截了当的批评，文中没有丝毫造作。这增添了我对这位总编辑的敬意。

四、“我最操心头版及头条”

美国报纸编辑部的工作流程与中国报纸有所不同，例如他们的采编合一体制、他们以编辑为中心的指挥管理体系、他们将新闻与评论严格区分的做法等等。于是我常想，这些报纸的总编辑们怎样去实施管理？他们日常最操心的问题是什么？过去在国内曾听原《人民日报》总编辑（现清华大学新闻与传播学院院长）范敬宜先生说过，总编辑的职责主要有两条，一是策划，二是把关。这一观点被国内业界高度认同，也具有很浓烈的中国特色。但从比较研究的角度考虑，我就更想知道美国总编辑们的想法。

于是，我第一次访问纽约时报时，就用“您在编辑部日常管理中最关心什么”这样的问题问总编辑雷恩斯。他的回答是：“作为编辑部的头，我最关注的是新闻既快又准地到达编辑部，即要求新闻既准确又是最先获得的。如果快速和准确二者不可兼得，则宁肯准确而不要快，尽管我本人更喜欢快，快了才有独家新闻嘛。而我日常做得最多的事情，就是决定每天报纸的头版新闻，特别是头条新闻。这件事很有挑战性，把它做好并不容易。”

在美期间，我用这类问题问了不下六位著名报社的总编辑，答案不尽相同。如长岛《新闻日报》总编辑马罗告诉我说：“我没有什么最头疼的事，我要操心的只是大量零碎的小事，如招聘新员工、解聘不称职员工、公平付酬、设法使员工专心工作等。我们不像《纽约时报》，那是份很特殊的报纸，每天有过多的人花费过多的精力去注意它。正因此，它的总编辑把很多功夫用在头版上。我们与其不同，我们在一版只有一篇稿件，编辑部的人已经熟悉自己报纸的风格，他们懂得一版需要什么稿件。我只需将一半的精力放在选头版稿件上。”

马罗的话说明，即使他自己认为不必过多操心头版，但这一决策行为仍然占据了他一半的精力。这代表了大多数美国报纸总编辑的日常关注重点。

马罗的话又点出了《纽约时报》“是份很特殊的报纸”。特殊在哪里呢？依我在美国的切身体验，《纽约时报》之特殊，主要在于其声名远播的“档案纪录报”特征。该报有一句被浓缩了的编辑方针，即“一切适于刊印的新闻”（All the News That's Fit to Print）。这句话由该报早期发行人奥克斯推出并于 1896 年 10 月 25 日首次在社论版出现，又于 1897 年 2 月 10 日移至头版，置于报头左侧，从此每天与读者见面，成为一条永不改变的信条。这一编辑方针所强调的包容天下一切新闻的意图十分突出。正是在这一编辑方针的指导下，该报对国际国内大事，特别是包括纽约在内的美国国内重要新闻覆盖无余，疏而不漏，其完整和全面的程度，美国报纸无出其右者。《华尔街日报》和《今日美国》的发行量都比《纽约时报》大，但《华尔街日报》偏重财经，已经将许多综合新闻拱手让人，而人们从《今日美国》又很难读到详细深入的分析类报道。

更重要的是，《纽约时报》的容量比绝大多数竞争对手都大得多，页数一般相当于它们的两倍，平日刊一般都超过 100 页。如我第三次访问该报那天（2001 年 12 月 12 日，星期三），其总页数为 128 页。若按该报每页平均 7000 个单词计算，总印刷单词量达 64 万个，超过 900 页厚的著名小说《飘》的单词量。其星期天刊就更加庞大了，比平日刊要多近一倍。据说 1983 年 11 月 13 日的该报曾达到创纪录的 1572 页，重 4.5 公斤（关于该报的星期天刊，容后详述）。该报前发行人阿瑟·奥克斯·苏兹伯格（Arthur Ochs Sulzberger）曾宣称：“如果有谁说过他每天读完整份报纸（指《纽约时报》），那么他不是世界上读报最快的读者，就是天下头号撒谎者。”①

据有关资料，《纽约时报》从奥克斯时代起就用小号字刊登纽约发生的每一场火灾。迄今人们也可从该报了解到世界各地的天气情况及美国各地空气污染指数，还能读到重要演讲的全文、白宫客人名单、长篇回忆录以及各地日出日落的准确时间等等。该报还以发表的消息多于世界任何其他报纸为荣，曾有一段时间报社每天都有人奉命查阅其他报纸，对体育比赛的积分报道和讣闻报道逐条加以统计，检查本报有无遗漏。

不仅容量大，该报在覆盖各类新闻事件时还尽量做到客观公正。一个典型的例子是，该报对自己竞争对手的重要新闻也从不避讳。在纽约

① George Thomas Kurian：*World Press Encyclopedia*，1982 年

市，该报有若干竞争对手，如发行量全国排行第六（过去曾远远超过《纽约时报》）的纽约《每日新闻》和排行第十的《纽约邮报》。这两家报纸都两眼紧盯着发行量排行第三的《纽约时报》的广告客户和读者队伍。《纽约邮报》发行人接受我采访时更声称自己的读者层与《纽约时报》的读者层基本相同（据向美国同行核实，此话并非虚妄之语）。《纽约时报》对这两个本市小兄弟当然也不敢太掉以轻心。但在该报，却经常可以读到对两个对手的正面报道。如 2001 年 4 月 24 日《纽约邮报》刚宣布总编辑易人，次日的《纽约时报》立即刊出对此事件及新任总编辑的长达 1000 词的报道，并在文中借用他人之口对这位来自澳大利亚的新总编辑科尔·阿伦（Col Allan）赞誉有加："科尔·阿伦是一位典型的、作风硬朗的澳大利亚总编辑。""他对各种各样的政治冲突及与媒体大人物间的关系均应付自如。他并不倒向政界的某一边，但无论在悉尼还是在整个澳大利亚，权势人物们对他都很敬畏，甚至有几分恐惧。"这篇报道还评论说："他在过去领导悉尼《每日电讯报》与对手大报《悉尼先驱早报》的恶战中表现强悍，此次加盟《邮报》必将在纽约业已激烈的报业竞争中再掀大浪。"① 其他如《新总编（指纽约邮报）解雇三名高级职员》、《报纸（指〈每日新闻〉）批评得罪广告大户》之类关于对手报纸的新闻均屡见不鲜。

对于《华尔街日报》、《华盛顿邮报》等全国性竞争对手，《纽约邮报》也摆出大报风范，以平常心对待其任何重要新闻，绝不遗漏。如前文所述，"9·11"事件发生仅三天，该报即以赞美的口吻详细报道了《华尔街日报》如何在灾祸临头时克服困难确保按时出报的事迹。此前，当《华盛顿邮报》发行人凯瑟琳·格雷厄姆于 2001 年 7 月 17 日突然去世时，《纽约时报》随即于第二天推出篇幅甚至超过《华盛顿邮报》本身新闻的长篇报道，历数这位多年老对手的业绩及对美国乃至世界报业的贡献，措辞热情洋溢，笔调凝重激越。

《纽约时报》档案纪录报的特性及其在美国人心目中的地位，使得该报成为美国人日常资讯的最重要资源之一。在纽约图书馆，我见到数十大本沉甸甸的《纽约时报》文章分类剪报本，供读者查询。在各区及街道的公共图书馆，也常见专设的电脑，通过馆内提供的光碟来检索历年《纽约时报》中的信息资料。在图书馆里检索着"大而全"的《纽约时报》，不禁对每日印在该报头版左上角的编辑方针有了更深的印象。

---

① New Editor at Post Raised Sydney Paper's Influence，*The New York Times*，2001 年 4 月 25 日

在这样一个信息浩如烟海的时代，在这样一份企图包罗万象的大报，选择哪几条重要新闻上头版，特别是判断哪一件新闻具备资格上头条，确非易事。事实上，《纽约时报》一旦发行出去，其头版文章即广受关注，也成为引用者的首选目标，不少报纸甚至以《纽约时报》头版的选题来检讨自己的关注点是否正确。难怪雷恩斯自认平时最经常的“动作”是选择和判断头版及头条稿件。不仅雷恩斯，该报历届总编辑都在头版稿选择上掂量再三，不敢懈怠。我们从该报一位名叫阿贝·罗森塔尔（Abe Rosenthal）的总编辑上世纪 70 年代初写给编辑部的备忘录中可以略窥端倪：**“《时报》的头版也许是这张报纸最重要的单项资产和商标。头版呈现给读者的并非只是一些重要新闻，还包括本报编辑们对重要性的判别能力。头版不仅是新闻，而是新闻加时报声誉。正如你们所知，本报头版对其他报纸、对电视乃至对新闻事件本身都产生着极其重大的影响。因此，新闻在本报头版上的位置，其本身就构成一件新闻。”**① 这样的评价真是吓死人了，我不知道世界上还有哪家报纸敢将自己的头版看得如此重要，敢说本报头条的选择本身就是一条新闻。

说到这里，有必要简单介绍一下《纽约时报》的头版面孔。这张面孔乍一看，可用“四平八稳”、“正儿八经”、“有板有眼”之类词语来描述。它虽然比《华尔街日报》好看多了，但与美国其他大型日报比依然稳健有余而活泼不足。这也是该报一贯的风格。据我仔细观察，它的头版特点主要有三：一是版式稳重，重点突出；二是选题精当，照顾周全；三是篇幅冗长，一律转版。

版式方面，它的头版与内页横排方式不同，其 6 栏设置基本上还是以垂直为主，且栏区清晰，标题、图片、文章都极少破栏。《纽约时报》的 6 栏制也是几经变革的结果：创刊时为 6 栏，1865 年 12 月 4 日起改为 7 栏，1913 年 4 月 1 日起为 8 栏，1976 年 9 月 7 日起放弃坚持了 64 年的 8 栏设置而改回 6 栏，直至今日。据说，坚持用 6 栏的理由一是栏宽增加，便于阅读；二是容量增大，节省纸张。另外，它的标题喜用细体字，照片也很少像《今日美国》那样大。

《纽约时报》庄重稳健的版式风格由来已久。早在 1851 年的创刊号上，《纽约时报》创始人亨利·J. 雷蒙德（Henry J. Raymond）就摒弃《纽约太阳报》和《纽约先驱报》的煽情手法，宣称：“我们的《纽约每日时报》将永远站在道德、工业、教育和宗教的立场上，报道世界

---

① Richard F. Shepard: *The Paper's Paper, A Reporter's Journey Through The Archives of The New York Times*, Random House, 1996 年

各地新闻，成为纽约最好的报纸……我们不打算给人感觉是在感情冲动下写文章，除非有什么确使我们激动。但是我们尽量使自己不要感情冲动。”① 这就奠定了该报不卑不亢的基调。拯救《纽约时报》于困境的老奥克斯，1896 年接手该报时也坚决反对任何形式的所谓通俗化特色，拒绝刊登玩弄“噱头”的消息和连环漫画，甚至忽略照片对读者的吸引力，许诺“本报不会污染早餐的桌布”。②

在创刊后的几十年里，《纽约时报》的头版一直保持小字号标题，头条稿件的标题一般也只用一栏，甚至在 1865 年 4 月 10 日和 15 日对南北战争结束和林肯总统遇刺身亡这样重大事件的处理，也都只用一栏标题字的头条。该报头版上也很少见到大幅照片。其中有一个例外是 1912 年 4 月 16 日。我查阅到的这天报纸，破天荒地用三行通栏标题及 5 栏宽（当时头版是 7 栏设置）的大幅照片报道了“泰坦尼克号”豪华客轮失事沉没的新闻，还附有殉职船长的肖像。但这一通栏题的字号仍然较小，不到报头字号的一半。1969 年 7 月 22 日这一天，该报头版再次突破，历史上首次使用 96 磅字（比报头字号还大 1/3）的通栏标题，报道美国人登陆月球的人类创举。此后，《纽约时报》的头版渐呈活跃趋势，但当该报 1973 年用通栏标题报道尼尔森·洛克菲勒（Nilsen Rockefeller）副总统辞职的消息时，引起发行人阿瑟·奥克斯·苏兹贝格（Athur Ochs Sulzberger）的不满。他对编辑部说：“你们难道不觉得应该将这些大标题留给更重要的新闻吗？……我感到我们正越来越滥用大字标题或通栏标题。”③ 于是该报又归于中规中矩的版式。

总之，在整个 20 世纪，《纽约时报》虽然多次改版，但一版的变化不大，甚至在国内很多报纸采用彩色新闻图片时，它还坚持用黑白照片。直到 1993 年，该报才在星期天刊中的“书评”板块首次采用彩色图片。到 1997 年 9 月 15 日该报再次全面改版，该报才顺应潮流，开始在周一至周五的版面先体育、后其他版地开始采用彩色版和彩色图片，版式也趋向活跃，内页的某些板块，如艺术类、家居类和体育类板块甚至十分花哨，特大图片随处可见。而该报真正开始在头版用彩，则始于 1997 年 10 月 16 日。这个时候，别说报业强国美国，就是中国的大多数日报的头版也都用上了彩色。

---

① 张隆栋、傅显明：《外国新闻事业史简编》，中国人民大学出版社，1988 年

② 《美国新闻史》，展江、殷文主译，新华出版社，2001 年

③ Richard F. Shepard: *The Paper's Paper*, *A Reporter's Journey Through The Archives of The New York Times*, Random House, 1996 年

《纽约时报》一版的版式虽不太活泼，但常采用“突出右上角”的版式，使重要新闻较易抓住读者视线。和中国报纸不同的是，《纽约时报》头版头条的位置不是左上角而是右上角，这也是美国很多报纸的做法（《华尔街日报》有所不同），理由是右上角是最早进入读者视线的部分。所谓“突出右上角”，即将头条连同配发的照片都集中在右上角，而将其他三个角刊发小字标题的新闻或干脆就是正文。笔者在美国时，就常见该报于右上角头条位置刊登三栏左右的黑体标题，其左下方和下方围绕着的是图片及配发的相关新闻，有时干脆将较大的图片置于右上角；而其他角则用细体标题。据说这样做还有一个考虑，即报摊卖报时，因为报纸多而只能将报纸重叠堆放，结果只露出报纸的右上角，照样可以吸引读者。因此美国有不少报纸采用这种版式。但《纽约时报》的“突出右上角”并不严格，一旦遇到重大突发新闻，重心就移到整个上半部。

在选题方面，该报头版坚持从全球范围掂量新闻的重要性，头条选择常与其他报纸不同。例如，2001 年 12 月我第三次访问该报的当天晚上，电视一连报道了四条重要新闻：一是美国炸弹杀死 3 名基地组织头目，是美国发动反恐战争以来的最大战果；二是巴勒斯坦自杀炸弹在以色列境内公共汽车上爆炸，炸死 10 名乘客，以色列对阿拉法特官邸附近进行报复袭击；三是政府首次披露军队研究机构近年研制出具强致死能力的炭疽病菌，这种病菌极有可能被恐怖分子用作杀人武器；四是阿富汗军队向塔利班和基地组织下达最后投降期限，否则将格杀勿论。这几条新闻都是美国人当时高度关心的重大事件，如何选择确实很伤脑筋。看次日各报，多数选择美军炸死 3 名恐怖组织头目为头条，这比较符合美国在阿富汗进行的反恐战争的重要主题。但只有《纽约时报》等少数报纸将中东的公共汽车爆炸事件放在头条。《纽约时报》用了 3 栏标题和 3 栏照片，另外还配发了新闻分析，指出中东危机一触即发。对于三基地组织头目被炸死和炭疽病新发现的消息，该报则将它们与头条并排置于报纸上端，其中基地组织头目被炸死的消息只占 1 栏宽。

事后证明，《纽约时报》的选择是对的，因为恰恰从那次汽车爆炸开始，巴以冲突逐步升级，导致 2002 年以色列攻占约旦河西岸多个巴勒斯坦城市并围困巴勒斯坦民族解放阵线主席阿拉法特，造成中东 30 年来最大危机。这场危机已引起世界各国不安，谁都不怀疑这是当时（指 2002 年 4 月笔者撰写本书第一版时）全球最大的新闻。该报的照片选择也颇具慧眼。我不止一次见纽约市立大学新闻系老师带领学生分析，为何选择这样的（指当时）照片刊于一版。

另外，该报的头版稿件也尽量照应周全，对国际、国内及纽约本地的重要新闻都有所覆盖。如果头版的新闻因偏向某一方面而使部分读者感到不快，该报会轻易找到另一类新闻题材去平息他们的不满，这就是该报被业界人士所称的“平衡术”。不过，这个“平衡术”更多地被用于社论、评论版上。

稿件冗长与《纽约时报》那“档案纪录报”特征有关。该报对新闻事件的报道总是唯恐不详，重要新闻常常不惜篇幅，而有幸刊于一版的稿件又都是重要新闻。长文大兴其道，也使得该报一版面孔较为死板，而且转文极为普遍。我在美国时曾订阅两个月和零买数十份《纽约时报》，观察下来，该报头版文章百分之百需要转文。像《今日美国》那样数百字的新闻，在《纽约时报》的头版是看不见的。

五、铺天盖地的超长报道

如前所述，《纽约时报》长文多。头版如此，内页自不待言。这与中国新闻界多年来倡导的“短些，短些，再短些”的做法简直大相径庭。因此，我在美国读《纽约时报》时，常常嫌文章太长。而超长报道，正是《纽约时报》追求完备详尽的重要体现，特别是遇有重大突发新闻时，该报的这一特长往往发挥到极至。

以“9·11”事件发生那天为例，该报在时间仓促的情况下，当晚即编排出28个整版的专题内容，整个A叠全部用来报道这一震惊世界的大事件，包括社论版的内容也全部与此有关。而且这一板块前所未有地将广告压缩到仅剩一页，将第二页“更正”、“导读”等常规栏目统统取消，将国内新闻、国际新闻、本地新闻的界线全部撤除。这仅存的一页广告还被安排在封底（第28页），前面图文并茂的27页让你完全陷入事件的报道中，连喘气的工夫都没有，报纸似乎刻意不希望任何外来因素打断报道的连续性。第二天见报的头版共有5幅图片和4篇文字新闻。这4篇文字新闻分别转至第四、第七、第十四和第二十四版，每篇长度大约在半版至整版之间。2、3、5、6、8、9等版面的主要独立新闻也都占半版以上篇幅。数了一下，2001年9月12日《纽约时报》对此事件的报道共有63幅图片和69篇文章，占去27个整版。以这样巨大的篇幅报道突发事件，这在《纽约时报》的历史上还从未有过。

为方便读者一睹这些文字报道题材的分布情况，同时也给同行们报道重大突发事件时一个参考，这里不妨费些笔墨，将这些文字的主标题按页码顺序试译如下：

一版：美国遇袭，被劫客机同时击中双塔楼和五角大楼，总统发誓要严惩恶魔；悄然而至的恐惧；布什说恐怖分子决不会得逞；拭目以待——政府和全国人民进入战争（新闻分析）。

二版：抢救人员纷纷拥入，多数有去无回；废墟中发现幸存者。

三版：专家称，双塔楼倒塌源于飞机燃油的长时间剧烈燃烧（附倒塌过程示意图）。

四版：布什要求全国搜捕恐怖分子及其支持者；布什助手们谈袭击事件（包括国防部长、交通部长、总检察长、白宫发言人和参议院多数派领袖）；布什昨晚的讲话（根据本报记录）。

五版：被劫持的波音 757 客机杀入五角大楼袭击政府；联邦政府官员转入地下室坚持工作。

六版：整个城市（指纽约）陷入愤怒、沮丧和无助的氛围之中；市民转移至附近小城镇。

七版：新建的急救指挥中心灰飞烟灭（指政府于两年前在世贸中心建立紧急救援指挥中心，不料这中心未等发挥用场就遭此大难）。

八版：由于城市交通被关闭，纽约人只能在空荡荡的街头行走；潮水般急切呼叫阻塞电话线路；曼哈顿戒严将持续；帕塔基（George E. Pataki，纽约州长）命令全州基层选举暂停。

九版：各医院准备就绪随时接受伤者；在世贸大厦设有办公室的公司寻找幸存者未果；公司临时求助电话（供救援和被救援者使用）。

十版：目击者言（刊登 16 名现场目击者的描述）；面对恐怖袭击。

十一版：家属和亲友焦虑万分；人们蜂拥步行过桥逃出生死地；家长冲入学校欲领孩子回家。

十二版：美国穆斯林和犹太人爆发冲突；巴特里公园市民逃出险境（公园位于金融中心，紧挨双塔楼）。

十三版：恐怖分子精心策划高效配合；袭击者心智健全；日本、新西兰和澳大利亚股市滑坡，其他地区股市关闭。

十四至十五版：杀戮之晨（配以图表、地图、照片等，再现 11 日早晨 7 时至下午 2 时事件演化进程及总统和政府反应）。

十六版：波士顿机场安全警戒正常（有两架被劫飞机从该机场起飞，人们怀疑机场安全工作疏漏）；宾州飞机坠毁前旅客报告劫案；著名女脱口秀演员和电视制作人随机遇难。

十七版：美国机场安全受到高度关注；其他高楼和著名建筑纷纷关闭；全国处于警戒状态。

十八版：近20年严重恐怖袭击事件（介绍自1983～2001年世界上造成100人以上死亡的恐怖袭击事件并配图）；生理及心理专家投入安抚工作；旅行袭击渐成趋势，目标多指向美国公民；一些使领馆今日关闭。

十九版：各类交通纷纷关闭，出游旅客无所适从；司法部副部长接到妻子从被劫飞机上打来的两次电话；国家领空有史以来首次全部关闭。

二十版：国会议员表示不分党派坚决团结在布什总统周围；华盛顿旅游者惊吓奔逃；华盛顿老官员们忆及珍珠港事件。

二十一版：中央情报局官员称恐怖袭击无升级迹象；美国武装部队高度戒备以防新的袭击。

二十二版：阿拉伯国家政府谴责恐怖分子，但街头有人欢呼；塔利班谴责恐怖袭击，但称本·拉登未卷入；对遇难者的同情拉近巴以两国关系；原定到达美国的飞机改飞加拿大。

二十三版：面对冷酷敌人美国暴露脆弱；世界对事件的反应（列举欧、亚、美、非及中东等地国家及联合国的反应）；欧洲国家支持美国拟随时作出反应。

二十四版：布什助手称恐怖袭击不会改变导弹防御计划；当无辜平民被当作武器袭击他们自己的时候（新闻分析）。

二十五版：新闻网站提供新闻兼做安抚服务；各传媒打破常规全力提供资讯（指电视、电台、报纸的表现及20多家报纸的号外版）；数年前专家已发出警告；现场电视直播使亿万观众目睹灾难。

二十六版（社论和来信版）：向美国发动的战争（社论）；发自恐怖之日（来信专辑，当天收到的15篇读者来信，均与恐怖事件有关）。

二十七版（评论版）：不同的世界（评论）；耻辱的一天（评论）；死一般寂静（评论）；美国的急救电话："911"（评论）。

我比较当日的《华尔街日报》、《洛杉矶时报》、《华盛顿邮报》和《今日美国》这四大报纸，没有一家像《纽约时报》这样报道详细，内容如此周全。这也难怪第二天人们争相购买该报，弄得报社不得不重新印刷以满足供应。相信很多美国人知道，每逢大事，欲求信息之全，非买《纽约时报》不可。

《纽约时报》的超长报道是其长期形成的传统，这种超长报道并不滥用，一般只关注独家新闻和重大事件。只要是独家新闻，哪怕记者只得到原始材料，只要它是其他媒体搞不到的，该报也全盘照搬，不惜版面。这一做法深受读者欢迎。如1908年6月独家发表引起激烈争议的共和党政纲，1919年6月以8个版篇幅刊登第一次世界大战合约的全文，1945年发表敦巴顿橡树园会议文件，1945年8月30日以15个版的篇幅刊登长达13万字的珍珠港事件调查报告全文，1947年披露马歇尔计划，1951年5月先后以32版的篇幅刊登“联合国军”司令麦克阿瑟将军在参议院军事委员会所作的证词，1964年9月累计用48个版的篇幅刊登肯尼迪谋杀案调查报告，1971年刊载五角大楼文件等。

在突发事件的超长报道方面，也有以下例证：1923年8月于头版以通栏标题刊登沃伦·甘梅利尔·哈丁（Warren Gamaliel Harding）总统中风去世及卡尔文·柯立芝（Calvin Coolidge）继任总统的消息，内页又用6个版报道新老两位总统的生平，成为报界公认的最早的大型专题报道典范；1945年8月7日是星期二，该报当时总版数仅38版，却用了10个整版报道广岛原子弹爆炸的消息，稿件全部来自现场唯一目击记者、该报的威廉·劳伦斯（William Lawrence）；1963年11月23日，在肯尼迪总统遇刺身亡的第二天，该报推出16版的专题报道，详细记叙事件的始末及现场情况，还包括47幅照片。当然，该报也不是所有重大事件的报道都占尽先机，如对“水门事件”的报道就落在《华盛顿邮报》后面。

六、千人编辑部与优厚的员工待遇

应我要求，雷恩斯介绍了该报编辑部的组织架构和运行情况。不出我所料，支撑《纽约时报》每日沉甸甸内容的是一支专业性很强、人员众多的采编队伍。雷恩斯告诉我说，该报总公司全班人马约5000人，其中《纽约时报》的编辑记者约1100人，包括60名普利策奖获得者。这些编辑记者60%在纽约市，40%在外地和国外。编辑部下面大大小小的部门有大约15个，另设11个驻外记者站或分社，其中的华盛顿分社最为庞大，约50人。据了解，尽管美国报纸的版面数量普遍很多，但编辑部人数超过1000人的只有两家报纸：一个是《纽约时报》，另一个是《洛杉矶时报》。列为全国第四大报的《洛杉矶时报》在很多方面似乎都向《纽约时报》看齐，这一点我们后面将专门谈到。

《纽约时报》的编辑部主要设在三楼宽敞的新闻室，总编辑的办公室也在这一层。副刊和星期天刊的部门大部分在八楼。在这两层楼里办公的1100人是在怎样一个架构下运作起来的呢？这是我很感兴趣的问题。据观察，该报的编辑部实行的是以分类组合、采编合一为主的体制。在这种体制下，编辑部被分成新闻和副刊两大类，各大类下又按报道的内容分为部或组，如新闻类的本市新闻部、国内新闻部和财经部等，副刊类的科学部、星期天刊部等。在这些部门里，编辑和记者“合署办公”，主编相当于部主任。主编和编辑对记者有绝对指挥权，记者采访的稿件主要在本部门的版面落地生根，重要的可上要闻版，但也由本部主编或编辑审改签发。但在个别部门，也实行采编分开，如版面编辑部，其职责有点像中国报纸的总编室，专门负责稿件的文字修饰和版面的设计拼装，里面是清一色文字编辑，没有记者；还有一个特别报道部，由主编临时从各部调动记者投入重点报道，其职责类似中国一些报纸的机动记者部，除了主编，全是记者。另外，该报从事写作这一职业的人员分为三类，一类在新闻部门工作，被称作记者；一类在副刊部门工作，被称为作家（writer），还有一类在社论、评论等部门工作或在新闻部门从事评论写作，被称为专栏作家或评论员。

由于没有现成完整的资料，我只好反复询问，包括后来询问该报企业发展部高级主任约翰·戴利。最后，我终于基本弄清楚该报编辑部的人员编制和分布，尽管不一定十分准确：

新闻方面高层负责人：

总编辑，执行总编（以上2人各设秘书或助理1人），副执行总编（编制2人，现为1人），助理执行总编（7人），协调副执行总编（associate managing editor，3人），高级新闻编辑，图片主编。

（需要说明的是，associate managing editor 这个头衔，单从字面上看似应译为副执行总编，该排在助理执行总编之上，但雷恩斯却明确告诉我，这一职位在助理执行总编之下，故不能翻译成副职。这个职位可兼任部门实职，也有只负责各部门协调的，但主要负责编辑部的行政和后勤工作，所以我试译为协调副执行总编。美国其他一些大报也设有此职。究竟该怎样称呼，还望国内同行指教。）

各部门：

图书信息中心，设主任1人，资料员及研究人员约30人。

新闻办公室，负责编辑部的总务、人事、办公用品供应、秘书的管理等，由一名协调副执行总编负责，设高级经理、各部门事务经理、人事经理各1人。

社论版，设主编1人（直接归发行人领导，并配行政助理1人），副主编1人（配行政助理1人），助理副主编2人，社论委员8人。

评论版，归社论版主编领导，另设主编1人，来信编辑2人，国际事务评论家1人，其他专栏评论家5人，文化和社会专栏评论家1人，自由专栏评论家1人。

国内新闻部，设正副主编各1人，白班编辑、夜班编辑、周末版编辑各1人，助理编辑1人，宗教记者2人，社会政策记者1人，另设国内教育版（《纽约时报》十分重视文化教育，相应力量的配备也很强大），含正副主编各1人，记者6人。

国际新闻部，设正副主编各1人，助理主编2人，另设驻联合国记者站，含首席记者和记者各1人；管理驻各国记者站或分社。

大都市新闻部，设主编1人（配行政助理1人），副主编1人，地方版编辑2人，助理编辑2人，任务编辑1人（负责向记者分配任务），企业和周末版编辑各1人，专栏作家3人，记者23人，另设驻警察局、纽约州首府、市政厅、纽约市各区及附近重要城市记者站11个，各含首席记者1人，普通记者1至2人。

版面设计部（负责除头版以外的其他各版的设计组版），设主编1人，副主编1人，助理主编1人，拼版编辑及美术设计和图表设计员共40余人）。

经济部，设正副主编各1人，任务编辑1人（主要负责向记者分配和下达采访任务），夜班编辑1人，其他编辑5人，分别负责世界经济、市场、媒体经济、劳务市场、网络等版面，专栏作家4人，记者19人，分别负责消费、经济、能源、食品、工业与环境、保险、媒体与娱乐、兼并、证券、税务、技术、电信、华尔街等领域新闻和调查性报道，另设技术版，含主编1人、技术版编辑1人及记者4人。

文化部，设正副主编及助理主编各1人，编辑2人，图书、艺术、音乐、舞蹈、建筑、电影、电视、剧院、儿童、餐馆等领域专栏作家25人（其中仅音乐专栏作家就有6人，分别负责古典音乐、流行音乐、国内音乐等），记者16人（有的兼专栏作家）。

科学与健康部，设科学主编1人，编辑2人，专栏作家2人，科学作家3人。

社会事务部，设主编1人，记者若干。

特别报道部，负责调查性报道，设主编1人，记者可从各部临时借调。

体育部，设主编1人（配秘书1人），副主编2人，图片编辑3人，助理编辑2人，企业编辑1人，专栏作家11人，记者24人。

副刊部，设正副主编各1人，时尚、人物等评论家、专栏作家、记者共6人；另设饮食版，含正副主编各1人、专栏作家及记者6人；设房地产版，主编由副刊部主编兼任，副主编和助理主编、编辑各1人，记者5人；设星期天时尚版，副刊部副主编兼该版主编，副主编1人，专栏作家和摄影记者各1人；设电子科技版，负责消费类科技，含正副主编各人，专栏作家及记者5人；设劳务市场版，含主编1人，专栏作家和记者各1人。

摄影部，设主编1人，副主编1人，摄影记者29人。

网络公司，负责《纽约时报》网站，设正副总经理及助理总经理各1人，主编1人，执行主编1人，编辑5人，各领域制作人24人；另设《今日纽约》组，负责在网上发布关于纽约市艺术、娱乐、餐饮、购物、运动、休闲、事件等指南性资料，设经理和编辑各1人，制作人3人。

星期天刊部，负责编辑出版星期天刊除新闻以外的各种内容，设14个小组（版），含各组正副主编及采编人员，共84人。

国内各地分社或记者站，共11个，其中以华盛顿分社最为庞大：设社长1人，主编1人，副主编1人，白班编辑、夜班编辑、周末编辑、国际编辑各1人，经理1人，首席记者4人，任务记者1人（负责值班并分配采访任务），普通记者35人。国外分社或记者站，共24个，约50多人。

另外，《纽约时报》编辑部员工的待遇十分优厚，居全国各报之首。在我的要求下，雷恩斯透露（很多报纸不愿透露员工收入情况）说，该报记者起薪每年75,000美元，同样资历的编辑比记者略高。这是相当高的待遇了，比同处一城的老牌报纸《纽约邮报》记者收入高一倍，相当于美国收入最高的华文报纸《世界日报》的3倍，是《侨报》等其他大部分华文报纸记者收入的5倍（均与新记者相比）。

在美国，家庭年收入达到5万美元，即列入中产阶级，而美国能拿到年薪5万美元的个人不到10%。刚被聘为正教授的公立大学教师，收入也仅5万美元左右。换句话说，家中只要有一人在《纽约时报》编辑部工作，即可保持富裕生活水准，包括可买下30万美元左右的独立别墅（当然是分期付款）和到任何地方度假。

但招聘采编人员的条件很苛刻，其中一条是在新闻岗位上工作过5年以上。这一规定，客观上形成了该报在全国范围层层选拔人才的机制。现在美国很多大报或著名报纸的编辑部都不从高校直接聘人，哪怕你有博士头衔。一般来说，像《纽约时报》、《华盛顿邮报》这类全国一流大报，都要求有5年以上新闻经验，而像纽约《每日新闻》、《芝加哥论坛报》（*Chicago Tribune*）、《波士顿环球报》、《费城问讯报》（*The*

Philadelphia Inquirer）、《巴尔的摩太阳报》（*The Baltimore Sun*）等大城市主要报纸，也要求 3 年以上新闻工作经历。新闻学院的学生无论怎么热爱《纽约时报》，也只得从最基层的报纸做起。

据说，很多美国地方报纸的记者甚至将进入《纽约时报》作为自己一生的追求。不过，对特殊人才的争夺，也常使报纸打破常规。一些干将，特别是在著名大报工作的骨干，常成为各报争夺的对象，因而流动性也较大。这些骨干有的也往往恃才傲物，对自己的身价了如指掌，动辄以跳槽吓人。举个例子：《华尔街日报》前总裁基尔格在任该报驻华盛顿办事处主任时，与纽约总部的主编格里木关系不和，认为他总是无端为华盛顿的稿件设置障碍。有一次，基尔格手下一位记者写了一篇题为《为什么罗斯福要扩大最高法庭?》的专栏稿件，基尔格审改完稿件正满心欢喜地打算回家，谁知电报机响了，纸带上出现："你的稿件退回。太过松散。纽约格里木。"基尔格尔马上拨电话找他理论，但格里木拒不接听。一怒之下，基尔格直接打电话给总裁何格特："何格特，我是基尔格。很对不起，我没时间解释，不过，除非我们的社论稿明天在第六栏见报，否则下星期一到《纽约时报》来找我。"[①] 总裁不愿为此丧失一员良将，只好说服格里木将这篇稿件按时在指定位置刊登，并让他们二人达成协议，由华盛顿办事处派一位专人在纽约编辑文稿。

七、"我们并不总支持民主党"

在上述部门里，社论部是一个特殊的部门。这个部门的主编，从地位上讲与总编辑相当，他不受总编辑节制而直接归发行人领导。但从权力来看，他比总编辑要小得多，仅管辖数十人和几个版。这种将新闻与评论严格分开的做法，在美国被很多报纸采用，如《华盛顿邮报》、《洛杉矶时报》等。据介绍，这样做的目的，是为了使新闻更加客观公正，使评论更加独立自主。根据美国报纸通行的游戏规则，新闻是客观的，由客观世界决定；而社论是主观的，必须体现报纸的立场。将两者分开，有助于更好地划清客观与主观的界限。

因此，在《纽约时报》，总编辑不过问社论部的事，也不参加社论委员会的会议，而社论版主编也不参加新闻部门的编前会，更不会对新闻采访指手画脚。不过，两边的人员流动却是经常的，该报不少评论员就曾经是资深记者，获得过普利策奖的名记者也大有人在。雷恩斯在当

---

① 弗朗西斯·迪利：《华尔街日报》，张连康译，企业管理出版社，1998 年

总编辑之前，就是社论版主编。由社论版主编调任总编辑的，雷恩斯并非第一人。美国著名报纸的社论版和评论版还强调与各类利益集团划清界限，具体表现就是社论版和评论版绝不刊登任何广告。

在我看来，《纽约时报》的社论版与该报其他版庄重而不温不火的基调有所不同。它所刊登的社论常常对时事政治进行尖刻的点评。给我印象最深的是在我第一次访问该报前不久，布什总统在阿富汗战火正酣时，突然于某日下午发表谈话透露，将考虑对伊拉克动武，因为有迹象表明伊拉克总统萨达姆与本·拉登的恐怖组织有联系。后来人们可以看出，小布什与当初发动海湾战争的老布什总统一样，始终将萨达姆政权视为眼中钉，意欲尽早拔除而后快。谁知，就在小布什总统发表这番语气暧昧的讲话后的第二天，《纽约时报》立即在社论版头条位置刊出社论，题为《在不适当的时候作出的不适当的决定》(英文标题已记不准确)，严斥布什讲话。社论第一段即语出惊人，大意为：布什政府若在眼下打击恐怖组织的关键时刻扩大范围去攻打伊拉克，将犯下严重错误。此时考虑这一问题，既选错了时间，也选错了对象，云云。文章分析了当前的形势，并论述攻打伊拉克之谬误，言辞犀利，毫不含糊。后来事态的发展，证明《纽约时报》的观点是正确的：直至 2001 年 4 月阿富汗战争告一段落后，美国正式联络欧洲盟国表示要对伊拉克动武，却仍未得到阿拉伯国家的支持（没有阿拉伯国家的支持，美国决不敢对伊拉克轻举妄动），以至副总统切尼中东之行的重点不得不从说服阿拉伯国家支持打击伊拉克转移到调停巴以冲突上来。换句话说，即使在布什当初发表那番谈话后的半年，打击伊拉克的时机仍未成熟。当然，2003 年的 3 月，这一针对伊拉克的战争还被美国政府点燃了，但直到 2004 年笔者修订此书时，布什政府仍拿不出打击萨达姆政权所需要的证据，以致国内反对派呼声日隆，政府陷入“情报门”僵局。2004 年 7 月美国公布“9·11”事件调查报告，正式承认未发现萨达姆政权与基地组织在这一事件上有任何瓜葛。

后来我在其他社论中也多次感受到《纽约时报》社论版咄咄逼人的气势。2002 年的一个例子发生在美国国防部向国会提交“核态势评估”的秘密报告刚刚被舆论披露时。这份报告将一些国家列入危险国家，将包括中国在内的主权国家置于导弹瞄准范围，并声称必要时可实施先发制人的核袭击，在国际社会引起强烈反响。报告披露后不久，即 2002 年 3 月 12 日，《纽约时报》刊出社论，强烈谴责国防部的这一做法，指出报告“破坏了《不扩散核武器条约》”，其降低美国使用核武器限制条件的做法是“不顾后果的愚蠢”行为。社论说，如果别的国家计划发展新型核武器，并考虑对一些无核国家实施先发制人的攻击，华盛顿就会将该国列为危险的“无赖国家”。但上周末公开的五角大楼评估报告却建议美国自己这样做。社论继续说，在美国的核武器库中增添新型核武器需要恢复核试验，这就意味着美国要放弃自愿暂停核试验的承诺。①

据了解，该报早期的社论原是相当温和的。老发行人奥克斯反对社论对时局说三道四。在第一次世界大战行将结束时，该报在一篇语气温和的社论中主张接受奥地利人的和平建议，不料第二天报社即收到3000封抗议电报，称该报向敌人举起了白旗，讥讽报纸拿了奥地利金币（奥地利是第一次世界大战的侵略国和战败国，是美英法等国的进攻对象——笔者）。奥克斯在压力之下甚至想到辞职，并一度打算取消社论版。在第二次世界大战期间，该报在发行人苏兹贝格的主持下一改社论的中庸平和，以前所未有的热情参与政治，报纸一度成为世界反法西斯的舆论中心。此后，该报社论版就越发放言无忌，甚至被人指责为傲慢自负。

面对雷恩斯这位前社论版主编，我有意提到这个问题，并阐述了自己对前述关于攻打伊拉克那篇社论的看法。于是我们之间有如下对话：

笔者：“你们的社论很厉害，听说白宫官员都不得不每天读你们的文章，并受你们的影响。是这样吗？”

雷恩斯：“我想我们的社论对政策会有一些影响，官员们也会注意我们的社论。但在很多情况下他们并不理会我们的意见。让我来举一个例子：在越战期间，我们的社论早在政府作出撤军决策之前很长一段时间就提出，美军是否应该撤离越南并结束战争。我们主张撤，因为这个仗打下去没有意义。但政府不听我们的劝告。事实证明我们是正确的。不过，有时候政府也听我们的，这样给人的印象就是我们的社论影响了政府决策。”

笔者：“像你们前几天的社论批评布什总统那样，白宫政府会不会不高兴？如果不高兴，你们报纸会遇到麻烦吗？”

雷恩斯：“我们从来没有因发表社论而遇到什么麻烦。从法律上讲，他们（指白宫政府）无权采取任何行动。当然，他们会不高兴，因此他们会很有礼貌地打电话或写信来表示不满。我们呢，会认真而同样很有礼貌地倾听——请注意，要很有礼貌。听完电话或看完来信后，我们依然我行我素，我们的评论方针不会做任何改变。”

笔者：“我注意到贵报的社论有支持民主党的倾向。早在我来美国

---

① 据新华社华盛顿2002年3月12日电

之前，我就在美国大选尚未结束时读到贵报支持戈尔并预测戈尔先生将在选举中胜出的大块文章。你们果然有这种党派倾向吗？”

雷恩斯：“你说得不错，在戈尔与布什的竞选中，我们的社论立场支持民主党候选人。在很多情况下我们都支持民主党候选人，但不是全部。有时我们也支持共和党。例如在1952年，《纽约时报》的社论就支持共和党代表艾森豪威尔取代民主党总统。在地方选举中，我们也时常支持共和党。例如，在上次纽约州的选举中，我们支持共和党人帕塔基连任州长；在纽约市的地方选举中，我们也支持共和党人朱利亚尼再度当选市长。我们并不陷入党派之争，我们这样做（指支持州长和市长连任）的原因，是对他们在第一个任期内的民主政策表示满意。但总体上说，我们更满意民主党的政策，包括其在文明进程、社会福利、医疗保健、国民自由、经济改革、特别是税收方面的政策。”

在访问美国各报之前，我是拿定主意不涉及政治话题的。但和雷恩斯的谈话，一不小心就沾上了政治。接着，雷恩斯又介绍了该报社论版的其他情况。

他说：“我们的社论版主编直接向发行人报告，她负责社论版和评论版。你说得不错，这是我以前负责过的工作，我从1993～2001年当社论版主编。总编辑负责除社论版以外新闻方面的一切事务，也向发行人报告工作。《纽约时报》社论部现有45人，新闻编辑部有1100人。社论委员会每周开3次会，讨论和确定社论选题。社论版一般每日刊发3篇社论，一篇关于国际政策，一篇关于华盛顿或国内事务，一篇关于地方事务。如遇重大国际新闻，则有可能一次发2～3篇国际社论，而将其他的减掉。例如布什总统访问中国的当天，我们发表了2篇关于这一新闻的社论。这些社论只占该版一半的面积，另一半留给来信。在社论与来信的下方，有时会有一篇‘观察家’文章，这也出自本报社论委员之手。我们共有15名社论委员会成员，包括评论员和编辑。‘社论版对页’（Op-Ed），即在社论版右边的评论版，主要由社外作者撰写，来信也是这样。”

据了解，该报读者来信很踊跃，一年可达数万封，但实际上按一天刊用10多封计算，也仅4000来封。该报评论版的设置则是1970年代以后的事。我后来了解到，关于这个版的诞生，还有一段故事。

1960年的一天，当时担任社论委员会委员、一年后升为社论版主编的约翰·欧克斯（John Oakes）收到朋友一篇来稿。他非常喜欢这篇东西，但觉得它“在来信栏用太长，在杂志上（指随报附送的每周一期的纽约时报杂志）用又太短”，遂劝他另投别处。“令我感到沮丧的是，这篇稿件很快在《先驱论坛报》上刊出了——这家报纸竟可以刊登这样长的评论文章!”① 他对偌大一份《纽约时报》无处刊登这样一篇好文章而感到愧疚。于是，他在执掌社论版主编大权后立即向当时的发行人奥维尔·L. 德赖富斯（Orvil E. Dryfoos）建议开辟一个评论版，专门刊登社外作者写的时事评论。他进而建议将该版放在社论版的对面（即社论版的下一页，过去这一页用来刊登讣文），其名称也建议定为“Op-Ed”（即“面对”“社论版”两个英语词的缩略形式，可译为“社论版对页”或“评论版”）。老板很赞赏这个建议，但要“放放再说”，因为讣文版现在的位置是老奥克斯的主意，他不愿轻易挪到别处。庞奇（阿瑟·奥克斯的别名——笔者）·苏兹贝格当上发行人后也认为欧克斯的建议不错，曾组织过几次高层讨论会，但新闻部门的头头担心增加评论版后编辑部的阵地会减少，因而投了反对票。就这样，直到 1970 年 9 月 21 日，该报的评论版才正式出笼。最初的评论版不像社论版，它是可以登广告的。首次出版的评论版就有一则美国钢铁公司的形象广告，而这一天的社论版上恰恰发表了一篇严厉批评钢铁企业的社论。刊登前，当时的社论版主编有些犹豫，怕影响刊登广告的美国著名钢铁公司，遂请示发行人。发行人沉吟片刻，最后决定照样发表。于是次日报纸就形成了有趣的对照：报纸打开后，左面是批评钢铁公司的社论，右面是该钢铁公司的形象广告。后来，评论版不得刊登广告了，但发表的社外评论时常与社论版的观点相左，进而成为《纽约时报》用以平衡舆论的手段。

在《纽约时报》社论版上，还有一个重要内容，即报社高层领导名单。美国很多报纸也都将高层领导名单列在自己的社论版。以最近的《纽约时报》社论版为例，在该版的左上角 3 栏宽 8.5 厘米高的位置，左侧印有该报名称、地址、创刊年及自 1896 年以来历任发行人名单；右侧则依次为现任发行人（阿瑟·奥克斯·苏兹贝格）、总编辑（豪厄尔·雷恩斯）、执行总编、副执行总编、助理执行总编（7 人）、社论版主编（盖尔·柯林斯）、社论版副主编、总裁兼总经理（珍妮特·L. 鲁宾逊，Janet L. Robinson）、发行高级副总裁、广告高级副总裁、印刷及劳工关系高级副总裁、计划高级副总裁、财务副总裁、市场服务副总裁、人事副总裁、信息副总裁、新闻社总裁。社论版的右下角还有火柴盒大小的本集团主要负责人名单，依次为主席（兼总裁和首席执行

① Richard F. Shepard: *The Paper's Paper, A Reporter's Journey Through The Archives of The New York Times*, Random House, 1996 年

官，仍是苏兹贝格）、副主席兼高级副总裁、高级副总裁兼财务总监、高级副总裁（2人）、秘书。

将所有重要人物置于社论版，大概也是出于只有这一版才能表达报纸自己的声音的考虑吧。

八、录音事件及后果

第一次采访雷恩斯后的当晚8时，我像往常一样坐到电脑前，取出我那小巧玲珑的黑色数码录音机，开始记录整理白天的谈话录音。这对我来说是一件非常重要但也颇耗精力的工作。录音机的正常容量是2小时，超长容量可达近4个小时，但我怕影响质量，一般不用超长模式。这个录音机十分灵敏，使用方便，还原声音质量也不错，是我出国前在国内见到的最先进的数码录音机了。但也有弱点，特别是在电脑里存储后音色就含混不清，这是我出国后才发现的。由于它既不能在电脑里存储，又不像磁带录音机可以不断换磁带，我只好在每次采访后将采访录音详细记录整理，以文字形式存储在电脑里，绝不放过一切有用的信息，然后将录音抹去，留待下次采访时用。记录整理的时间通常是谈话时间的3倍以上，因此在外出长途采访期间，我常常是白天采访，晚上连夜整理录音，第二天又要驾车赶路，弄得疲惫不堪。我对录音十分依赖的另一个重要原因，是我并非英语专业出身，英语特别是口语并不过硬，采访时在本子上只能记些重要数据，我也不想因记录而耽误宝贵的谈话时间，何况有的单词一时并未听懂，需要回去对照录音反复听才能理解。由此可见我对录音依赖之大。为防不测，我任何时候都在包里装着崭新的电池，并将录音机小心置于上衣口袋，以防它与包里其他硬物磕碰。

这次打开录音机，没料到居然没有声音！赶紧查看小屏幕上的记录，一片空白。我脑子“嗡”的一下，顿时傻了眼。这种事以前采访从未发生过，这次偏偏发生在最重要的报纸的最重要的人物身上！和《纽约时报》总编辑当面交谈一小时，世界上有多少报人有这样的机会？中国新闻界又有几人如此幸运？我为采访他又花了多少功夫？就这样白干一场？说来可怜，当时谁要看到我，一定会得出“两眼直勾勾”的印象。

突然，我又心里一暖：这次谈话，雷恩斯总编辑不也录了音吗？此次访美，唯一一次录音事故出在与他的谈话上，而他又恰恰是唯一一位同时使用自己录音机的被访者。这样想着，我赶紧向雷恩斯先生、他的秘书罗丝玛丽小姐以及该报公关部主任乌斯尼克先生发 E-mail。我在信中表达了此刻的沮丧心情，希望总编辑保留好那份录音，将录音带借我一用，或干脆帮我复制一份。“如果方便的话，就请放在罗丝玛丽小姐处，我本月 26 日去贵报采访高级副总裁斯科特 · H. 希金 · 卡尼迪（Scott H. Heekin-Canedy）时，顺便来取。”我在信中写道。我担心，若不立刻给他们发信，很可能总编辑会觉得录音无保留价值而将其抹去，那就惨了。

信发出后，心里踏实许多，便开始回忆白天采访的情景，尽量将想到的内容记录下来，当晚折腾到夜里 1 时许。第二天又给乌斯尼克打电话，他倒挺同情我的遭遇，表示会帮我办妥此事，下周去总编秘书那里取即可。

11 月 26 日，我按早先的约定，二赴《纽约时报》采访分管发行的高级副总裁斯柯特 · H. 希金 · 卡尼迪先生，然后就赶到罗丝玛丽小姐那儿。但秘书告诉我，总编最近很忙，她竟无机会跟他说起这事。她又说：“雷恩斯先生总是很忙，平时也不太喜欢与外界接触，特别是外国朋友，您能采访他那么长时间，真不容易。”我又打电话问乌斯尼克，回答说他见老总也很难，容他再努力。秘书很负责，让我写下纽约市的住址，说一旦从老总手里拿到磁带，即邮寄给我，省得我再跑一趟。我连连称谢。

不料一周后，乌斯尼克打来电话，说雷恩斯总编不愿将磁带借给我或复制给我，“他说，他从来不与别人分享自己的记录”。这句话一下把我给说愣了。但一个大喘气后，他又说：“雷恩斯先生表示，如果觉得和他的谈话十分重要，他愿意再和我谈一次。”听到这里，我几乎乐得笑出声来，忙说“当然愿意再谈”。几天后，我们约定了下次采访的时间：12 月 12 日。

不过，我仍然百思不得其解：这么个大忙人，宁肯花时间与我再谈一次，却不愿付举手之劳让秘书将磁带复制给我。后来，我与纽约市立大学斯塔藤岛学院主持英语口语教学的罗达（Rhcda）女士谈及此事，请她分析个中缘由。这位 81 岁高龄的犹太裔教授也觉得奇怪，然后说：“这只有一种解释，那就是他对这类谈话也有兴趣。否则他不会再费功夫与你交谈。”

九、 六点钟报纸送到，广告额全国称冠

在当初与雷恩斯联系采访的同时，我知道我还得向另外的老总了解

该报广告、发行等经营方面的业务。在美国，编辑部和经营业务是截然分开、互不联系的。很多总编辑说不出确切的发行量及广告额，或者他们即便知道也不愿随意说，因为那不在他们的管辖范围。同样，经营部门也弄不清编辑部的具体事务，采访时也同样会一问三不知。所以，我早早地开始与该报的 business side（经营方面）联系，线索是在访问《波士顿环球报》时从副总裁娜米尼处获得的。她让我去找《纽约时报》分管发行的高级副总裁希金·卡尼迪，他们一起共过事。但她当时一时找不到他的电话号码，只把名字写了给我。后来我多次打电话向时报总机询问，才获得他的电话和电子信箱地址。

亮出娜米尼的牌子，联系果然顺利。我们约定 11 月 26 日上午 10 点在报社见面。不料我到达该报从大厅打电话给他时，他抱歉地说："真对不起，有个临时紧急会议我必须参加，我已安排企业发展部高级主任约翰·戴利（John Daly）和你谈，他将全权代表我回答你的一切问题。你如果同意，他马上来接你。"我表示感谢，心想这样可能更好，可以谈得更细。不一会儿，一位肥胖的汉子走下楼来，自我介绍说"我是约翰"。

我很快对这位大胖子产生了好感。他热情，诚恳，有耐心，嗓音洪亮，谈吐清晰而有条理，直接记录下来即可了解《纽约时报》经营方面的大概情况。

他先说到该报的发行和印刷，称"目前报纸的销量，平日刊为 120 万份，星期天刊为 180 万份，星期六刊为 110 万份，星期六刊销量最低"。他说："我现在所说的包括了两大基本区域。一个是 NDN（疑为 NCN 之误——笔者）区，是我们的主要核心地区，即纽约市（New York City），康涅狄格州（Connecticut）和新泽西州（New Jersey）（这三个地区紧密相连，也被称为大纽约地区——笔者）。所有这一地区的发行范围，就是我们所谓的本地市场。另一个就是全国区，即在上述范围之外的广大范围。在本地，我们有两个印刷厂，分别位于纽约市立大学的皇后区学院和新泽西州的爱迪生城。过去我们是在皇后区印刷本地的平日刊报纸，而在爱迪生城印刷星期天刊。但随着报纸扩版增页，我们在两地都印刷平日刊和星期天刊。本地之外，我们在全国有 18 个分印点，所有版面都经卫星传递，各地同步进行。在本地我们采取双保险，既通过卫星传版，同时也用光纤传输。相对来说，光纤传输更可靠些。"

他将该报的本地发行确定在上述两州一市范围内，而该报的本市新闻也指这一"大纽约"地区。**"我们无须和地方报纸竞争，"他说，"因**

为我们现在是国际大报。我们觉得没有必要像《每日新闻》和《纽约邮报》那样，成为真正的纽约市的报纸。我们只关注重大的本地新闻。”

以下都是他的原话：

“我们的发行有两种形式：零售和家庭订阅。零售量占我们总发行量的 40%，家庭投递量占 60%。这与 20 年前比有很大变化。那时零售量占 90%，家庭投递量仅 10%。其实，零售是永远也得不到保证的销售，你只能希望人们到商店去购买报纸，却不能确定最终能卖掉多少。而家庭订阅就好得多，一旦订阅，你就将订户锁定在一个时期内，无需每天去吆喝。所以，多年来我们的经营方向就是尽可能多地将零售读者转变为家庭订户。遇到下雪或其他原因导致街头零售受阻，庞大的家庭订户可以保证报纸的基本发行量，订户也不必冒雪上街买报纸。家庭订阅的另一个好处是可以让订户预先付款，报款落袋为安。我们现在星期天和平日的家庭订户分别有 100 万户和 70 万户，遍及全国。我们有 8000 个独立签约人（指签约的非本报编制的投递员——笔者），负责将报纸投递到户。

“在零售方面，我们与各分销商签订协议，他们（部分也由我们直接）销售给各报摊及其他零售点，报摊再出售给公众。在本地我们有大约 9000 个报摊，全国有 15000 个报摊，总共 24000 至 25000 个报摊。分销商的数量为 300 多个。

“在本报的发行部，我们仅有约 150 名员工，比其他报纸少得多。原因是我们把很多发行工作都签约出去了。你知道，所有上述发行员和投递员都不是我们的员工，所有读者服务工作也签约由其他公司承担。这 150 名员工只是经理人员、市场营销人员和财会人员。大量摆放街头的售报机也由其他公司去做。我们将绝大部分发行工作让给别人去做，是因为工会的存在，它总是为员工要求高工资。因此站在经营的角度，把发行工作尽可能多地承包出去是最合算、最经济的做法。当然，我们还有一个包含 1000 多名卡车司机的运输部门，那是我们的员工，他们负责包裹和运送报纸。我们每天有两个不同版本，一个是早版，向全国发行；另一个是晚版，在本地发行。投递到户的最后截止时间是早晨 6 时，不论本地还是全国。在你们国家看到的《纽约时报》应是纽约版，即晚版。”

说到投递到户的时间，我颇有感触。美国报纸（主要指晨报）的发行之早很令人佩服。我在美国相当长一段时间曾同时订阅 3 份日报，它们被送上门的时间都很早，一般在清晨6时即已到达。我有时起得很早，天麻麻亮一推门，报纸已躺在门前。对比国内报纸的发行，邮局投递大约在上午10点以后才到，自办发行的报纸也要在8时以后，且限于范围狭小的市区。2002年，深圳特区报业集团提出早晨7时将报纸发送到特区内家庭，这将在全国创下发行早报之最。

美国同行们有很明确的观念，即在订户出门前拿不到的报纸，等于废报。美国人中午没有午休时间，早晨出门中午一般不会回家，若等到下班回来再看你的报纸，不如看晚报了。所以，报纸若有几次迟送，即有丧失读者的危险。这种迟送的责任也是很容易查实的，责任人稍稍大意，即可能丢掉饭碗。美国报纸投递早的另一个有利条件，就是早晨车少人稀，送报车不会耽搁。从这个意义上讲，发行员也希望越早越好。

不过，在收款方面《纽约时报》和其他报纸不同。大多数美国报纸的家庭订户款是由社外投递员代收的，但《纽约时报》在把发行工作的诸环节尽量多地承包出去的同时，却将收款这一项工作牢牢抓在自己手里。该报通过在纽约总部的计算机将所有订报款直接收回（以支票或信用卡），投递员只负责送报纸。我在美国订阅的《纽约时报》，就是在网上确认后收到账单的，然后我按账单地址将支票寄去即可。

戴利说："我们现在每年的发行收入大约5亿美元，包括零售和家庭订户。报纸订价本地与全国不同。全国（外地）的价格是星期天刊每份4.75美元，平日刊每份1美元，全年订价（含平日刊、星期六刊和星期天刊）是559美元。本地的星期天刊为3美元，平日刊0.75美元，全年订价390美元。绝大多数美国报纸在发行上都是亏损的。我们呢？在纽约，平日刊是亏损的，星期天刊略赚。在外地，平日刊和星期天刊都能赚不少。我们能赚，原因就在于我们很多工作让别人去做而没有工会的制约，成本大大降低了。你说想知道确切的成本？不妨告诉你吧，我们平日刊的成本是每份0.65美元，星期天刊是每份2.75～3美元，本地外地一样。这个成本是变化的，因为新闻纸的价格在变化。以上成本再加上发行成本，便是报纸到达读者手中的成本。"

关于广告，戴利说：**"我们去年的广告额达到13亿美元。大约3年前首次突破10亿美元大关，当时在国内也是唯一达到这个数额的报纸。如今我们在广告收入方面仍然是全国第一。"**我问："为何《华尔街日报》单版广告价格比贵报高，总收入却不如你们？"他回答道："我们的广告额比《华尔街日报》高得多，是因为有庞大的星期天刊而他们没有。我们的星期天刊遍及全国各地。读者无论在洛杉矶、波士顿还是芝加哥，都和纽约人一样获得厚厚一大摞星期天报纸。美国人个个都爱赶在周末购物，所以星期天刊的广告很多。”

接着，他介绍了该报广告运作的基本情况。他说：“我们的广告部有 400 多人。我们主要和广告代理商打交道。全国广告（即来自外地的广告）是我们的主要来源（这一点与其他大多数报纸恰恰相反——笔者），约占 70%；本地和零售广告占 30%。我们的分类广告不太多，只是在星期天刊稍多些，因为我们不是地方报纸。你不可能只做纽约市的广告，你一做就做成了全国广告，这是很贵的。因此我们尽量扩大全国广告，降低纽约本地广告的比重。但自从那场灾难发生后（指‘9·11’事件——笔者），我们的广告下跌了 20%。通常我们的广告价格为 3 万美元一个版，彩色版加价 40%，黑白版是最便宜的，一般 2 万美元一个版。但星期天刊的广告价格往往高出一倍。”当听我说中国报纸星期天的广告量一般只相当于平时的 20%左右时，他惊得瞪大了眼睛，连说“哇，那太有意思了！”

回国后，曾听有报界同仁说，《纽约时报》一家报纸一年的广告额多达 30 亿美元，超过中国所有报纸广告额之总和。这个数字其实不确。纽约时报集团公司 2000 年的广告总额确实达到过 30 亿美元，但那包括了《纽约时报》、《波士顿环球报》、东南地方报团数十家报纸以及其他相关业务在内的所有广告。至于本书第一版出版之后变化最大的一个动作，就是从《华盛顿邮报》手中买下了《国际先驱论坛报》另外 50%的股份，独家拥有了总部设在巴黎的这家历史悠久、在欧洲和远东地区较有名气的报纸。

说起《国际先驱论坛报》，由于它在漫长的历史中几经周折且多有创新之举，容我在这里简单介绍几句。

该报的前身是美国企业家小乔丹·贝内特（J. Gordon Bennett Jr.）于 1887 年 10 月 4 日在法国巴黎创办的《纽约先驱报》的欧洲版。1928 年，该报成为世界上第一家通过飞机传递航空版的日报，实现了在早餐前将报纸从巴黎送往伦敦的特快运输。第二次世界大战期间，该报于 1940 年巴黎沦陷时停刊，直到 1944 年才复刊。1959 年，《纽约先驱报》连同这份欧洲版被美国驻英国大使约翰·海·惠特尼（John Hay Whitney）买下。1966 年，《纽约先驱报》关闭，《华盛顿邮报》购买了欧洲版的一半股权。第二年，《纽约时报》也把眼光转向欧洲并加入了这份报纸，将其更名为《国际先驱论坛报》。1980 年，该报在世界上首次实现卫星电子传版，将各版内容通过卫星传至香港，使世界另一端的读者可同时看到该报。中国大陆很多涉外酒店也订阅了该报。1991 年，惠特尼家族退出，《华盛顿邮报》和《纽约时报》共同拥有这份报纸，各占50%股权。2001年，该报创办了一个30分钟的财经电视节目。2003年1月2日，两报正式宣布，该报为《纽约时报》所独有，《华盛顿邮报》退出这份合作经营了37年的国际大报。如今，这份报纸号称以世界各国的决策者和舆论领袖为主要读者，每天在世界20个国家或地区印刷，每日发行5.5万份。中国订阅该报的酒店，估计不少于数百家。

十、A、B版释疑与更正制度

第三次造访《纽约时报》为的是重见雷恩斯。乌斯尼克安排我们于12月12日下午2点15分见面。在该报繁忙的三楼编辑部，我终于再次见到总编辑豪厄尔·雷恩斯先生。我们还是坐在那猩红色天鹅绒沙发上。和上次一样，就在我拿出录音机的同时，他也取出那架袖珍采访录音机，并和我的放在一起，又重复了一遍上次说的“这录音只为留作参考”。于是我开了句玩笑，说：“这回我可不能把录音机放在你的机器旁边，因为你的录音机太厉害了，竟然能将我的录音消灭掉。”他听了哈哈大笑起来，让我把录音机放在另一边。

第二次采访《纽约时报》总编辑豪厄尔·雷恩斯

虽然他同意再次见我的原因是录音丢失，但我不愿重复同样的话题，因为我担心这会令他兴味索然，而我也不想将这宝贵的时间花在相同的话题上。果然，当我建议谈些别的什么时，他高兴地说：“那好啊。”

我首先拿出两份同日同版的《纽约时报》。它们是2001年9月24日B叠的第一版“国家面临挑战”。在该版右下方有两幅并列的彩色照片，分别表现准备赴阿富汗参战的美国士兵正在试用防毒面具和被注射乙肝疫苗，图片说明的标题是《抵御生化武器威胁》。不同寻常的是，这两份报纸所有内容都一样，唯独这两幅图片的位置有所不同：一份在右侧中下部（为叙述方便，称为A版），另一份则位于右侧底端（称为B版）。我当时是在斯塔藤岛买的报纸，碰巧那天上课时身边一位美国女同学也买了一份《纽约时报》。课间翻阅报纸时，我注意到这两份报纸的区别，便在下课分手前向她索要了这份报纸。

我们知道，报纸同一时间发往同一地区的版本，肯定是同时开机印刷的。这一印刷期间如要改动，必须停机和重新制版，这会拖延时间并造成经济损失。因此，除非有特别重大的差错，报社不会轻易做这样的改动。中国的报纸大都有停机改版的经历，那都是在印刷过程中发现了重大错误而采取的紧急措施，这些重大错误往往与政治相关。但这两份报纸并无任何内容上的调整，只是改变了图片位置。我仔细对照研究两个版，觉得只有一种可能，即为求得版面更加美观。这两个版上方都有 4 栏大幅照片（全版为 5 栏），A 版将第二组照片置于右侧中间偏下，与这幅大图片距离太近，有不相干的照片过于集中之嫌；而 B 版将这组照片移至右侧底端，拉大了两组图片的距离，布局显得更加匀称美观，版面也更加平衡稳定。（见图）

但我仍不太相信《纽约时报》会为这一点改进而不惜大动干戈，便趁这次采访请教雷恩斯。结果真如我所料，雷恩斯对我的提问给予了最简单的回答："我们的报纸总是追求尽善尽美。"见我满脸疑惑，他又解释说，这个版是由版面部设计的，可能在印刷过程中有人觉得不够漂亮。这一改动很简单，无须编辑参与，印刷厂的技术人员就可以将其调整。他说：**"报纸的任何差错或不妥一旦被发现，只要不影响最后出报时间，我们都会去修改。"**

由此，我也联想到《纽约时报》第二版那庞大的"更正"栏。《纽约时报》是美国传媒中地位最高的报纸，其优良的品质也体现在差错率低这一硬指标上。然而，这家报纸却每天将自己前日的差错收集归拢，在第二版这么重要的版面的中间位置开辟宽达 4 栏的专栏，予以集中刊出，每次多达 10 多条。应该说，报纸的容量越来越庞大，错误是难免的。按中国印刷行业允许 2/10000 的差错率，一份 50 万字的报纸就可以有 100 处差错。世界上没有不出差错的报纸，但如何对待自己的差错却千差万别。像《纽约时报》这样向读者集中展示自己"阴暗面"的做法，在中国是绝对没有的，在美国也并不多见。这也从另一个侧面反衬出《纽约时报》的严谨作风和对读者高度负责的态度，它们与上述对版面质量近乎苛刻的要求，如出一辙。

据了解，该报过去也和其他报纸一样，对错误的更正散见于各相关版面，而且置于不起眼的角落，尽量不让读者注意。或者，当记者接到差错投诉时，会向对方保证在下次的相关报道中予以纠正——这样做比专设"更正"栏要体面得多（依据我的经验，中国报纸的同行也最喜欢用后一种方式)。1970 年,该报总编辑阿贝·罗森塔尔(Abe Rosenthal)认为报纸的更正方式不妥,读者很难发现它们,很多更正很不及时,希望引起编辑部的注意。两年后,他告诉编辑们:"我觉得我们在刊登更正方面太吝啬了,我们似乎喜欢将它们埋藏起来而让人捕捉不到。"[1] 他建议确定一种方式以便读者容易找到所有更正。到 1972 年 6 月 2 日,该报终于在第二版的"新闻提要"下方开辟"更正"专栏,并延续至今。

《纽约时报》的"更正"起初的确让记者们感到难堪。一位名叫理查德·F. 谢泼德(Richard F. Shepard)的老记者在一篇回忆文字中说:"这种更正方式无疑方便了读者并引起他们的兴趣,但对记者来说却是既羞且恼。我和其他记者一样,不仅恨自己出错,更恨这些错误被放在醒目的位置上加以张扬。事实上只有那些从来不写报道的人才有可能不出差错。可惜当医生们可以通过花言巧语掩盖他们的错误时,我们却要将自己的错误挂起来给所有人看。"但是罗森塔尔一再强调:"这种勇于认错的原则应当成为我们一般性的原则。"[2] 后来,该报对更正的文字不断规范化,使之更加清晰准确。直到 1993 年 7 月,该报一位副总编还在电脑备忘录中,专门对以前更正稿件的写作模式进行修订。他指出,为了帮助一般读者了解更正项目新闻中的失误,应在此项目中扼要地先写出错误的人名、日期、数字或事实,接着说明正确的部分,然后再说明原稿失误所在。只有这样,才能较好地实现"更正"的意义。

《纽约时报》的更正项目可长可短,视其重要性而定,有时并不限于第二版,必要时可上一版显要位置。如 1987 年 7 月 13 日一则更正就不同寻常:它是一篇长长的需要转版的文章,刊于头版正上方顶部位置,占据两栏,题为《更正:本报关于秘密基金证词的报道有误 / 上校未在听证会上说总统想把项目掩藏起来》。这是该报迄今我所见到的最显要的更正。7 年后,1994 年 10 月 15 日,该报再次在一版用两栏标题刊出更正,但位置在左下方,篇幅也较上次短多了。该报发行人庞奇·苏兹贝格有一次在写给编辑部的备忘录中说:"我认为,我们不会因为承认错误而失去什么,相反,我们这样做只会进一步加强我们的地位。"[3]《纽约时报》的做法在美国新闻界引起了良好的示范效应,一些

---

① Richard F. Shepard: *The Paper's Paper, A Reporter's Journey Through The Archives of The New York Times*, Random House, 1996 年

② 同上

③ 同上

严肃的大型报纸也开始效仿该报，每天在固定位置刊登更正记录，以方便读者查找。美国前哥伦比亚广播公司晚间新闻主播沃尔特·克朗凯特曾说：**"凡是固定刊登'更正'新闻栏的报纸，便是最负责的报纸。"**[①]

下面让我们以 2001 年 12 月 13 日（即笔者第三次访问该报的第二天）的报纸为例，看看《纽约时报》的"更正"究竟包含哪些内容。这一天该报共有 9 条更正，第一条全文如下：

"昨天头版一篇关于首宗与 9 月 11 日袭击事件有关的罪案诉讼的文章中，部分报纸（指已发出去而未得到改正的部分报纸——笔者）遗漏了一个人的名字，而在 23 位嫌疑犯名单中将一位男士的名字重复了一次，只是在姓氏拼写上略有不同。Ramzi bin al-Shibh 这位也门人被有关部门指称为未遂的劫机犯，应当列入这个 23 人名单中。一位被指控为开设银行账户参与袭击阴谋的男士名为 Mustafa Ahmed al Hawsawi，不是 al-Hisawi。"[②]

其他 8 条更正的大致内容分别是：昨天一则图片说明地址有错；前天一幅图片用错，应以今天的图片为准；报道残骸辨认时将一位遇难者的姓氏拼写及与一位亲人的关系弄错；昨天一则消息遗漏了公司负责人的姓名，此人与一起案件有关；一则图片说明的陈述有误；4 日财经版一则消息事实有误；两位曲棍球运动员在全国的排名不是第一和第二，应是第三和第四；上周五一则影评涉及的电影名称有误。

在 9 条更正之后，还有如下字样：

"本报欢迎各类批评、建议以及对错误的举报。来稿可用电子邮件寄至 nytnews@nytimes. com 或者通过免费电话 1－888－NYT－NEWS 与本报联系。"

十一、 大受欢迎的讣闻报道

接着，我和雷恩斯谈起了《纽约时报》的教育工程，前面已有涉及，这里不再赘述。然后，我们谈到一个很有意思的话题，即《纽约时报》的"死亡报道"，或曰"讣闻报道"（obituaries）。这里在"死亡"或"讣闻"后面加上"报道"二字，是为了区别于付费的讣闻广告。

这类报道实际上是美国几乎所有报纸的家常菜。在中国，只有那些名人或有一定级别的领导去世，才有可能见诸报端。上世纪 80 年代

① 《试论美国新闻传播中的更正制度》，胡正强，《国际新闻界》2001 年第六期

② Corrections，*The New York Times*，2001 年 12 月 13 日

《光明日报》曾作出副高职称以上人员逝世才可见报的规定，以示尊重知识分子。即使有资格见报的人，除去那些名人，也按官阶大小给予不同的篇幅，大多数也只是简单的生平介绍，千篇一律，枯燥单调。而美国却不同，报纸对一个人的过世，不论是名门显贵还是平民百姓，只要他或她的一生有特色、有亮点，都可成为报道的对象。这样算来，每天可见诸报端的人物就很可观了，因此每天耗费一两个版报道已故人物，是很多报纸的通常做法。但当获悉《纽约时报》有5个讣闻记者时，我还是觉得稀奇。于是我问雷恩斯："贵报为什么安排这样强大的'死亡报道'阵容?"

他回答说，死亡报道读者很爱读，平时的工作量也很大，有些报道可立刻见诸报端，有些则需要预先写好放在那里，并不断更新内容，如最近去世的艾萨克·斯特恩（Isaac Stern，美国著名小提琴家，多次来中国，于2001年9月22日在纽约曼哈顿去世，享年82岁——笔者注），我们很快可以推出8个版的报道，就是因为早有准备。他认为，讣闻是十分重要的新闻，很多人的一生丰富多彩，但直到去世仍知者甚少，其经历也湮没不彰，这对死者本人和读者来说都是不公平的。读者从这些有趣的人生经历读到的并不仅仅是眼泪，更多的是欢乐——他们为自己身边曾经有过如此动人的生命而感到欣慰。

后来，在阅读了许多讣闻报道后，我完全赞成雷恩斯的观点。事实上，《纽约时报》在讣闻报道方面有着长达一个多世纪的悠久历史，在报道的采编上也做得十分出色。

理查德·F. 谢泼德在《报纸档案》（*Paper's Papers*）中说："讣闻报道是《纽约时报》最重要的报道内容之一，公众对这类报道有着非同寻常的兴趣。因此编辑们对此高度重视，有时连发行人也会亲自过问。讣闻报道的写作，或长或短，实际上都是对死者生平及形象的描述，它们所组成的版面往往是《时报》中最引人入胜的。"他接着说："《纽约时报》所储备的讣闻报道超过美国任何一家报纸。我在数十年漫长的记者生涯中就曾做过讣闻记者，1986年还当过一年讣闻编辑。总编辑马克斯·弗兰克尔（Max Frankel）和执行总编阿瑟·盖尔布（Arthur Gelb）将这一我并不想要的'荣耀'交给我时解释说，本报需要一位有着良好记忆并在社会新闻组工作过多年的资深记者担任此职。"①

据他回忆，他当讣闻编辑时，有3位优秀记者负责预写重要人物的

---

① Richard F. Shepard：*The Paper's Paper*，*A Reporter's Journey Through The Archives of The New York Times*，Random House，1996年

D6 L+ THE NEW YORK TIMES, TUESDAY, NOVEMBER 27, 2001

CITY

After Losing High Hopes, A Chance to Hope Again

By AARON DONOVAN

There was a time when things looked promising for Gavin Dutchin. It was the early 90's, he had recently graduated from Massachusetts Institute of Technology and had landed his first job on Wall Street, at Cowen & Company, an investment banking firm.

Previously recorded	$2,436,724.53
Recorded Friday	13,750.00
Total	2,450,474.53
At similar period last year	3,107,052.26

The Neediest Cases

"I saw great potential for myself," he recalled recently. "I just wanted to work for someone who would at least give me a chance to exhibit my talent, and that seemed like the ideal place to do it."

Four years later, far from his dream of making a name for himself on Wall Street, Mr. Dutchin was homeless, and shortly thereafter, he was taken to a psychiatric ward at Bellevue Hospital Center. His downward spiral had begun in December 1994, when he was laid off from his job as an assistant managing director, he said.

By now, he has an apartment and medication to control his mental illnesses, and his life is improving with the help of a psychiatric treatment program run by FEGS, formerly the Federation Employment and Guidance Service.

At the program, he attends classes that help him improve his organizational skills, memory and concentration. FEGS is a beneficiary agency of UJA-Federation of New York, one of the seven local charities supported by The New York Times Neediest Cases Fund.

After he lost his job, Mr. Dutchin worked from his parents' house in Jamaica, Queens, for two years, trying to set up a company, Mlishi, to foster development in his native Guyana. He supported himself mostly by tapping into his 401(k) retirement fund, and by tutoring high school and college students who needed help in algebra or calculus. But the company never prospered.

Then came 1998 — the year, he said, that "things started to fall apart for me." Mr. Dutchin's father, Carlyle, died of prostate cancer at 70. "He was the cornerstone of the family," Mr. Dutchin said.

So his mother, Carmen, then 68, moved back to Guyana, and he moved in with his older sister Loraine Dutchin, who was raising two children on her own in Flatbush, Brooklyn. In exchange for a spot on his sister's couch, Mr. Dutchin helped her two teenagers with their math homework. But eventually, she began to feel that it was an uneven trade, he said, and he had to leave.

He spent two years homeless. At night, he rode the F train back and forth between Jamaica, Queens, and Coney Island, learning that by the time a train made two complete circuits, it would be late morning, time for him to help a food salesman on Canal Street attach his food cart to his car. For his services, Mr. Dutchin would get three or four bagels that had not been sold that day, and would take them to eat in Washington Square.

Justin Lane for The New York Times

Gavin Dutchin, outside the Barnes & Noble he used to frequent.

After finishing his breakfast, Mr. Dutchin would walk to the Barnes & Noble bookstore at Union Square, where he read books about advanced mathematical theory in the fourth-floor reading lounge.

A quiet man who says he keeps to himself, Mr. Dutchin maintained a low profile. Nobody seemed to notice that he never bought any books. "All that I can remember thinking was that somebody would see me and tell my mother so that at least she could come and get me," he recalled.

Minnie Berman, director of the FEGS program in Manhattan, said his symptoms were consistent with someone with a history of psychosis and depression. "Since he came to us he's been very stable," she said.

One day on a crowded downtown street, someone stepped on the back of Mr. Dutchin's foot. He declined to discuss details of the incident, other than to say, "We had an exchange of words."

Whatever happened, it was serious enough to cause a bystander to call an ambulance, and Mr. Dutchin was taken to Bellevue, where he was placed in a psychiatric ward for three months. There he was treated for tuberculosis and began taking a mood stabilizing drug and an anti-psychotic, he said, both of which he still takes daily.

Mr. Dutchin wants to become an economist. Staff members at FEGS are helping him apply for graduate school. "My short-term goal is to get my Ph.D.," Mr. Dutchin said, "and to complete my involvement with taking medication."

HOW TO HELP

Checks payable to The New York Times Neediest Cases Fund should be sent to P.O. Box 5193, General Post Office, New York, N.Y. 10087, or any of these organizations:

BROOKLYN BUREAU OF COMMUNITY SERVICE
285 Schermerhorn Street
Brooklyn, N.Y. 11217

CATHOLIC CHARITIES OF THE ARCHDIOCESE OF NEW YORK
1011 First Avenue
New York, N.Y. 10022

CATHOLIC CHARITIES, DIOCESE OF BROOKLYN AND QUEENS
191 Joralemon Street
Brooklyn, N.Y. 11201

CHILDREN'S AID SOCIETY
105 East 22nd Street
New York, N.Y. 10010

COMMUNITY SERVICE SOCIETY OF NEW YORK
105 East 22nd Street
New York, N.Y. 10010

FEDERATION OF PROTESTANT WELFARE AGENCIES
281 Park Avenue South
New York, N.Y. 10010

UJA-FEDERATION OF NEW YORK
Church Street Station
P.O. Box 4100
New York, N.Y. 10261-4100

No agents or solicitors are authorized to seek contributions for The New York Times Neediest Cases Fund.

Donations may be made with a credit card by phone at (212) 556-5851 (ext. 7) or online, courtesy of CharityWave.com, an Internet donations service, at nytimesneediest.charitywave.com. For instructions on how to donate stock to the fund, call (212) 556-1137 or fax (212) 556-4450.

The Times pays the fund's expenses, so all contributions go directly to the charities, which use them to provide services and cash assistance to the poor.

Contributions to the fund are deductible on federal, state and city income taxes to the extent permitted by law.

To delay may mean to forget.

Bloomberg Meets Crash Victims' Relatives

Continued From Page D1

ago, were Dominican immigrants living in Washington Heights. The crash killed 260 people aboard the plane, and 5 on the ground.

Mr. Bloomberg said he hoped the trip would be the start of a series of monthly cultural exchanges between the two countries. He also said that he would encourage the United States government to grant some type of amnesty for Dominicans who are illegal immigrants to come here to bury family members and then return to New York without repercussions. But he stopped short of saying he would directly pressure the White House on that point, as United States Representative Charles Rangel has done.

"I think, as a compassionate society, we have to find some ways that these people can get some finality," Mr. Bloomberg said. "But the federal government has to be in charge of that, our immigration policy and its borders. I certainly would urge them to understand the pain and suffering and love."

Since his victory on Nov. 6, Mr. Bloomberg has made several symbolic gestures aimed at his Hispanic constituents. His very first meeting the morning after the election was a breakfast with Fernando Ferrer, the Bronx borough president, who lost his bid for mayor in the Democratic runoff primary. Among Mr. Bloomberg's first official interviews was one with a Spanish-language radio station, and the long list of people assigned to run his transition is peppered with Hispanic New Yorkers, including a Ferrer campaign worker.

Mr. Bloomberg traveled here with a New York delegation that included Mr. Rangel, the salsa performer and unsuccessful candidate for public advocate Willie Colón and various Hispanic elected officials. Before Mr. Bloomberg's arrival, the fashion designer Oscar de la Renta swept up the stairs of the government center as a member of the unofficial delegation. Mr. de la Renta, a Dominican and Mr. Bloomberg's friend, said that the mayor-elect's visit was a "very welcome sign" and added that "we Dominicans who live in New York feel very strongly about that city. It is really wonderful that he is here. I think certainly the Dominican community in New York is a very important one."

Soon after, with television cameras threatening to crush the families, Mr. Bloomberg made his way around the table, shaking hands with each person who had traveled to meet him. A translator helped him to understand their stories — about the sister who made round trips almost monthly, about the children who were on their first trip to the island, about Ramona Pimentel, who turned 55 and was flying home for a birthday party on the day of the crash. She was among 48 people from Baní, a small Dominican town.

"I appreciate the visit because it helps me morally," said Anna Felicia Brito, who lost her daughter and grandson, of Mr. Bloomberg. "I feel like I am not abandoned."

Like others, she is waiting to receive the bodies so she can bury her children properly, she said.

Others had different issues for Mr. Bloomberg's attention. "More than 80 lawyers are already here like scavengers," said Jean Robert Wawa, whose cousin lost several close relatives. "They are looking for customers before the bodies arrive."

When Mr. Bloomberg left the room, the families returned to silence, holding their empty juice glasses.

The mayor-elect met later with family members and President Mejía at a private lunch, then addressed the journalists traveling with his delegation. He said he hoped that Mr. Mejía would visit New York in the spring.

Mr. Rangel thanked Mr. Bloomberg "for the compassion he has shown for the families who have lost their loved ones." He added, "Mike Bloomberg was not supported by all of us in the general election, but he is supported by all of us now."

Mr. Bloomberg then headed to the United States Embassy to meet privately with the incoming ambassador, Hans H. Hertell, who assumed his post today. At Santo Domingo's City Hall, he was presented the key to the city by Mayor Juan de Dios Ventura. He then left for San Juan, where he is to visit Gov. Sila Calderón of Puerto Rico on Tuesday.

Lottery Numbers

Nov. 26, 2001
New York Numbers — 238
New York Win 4 — 0063
New York Take 5 — 2, 12, 15, 26, 35
New York Pick 10 — 1, 3, 6, 9, 15, 16, 19, 22, 27, 29, 35, 36, 41, 46, 49, 51, 61, 65, 66, 74
New Jersey Pick 3 — 912
New Jersey Pick 4 — 7771
New Jersey Cash 5 — 13, 21, 23, 34, 38
New Jersey Pick-6 Lotto — 1, 5, 11, 26, 30, 40
Connecticut Mid-Day 3 — 860
Connecticut Mid-Day 4 — 7766
Connecticut Daily — 830
Connecticut Play 4 — 2275
Connecticut Cash 5 — 8, 19, 25, 30, 31

Nov. 25, 2001
New York Take 5 — 3, 14, 15, 16, 26
New York Pick 10 — 11, 14, 16, 22, 27, 32, 34, 49, 52, 54, 56, 57, 59, 60, 61, 67, 69, 71, 78, 80
Connecticut Daily — 601
Connecticut Play 4 — 2852
Connecticut Cash 5 — 4, 7, 14, 22, 26

OBITUARIES

Bo Belinsky, 64, the Playboy Pitcher, Dies

By RICHARD GOLDSTEIN

Bo Belinsky, whose pitching prowess as a rookie with the Los Angeles Angels catapulted him to the life of a Hollywood playboy and the fleeting glitter of a 1960's celebrity, died Friday at his home in Las Vegas. He was 64.

The cause was apparently a heart attack, The Associated Press reported. Belinsky had been treated for bladder cancer and vascular problems and had undergone hip-replacement surgery. He had been dependent on alcohol and drugs, but said last year that he had been sober since 1976.

A one-time teenage pool hustler, Belinsky experienced a tumultuous ride; he was lionized by Walter Winchell, greeted by J. Edgar Hoover and linked with a host of Hollywood actresses.

It began the night of May 5, 1962, when major league baseball on the West Coast was in its fifth year.

Pitching for the Angels, a second-year expansion team, against the Baltimore Orioles, Belinsky threw a 2-0 no-hitter for his fourth straight victory of the season. It was the first no-hit game pitched in the majors in California, and the lefty with the outstanding fastball and screwball did it at the newly opened Dodger Stadium — or Chavez Ravine, as it was called by the Angels, who shared it with the Dodgers.

Among the 15,886 fans that night was Winchell, who wrote of Belinsky's feat in his widely read newspaper column.

"Walter took a liking to me and we became good friends," Belinsky once recalled. "Walter did a lot of writing about me. He used to get letters from women all over the world saying they wanted to meet Bo Belinsky. I'd go over to his hotel room and he'd have this stack of letters about me with all these pictures."

Belinsky was soon driving a red Cadillac on Sunset Strip and was dating Ann-Margret, Tina Louise and Connie Stevens.

He was engaged to the actress Mamie Van Doren.

"Our life was a circus," Ms. Van Doren said Saturday. "We were engaged on April Fool's Day and broke the engagement on Halloween. It was a wild ride, but a lot of fun."

Belinsky was also a V.I.P. in Washington, courtesy of Winchell's friendship with Hoover.

One time when the Angels were playing the Washington Senators, two F.B.I. agents came into the clubhouse and told Manager Bill Rigney that they wanted to see Belinsky and pitcher Dean Chance, Belinsky's partner on many late-night adventures.

As Belinsky recalled it, "Rigney goes, 'What did they do wrong now?' "

Associated Press, 1962

Bo Belinsky was engaged to the actress Mamie Van Doren for 7 months.

"They take us to F.B.I. headquarters, and it turns out that Walter told J. Edgar to call us down and razz us a little bit," Belinsky told The Washington Times in a 1995 interview. "He had a picture taken with us. And we went down to the firing range and got to shoot some machine guns."

Amid the hoopla and the night life, Belinsky's pitching quickly went into decline. He started the 1962 season 6-1, but was 10-11 when it ended. He switched from a red to a gold Cadillac in 1963, then fell to a 2-9 record.

Belinsky was 9-8 with a 2.86 earned run average in 1964, but his season ended in August when the Angels suspended him after he had slugged Braven Dyer, a 64-year-old sportswriter for The Los Angeles Times. Dyer had sought a comment on a report that Belinsky was about to retire.

Belinsky was gone from the Angels after the 1964 season, then pitched for the Philadelphia Phillies, Houston Astros, Pittsburgh Pirates and Cincinnati Reds with little success. He had a record of 28-51 in eight major league seasons.

He was born Robert Belinsky on Manhattan's Lower East Side, then moved with his family to Trenton while a youngster. He was nicknamed Bo for the middleweight boxer Bobo Olson in tribute to his street brawling. His favorite sport in high school was pool, and he hustled with his pals Cincinnati Phil, Norm the Farmer and Goose McDonald.

He pitched in the minor leagues for the Orioles' organization, then was obtained by the Angels.

Belinsky told of developing a drinking problem late in his major league career, then using drugs as well. He said he ended his chemical dependency in 1976 after awakening under a freeway bridge outside Akron, Ohio, clutching an empty wine bottle. He worked in recent years as a community-relations representative for auto dealerships in Las Vegas and became a born-again Christian three years ago.

His marriages to Jo Collins, a former Playboy centerfold model, and Jane Weyerhaeuser, of the family owning the building-materials company, ended in divorce. Last year Belinsky said that he had made an unsuccessful attempt to contact twin daughters from his marriage to Ms. Weyerhaeuser, not having seen them since 1989. He said he was also out of touch with a younger sister, Lorraine.

Last June, when he attended Bo Belinsky Night at the Pacific Coast League ballpark in Las Vegas, Belinsky reflected on his life.

"We spend the first 40, 50 years satisfying our egos and the next 20 or 10 trying to wipe the slate clean," he said. "I'm at that second stage."

Sol Forman, 98, Owner of Famed Steakhouse

By DOUGLAS MARTIN

Sol Forman, who sometimes ate a steak or two a day at Peter Luger, the steakhouse across the street from his Brooklyn metalware factory, and then rescued the restaurant from oblivion by buying it at auction and owning it for a half century, died on Thursday at Maimonides Hospital in Brooklyn. He was 98.

His daughter Marilyn Spiera said that he lived in his home of 60 years in Flatbush, Brooklyn, until the day he died. He went to his office in the restaurant in the shadow of the Williamsburg Bridge in his wheelchair until two weeks ago, and each night called in to check receipts.

Mr. Forman did more than just preserve an institution beloved by discerning carnivores, one that Gourmet magazine said produces "a level of steak quality that is simply unmatched in America." He added the unthinkable, fish, to the menu, installed air-conditioning over the shocked objections of veteran waiters, and began accepting credit cards, though only the restaurant's own; there are now 80,000 of them.

But not messing with much explained much of the success he made of Peter Luger Steak House. The scrubbed oak tables, chairs and bar have been in the restaurant since Peter Luger, a German immigrant, opened the place in 1887. So have some of the beer steins. Most significant, succulent, sizzling slabs of steak, 10 tons a week, flow ceaselessly from the kitchen.

"We're all basically animals," Mr. Forman once said. "We want to eat meat."

Sol Forman was born on the Lower East Side of Manhattan around July 1, 1903. At least that's what his mother later guessed. Nobody wrote it down.

His father, Louis, worked as a clothing presser in a sweatshop, and his mother, Rose, sold linens on the street. She was 40 when she gave birth to him, and until eight and a half months into her pregnancy worried she was developing a tumor, Mrs. Spiera said.

From an early age, Sol supported his elderly, sick parents and continued to turn over his paycheck to them until he was in his mid-30's. His first job was turning on and off streetlights in his neighborhood, one by one each morning and evening. He dropped out of high school to work full time.

Sol Forman added surf to the turf.

The rescuer of Peter Luger, beloved by discerning carnivores.

At 1[illegible], he formed a partnership with his brother and sister to start a metalware business called Forman Family, which made trays, pitchers, coffeepots and other stamped-metal giftware. He enjoyed and excelled at sales and frequently entertained customers across the street at Peter Luger. Many days, this meant eating two steaks. When trade shows were in town, it could mean three.

Peter Luger died in 1941. His style was inimitable: if a customer complained about a steak, he would taste it and often refuse to replace it. So was his success: the son who succeeded him watched the business slide until he was forced to close it in 1950.

Part of the reason was the decline of industrial Brooklyn, as breweries and other nearby manufacturers shut their doors; Peter Luger became a lonely bright spot in a gritty industrial area. Also, the Hasidim who made up an increasing share of Williamsburg's population did not eat the beef hindquarters from which the restaurant takes its steaks. Kosher laws permit them to eat only the forequarters, Mrs. Spiera said.

Mr. Forman, whose first steak at the restaurant 25 years earlier cost $1.75, decided he wanted to buy the place. His wife, Marsha, objected, arguing that the family's only proven culinary talent was eating.

But he won her over, and was the only person to show up when the restaurant was auctioned off. He bought it for the price of the real estate.

His first improvement was to buy a scale. Practices had become so haphazard under the Luger family that deliveries were not even being weighed. Mr. Forman eschewed advertising and paid no rent since he owned the building. This allowed him to apply 65 percent of after-tax receipts to paying for high-quality ingredients.

He delegated the job of picking the best beef to his wife, who died in 1998 after 61 years of marriage. She spent two years learning how to inspect meat from a retired meat inspector named Joe Dowd. Until she was 80, she put on a white coat and fur hat and went to the meat district twice a week to make her choices and stamp them "Peter Luger."

Selecting steaks for self-styled beefmen has continued to be women's work. Mrs. Spiera, who learned the skill from her mother, and her own daughter Jody Storch now go to the wholesale market.

In addition to Mrs. Spiera of Brooklyn, Mr. Forman is survived by his daughters Amy Rubenstein and Elissa Cullman of Manhattan; nine grandchildren; and 12 great-grandchildren.

Mr. Forman closed the metalware business in the early 1980's, because of competition from foreign imports. He continued to manage commercial and residential real estate, but Peter Luger was his passion.

For example, when he opened the only branch of Peter Luger, in Great Neck on Long Island, in 1961, he oversaw daily operations of the new restaurant, which he designed. He declined to open other branches or franchises, because he feared he could not guarantee the quality of meat, Mrs. Spiera said.

One Peter Luger tradition that has never changed is the waiters' stern admonitions to order steaks rare. They say anything else breaks the chef's heart. What they don't say is that Mr. Forman liked his well done.

《纽约时报》讣闻版（2001 年 11 月 27 日）

讣闻报道（即在这些人物的有生之年为其准备后事报道——笔者），另有3～4位记者负责日常的讣闻报道。**对讣闻记者要求很高，必须有开阔的眼界，敏锐的洞察力，善于捕捉细节，且文笔优美。**讣闻预写有时会耗费数月时间用于查阅资料和档案。有的人直到自己退休后多年，当年预写的讣闻报道还存储在一版稿库里，未曾派上用场。该报的讣闻预稿库由警卫把守，一般人员不得入内。库内通常存储有近2000人的稿件，其中大多数需经常更新。这些报道的主人公包括国内外的国家元首、重要政治家、工商巨头、文化名人。

按我们中国人传统的思维模式，你在别人还活着时就写下他们的死亡报道，岂不是诅咒人家吗？但美国报人的思维恰恰相反，他们认为预写的讣闻看上去总是在祈祷被报道者长寿。谢泼德1981年得知一位名人生病后即预写了他的报道，结果这位名人到1987年才去世。另一位名人病情严重住院开刀时，他写了报道，但"幸亏我的预写报道，他多活了好多年"，谢泼德说。《纽约时报》发行人阿瑟·海斯·苏兹贝格（Athur Hays Sulzberger）1962年卸任后曾对一位朋友说起早已被预写过讣闻报道的格林鲍姆（Greenbaum）将军："我很高兴地告诉你，他正处于最健康状态。预写讣闻对他而言是促使他长寿的最佳途径！"①

《纽约时报》的讣闻报道也有很多规矩，有的规矩执行时间很长，有的没多久就消失或被修改了。保留下来的规矩包括：不在讣闻报道中提及葬礼的细节，除非死者知名度很高，葬礼细节建议在付费的讣闻广告中刊登；自杀身亡和死于突发事故者一般不在讣闻报道之列——他们可以包容在其他突发新闻报道中；预写新闻绝对不得向外界透露（由此可见，美国人对预写的死亡报道还是有所顾忌的），内部人士未经许可也不得查阅这些报道。罗森塔尔总编有一次半开玩笑地对朋友说："如果你不可避免地要死去的话，最好死在本报，而且，你应当意识到时间十分重要。我曾劝告我的所有朋友，最好死在星期一至星期五之间，在一天当中的时间越早越好，中午之前最为完美。"② 他这番话的意思是便于讣闻及时见报，以便为大众所周知。

《纽约时报》最著名的讣闻记者当属罗伯特·麦吉·托马斯（Robert McG. Thomas）。他在2000年之前的5年间写了大量脍炙人口的死

---

① Richard F. Shepard：*The Paper's Paper*，*A Reporter's Journey Through The Archives of The New York Times*，Random House，1996年

② *52 McGs. — The Best Obituaries from Legendary New York Times Writer Robert McG. Thomas Jr*，Edited by Chris Calhoun，Simon & Schuster Inc. 2001年

亡报道，并因此获得普利策奖提名。在他的笔下，有肥皂剧的创始人，有活到 82 岁的美国邮政编码的实行者，还有一生酷爱猫的六合彩大奖得主。可惜托马斯也于 2000 年 1 月 8 日撒手人寰，享年仅 60 岁，迄今还有不少读者因不能再读到他的讣闻报道而遗憾。2001 年我在纽约时，《纽约时报》的编辑为他出了一本书，从他发表的大量讣闻报道中精选 52 篇辑纳出版。编者在序言中说："他（指托马斯）的作品在其拥趸中流传甚广，人们对'麦吉'（McG，托马斯常用这个署名——笔者）二字已经耳熟能详。这些作品将生命中哪怕是昙花一现的绚丽火花以天才的笔法采撷给读者，无意中也为那些寻常或不寻常的生命注入了托马斯的印记。《纽约时报》这些年来收到无数读者来信，信中表达了他们在读到各种'麦吉'文章时或感动落泪或会心一笑的心情。"①《纽约时报》也报道说，他在自己家乡度过生命中最后一个新年时，镇上 5%的居民约 12,000 人出席了当晚和他的聚会。这位讣闻记者之受欢迎程度，由此可见一斑。

为使读者对美国的讣闻报道有个直观印象，这里选录一篇托马斯于 1998 年 3 月 29 日发表于《纽约时报》的讣闻报道。这篇报道的主人公正是那幅很多中国人熟悉的越战照片上的主人公。照片上一位将军于众目睽睽之下当街用手枪指着脑门枪毙一位越共狱囚。照片刊登于美国几乎所有大报的头版，引起轰动，摄影家艾迪·亚当斯也因此获得了普利策奖。"一个人杀了另外一个人，而我通过展示这个赚了钱。"他获得普利策奖之后说。在他以后的职业生涯中，他不断感受到照片带来的震撼，也受到同行的责难。2004 年 9 月 19 日，艾迪·亚当斯因肌萎缩性侧索硬化症在纽约的家中去世，终年 71 岁。

枪毙越共狱囚的阮武龙去世，享年 67 岁

脾气暴躁的前南越警察总长阮武龙（Nguyen Ngoc Loan）周二在弗吉尼亚州伯克镇自己的家中去世，享年 67 岁，之前他在附近的戴尔市经营一间比萨饼店。1968 年发动泰德攻势期间，阮在西贡当街处决了一名越共俘虏，此举激起了美国民众的反战情绪。

阮武龙死于癌症，他的儿子拉瑞说。

共有两百万人死于那场漫长的战争，尤其在发动泰德攻势期间，短

---

① *52 McGs. —The Best Obituaries from Legendary New York Times Writer Robert McG. Thomas Jr*, Edited by Chris Calhoun, Simon & Schuster Inc. 2001 年

这就是阮武龙当初在街头枪毙越共狱囚时开枪一刹那的照片，当时子弹正从遇难者头部穿过。美国各报头版刊登这张照片后，引起全国反战浪潮。

短一周内就有数千名起义军丧身，西贡的妇女儿童也难逃厄运，本来很少有人会关注区区一名越共军官的生死。

可是，1968 年 2 月 1 日，阮武龙准将拿起手枪对准双手背缚的越共俘虏的太阳穴，抠动扳机的时候，他们正面对美国国家广播公司的摄像机和美联社记者的镜头。

当这一幕在全世界的电视屏幕和各大报纸的头版重现时，立刻引起了人们对这种似乎毫无道理的野蛮的反感，这一幕也被广泛看作越战的象征——一场似乎没有任何意义的战争。

埃迪·亚当斯（Eddie Adams）的相片尤其生动，对战争的恐惧那一刻凝固在战俘畏缩的脸上。快门几乎与扳机同时按下，相片中，子弹正穿过身着格子衬衫和黑色短裤的无名战俘的大脑，留下他最后痛苦扭曲的面容。仔细研究这幅 1969 年获普利策奖的照片，你会看到子弹从他头颅的另一侧穿出。

尽管在人们的情感上掀起轩然大波，这一事件产生的影响微乎其微，美国继续卷入长达 7 年的战争，直到 1975 年从西贡撤军。事实上，是枪决事件 4 年之后的另一张照片激起了人们新一轮的反战情绪。画面中一个 9 岁的越南小姑娘被南越的汽油弹烧光了衣服赤身裸体尖叫着在路上奔跑，这给人们留下了不可磨灭的印象。

但枪决事件却完全改变了阮武龙的生活。

出生于越南顺化一个富裕的机械工程师家庭，阮武龙有兄弟姐妹 10 人。以优异成绩从顺化大学毕业后，阮开始了他在南越空军的飞行员生涯。阮寇戚（Nguyen Cao Ky），一个虚张声势的飞行员，1965 年当选总理，是他的密友。阮武龙当时的军衔是上校，任警察总长，西方记者中盛传他每次见到越共攻击平民目标时都大发脾气。

了解阮武龙的人说，如果不是记者在场，他可能不会当街处决那个俘虏。

阮坚持认为他的举动是正当的，因为被处决的俘虏是一个恐怖主义小分队的头目，杀害了他一个副官的亲眷。尽管如此，这次以及在泰德攻势期间南越其他的临时枪决俘虏事件立刻遭到了美方军官的谴责。事件发生几天后，阮寇戚（已是南越“副总统”）承认该俘虏并未在越共军中任职，只是一名“级别非常高”的政府官员。

阮武龙后来暗示说亲手处决俘虏并不像人们认为的那样是他一时冲动，而是因为手下的一名副官接到命令后犹豫着不开枪。“我想，那么我必须开枪，”他说，“如果你缺乏果断，不尽职，手下人就不再听从你的指挥。”

据美国国家广播公司的摄像记者弗苏（Vo Suu）回忆，阮武龙开枪后随即走到一个记者面前说：“他们杀了很多我们的人，我想佛会原谅我的。”

3个月后，阮武龙在一次对越共的进攻中负重伤被送往澳大利亚治疗。在澳大利亚，对他的抗议呼声如此强烈以至于阮武龙被迫离开，前往华盛顿的华特里德军医院继续治疗。在华盛顿的国会里，他也一再遭到谴责。

阮在负伤后已卸任警察总长一职。伤愈后回到西贡，他似乎完全变了个人，将大量时间花在孤儿院的孩子身上，给他们送礼物。西贡被越共占领后，他请求美国帮助逃离而美方未予理睬。但他终于带着家人搭上了一架南越的飞机。

在美国发现了他的行踪后，有人试图以战犯的身份将阮武龙遣返，但后来不了了之。他在弗吉尼亚州北部定居下来，当时右腿已经截肢。后来他开了比萨饼店。然而，他的过去被公开后，生意急转直下，饼店在1991年关门了。洗手间的墙上还留着鄙夷他的人潦草的字迹，写着“我们知道你是什么货色”。

他的儿子和他住在同一座城市。死前，他儿子和一些亲友守在身边。①

十二、庞大的星期天版

美国报纸令中国同行艳羡的景象之一，就是那内容庞杂、广告三

① 因时间紧迫，前述雷恩斯获普利策奖的作品和此文分别由我的同事霍成举先生和黎丹小姐帮我译出初稿，供我校阅编改，在此一并向他们表示感谢。

富、发行量巨大的星期天刊。中国报纸的星期天版或周末版（独立发行的周末版不在此列，如《南方周末》）却是读者大量流失、广告大幅减少、版面不断萎缩、收入亏多盈少。相形之下，我在美国看到的报纸星期天刊，却是内容极其丰富，较平日刊多2～3倍，因而很受读者欢迎，尽管价格是平日刊的3～4倍，发行量仍普遍比平日版多，有的多1倍以上；广告价格上涨约三成至1倍，广告本身也成为吸引读者的第二热点。

在所有美国报纸中，《纽约时报》的星期天刊是内容最为丰富的报纸之一，页数之多、发行量大，鲜有可比者。该报星期天刊2001年平均发行1,668,650份，而平日刊平均发行1,109,371份，前者比后者多出约五成。

美国报纸的出现迟于欧洲，但星期天刊却流行较早。据史料记载，1809年出版的纽约《观察家报》是美国最早连续出版星期天刊的报纸。美国南北战争爆发后10天，即1861年4月22日，问世不到10年的《纽约时报》开始出版星期天刊。到1880年美国已有113家日报开辟了星期天刊。而英国直到第一次世界大战期间才出现星期天刊。1923年，《纽约时报》星期天刊开始改版，逐渐增加文学、休闲等内容及各类图片。1935年1月25日，星期天刊一个重要板块“一周新闻述评”诞生。该板块主要用来评述上周发生的重要新闻，其中某些新闻样式发展成为后来风靡美国报界的“解释性报道”（有点像我们所说的深度报道）。在电视迅猛发展的年代，这类报道被认为是报纸与电视竞争的有力武器。随着星期天刊的不断膨胀，该刊的专职采编人员数量也迅速增多，由1923年的3名编辑（当时无记者）发展到如今的近百人队伍。

星期天刊大受欢迎的最主要原因，在于报纸内容的极大丰富，这一点仅从其页数就可看出。以下是笔者统计的六家主要报纸星期天刊与平日刊的比较（日期随机选取笔者采访有关报社的那个周）：

美国6家日报星期天版与平时版页数比较

（广告插页不计在内） 单位：美元

日报名称	星期天刊 售价	日期	平日刊 售价	日期
纽约时报	458页 3.00	2001-11-25	128页 0.75	2001-12-13
洛杉矶时报	408页 1.50	2002-01-13	158页 0.50	2002-01-17
华盛顿邮报	260页 1.50	2001-10-21	82页 0.25	2001-10-23

日报名称	星期天刊 售价	日期	平日刊 售价	日期
芝加哥论坛报	330 页 1.75	2001－08－05	76 页 0.50	2001－08－14
波士顿环球报	344 页 2.00	2001－08－19	100 页 0.50	2001－08－24
斯塔藤岛前进报	246 页 1.50	2001－04－29	40 页 0.50	2002－01－26

那么多版刊登哪些内容呢？美国日报的新闻版平日就够多的了，通常在 40 页以上（含经济新闻和体育新闻），星期天刊也保持这个水平，多出的部分主要是各类特稿专版和副刊。有的报社设有星期天刊部，该部主要也是对这些增加的部分负责，与前面的新闻版无涉。在增加的特稿专版和副刊中，主要有以下四大类：

一是深度报道和特稿类专版，是对上周社会现象或重要事件的特写和评论；

二是生活方式类副刊，包括时尚、饮食、家居、保健、服饰等内容；

三是文化娱乐类副刊，以书评和电影电视的详细节目预告为主，兼顾美术、文艺等活动；

四是消费类副刊，包括房地产、汽车、家用电器、旅游等项目。

从形式上看，很多大型日报都在星期天出版印刷精美的《电视周刊》（通常为大 16 开）和《广场》杂志（通常为 8 开，且全部用铜版纸，内容大都为散文化的纪实作品）。

下面我们来看看《纽约时报》星期天刊的内容，以笔者第二次访问该报前一天即 2001 年 11 月 25 日（星期天）为例，扣除新闻部分，有以下板块：

“艺术与休闲”——40 页，依次有头版特写、来信、剧院、舞蹈、电影、音乐、绘画与建筑、电视与广播、艺术与休闲指南，广告；

“一周新闻述评”——12 页，依次有上周大事、观点与趋势、国际回顾、名词话语、社论与评论，广告；

“旅游”——16 页，依次有旅行向导、交易与折扣、旅行实践、自选餐桌、游记与观感，广告；

“纽约时报杂志”——大 16 开，全铜版纸，102 页，包括各类杂志化文章及广告；

“书评”——8 开，36 页，这是该报的名牌专版之一，有图书介绍、图书目录、新书摘要、本周畅销榜（美国书商都以列入该榜为荣耀，并在图书再版时将列入《纽约时报》畅销书榜字样印在图书封面上，促销作用明显），广告；

“周末时尚”——14页，有时装、婚嫁等内容，广告居多；

“城市”——16页，依次有城市特写（本期特写题为《逃入纽约》，占两个版）、市民、邻里报告、各区话题、吃与玩等，广告；

“电视杂志”——16开，64页，一周电影电视的详细预告，广告；

“房地产”——30页，依次有房地产市场分析、购房租房指南等，广告居多；

“汽车”——20页，广告居多；

“连环漫画”（也称卡通画）——8页，这也是美国大多数日报的家常菜，每天都有，但星期天为彩色。

其他一些大型日报在星期天刊还辟有“健康与家庭”、“家居与园艺”、“就业”、“工作空间”等专版。再加上200多页的广告插页，家庭主妇们多喜从中寻找优惠、降价、折扣商品，并按图索骥地外出采购。由此可见，美国报纸星期天版所提供的，恰是名副其实的信息大餐，大受欢迎也就在情理之中了。

十三、雷恩斯受丑闻牵连辞职

美国政府终于发动了第二次伊拉克战争。2003年3月20日，美国在进行了充分的军事、政治和舆论的准备之后，以巡洋舰上发射导弹开始对伊拉克发动了大规模的战争。萨达姆政权的抵抗力远不像外界预料的那样顽强，因此美军和联军部队一路进攻，势如破竹，很快就结束了战争，仿佛一场军事演习。美国开战的主要理由有三，一是有确切情报表明伊拉克生产有大规模杀伤性武器，二是拒不执行联合公报有关决议，三是同样有情报表明萨达姆与基地组织联系密切。今天看来，这三条理由都站不住脚。其一，战争结束至今，联军并未在伊境内查出任何大规模杀伤性武器的证据或线索，这一最大战争借口虽苦苦搜寻却迄今没有结果；其二，美国自己已经承认，迄今未发现萨达姆·侯赛因与本·拉登及其基地组织有任何实质联系；其三，伊拉克在压力之下基本上执行了联合国及安理会的决议，而以色列政府才是从来不把联合国或安理会决议放在眼里的政权，却未遭到美国及盟国的任何谴责，这双重标准表明处事不公，因而也就师出无名。事实上，布什政府和英国首相布莱尔都在国内遇到了所谓“情报门危机”。两国一些政治势力和不少民众认为当初布什是为了发动战争才采用了夸张的和不准确的情报。最近（2004 年 4 月），美国及联军在伊拉克遭到当地武装组织的连续袭击，还出现 4 个美国人遭“鞭尸”的惨剧。在对伊战争中，美军死亡人数不到 100 人，但在战后遇袭和冲突中，美军伤亡人数却不断增加。至 2004 年 4 月 29 日，美军在伊拉克的总死亡人数已达 736 人，其中仅 2004 年 4 月这一个月就有 126 名美军丧身，数量超过战争期间阵亡人数。到本书修订版脱稿时的 2004 年 9 月 7 日，白宫终于证实美军在伊拉克的死亡人数已突破 1000 名，其中 998 人是美军士兵，3 人是五角大楼的文职人员。伊拉克战争这仗虽打得痛快，残局却如此难以收拾，这大概是咄咄逼人的布什当初不曾料到的。

扯上这么多关于伊拉克的战事，也正因为这场战争，美国新闻界暴露出了一桩引起全球新闻工作者关注的事件——《纽约时报》记者造假丑闻。

导火索是关于美国女兵林奇在伊拉克受伤被捕后奇迹生还的故事。2003 年 4 月，美国女兵林奇在与伊拉克游击队的一次战斗中身负重伤后被捕，住在伊拉克军方控制的一家医院里，后来被医院里一位伊拉克人偷偷救出。当时的消息说林奇激战到最后一刻，打完最后一颗子弹后在双腿被打断的情况下被捕。这位长相漂亮、宁死不屈竟奇迹般生还的女英雄的故事，在美国引起轰动。也就在这时，《纽约时报》国内部记者杰森·布莱尔（Jayson Blair）写了一组来自林奇家乡弗吉尼亚州的 5 篇系列报道，首篇发表在 4 月 27 日的《纽约时报》上。这篇报道绘声绘色地描写了采访林奇家人的大量细节，事后却被证明为子虚乌有。布莱尔压根儿就没有去弗吉尼亚州，他的稿件都是根据其他报纸的相关报道及自己的想象编造出来的，林奇的家人没有一位记得与布莱尔交谈过。后来查布莱尔的电子信箱和移动电话记录，也表明他撰写这些稿件时身在纽约。此事一经披露，舆论哗然。布莱尔于 5 月初辞职，结束了在该报 4 年多的记者生涯。与此同时，《纽约时报》迅速组织调查，在刊出向读者的致歉信后，于 2003 年 5 月 12 日刊登长达 15,000 多字的长篇调查报告《辞职的时报记者留下了一长串造假记录》，并配以编者按。

根据这份调查报告，这位 27 岁的黑人记者靠一台手提电脑和一部手机迷惑了读者和报社同仁。编辑们常常收到他的邮件，声称自己在马里兰州、得克萨斯州或者其他遥远的地方。大家以为他在外地正勤奋工作，他却一直住在纽约“闭门造车”。他所用的手段是伪造当事人的评论、编造现场场景，并从其他的报纸和通讯社稿件中摘抄材料。当他不在现场时，他还会从新闻图片中摘选细节，制造出他到过那儿，见到过某人的假象。从华盛顿郊区恐怖的连环枪击事件到亲人在伊拉克阵亡的悲痛家庭，布莱尔使用上述手段绘声绘色地伪造了近期美国充满悲情的历史时刻。在《纽约时报》的4年记者生涯中，布莱尔相当高产。调查发现，布莱尔自2002年10月接受国内报道委派以来完成的73篇稿件中，至少有36篇存在问题。《纽约时报》对其在10月以前超过600篇的稿件抽检后同样发现了明显的编造痕迹。2002年10月，编辑部指派布莱尔充实人手不足的国内专题版，并委派他协助报道华盛顿连环枪击案件。到达马里兰州后仅6天，布莱尔就在头版发表了一篇充满令人震惊细节的独家新闻，报道狙击手嫌疑犯之一的约翰·穆罕穆德被捕。根据5位没有表明身份的执法官员的陈述，文章写了马里兰州的联邦司法官迫于白宫压力，在穆罕默德也许准备认罪的前夕终止了对他的审问。文章立即引起争议，美国联邦司法官和联邦调查局官员都发表声明，对其中的细节予以否认。《纽约时报》华盛顿分部负责报道法制专题的资深编辑也发表了类似的声明。2002年12月底，布莱尔故伎重演，他的又一篇关于狙击手枪击案的文章出现在头版。稿件同样根据不明身份的执法人员的陈述，也同样引起了激烈的批评。《纽约时报》后来的调查表明，他捏造了当事人的叙述和场景，但在当时并没有被发现。

如此明目张胆的造假，情节比20多年前《华盛顿邮报》所刊发的虚假特稿《吉米的世界》还恶劣，成为《纽约时报》这家权威报纸创刊152年来最大的丑闻。时任总编辑的豪厄尔·雷恩斯立刻提出辞职请求，但发行人小苏兹贝格拒绝了。过了一些日子，雷恩斯再次请辞，此时外界对雷恩斯的批评也多了起来，小苏兹贝格最终接受了他的辞职请求。有趣的是，临时接替雷恩斯的人，正是当初被雷恩斯接替的原总编辑（后者比前者大6岁）约瑟夫·莱利维尔德（Joseph Lelyveld）。2001年9月5日，雷恩斯正式接替莱利维尔德担任时报总编辑。如今后者再度出山，可见仓促之中，发行人一时也找不到这家美国最大报纸的合适总编辑。2003年7月，比尔·凯勒（Bill Keller）被正式任命为总编辑。

凯勒也来自纽约时报内部，而且有着与雷恩斯相似的经历。他1984年加入纽约时报，曾当过驻国内外分社或记者站的记者和负责人，在社论评论部干过，获得过普利策奖，还当过4年的执行总编。

美国人在人事更替方面历来办事麻利，雷恩斯的辞呈刚被接受，就忙着搬出自己的办公室，并于搬出前在时报3楼编辑部大厅作了简短的告别演讲，当时情景颇为感人，2003 年 6 月 5 日的《纽约时报》对此有较详细的报道：

豪厄尔·雷恩斯和杰拉尔德·M. 博伊德（Gerald M. Boyd）这两位《纽约时报》的老总昨天（2003 年 6 月 4 日）宣布辞职，距该报一位记者因造假丑闻而被迫辞职的时间仅 5 周多。

在 3 楼编辑室临时匆忙召集的一个聚会上，报纸的发行人小阿瑟·苏兹贝格对员工们说："我为豪厄尔和杰拉尔德将报纸的利益置于个人利益之上而深表佩服，这份报纸是我们大家共同热爱的事业。"

苏兹贝格先生表示，在时报总编辑任上工作不到两年的 60 岁的雷恩斯先生，临时将由 2001 年已经退休的 66 岁的约瑟夫·莱利维尔德接替。至于 52 岁的执行总编博伊德先生，暂且还无人顶上。

时报的一位发言人凯瑟琳·J. 马西斯（Catherine J. Mathis）说，将尽快寻找一位正式的总编辑，范围不限在本报内部。

对时报编辑部的员工来说，昨天的辞职仪式掀起了一波感情涟漪，人们受到很大震动。数十位采编人员因难以忍受感情的压抑而走出报社总部在 43 大街的大门口。

就在布莱尔丑闻发生不久后的 5 月 14 日的一个小型会议上，苏兹贝格先生还向编辑部的员工表示他不会接受雷恩斯的辞呈。但在前天晚上接受采访时，他又说："是他们两位作出的辞职决定，我悲哀地接受了。这事（指丑闻——笔者）不是突然发生的，而是经历了相当长的一个阶段（意指不应由哪一个人来负责——笔者）。"

昨天上午宣布两位的辞职时，很多员工还正陆续走进办公室来上班。雷恩斯手握一只麦克风对着大厅里的编辑、记者、摄影记者及其他编辑部员工说："当我最后一次站在你们面前时，我想感谢你们作为世界上最杰出的新闻工作者群体中的成员所带来的荣誉和优秀品质。"他说这些话时，很多在场的员工哭出声来。"这 20 个月是一段复杂而热闹的日子，"他接着说，"但我们制作出版了很多期人们难以忘怀的报纸。"

雷恩斯先生和博伊德先生领导时报报道了恐怖分子对世贸大厦和五角大楼的袭击、在伊拉克和阿富汗的战争、安然事件、哥伦比亚航天飞机失事等重大事件。不仅如此，两位总编辑还在任期内承担了额外的重担，即负责管理与《华盛顿邮报》合作出版的《国际先驱论坛报》。14 个月前，时报获得了创纪录的七项普利策奖，其中六项与"9·11"事件有关。

昨天上午，在结束了简短的讲话之后，这位自 1978 年起就为时报工作的前总编辑走过由昔日自己的同事们排成的过道。包括苏兹贝格的父亲、时报公司董事会名誉主席阿瑟·奥克斯·苏兹贝格在内的人群向雷恩斯表达着慰问和祝福。刚从伊拉克前线回来的记者麦克尔·威尔逊（Michael Wilson）是雷恩斯一手培养起来的骨干。这位记者对他说："您赢得了战争。"

不一会儿，雷恩斯先生从自己已经清空的办公室拿起一顶草帽，走出了办公大楼。几分钟后，博伊德先生也走了。两人都拒绝了记者的采访。在他们两人离开之前，苏兹贝格先生对大厅里的员工们说："我有跟多话要说，但不知从何说起。这是一个让我心碎的日子。我相信在这间屋子里的很多人也为之心碎。"①

这篇新闻稿也谈到外界及内部员工对雷恩斯的一些意见。综合美国其他报纸的相关报道，人们对雷恩斯的意见归结起来主要有三条：一是《纽约时报》编辑部高层与一线采编人员沟通不畅，导致有些问题久拖不决或没有引起重视；二是雷恩斯过于相信明星制度，让一些记者"脱颖而出"却不受制约；第三条是关于他个人的，说他刚愎自用，听不进意见。不过公平地说，雷恩斯当总编辑毕竟不到两年，以前也是当社论版主编，管不到新闻部门的事，而布莱尔的造假从他当记者第一年就开始了。正如小苏兹贝格所表示的那样，冰冻三尺，非一日之寒。

《纽约时报》这次高层人事处理涉及到的另外一个主角也引起外界关注。2001 年笔者在纽约做访问学者时，该报出现一桩新闻，就是任命了一位黑人执行总编。这位该报创刊 150 年来的第一个黑人总编，就是此次辞职的杰拉尔德·M. 博伊德先生。博伊德分管新闻部门，责任更加直接，而且有迹象表明他与布莱尔关系较为密切。据报道，布莱尔第一次与时报打交道是 1998 年夏天。当时这位 21 岁的马里兰州新闻学院的学生刚进入该报实习。小伙子在实习期间得到了编辑的一致好评，说他的文章引人入胜，对细微处有敏锐的嗅觉。1999 年夏天当布莱尔重返报社时，他还有超过一年的课程没有修完，因而并未获得学士学位，但给人的印象却是他已经毕业了。2001 年 1 月，当时刚升任副执行总编的博伊德主持的招聘会一致通过将布莱尔转为全职记者。两个月后，他就成为了时报年轻的正式记者。这对于已很少从大学生中直接招聘记者的《纽约时报》来说，是较为罕见的。巧合的是，博伊德和布莱

① Executive Editor of The Times and Top Deputy Step Down, *The New York Times*, 2003 年 6 月 5 日

尔都是黑人。布莱尔还深知和领导搞好关系的重要性。他不仅提名博伊德参加 2001 年全国黑人新闻工作者联合会年度新闻工作者奖，还借其他机会和他套近乎。同事们经常听到他在办公室里炫耀博伊德如何如何，以及“博伊德显然喜欢我”之类自夸之词。

有关雷恩斯的最新消息是他写了一篇长文，于辞职一周年之际刊登在 2004 年 5 月号的《大西洋月刊》(*The Atlantic Monthly*)。这篇长达 23 页的文章题为《我的时报》(My Times)，是雷恩斯辞职后第一次公开就辞职事件发表意见。文章第一段说：“我离开《纽约时报》总编辑的岗位已有将近一年了。我是那位借助剽窃或虚构方式发表新闻的问题记者被迫辞职所造成的混乱的牺牲品。我不想用自己的有生之年纠缠于布莱尔丑闻的具体细节。我在这里只是想通过披露布莱尔丑闻曝光后《纽约时报》幕后的真正争执和冲突，来为我所工作和爱戴了 25 年的时报做最后的服务。”①

文章对《纽约时报》编辑部内部不思进取、懒于改革的倾向提出尖锐的批评。雷恩斯在文中说，他当时接手该报时，头版的面孔就像石灰岩一样呆板。而现在的团队则小心谨慎犹如在雷区探行，因为他们已经意识到编辑部业已存在的抵制改革的摧毁性力量。他形容编辑部存在两种文化：一种是刻意进取的文化，另一种是只顾抱怨的文化。很大一部分编辑记者在加入时报的这些年选择了竞争性的精英路线，但也有相当多的人只是简单度日直到退休。他说自己在时报执政时的目标得到苏兹贝格的认可，即通过拓宽报道范围和加足马力经营类似“消融的安然”这类重头报道，把时报从正在下滑的道路上扭转过来。雷恩斯承认自己应对杰森·布莱尔的失察负有责任，但认为直到布莱尔丑闻败露之前，并无人告诉他布莱尔有任何劣迹。他说，报社调查小组（指对布莱尔造假进行调查而临时组成的小组）中的七位记者缺乏深层次管理和制度方面的经验，因而未能了解到为何以及如何使对布莱尔的批评从来不能传递到自己耳朵里。他还说，苏兹贝格的父亲、时报前发行人从未仅仅因为员工个人好恶或有员工不同意采取改革策略来振兴编辑队伍，而辞退任何总编辑……

看来，雷恩斯对自己的离去至今仍耿耿于怀。

① *The Atlantic Monthly*，2004 年 5 月号

Weather
Today: *Partly sunny, warm. High 76. Low 60.*
Wednesday: *Partly sunny, warm. High 80. Low 62.*
Details, Page B8

The Washington Post

FINAL
Inside: Health
Today's Contents on Page A2
25¢

124TH YEAR No. 327 · M2 · DM VA

TUESDAY, OCTOBER 23, 2001

Anthrax Cited in 2 D.C. Postal Deaths

Workers Question Response; CDC Says Policy Evolving

By JUSTIN BLUM
Washington Post Staff Writer

When a letter containing anthrax spores turned up in the offices of Senate Majority Leader Thomas A. Daschle (D-S.D.) on Oct. 15, workers at a Northeast Washington postal facility grew worried. Because the Brentwood Road center processes letters destined for Congress, the workers wondered whether they should take antibiotics and other precautions.

Their bosses told them that the risk of exposure to the bacteria was minimal and that there was no need for antibiotics. Underscoring the point, the nation's postmaster general held a news conference at the facility Thursday and said there was little chance that spores had escaped from the Daschle letter.

"That letter was extremely well-sealed, and there is only a minute chance that anthrax spores escaped from it into this facility," Postmaster General John E. "Jack" Potter said at the time.

But in the end, the workers' fears were justified.

Yesterday, two Brentwood postal workers were dead, probably because they had inhaled anthrax spores. At least nine other Brentwood employees are infected or have shown symptoms. More than 2,000 workers were offered screening and antibiotics, and the facility was closed for environmental testing and cleanup.

The problems in assessing the threat at Brentwood—and at a mail processing facility near Trenton, N.J.—show how health officials' assumptions about anthrax have been shaken by events. Officials at the U.S. Centers for Disease Control and Prevention acknowledged yesterday that their recommendations for postal workers are still evolving.

See RESPONSE, *A10, Col. 1*

A worker at the Brentwood mail facility enters D.C. General Hospital to be tested. Two workers died of apparent anthrax in the past two days.

Region's Mail Diverted

Millions of letters and packages were rerouted to avoid the closed Brentwood mail processing center, but D.C. area deliveries were unaffected, the Postal Service said.

METRO, *Page B1*

How Spores Spread

Spores of anthrax bacteria must have become suspended in the air at the Postal Service's Brentwood facility, experts said after two workers from that facility died.

NATION, *Page A11*

2 Others at Sorting Facility Hospitalized With Disease

By STEVE TWOMEY
and AVRAM GOLDSTEIN
Washington Post Staff Writers

Two District postal workers have died of what appears to be anthrax, and two others have contracted the most serious form of the disease, officials said yesterday, making the city's principal mail-processing facility on Brentwood Road the newest epicenter of the letter-borne anthrax terrorism that has afflicted the East Coast.

On another day of heightened anxiety in a string that began with the Sept. 11 aerial attacks on the World Trade Center and the Pentagon, Homeland Security Director Tom Ridge announced that although tests will determine the precise reason the workers died, "It is very clear the symptoms are suspicious" and anthrax was the "likely" cause.

With new sampling having detected anthrax spores at 14 of 29 locations within the now-closed Brentwood facility, District officials announced last night an expansion of their medical efforts. In addition to testing and providing antibiotics to 3,000 postal employees, visiting contractors and others who have been at Brentwood recently, they will begin giving antibiotics today to the 2,000 postal workers at the city's 36 neighborhood post offices, in case bacteria has been spread by mail from Brentwood. They have no evidence that has happened, they said, and no residents who have visited a post office recently need to be tested.

Both workers who died had reported to emergency rooms only hours earlier. Joseph P. Curseen, 47, arrived at Southern Maryland Hospital Center in Clinton yesterday morning with flulike symptoms and respiratory distress, and succumbed six hours later. Thomas L. Morris Jr., 55, came to Greater Southeast Community Hospital in Washington at 5:55 a.m. Sunday

See ANTHRAX, *A9, Col. 1*

Congress Returns, Warily

With Offices Closed, Other Space Found

By JULIET EILPERIN
and HELEN DEWAR
Washington Post Staff Writers

The House and Senate will reconvene today after a nearly week-long recess, but in a sign of extraordinary concern over anthrax contamination on Capitol Hill, congressional leaders decided late yesterday to keep closed the six buildings that provide office space for lawmakers and their committees until testing is completed.

Faced with an indefinite office shutdown, House and Senate leaders secured temporary space for members elsewhere on Capitol Hill. The unprecedented move underscored the pressure lawmakers are under to demonstrate they can conduct the nation's legislative business during a time of crisis.

With 5,000 congressional staffers and Capitol Police tested so far for exposure to anthrax bacteria, the number exposed has remained steady at 28 since late last week, according to police spokesman Lt. Dan Nichols. No sites have tested positive since Saturday, when investigators detected anthrax on a mail-bundling machine in the Ford House Office Building.

"The Capitol, of course, has been safe and we have ample reason to believe within the next few days we'll be able to open the [office] buildings as well," Senate Majority Leader

See CONGRESS, *A4, Col. 1*

U.S. Planes Bomb Taliban Front Lines

Northern Alliance soldiers stand on top of a house as smoke billows north of Kabul, where U.S. jets attacked front-line Taliban positions.

Strategy Aims to Help Rebels Advance, but Strikes Remain Limited

By WILLIAM BRANIGIN
Washington Post Staff Writer

BAGRAM, Afghanistan, Oct. 22—U.S. warplanes attacked front-line Taliban positions in northern Afghanistan today, pursuing a strategy that Pentagon officials said was aimed at helping Northern Alliance rebels advance toward key cities.

U.S. jets dive-bombed Taliban posts near the Bagram air base, 25 miles north of Kabul, for the second straight day. The planes struck in two waves, dropping a half-dozen bombs that created brilliant flashes over their targets, witnesses said. The attacks triggered exchanges of mortar and rocket fire between Taliban and alliance forces, but there were no indications that either side advanced.

U.S. planes also hit Taliban positions in the north-central city of Mazar-e Sharif. Northern Alliance commanders had predicted last week that the city would be captured swiftly, allowing them to open a supply line to neighboring Uzbekistan. But today alliance forces reportedly were still miles from Mazar-e Sharif.

While its forces were under attack at Bagram and Mazar-e Sharif, the Taliban charged that U.S. and British warplanes had bombed a hospital in the western Afghan city of Herat, killing 100 doctors, nurses and patients.

The Taliban insisted that the hospital had been hit in a deliberate attack. "It is now clear that American planes are targeting the Afghan people," the Taliban ambassador to Pakistan, Abdul Salam Zaeef, charged at a news conference in Islamabad. "The goal is to punish the Afghan nation for having chosen an Islamic system. . . . America has resorted to genocide of the Afghans."

Defense Secretary Donald H. Rumsfeld denied the claim, as well as an assertion by Taliban officials that they had shot down U.S. helicopters over the weekend and taken American prisoners during Special Forces raids.

"The Taliban have said they have shot down at least two helicopters, which is false," Rumsfeld told reporters at the Pentagon. "They have not. They have in-

See REBELS, *A12, Col. 1*

Analysis

Attacks Restrained by Political Goals

By THOMAS E. RICKS
and ALAN SIPRESS
Washington Post Staff Writers

The limited nature of yesterday's airstrikes against Taliban front lines north of Kabul provided the clearest sign yet that the two-week-old U.S. war in Afghanistan is using military action not only to destroy terrorist networks but also to lay the groundwork for a postwar Afghan government that would prevent them from returning.

The strikes consisted of just a few aircraft hitting selected targets. They were far from the waves of heavy bombers that experts say would be needed to punch a hole in the Taliban trenches and dug-in artillery positions and so clear the way for the opposition Northern Alliance to drive about 25 miles south to take the capital.

Despite what the campaign sometimes looks like on television, with bombs sending up plumes of smoke and dust in and around Kabul and the Taliban stronghold of Kandahar, the airstrikes over the past two weeks have been restricted. The Pentagon has flown 100 or fewer aircraft—most of them carrier-based fighters, not heavy bombers—each day to hit sites outside the few major cities in Afghanistan. In fact,

See STRATEGY, *A12, Col. 5*

■ **Rumsfeld assails leaks, says soldiers' lives put at risk.** | *Page A3*

On Way to Afghan Valley, Relief Travels a Perilous Road

By WILLIAM BRANIGIN
Washington Post Staff Writer

ANJUMAN, Afghanistan—Mohammad Alam Shoghah perched his Russian-built Kamaz truck above the precipice and wrestled it into reverse. Then, slowly, he inched the heavily loaded six-wheeler backward down the ledge that passes for the main road connecting this part of northern Afghanistan with everywhere else.

The maneuver required skill and nerve, and was the only way for a convoy of relief trucks traversing the Anjuman Pass to negotiate a series of switchback turns. For Shoghah, trying to dull the terror, it also required a hashish cigarette, the first of many that day.

"It helps me concentrate on what I'm doing," Shoghah said, rejecting the notion that his driving could be impaired. After surviving another day, he reflected: "I'd prefer a thousand times to do some other kind of work than face the dangers of the road. Every time I go, I don't know if I'll return. You gamble with your life."

Shoghah's truck was one of five in a convoy delivering 40 tons of supplies to refugees in Afghanistan's Panjshir Valley. From the northern border town of Khodja Bahauddin, a bastion of Afghanistan's Northern Alliance rebel force, it took five days to cover the 310 miles to Changaram, near the southern end of the Panjshir.

The road trip illustrated some of the hardships of life in Afghanistan and how much Afghans must struggle simply to survive after 22 years of war. It also explained something of the military stalemate that prevails between the Northern Alliance, which controls about 10 percent of Afghanistan, and the ruling Taliban movement, which has not been able to penetrate the alliance's territory here.

The route from Khodja Bahauddin to Faizabad in Badakhshan province, then south over the 15,000-foot-high Anjuman Pass to the Panjshir Valley, is not only for Western relief and food donations, but also for munitions and fuel going to the Northern Alliance and for commercial traffic, with private trucks and four-wheel-drive vehicles delivering products to the

See CONVOY, *A14, Col. 1*

Mohammad Daoud, in white, directs Mohammad Shoghah's truck over a rocky street.

《华盛顿邮报》2001 年 12 月 23 日头版

第 3 章

《华盛顿邮报》

The Washington Post

炭疽恐慌冒险进京
首都大报戒备森严

《华盛顿邮报》，创刊于 1877 年，美国首都华盛顿最大报纸，以调查性报道见长，其对水门事件的揭露导致尼克松总统下台，对五角大楼文件的报道促成了越战的结束。这两组著名报道使该报声名大震，成为全国瞩目的大型日报。2003 年 10 月至 2004 年 3 月平日刊平均日发行量为 732,904 份，近 10 年来首次略低于纽约《每日新闻》而屈居全国第六；星期天刊平均发行量为 1,048,122 份，居全国第三。

一、风声鹤唳炭疽病

到《华盛顿邮报》采访时，美国人正被炭疽病弄得愁云惨雾、束手无策。在一些地区，如佛罗里达、纽约、华盛顿特区，人们更是如惊弓之鸟。因此，在一些亲友的竭力劝阻下，我险些放弃这次采访。

2001 年的美国，不仅发生了震惊世界的“9·11”恐怖袭击事件，还出现了由南至北的炭疽病传染灾难。虽然我们现在知道炭疽病事件与拉登的基地组织或塔利班无关，但这一迄今仍未破获的案件在当时引起的大面积恐慌，一度超过“9·11”带来的影响。

炭疽病首次暴发于 2001 年 10 月 4 日（事后查明，第一封炭疽病毒信于 9 月 18 日寄出，在“9·11”事件发生后仅一周）。当天，美国传媒集团（Media News Group）属下的《太阳报》（*The Sun*）一位 63 岁的美术编辑罗伯特·史蒂文斯（Robert Stevens）突然被诊断感染了已在美国绝迹数十年的炭疽病，而且是致命的“吸入性”炭疽病，一天后不治身亡。与此同时，他的一位 73 岁的同事也感染此疾。有关部门将《太阳报》所在的美国传媒集团大厦人员全部撤出并进行彻底的清查和检验，医生抽取了全部员工的血样，专家建议员工们在 30 天内服用抗生素。卫生部的调查人员最后推断，病毒（后来人们说是一种细菌）可能是在“9·11”事件前后传入该办公大楼的。消息一出，全国哗然。各媒体立刻猜测是恐怖分子以生化武器进行的另一种袭击。10 月 10 日，就在美国开始发动在阿富汗的反恐战争后第四天，联邦调查局宣布发现第三例炭疽病例，患者仍是传媒集团的成员，只不过这次是一位 36 岁的女性。次日，美国国务院通知所有驻外机构准备炭疽病抗生素，并要求全国防备可能遭受的生化武器袭击，人们顿时紧张起来。

国务院官员话音未落，位于纽约市的美国全国广播公司（National Broadcasting Company，简称 NBC）总部也发现了炭疽病感染者。10 月 12 日，该公司高级官员证实，公司一位女职员接到并拆开一封夹有可疑粉末的信件，随后出现发烧和面部燥红症状，诊断结果是患上了皮肤性炭疽病（比吸入性炭疽病好治些）。当天，布什政府向国会提交议案，要求增加 20 亿美元紧急拨款，用于应付生化袭击。副总统切尼当晚声称，近日在美国发现的 4 起炭疽病例可能是本·拉登及其基地组织所为。NBC 在洛克菲勒中心的办公区被迫关闭接受检测。我当时和许多纽约人一样，从晚间电视节目中看到这些新闻时有些紧张。当时电视画面还报道《纽约时报》大楼一度关闭，很多穿着防化服的检验人员进出该大楼，门口还用绳子拦了一大圈，不准过往行人靠近。《纽约时报》发言人说，该报著名记者、曾撰写过有关伊斯兰运动和细菌战著作的朱迪斯·米勒（Judith Miller）当天收到了一封装有可疑白色粉末的信件。美国联邦调查局驻纽约的官员称米勒与NBC女职员接触的信件都发自佛罗里达州的圣彼德斯堡。《纽约时报》在曼哈顿的部分人员已撤离办公室。

10月13日，传媒集团又有5名员工被确诊感染了炭疽病。10月14日，1名警察和2名技术人员在对NBC纽约总部检查时被确定感染了炭疽病。同日，位于内华达州的微软公司总部也收到含有炭疽热病菌的信件，所幸还没发现有人感染。当天，美国官方将炭疽病事件定性为恐怖分子发动的新袭击。10月17日，纽约州州长帕塔基在纽约市曼哈顿的办公室也发现炭疽病菌，州长和办公室所有工作人员立刻开始服用抗生素。10月19日，《纽约邮报》编辑部办公室一位女秘书被查出感染炭疽病，数天后该报发现第二例。该报所在的默多克新闻集团在纽约的总部大楼人心惶惶，连累了同在一楼的福克斯广播公司员工一度不敢进楼。短短半个月里，已有几十人感染炭疽病，患者有老年、壮年，也有出生仅7个月的婴儿。

《纽约邮报》头版刊出了染病女秘书的大幅照片。照片上这位女青年两眼直视读者，眼前伸出右手的食指，图片说明称她就是用裁信刀拆信时割破了手指，怀疑病菌趁虚而入。这个很有冲击力的头版，使本已沉浸在“9·11”事件的痛苦和迷惑中的纽约人更加惶恐。来无影去无踪的炭疽病加上联邦调查局的束手无策，令很多人有末日来临的感觉。据当地传媒报道，一位前布朗克斯区的助理检察官在得知NBC员工染病的当天，从柜员机里提了一笔现金，决定暂时离开这座城市。很多纽约人一声咳嗽就赶紧到医院看急诊，要求做炭疽病检查，或吵着要医生开专治炭疽病的环丙沙星药。美国航空公司的一架从夏洛特飞往丹佛的客机中途要求紧急降落在印第安纳波利斯，原因是乘务员在垃圾桶里发现了一包可疑的白色粉末（后经证实这是用于将垃圾分开的滑石粉）。911急救台几乎每时每刻都接到发现炭疽病的举报电话。电视台及各种临时培训班都在教导公众谨慎对待邮件，要求对可疑邮件“不拆、不闻、不晃、立刻报警”。很多人已经不敢收信件，但美国信件之多又防不胜防（美国很多重要的材料，包括驾照、银行卡、安全卡及各类账单等，都通过邮局寄出，我在美国一年收到的邮件竟相当于我在深圳10年的私人信件）。我在纽约的一位朋友，开始是每逢取信必先戴手套后洗手，后来干脆不愿收任何邮件。他打电话去电话公司，要求他们不要寄账单来，而改用 E-mail 通知，他主动去付款。但电话公司说无此先例，也难操作，坚持要寄账单，弄得他很苦恼。事实上，炭疽病的传播使很多美国人更多地选择电子邮件等方式互通信息，大大减少了邮件数量，特别是当年的圣诞卡据说减少了一大半。据美国邮政管理局 2002 年 1 月 8 日发布的报告，美国从 2001 年 9 月 8 日至 11 月 30 日，较上年同期共减少了 28 亿封邮件。

纽约一些报纸还提到炭疽病菌被恐怖分子从天空播撒的可能性。报纸引述专家的分析，称只要有小型飞机携带 5 公斤炭疽病菌在纽约这样的闹市上空撒下来，至少会有 25 万人染病，其中 10 万人将死亡。美国的小型飞机数量极大，包括农用的、私用的，2001 年仅失事坠落的这类飞机就有十多架，前美国总统肯尼迪（Kennedy）的小儿子小肯尼迪就死于自己的私家小飞机。这类飞机要带 5 公斤东西上天还不易如反掌？很多人因此吓得连公共场合都不敢去，唯闭门在家祈祷平安。

谁知炭疽病菌仍在无声无息地蔓延，首都华盛顿特区也未能幸免。10 月 16 日，《华盛顿邮报》发言人透露，该公司一女经理打开一封含有粉状物质的信件，联邦调查局、危险物质处理专家和消防员已经赶至报社总部，这位女士已被送往医院。10 月 17 日，美国众议院议长哈斯特尔特向新闻界证实，美国国会有 29 名工作人员被查验接触了炭疽病菌孢子并呈阳性反应，目前正接受抗生素治疗，国会大楼即日起关闭（我记得当时《纽约邮报》等报纸还刊出讽刺漫画，批评国会议员们国难当头擅离岗位，都是胆小鬼）。联邦调查局承认，新一轮的炭疽病与“9·11”恐怖分子用飞机袭击纽约和华盛顿有关。联邦调查局官员透露，一位感染了炭疽病的佛罗里达女子曾把房子出租给“9·11”恐怖袭击案的两名劫机嫌疑犯。10 月 20 日，调查人员在美国众议院福特楼邮件室的邮件打包机中发现炭疽芽胞。21 日，华盛顿中心邮局一位职员感染吸入性炭疽病，生命垂危，这是截至当时发现的第三例致命的吸入性炭疽病例。22 日早晨，该邮局另一名员工感染同样类型的炭疽病被送入医院。该邮局 2000 名员工全部接受炭疽病测试，政府向全国邮政工人派发手套及口罩。邮政局长呼吁民众处理邮件后洗手。

我就是在这个时候赶往华盛顿的。10 月 22 日下午，我驱车前往华盛顿。此前，得知我在这个时候去华盛顿特区，并且访问的是美国炭疽病重灾区的新闻单位，几乎所有在美国的亲戚朋友都劝我放弃此行。我在美国宾州的弟弟一家强烈反对我访问《华盛顿邮报》，说到美国来不是为了送死的，弄得我犹豫不决。但我想，能约到《华盛顿邮报》总编辑接受采访很不容易，一旦放弃不知今后还有没有机会。22 日上午，我打电话给总编辑小唐尼·伦纳德（Leonard Downie，Jr.）的秘书，问原定的访问有无改变，对方说一切照旧。在这非常时期，人家这样的大报老总都不害怕接触我这素未谋面的外国佬，我还怕啥？心一横，遂驱车上路。

傍晚，当我驾车经过新泽西州、进入宾夕法尼亚州而接近华盛顿特区所在的马里兰州时，汽车上的收音机传来华盛顿两位邮局员工不治身亡的消息。电台此刻全部围绕这一新闻做文章，还播出了其中一位员工去医院前打给911急救台的电话录音。当时该员工十分清醒，怀疑自己得了炭疽病，还详细描述了自己的症状，不像得了重病的样子，不料在如此严密防范下竟一天不到就一命归西了。电台还报道邮局工人十分愤怒，抱怨当局在国会发现大量炭疽病菌且查明与邮件有关的情况下，未及时让邮政员工采取防范措施，而只顾将国会大员们早早撤离。电台还报道说在白宫周围发现炭疽病可疑物。《华盛顿邮报》总部距国会、中心邮局、白宫均在5分钟车程以内。此刻天已经黑下来，需要打开车灯，而车内的地图已看不清楚。我一个人坐在车内，听着这无休无止的死亡报道，默默穿行在车辆渐渐稀少的高速公路上，突然感到一股寒意。

当晚先住下。第二天来到《华盛顿邮报》办公楼前，见紧挨着大楼的马路上停着一辆警车，车内有警察，路边也站着一位警察。楼前门可罗雀。我提着一个黑皮包（内有采访器材）进入大楼时，我注意到警察们的眼珠一刻也未离开我。我在门厅内通过保安打电话联系上了总编辑唐尼的秘书帕特里夏·奥谢（Patricia O'Shea）。这位中年妇女很热情地将我迎上了楼，先进了她自己的办公室。我问她："炭疽病弄得你们很紧张吧？"她一伸左手，给我看戴着的橡胶手套，露出一丝苦笑。

作者在《华盛顿邮报》大楼门前

二、门口的古老机器

华盛顿邮报社坐落在美国首都华盛顿特区西北 15 街 1150 号。这里地处市中心，距国会山庄仅约 1000 米。街上车水马龙，路边高楼林立。

邮报大楼约有 10 层高，占地面积较大，有点像纽约时报社大楼，只是略小。大楼与周围建筑浑然一体，几乎看不出界线，大门也不宽敞，但一面国旗斜刺里伸向天空，显出有些与众不同。大楼外墙上镶着 “The Washington Post” 几个金字，比《纽约时报》的招牌大得多，路人老远就能看得见。报社大门外有用铁栏杆围成的坡地，供残疾人的轮椅车进出。大门口的展台上一架一人多高的红色铸字排版机十分扎眼。机器后面的红砖墙上镶着 10 多块用过的铅版，还沾有残留的墨迹。这些铅版虽然黑乎乎的，但标题字和照片仍清晰可见。这台机器中部有一个键盘，很容易断定这是一台用键盘操纵的可铸成整行活字的排版机。机器旁竖立一块铜匾，刻有对该机器的介绍文字：

31 型成行铸字排版机

这台铸字排版机是由出生于德国波恩的发明家奥特马·默根塔勒（Ottmar Mergenthaler）于 1883 年在巴尔的摩制造的。相对于被其所替代的手工排版机，这项发明大大提高了铸字排版的速度，是印刷业的一项最重大进步。

这台机器见证了《华盛顿邮报》铸字车间半个多世纪的排版流程。它也代表了该报自 1888 年直至 1980 年报纸的“热排”（hot type，即熔化金属的铸字排版方式——笔者）生产过程的核心工艺。

《华盛顿邮报》门前的成行铸排机

这段介绍至少包含如下两方面信息：

一是以实物证明了世界上最早的机械化成行铸字排版机产生于美国，其首次问世的年代是 1883 年，而不是一些书本上所说的 1886 年（如《中国大百科全书》“报纸应用技术发展史”条目称“1886 年美国默根塔勒发明成行铸排机”）。后在美国查阅 1998 年出版的 *History of the Mass Media in the United States*，得知默根塔勒的第一台机器于 1886 年被《纽约论坛报》购买并投入使用，当时工人操纵机器上的打字键盘，将铜字模根据报纸需要组合排列，然后将熔化的铅液倒入字模即成，其速度之快令人吃惊。此项发明被认为是排版工艺瓶颈的突破，为后来加快报纸印刷和增加版面带来了极大方便，因此很快为各大报所采用。小报引入该机器的速度虽慢些，但到 1930 年代也都加入新机器使用者行列。默根塔勒的专利权有效期截至 1912 年，此后很多竞争者开始仿造他的发明，有的稍稍作了修改。可以推测，《华盛顿邮报》有可能是在看到《纽约论坛报》的良好效果后，才于 1888 年采用这一设备的。

这里顺便提一下，美国的报纸历史虽然较欧洲一些国家为短，但美国在报纸制作的相关技术发明上却拥有很多世界第一，有些对报纸的发展起着极其关键的作用：如 1845 年发明用于传递新闻的明码电报；1866 年发明木浆造纸法；1867 年发明双面轮转印刷机（该机器将报纸的印数由每小时 2000 份提高到 15,000 份，使大批量高速印刷报纸成为可能）；1883 年发明上述成行铸字排版机及 1892 年改进成的自动铸排机；1944 年推出照相排字机的雏形，为照相排字创造了条件；1950 年推出第一台电子分色机，同年发明 PS 版（预制感光版），基本解决了平版印报（相对凸版印刷而言——笔者）的制版技术；1963 年首次采用电子计算机排广告版及处理计价、开单据等业务；等等。

二是直到 1980 年，《华盛顿邮报》的印刷厂仍采用“热排”技术，而在这之前美国、英国、联邦德国和日本等发达国家的一些报纸已经采用了电脑照相排字的“冷排”技术，如《日本经济新闻》早在 1972 年即以电脑照排全部取代铅排作业。《纽约时报》是 1978 年实现冷排的。《华盛顿邮报》不是最早实施这一技术更新的报纸。不过也不奇怪，考虑到成本和必要性等因素，美国一些大报往往并不急于“与时俱进”地更新设备。1995 年底我访问《洛杉矶时报》时，就发现很多记者使用的电脑还是“286”型，而当时我所在的《深圳特区报》的编辑记者已普遍采用“486”电脑。当我问美国同行为什么还用“286”时，对方回答，对将电脑当打字机用的记者来说，“286”足够用了，报社没必要花那么多钱去更新它们（那时互联网尚未流行，上网读图片、查资料的需求还不大）。尽管如此，包括《华盛顿邮报》在内的美国报纸告别铅与火的时间比中国的报纸还是大大提前了。1984 年笔者进入报社工作时，中国所有报纸都在沿用熔铅铸字的制版技术，而且囿于汉字的特殊性及技术的落后，排字工人还未能采用美国同行近 100 年前就实现的用键盘控制的成行铸排字工艺。工人们将铅字一个一个地从木架上选出置入排版用的铁盘，称为“拣字”或“植字”，耗费大量人工，修改起来也很麻烦。

不过，在如今技术决定一切的年代，特别是电脑制图和网络技术飞速发展的今天，各报在技术更新上是不敢怠慢的。我此次访问《华盛顿邮报》编辑部时，看到编辑记者们都采用了奔腾Ⅲ型电脑。该报摄影记者则全部采用了 600 万像素的最高级数码相机，而当时市场上销售的数码相机最高像素为 500 万，价格在 1000 美元以上。

三、报业女杰意外身亡

在提及我马上就要见到的总编辑小伦纳德·唐尼之前，有必要先提到凯瑟琳，因为在凯瑟琳亲自指挥的揭露水门事件的战役中，时任本市新闻部主编的唐尼也是一员干将。而且，与炭疽病的影响相比，3 个月前的一场变故才是《华盛顿邮报》真正的灾难。

2001 年 7 月 18 日，《纽约时报》突然发表一篇长达 4000 多字的报道，导语传递了一个读者意料不到的信息：“曾将《华盛顿邮报》由一份普通报纸发展成全国著名的国家公器，同时也使自己由一位害羞的寡妇变为出版界奇人的凯瑟琳·格雷厄姆（Katharine Graham），上周六在爱达荷州摔倒在一条人行道上，头部受伤，于昨日逝世，享年 84 岁。”报道继续说：“格雷厄姆夫人是在太阳谷出席一个商业会议时遭遇不测的。她当时被立即送往首府博伊西的一家医院，并做了脑部手术，但始终未能恢复知觉，她的儿子唐纳德·E. 格雷厄姆说。”报道称，《纽约时报》发行人阿瑟·奥克斯·苏兹贝格在得知凯瑟琳去世的当天发表讲话说：“我们对我们的挚友和德高望重的同仁凯瑟琳·格雷厄姆之去世深感悲痛。……在 20 世纪的后半叶，她凭借自己的才华、智慧和勇气，改变了美国新闻的环境，每一个关心自由和言论公正的人都会深切怀念她。”①

被称作一代报业女杰的该报集团董事会主席凯瑟琳·格雷厄姆，在美国报界乃至整个公众中享有很高威望。因此，美国各家媒体都及时报道了这一消息，有的广播公司还播出了有关她的生平的纪录片。对中国受众而言，若提起 30 年前通过一年多穷追猛打的报道而将美国刚刚连任的总统尼克松推下台的著名新闻事件，也是众所周知的。1917 年 6 月 16 日生于纽约市的凯瑟琳，就是这次事件的始作俑者。

《华盛顿邮报》创刊于 1877 年 12 月 6 日，当时是民主党的报纸，创办初期仅四版，售 3 美分一份，销量仅约 6000 份，翌年增至 11,875 份。该报几经易手，1930 年终于陷入破产困境，于 1933 年不得不以 82.5 万美元的破产拍卖价格卖给了联邦储备银行董事长尤金·迈耶（Eugene Meyer）夫妇，即凯瑟琳的父母。此前该报因热衷于党派之争和煽情新闻，名声一落千丈，销量仅 5 万余份，每年亏损 100 万美元。毕业于耶鲁大学、时年已 58 岁的迈耶接手该报后雄心勃勃，努力提高编辑质量，坚持不偏不倚的“超党派”立场，并聘请李普曼、汤普森、皮尔逊等一批著名专栏作家为该报写稿，报纸面目一新，5 年后销量即达 10 万份左右，到 1941 年已达 16.5 万份，报纸声望大增，《时代》周刊曾称其为“世界十大名报之一”。②

1946 年，就在第二次世界大战结束不久，迈耶的女婿（即凯瑟琳的丈夫）从空军退役，进入《华盛顿邮报》工作。两年后，73 岁的迈耶将报纸的全部股权赠送给独生女儿及女婿，并由女婿菲利浦·L. 格雷厄姆（Philip L. Graham）主持报纸工作。格雷厄姆上任后不断扩张，先后买下《华盛顿时代先驱报》（*Washington Times-herald*）和美国三大新闻杂志之一的《新闻周刊》（*News Week*，仅花费 7 万美元）及一些广播电台和电视台，并于 1962 年与《洛杉矶时报》合作创办了“洛杉矶时报—华盛顿邮报通讯社”，该通讯社如今已发展成有 500 多人的大型特稿社。进而，该报又投资 840 万美元控制了一家大型造纸公司 49%的股权。谁知 1963 年，正当格雷厄姆事业如沐春风之际，他却患了精神病，于当年 8 月的一个周末在弗吉尼亚的自家农场用猎枪自杀，年仅 48 岁。也正因这一变故，才有了凯瑟琳后来的辉煌故事。

按照《纽约时报》的说法，**“正是凯瑟琳继承其父亲、丈夫资产而**

---

① Katharine Graham of Washington Post Dies at 84，Marilyn Berger，*The New York Times*，2001 年 7 月 18 日

② 王泰玄：《世界著名报纸概略》，新华出版社，1985 年

接任《华盛顿邮报》总裁和发行人之后，该报才由发行量和盛誉均居中等水平的报纸发展成位居前列的美国报纸，并在无情报道水门丑闻导致理查德·M. 尼克松总统于1974年辞职后达到新的顶峰。"[①] 凯瑟琳在丈夫意外死亡时只是个有4个孩子的家庭妇女。尽管她被父亲送到《旧金山纪事报》干过一段时间，但她不熟悉《华盛顿邮报》的事务。菲利浦自杀3天后，很多人猜测她会将报纸卖掉。菲利浦生前的合伙人《洛杉矶时报》老板诺曼·钱德勒（Norman Chandler）及纽豪斯报团（Newhouse Co.）均表示了购买该报的兴趣。但凯瑟琳咬牙接过重担，走进了由男人一统天下的报纸管理岗位，尽管这时她面对一群男人们讲话还有些害羞，以一个公司老板身份出入社交场合还觉得不太自在，在会议室里面对怀疑她能力的眼光时就更有些无所适从了。

凯瑟琳执掌《华盛顿邮报》一年后，便完全适应报社的各项运作，并做出了一连串高层人事任免决定。1971年，她将公司股权向公众出售，使邮报成为华尔街引人瞩目的新上市公司，从而结束了邮报私人所有的历史。当然，导致凯瑟琳后来名声大噪的两大事件分别是发表五角大楼秘密文件和对水门窃听事件的跟踪报道。但美国不少新闻学家还是认为，凯瑟琳上任后做出的影响自己一生的最伟大的决定，并非发表了五角大楼文件，也不是大胆报道了水门事件，而是聘用了本杰明·C. 布雷德利（Benjamin C. Bradlee）。1965年，她将时任《新闻周刊》主编的布雷德利调至《华盛顿邮报》任大都市新闻部主编，3年后升任总编辑。后者深孚众望，从全国网罗了一批名记者名编辑，扩大编辑部队伍，策划了很多较有影响的报道，并积极介入政治报道，发挥首都大报的威力，到1970年报纸发行量已突破50万份大关。这为后来两大得罪白宫政府的报道创造了良好的内部环境。

所谓"五角大楼文件"（Pentagon Papers），是一本47卷、长达7000页、共250万字的关于美国侵略印度支那战争的起源及其历史发展过程的长篇研究报告，题为《美国的越南政策决策过程的历史》。它是由主战派转为主和派的国防部长麦克纳马拉下台前，于1967年6月17日下令其亲信根据国防部办公室的档案汇编而成的，耗时18个月。其实，最先披露五角大楼文件的是《纽约时报》。1971年3月，《纽约时报》驻华盛顿记者搞到了这套"绝密"级文件的第43卷。在越战问题上一向主和的该报发行人阿瑟·苏兹贝格如获至宝，立即组织人员编

---

① Katharine Graham of Washington Post Dies at 84，Marilyn Berger，*The New York Times*，2001年7月18日

写有关报道。有报道说当时《纽约时报》集聚了 30 名采编人员，花费 2 个半月时间，将材料浓缩至 30 万字。从 1971 年 6 月 13 日起，《时报》连续三天刊出 3 篇长篇报道并配发文电原件照片 45 幅，一举震动美国朝野。这一突然袭击激怒了尼克松政府，尼克松指示司法部出面干预，于 6 月 15 日将《纽约时报》告到了纽约联邦地区法院。当天，法院就根据政府的要求发出临时限制令，禁止该报继续刊登这一绝密文件。

恰在这时，《华盛顿邮报》从《纽约时报》获得了这份文件的复印件。这两家报纸当时在美国人心目中的地位为第一和第二，虽然是竞争关系，但也有合作，如我们现在在国内一些大城市的星级酒店偶尔看到的《国际先驱论坛报》(*International Herald Tribune*)，就是两报在法国巴黎合作出版的（该报又于 2003 年 1 月 2 日归《纽约时报》独家拥有，如前所叙）。面对法院和政府的双重干预，要不要"顶风"而上？布雷德利一个电话打到凯瑟琳家细陈利害，请她定夺。当时《华盛顿邮报》刚进入上市程序，一旦发表这一已经被暂停发表的文件，公司有可能收到联邦政府的严厉惩罚以至影响上市。编辑记者们都希望刊发，但公司的律师们建议观望，他们担心此举危及整个公司，包括报纸、杂志、广播和电视。凯瑟琳后来在回忆这段经历时写道："面对恐惧和压力，我喘了一大口气说，'发吧，发吧，发吧。我们干。我们去发表。'"①

6 月 18 日，就在原告白宫政府与被告纽约时报社在法庭上正式开庭辩论的当天，《华盛顿邮报》有关"五角大楼文件"的 10 篇连续报道的第一篇公开发表，题为《文件揭示美国在 1954 年力求拖延越南选举》。报纸送到白宫，尼克松怒不可遏，政府高官们也一片愕然。于是，司法部长约翰·米切尔（John Mitchell）将电话打到《华盛顿邮报》编辑部，"有礼貌地"劝该报不要继续发表危害国家安全利益的报道，但遭到总编辑布雷德利"有礼貌的拒绝"。米切尔又致电凯瑟琳要求停止刊登这一报道，凯瑟琳复电回绝。6 月 19 日，尼克松总统的国家安全顾问亨利·基辛格给凯瑟琳打电话说："凯瑟琳，你听说了吗？苏联大使安纳托利·多勃雷宁说，他现在在华盛顿已无事可做了，因为《华盛顿邮报》已经把美国所有的秘密都抖出来了。"凯瑟琳回答说："是啊，是啊，这些我已经听说了。你们是不是想像对待《纽约时报》那样，对我们也如法炮制啊？"实际上，在基辛格出面调停之前，政府已将《华

① Katharine Graham of Washington Post Dies at 84，Marilyn Berger，*The New York Times*，2001 年 7 月 18 日

盛顿邮报》告到华盛顿联邦地区法院，但法院裁决政府无理，驳回政府让法院颁发禁令的诉求。白宫遂上诉到华盛顿特区联邦上诉法院，后者于6月19日早晨作出如下裁决：

1. 推翻华盛顿联邦地区法院的判决，暂时禁止《华盛顿邮报》继续刊登有关五角大楼文件的报道；

2. 鉴于6月19日的50万份《华盛顿邮报》此刻已印好出厂，正在投递途中，无法追回，此项暂时禁令推后到6月20日生效；

3. 着令华盛顿联邦地区法院的格哈特·格赛尔法官重新开庭审理此案，以决定此项暂时禁令是否保持其有效性，亦即是否颁发一道永久性禁令。①

不得已，《华盛顿邮报》撤下了本拟继续刊登的稿件。凯瑟琳也面临巨大压力。6月21日，联邦地区法院再次开庭审理，双方辩论激烈，该报律师面对政府的指控，认为“五角大楼文件”被列为绝密，是出于政治的理由而不是国家安全的理由。文件的披露只对政府不利，但不属于泄露军事机密。律师还援引美国宪法修正案的第一条款进行辩护。最终法院认定政府方面没有充分的证据证明发表这些文件会给美国带来“不可弥补的损害”，宣布维持原判，法院不必发出禁令。政府再次上诉到联邦上诉法院。与此同时，《纽约时报》的官司也在继续进行。1971年6月30日，联邦法院在同时审理《纽约时报》和《华盛顿邮报》两家被告案件后，以6∶3的多数票做出裁决，驳回政府关于刊登五角大楼文件危及国家安全的指控，认定报纸有权公布历史记录，不管这些记录是否印有“绝密”标记。至此，“五角大楼文件”风波以两报的最后胜利告终。

如果说披露“五角大楼文件”是两报合作的产物，一年后报道水门事件则是《华盛顿邮报》一次孤军深入的艰苦历险。这一报道再次体现了凯瑟琳坚韧不拔的精神和敢冒风险的勇气。

据《纽约时报》报道，1972年6月17日，就在共和党领袖尼克松谋求连任的大选前5个月，5个潜入民主党位于“水门综合大厦”全国委员会总部的男人被抓获。后来查明，这几位冒充“水管工人”的人正在企图往民主党主席劳伦斯·F. 奥布赖恩（Lawrence F. O'brien）的

---

① Katharine Graham of Washington Post Dies at 84, Marilyn Berger, *The New York Times*, 2001年7月18日

办公室安装窃听器。这一行动只是侦查民主党领袖的计划的一部分，而该计划得到争取总统连任委员会的捐款。《华盛顿邮报》次日详细报道了此事，并经凯瑟琳拍板，从此开始了这一涉及白宫秘密的艰苦卓绝的调查报道。《邮报》顶着尼克松政府的巨大压力，在一版不断刊登两位不知名记者鲍勃·伍德沃德（Bob Woodward）和卡尔·伯恩斯坦（Carl Bernstein）写的连续报道，还在社论版配发文章和政治卡通画。报道最终证明了尼克松与此事件有关，整个事件是一场蓄谋已久的破坏民主进程的“下流”活动。

但这一报道并不顺利，记者掌握的材料有时也不准确，有时《邮报》因为被抓到把柄，差点被置于死地，公司两个电视台的执照也险些被吊销，所有报纸都冷眼旁观。报道过程中尼克松依然在大选中获胜，顺利连任下届总统。报纸受到来自政府的强大压力。在此情况下，凯瑟琳不断问自己：“如果这些报道真的确凿无误，为什么其他报纸不跟进?”[①]她收到一些恐吓信。信上威胁说如果关于司法部长米切尔控制着一个秘密基金用于侦查民主党活动的报道见报，她将受到难以形容的报复。米切尔甚至直接警告参与报道的记者伯恩斯坦说，凯瑟琳如果刊发这一报道，她的乳房“将被塞入一个巨大的脂肪绞压机”。[②] 有趣的是，后来另一位参与报道的记者伍德沃德还真的找来一个老式木制衣服绞干机拿给凯瑟琳看。凯瑟琳从此一直将这台机器保存在自己的办公室。

后来，尽管 5 个行窃者中有一人承认幕后有更大的人物，尼克松也承担了一些无关紧要的责任，但调查报道因缺乏关键证据，直到 1973 年 5 月仍无突破性进展。7 月，也即《邮报》独家展开这一系列报道长达一年多时，存放于总统办公室的一个录音系统终于被发现，保存的磁带记录了尼克松指示属下掩盖证据的谈话。至此，真相大白，这位曾于 1972 年 2 月 21 日至 28 日对新中国作历史性访问并使中美两国关系进入崭新阶段的美国总统，于 1974 年 8 月宣布辞职。凯瑟琳后来写道：“如果没有这些磁带，事实真相永远不会浮出水面。事实上，这些磁带挽救了我们这些在邮报工作的人。它们未被销毁，真是我们的造化。”[③]**1974 年 4 月，凯瑟琳领导的《华盛顿邮报》因为对水门事件的调查报道获得了普利策奖中分量最重的奖项——公众服务奖。**

---

① Katharine Graham of Washington Post Dies at 84, Marilyn Berger, *The New York Times*, 2001 年 7 月 18 日

② 同上

③ 同上

然而，就在获此殊荣一年后，她遇到了另一场严峻考验。1975年10月，因一系列降低成本的举措，导致该报印刷工人罢工，这几乎让《邮报》垮台。谈判破裂之后，印刷工人在工会的支持下全部停工，并将印刷车间总共72台印刷机器全部破坏。除提前印好的报纸外，当晚成版的报纸已无法印刷，但凯瑟琳坚持要求第二天将残缺不全的报纸按时投递和售出，并让所有管理人员把守分类广告、收发室和印刷车间。从第二天起，她雇来直升飞机降落在邮报公司大厦的屋顶上，将制好的纸型运到《邮报》在马里兰州和弗吉尼亚州的印刷厂印刷。尽管总部的印刷机器花了一个月的时间才修好，但报纸却一天也未停止出版，危机终于化解。到1981年底，《华盛顿邮报》的发行量已飙升到984,000份。1979年和1991年，她分别将发行人和邮报公司首席执行官的职位让给了儿子唐纳德·格雷厄姆（Donald Graham），但保持了董事会主席的头衔。她同时还担任美联社董事、美国报纸发行人协会主席和总裁、美国报纸广告局董事等职，直至去世。

《纽约时报》的报道透露，凯瑟琳是在去和朋友打桥牌的路上摔倒的。去世的当天，布什总统在一个讲话中回忆起自己和劳拉应邀出席凯瑟琳在华盛顿自己家中举行的晚宴。布什称她“既是一位真正的领袖，又是一位纯粹的妇女；既坚强又腼腆；既有权威又颇谦恭；既正直诚实又优雅和善”。①

四、“我们只是地方报纸”

2001年10月23日下午3点10分，正是在《华盛顿邮报》刚刚失去擎天大柱、“9·11”事件严重冲击报纸广告收入、炭疽病引起一片恐慌的时候，我在秘书帕特里夏·奥谢（Patricia O'Shea）女士的引导下走进了该报总编辑小伦纳德·唐尼的办公室。

唐尼身材高大，白色衬衫上系了条黑底黄点、色彩鲜艳的领带。他目光温和，姿势优雅，唯很难见到他的笑容。

“说吧，想了解什么？”我们刚落座，他就直截了当地示意我开始。

我谈了此次访问的目的及主要想了解的问题，还特别讲到回国后有可能写一本有关美国报业管理的书。我写书的想法似乎引起了他的兴趣，他眼睛一亮，说“那太好了”，还问我如果写的话何时可以完成。

---

① Katharine Graham of Washington Post Dies at 84，Marilyn Berger，*The New York Times*，2001年7月18日

采访《华盛顿邮报》总编辑小伦纳德·唐尼

我回答说，如果顺利，一年内应能出版。我答应这本书若出版，会赠送他一本，他竟露出了一点笑容。后来我从谈话中得知，他自己也爱钻研新闻理论，迄今已撰写了 4 本书，分别为《被拒绝的公正》（*Justice Denied*，1971 年出版），《将美国抵押》（*Mortgage on America*，1974 年出版），《新的丑闻揭露者——关于调查报道的研究》（*The New Muckrakers, a study of investigative reporting*，1976 年出版），《新闻幕后的新闻：险境中的美国新闻界》（*The News About the News: American Journalism in Peril*，将于 2002 年 2 月出版）。这最后一本书我最感兴趣，可惜我在美国时书还未出版。还有很多人对此书有兴趣，一些读者和国内出版社读了我的《走进美国大报》第一版后都纷纷与我联系。例如中国广播电视出版社就有朋友托我联系该书版权之事，我也与唐尼联系了，他将经纪人的电话和 E-mail 给了我，我也转给了出版社的朋友。2004 年初，我在一家书店终于见到了唐尼大作的中译本，书名定为《美国人和他们的新闻》，2003 年 4 月出版。从书中得知，该书是唐尼和他的老同事、《华盛顿邮报》资深编辑罗伯特·G. 凯泽（Robert G. Kaiser）合著的。作者在书中对美国新闻界新闻价值观的淡漠以及报界调查报道的式微表示了深深的担忧。小唐尼还是该报自编图书《离白宫仅十条街：1968 年华盛顿骚乱剖析》（*Ten Blocks from the White House: Anatomy of the Washington Riots of 1968*）的主要作者。

交谈中得知，唐尼正是长达 13 个月水门事件连续报道的主要编辑和辅导者。那时他担任大都市新闻部的副主编，而水门事件的所有报道都由该部门处理。在布雷德利总编辑的指挥下，唐尼配合默契，从把握分寸到事实核对，从采访计划的制订到采访任务的落实，他都对两位年轻记者给予了重要而有效的指导。聪颖而又埋头苦干的唐尼因此得到布雷德利的器重，于 1974 年被提拔为都市新闻部主编——这一职位恰好是 9 年前凯瑟琳将布雷德利从《新闻周刊》调来时所给的职务。1991 年，当了 23 年总编辑的布雷德利退休后，接替他的也是唐尼。凯瑟琳实际上是将《华盛顿邮报》新闻的控制权交给了自己的儿子和唐尼。屈指算来，笔者访问该报时，唐尼已当了 10 年的总编辑。他是我此次访问的美国五大报中在总编辑岗位任职最久的一位。

根据唐尼秘书奥谢女士在我回纽约后应我要求补充的材料得知，唐尼 1942 年 5 月 1 日生于俄亥俄州的克里夫兰市，1965 年毕业于俄亥俄州立大学获新闻和政治学硕士学位，1993 年获得该校颁发的名誉文学博士学位。1964 年他到《华盛顿邮报》实习，毕业后便留在该报。他很快即因为在犯罪、司法、房地产及城市管理方面出色的调查性报道而成名，其间两度获得华盛顿—巴尔的摩报业协会头版报道奖，一次美国律师行业协会法律报道奖及一次约翰·汉考克财经新闻奖。他在该报大都市新闻部干了 15 年，其中在 1971 年至 1972 年上半年获得艾利西娅·帕特森基金会（Alicia Patterson Foundation）奖学金，在美国和欧洲研究城市问题。1979 年他被派驻伦敦分社任记者，1982 年回到华盛顿任国内新闻部主编。1984 年任执行总编。唐尼还是洛杉矶时报—华盛顿邮报特稿社主任和国际先驱论坛报编辑部主任。他现在和妻子珍尼斯（Janice）住在华盛顿，膝下有 4 个孩子，2 个已成年，2 个未成年。

唐尼介绍了一些报纸的情况，有些是我过去并不知晓的。如他谈到《邮报》于 1970 年代收购了《华盛顿星报》（*The Washington Star*），并从这项交易中获得发行和广告方面较大的利益。《邮报》现在不但拥有《新闻周刊》，还拥有六家电视台，其中三家在佛罗里达的城市，一家在底特律，两家在得克萨斯城。公司还拥有一家有线电视台，一家新闻网站，该网站“与中国有些联系”。在讲到凯瑟琳时，他赞赏有加：“正是她当了董事会主席和发行人之后，《邮报》才成为国内的强势媒体。她在报纸上投资力度很大，并聘用了本·布雷德利。是她决定刊发五角大楼文件的，也是她支持我们报道水门事件的。”他还说报纸迄今已获得了 30 多项普利策奖，布雷德利领导编辑部的 26 年中获得了 23 项。

但他没有提及该报曾出现过一次虚假新闻获普利策奖的丑闻。1980 年，该报 26 岁的女记者珍尼特·库克（Janet Cooke）撰了一篇感人的特稿《吉米的世界》（Jimmy's World），讲述一位 8 岁男孩吸食毒品海洛因的故事，于 1981 年获得普利策特稿写作奖。后来此稿被揭露并证实为虚构，普利策评奖委员会收回了该奖，引起很大轰动，《邮报》也一度饱受同行讥评。

据他介绍，《华盛顿邮报》公司目前的员工数接近 3000 人，其中编辑部不到 900 人。该报现有驻外国分社及记者站 20 个，国内记者站 6 个，本地区各市、镇记者站 12 个。报社编辑部下设约 12 个部门，编辑人数约 200 人，记者、摄影记者、副刊作者约 400 人。与《纽约时报》一样，该报的新闻和社论是截然分开的，唐尼不管社论部。现任社论版主编为梅格·格林菲尔德（Meg Greenfield）。记者都分在各个部门，"我们从未将记者集中起来设一个记者部，但各部门之间的合作是经常的"，他说。

关于报纸的发行及经济状况，他说："本报目前的发行量，平日刊大约 80 万份，星期天刊大约 115 万份。我们的报纸在全国排名第四。发行量排名顺序为：《华尔街日报》、《今日美国》、《纽约时报》、《华盛顿邮报》。《华尔街日报》和《今日美国》相互轮流当第一。近年来一些大型报纸发行量下降明显，但本报的发行量变化不大。我们报纸全年收入约为 10 亿美元。"不过，他在排序时可能漏了《洛杉矶时报》。2001 年《洛杉矶时报》的发行量应在《华盛顿邮报》之上。

据了解，整个华盛顿邮报公司是个大型报业集团，除了旗舰《华盛顿邮报》以外，还拥有《埃弗里特先驱报》（*Everett Herold*）等一批日报和社区报纸，《新闻周刊》（*News Week*）等 4 种杂志，并在底特律、奥兰多、休斯敦、迈阿密、圣安东尼奥、杰克逊维尔六城市各有一个电视台。在美国各报或报业集团因"9·11"事件及 2001 年的经济滑坡而开始不景气的这几年，华盛顿邮报公司（Washington Post Company）的业绩似乎未受太大影响，而且这几年有较为稳定的增长。例如，2000 年是美国大多数报纸近 10 年来发展的顶峰，各大报或集团迄今再未恢复到 2000 年的高点。但华盛顿邮报公司 2000 年的总收入为 24.12 亿美元，利润 3.99 亿美元。2001 年至 2003 年三年的总收入分别为：24.17 亿美元，25.84 亿美元，28.39 亿美元。这表明该集团公司经济仍处于逐年发展的较佳状态。

还是回到与小唐尼的谈话。有趣的是，当我提到《纽约时报》是全国性报纸，而《华盛顿邮报》作为首都大报也具有全国性质时，他断然否认自己的报纸是全国性报纸。他说："我们完全是一家地方报纸。我们的发行范围主要在华盛顿特区内和附近地区。人们可以在少数城市，如纽约和波士顿，订我们的报纸。那是通过邮局发行的，全国大多数城市无法及时看到我们的报纸。那些地方的读者只能通过我们的网站读到我们的新闻。你说得对，我们每天刊发大量全国新闻，因为我们是首都报纸，但我们也报道大量地方新闻。我们绝不是全国报纸。”他甚至把报纸的地方性看成是报纸各种媒体的激烈竞争中战胜对手的重要条件。他说：“绝大多数报纸都是地方报纸，覆盖地方新闻是它们的强项，电视、网络等其他媒体难和报纸相比。”

从建立12个本地记者站也可看出，唐尼十分重视本地新闻。《华盛顿邮报》近年来增加了报纸的内容，平日刊板块的数量由上世纪80年代的4叠增至目前的6叠，对本市各区及附近各市镇的新闻报道很详细，但售价还是25美分，是美国目前最便宜的大型报纸之一。该报的家庭订户比例也是各大报中最高的，达70%左右。唐尼认为，只有加强本地新闻，才能抵御外来大报的竞争。他介绍说：“《今日美国》是全国报纸，该报企图在首都扩大地盘，但迄今只有5万份的发行量，因此对我们不构成真正的威胁。《纽约时报》在这里的销量也很小。《华盛顿时报》是本地第二大报纸，发行量仅10万份。还有一些小型报纸，但它们过于地方化，因此也不具备太大的竞争力。我们只要保持既充分报道国际国内新闻，又广泛覆盖本地新闻，就不怕任何报纸来竞争。”在唐尼的本地化策略下，该报的发行量稳定在一个较高的水平，已持续多年。

但也有评论家认为，凯瑟琳的儿子和唐尼均办事谨慎，因而在他们的领导下，《邮报》的讨伐精神减弱了。他们说，唐尼在报道上强调“公正性”，这不仅限制了调查性和倡导性报道，而且减少了时尚板块的辣味。①

五、议员们每天必读的报纸

《华盛顿邮报》自五角大楼和水门事件两大报道之后，其关注政治的传统再未改变，因此在国内政界一直有着很大影响。美国学者赫伯特·席勒在其《思想控制者》一书中写道：“（美国）每一个参议员和众议员，不论他属于哪个党派，或持什么政治主张，每天早晨桌上都放着一份《华盛顿邮报》。”② 但实际上自1974年后，该报并未创造新的奇迹，甚至也未有轰动全国的报道出现，倒是“三里岛事件”之类的深度报道风头被离它不远的《费城问讯报》抢去了。

打开该报，其内容的安排也与其他报纸无异。但其头版更关注来自

① 《美国新闻史》，展江、殷文主译，新华出版社，2001年
② 王泰玄：《世界著名报纸概略》，新华出版社，1985年

C14 Tuesday, October 23, 2001 R DM VA

www.washingtonpost.com/kidspost

Heating Up

Today's weather:
Fog early, then partly sunny. High 76. Low 60.
Tomorrow: Partly sunny, breezy. High 80. Low 62.

Illustration by Meredith Starr, 8, Silver Spring.

KidsPost

Complete this word grid: Fill in words that fit, top to bottom and left to right, the way HERO does. (Our answers are below Today's News.)

	H		
H	E	R	O
	R		
	O		

TODAY'S News

Get Comfy

Attention lazybones: NASA wants to pay 10 people to stay in bed for an entire month.

Studying people while they take a very long rest will help NASA scientists understand what happens to astronauts' bodies during long periods of weightlessness.

Hundreds of adults have said they are interested (you have to be at least 25 to apply).

The 10 people must lie with their heads tilted slightly lower than their feet. Staying in that strange arrangement for a long time affects the body in some of the same ways as weightlessness: Muscles waste away, bones weaken, and the balance of fluids and chemicals in the body shifts.

Of course, that means no bathroom visits, so the 10 resters will have to use bedpans.

Some of the people will do exercises in bed, to see if that helps stop some of the bad effects.

Old Egg, New Discovery

Three Alabama high school students found a fossilized egg 30 years ago, but it took until now for scientists to find a way to see what was inside: a dinosaur almost ready to be born.

Scientist James Lamb scanned the egg with new technology, and discovered fossilized yolk and an 83 million-year-old Lophorhothon, a duck-billed dinosaur.

Lamb hopes that studying the egg yolk will reveal what the dinosaur's mother ate.

Scan Tucker twists a smoke trail from his biplane.

Loop-de-Loop

Spirits got a lift in Houston last weekend. And so did the planes.

The 17th annual Wings Over Houston airshow at Ellington Field drew more than 100,000 spectators and featured more than 100 World War II airplanes.

—From staff and wire reports

Fall Guys

Colorful Show Signals The Approach of Winter

For about two weeks every autumn, oaks and maples, dogwoods and elms all start changing. Their green leaves turn red, orange, yellow or brown. Then the leaves fall off completely, leaving bare branches behind. The reason: Winter is coming.

Winter is harsh: lousy weather, no food. It's a season that living things just try to survive. Some mammals hibernate. Some birds migrate. Some kids bug their parents for a new parka. Deciduous trees deal with winter by losing their leaves. In fact, deciduous (pronounced "duh-SID-you-us") means "to fall off," and that's exactly what the leaves on those sorts of trees do.

Think of leaves as the kitchen of the tree, the place where food is prepared. The food is sugar and starch that are produced by taking a gas called carbon dioxide out of the air, combining it with water from the ground and using a special process to create exactly what the tree needs to survive and grow. That special process is called photosynthesis, and it depends on two things: sunlight and chlorophyll.

Chlorophyll (pronounced "CLOR-o-fill") is a chemical that takes energy from sunlight and turns it into tree food. One of the interesting things about chlorophyll is that it's green. (Remember that. We'll come back to it.)

But in winter the kitchen closes. Why? Because the nutrients—useful chemicals that feed the tree—in the leaves are needed in the roots. These nutrients start heading to their new home in the roots, deep underground, where they won't be damaged by freezing weather. Couldn't the shriveled leaves just stay behind? They could, and on some trees they do—oaks for example. But a leaf-covered tree is at risk of being damaged by winter weather. The weight of snow and the tug of wind can snap branches.

Shorter, cooler days are the signal for a tree to start shutting down its kitchen, er, leaves. A scab (called an abscission or separation layer) starts growing between each leaf stalk and where it joins the tree. At the same time, the tree is producing less chlorophyll. But there are other chemicals in the leaves, too.

These pigments are in the leaves year round, but in very small amounts. We don't see them because they're totally overwhelmed by the green of the chlorophyll. They include yellow-orangey carotenoids, the same pigment that gives carrots their color. Red pigments, called anthocyanins, actually increase in the fall, giving dogwood leaves their crimson color. Besides turning cool shades, these yellow and red pigments protect the tree, soaking up dangerous ultraviolet light, the same light that gives you a sunburn.

With the chlorophyll gone, it's time for the reds and yellows to shine. And when the scab is complete, the leaf is ready to fall off.

Evergreen trees—pine, spruce, fir—don't lose their leaves in the fall. Their needle-shaped leaves are hard and waxy, with a kind of antifreeze inside. They're able to survive the winter.

But if your house is surrounded by deciduous trees, grab a rake. You've got some work to do.

— John Kelly

Classroom Resources—*For a free teacher's guide to this article, with lesson plan and reproducibles, visit The Washington Post's Newspaper in Education Web site:* **www.washpost.com/nie.**

If I Were a Tree

What if you were a deciduous tree? It's a good thing you're not. If you were, your life might go something like this:

You wouldn't eat with your mouth. Instead, you would feed yourself with your hands (which would suck chemicals out of the air) and your feet (which would suck up water from under the ground).

You would want to spend all your time outside, at least during the day, so you could get sunlight, important for the chemical magic that creates your food.

As the days got shorter and cooler, your hands would fall off. But look on the bright side: They will grow back in the spring. Of course, you'll still have that unsightly squirrel nest on your head.

Color My World

Here's a guide to the colors some trees turn in the fall:

Oak—red or brown
Maple—red maples turn scarlet; sugar maples orange-red; and black maples glowing yellow
Cherry—red
Elm—scarlet
Dogwood—purplish red
Redbud—yellow
Hickory—golden bronze

Color Wheel

Not every tree turns the same color every year. Differences in weather can mean differences in color. For example:

Temperature—Warm, sunny autumn days and cool—but not freezing—nights produce brilliant reds and purples. That's the anthocyanin pigments in the leaves coming on strong. However, freezing weather will kill the leaves, turning them brown and making them drop off early.

Rainfall—The wetter the spring, the brighter the colors. But if there's a drought, you may have to wait a few weeks for autumn leaves. A warm, wet fall can lower the brightness of leaf colors.

NEWS Quiz

Feeling smart? Take this quiz, send in the answers and you might win a prize.

1. Lots of kids are sending something to the White House. What is it?

2. Which two sports cause the most injuries in kids?

3. Nine birds are being taught to migrate with the help of some ultra-light aircraft. What kind of birds are they?

4. This photo shows artist Cosimo Cavallaro melting something before he uses it to cover a Wyoming house. What will coat the house?

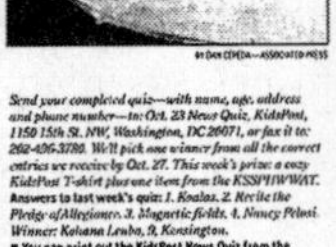

Send your completed quiz—with name, age, address and phone number—to: Oct. 23 News Quiz, KidsPost, 1150 15th St. NW, Washington, DC 20071, or fax it to: 202-496-3780. We'll pick one winner from all the correct entries we receive by Oct. 27. This week's prize: a cozy KidsPost T-shirt plus one item from the KSSPHWWAT.
Answers to last week's quiz: *1. Koalas. 2. Recite the Pledge of Allegiance. 3. Magnetic fields. 4. Nancy Pelosi. Winner: Kohana Lenba, 9, Kensington.*

You can print out the KidsPost News Quiz from the Web—and read the articles that reveal the answers. Just go to www.washpost.com/nie.

Raking can be a big task, but there are some alternatives.

A Rake's Progress

Is it your job to rake the leaves? We got leaf-raking tips from an expert, Michael Zajic of Brookside Gardens in Wheaton. Zajic estimates that Brookside's 12 acres of dense trees produce 336,600 cubic feet of leaves every year. Here's what he says:

Mow 'em. Don't put away the lawnmower just because the grass has stopped growing. Leaves can be mowed very easily. Mowing, says Zajic, "chops up the leaves quite fine and they disappear into the grass, where they're recycled immediately."

Tarp 'em. If you decide to rake, get a tarpaulin or a sheet, throw it down on the ground and rake the leaves onto it. "You can just drag the whole thing and dump it." Where? In the street for pickup or on your compost pile.

Blow 'em. Many people use leafblowers these days. Even Brookside does, except in hard-to-reach spots. Blowers are faster than a rake and easier on the back. But they do create a racket.

Says Zajic: "It's hard to have a nice day out in the fall because at least one of your neighbors is bound to be using a leafblower. It's a great offense to the ear. I almost wish they were outlawed."

《华盛顿邮报》儿童版（2001 年 10 月 23 日 C14 版）

国家首脑机关的消息和本地的重大新闻，且喜用大字标题和通栏标题，这是它与《纽约时报》、《华尔街日报》、《洛杉矶时报》等报纸有显著区别的地方。如我到访的当天，该报头版即以通栏标题报道两个邮局职工死于炭疽病的消息。这个标题其实是一个新闻集纳题，题下共有 4 篇新闻和 1 幅图片，分别是《邮局工人质疑当局反应迟缓》、《另有 2 人感染炭疽病住进医院》、《本地邮件转至别处分发》、《炭疽孢子是如何传播的》。图片置于正中，新闻按相同的面积分置两侧（全部需转文）。在中国报人眼里，这种对称版式是不可取的，但该报经常采用。在头条集纳新闻之下，有《美国计划轰炸塔利班前线阵地》、《国会谨慎择地恢复办公》、《进攻受到政治意图的制约》（新闻分析）、《在通往阿富汗山谷的崎岖道路上，军队艰难行进》。整个头版都是关于反恐战争及当前恐怖活动的新闻，政治味道很浓。

再看当日其他版面。这一天共有 82 页，其中：A 叠为新闻类内容，共 24 页，按要闻、国内新闻、反恐战争专版、国际新闻、联邦政府专版（该报是我所见美国报纸中唯一开设此类专版的报纸）、社论评论（其社论版与《纽约时报》的社论版酷似，唯版头下有“AN INDEPENDENT NEWSPAPER”字样，标榜自己是一份独立报纸，其言论不受任何势力左右）顺序编排；B 叠为大都市新闻，共 8 页，按本市要闻、联邦日志、本市简要新闻、地区新闻、弗吉尼亚州新闻、讣闻、马里兰州新闻、天气预报等版面顺序编排；C 叠是副刊，共 14 页，包括生活方式、图书世界、可靠资讯、剧院活动、艺术、今日广播电视节目、卡通画、纵横字谜及桥牌、儿童专版等内容；D 板叠为体育，共 14 页；E 叠为经济，共 12 页；F 叠为健康，共 10 页。

上述各叠或各板块中，大都市新闻板块页数虽然不像其他一些大报多，但内容覆盖面较大，除了特区内新闻，还横跨与之相邻的弗吉尼亚和马里兰两个州，另外每天有例行的讣闻报道（该报配有 4 名讣闻记者）。副刊板块的特色在于包含了 3 个整版的彩色卡通画，到了星期天更增至 12 个整版，且无任何广告，其数量在美国报纸中不是最多也是较多。这一搭配，冲淡了报纸的严肃气氛，使得版面活泼起来。该板块的天气版也很丰富，这留待后面集中介绍。体育板块的特色是，为高中体育和大学体育各设一版，其他体育版则清一色全国职业体育赛事，包括美国人最喜欢的棒球及曲棍球、橄榄球、篮球等。

我向奥谢小姐要来最近的该报星期天刊，即前天（10 月 21 日）的报纸。这一天，该报共 260 页，板块数量多达 18 个，含分类广告版。其中 32 页的“就业与招聘”和 10 页的“旅游”板块及几本杂志给人印象深刻。“旅游”版半数为广告，另一半分别被用来刊登 2 页的导游及旅行者问答、旅游新闻和“飞行票价”。这个飞行票价版我很喜欢，上面用地图标示到各地的各类机票费用，读者从中可以选择最经济的路线或最便宜和最适时的航班，很有参考价值。杂志主要有 3 种：24 页 8 开铜版纸印刷的《邮报广场》（*The Washington Post PARADE*），64 页 16 开铜版纸印刷的《华盛顿邮报杂志》及 68 页 16 开新闻纸印刷的《一周电视》杂志。其中的下周电视节目介绍覆盖全面、详略得当、疏而不漏，乃电视观众必备手册。这在普遍爱看电视的美国（美国电视新闻的观众数量比报纸新闻的读者大得多），诱惑力不言而喻。

我本想循其内容到编辑部各部再了解些情况。但奥谢女士仅领我快步走了一圈，我只在摄影部得以稍停片刻并问了一个关于设备的问题。前述关于该报全部装备高像素数码相机的信息即由此而来。奥谢解释说现在是非常时期，未经预约，他们不太愿意接受采访。这使我在《华盛顿邮报》的访问多少打了些折扣。后来我发现热情的奥谢女士送我走出电梯后还没有和我分手的意思，忙表示感谢并请她留步。谁知她笑着说，她必须送我直至出了大门，这是该报的新规定。我这才恍然大悟：该报为了安全，访客在无人陪同的情况下不得逗留，接待者必须负责将客人送出报社。回忆起整个下午的访问及唐尼总编谈话之谨慎，我体会到了该报内紧外松的良苦用心。但不管怎么说，在此非常时刻，该报能接纳我，已属不易。

六、伍德沃德仍是明星

在《华盛顿邮报》所导演的著名的水门事件报道中，两位克服重重困难、顶住巨大压力将报道进行到底的记者做出了很大贡献。他们就是前面提到的鲍勃·伍德沃德和卡尔·伯恩斯坦。两人早已成为新闻学院大学生们崇拜的偶像。他们在水门事件后出版了两本书，其中一本《总统麾下》（*All the President's Men*）于 1976 年被拍成了电影，Robert Redford 和 Dustin Hoffman 等一批大腕影星参加了演出。此后，伯恩斯坦急流勇退，于 1976 年辞职到美国广播公司当了一名高级记者，后来又被纽约大学聘去当了若干年传播学教授，接着还为《时代》周刊工作了一段时间。1981 年，他回到《华盛顿邮报》，担任助理执行总编，负责调查性报道工作。伯恩斯坦的名言是**“媒体的力量远比政府机构大得**

多，但我们正在浪费这种力量”[①]，说这话时是 1999 年，2004 年他刚满 60 岁。

与伯恩斯坦相比，伍德沃德风头更健。自从因水门事件报道获得普利策奖后，他一直供职于《华盛顿邮报》，并长期继续关注白宫动向，迄今仍是大众明星。

伍德沃德比伯恩斯坦大一岁，毕业于耶鲁大学，曾当过海军通信兵，于 1971 年进入《华盛顿邮报》，1981 年与伯恩斯坦同时被任命为负责调查性报道的助理执行总编。水门事件之后，他在继续从事新闻报道工作的同时，埋头著书，先后出版了 10 部著作和多篇文章。这些著作大都涉及美国总统等政府高层官员，以挖掘真相为己任，因而几乎本本畅销。除前述与伯恩斯坦合作的《总统麾下》外，其他 9 种书名分别试译如下：

《最后的日子》（*The Final Days*），1976 年出版，关于尼克松总统辞职内幕；

《兄弟之间》（*The Brethren*），1979 年出版，关于美国联邦法院运作内幕；

《激情连线》（*Wired*），1984 年出版，关于好莱坞影片中的吸毒文化；

《铁幕》（*Vell*），1987 年出版，关于美国中央情报局的“秘密战争”；

《议程》（*The Agenda*），1994 年出版，关于克林顿（Bill Clinton）总统第一个任期的情况；

《抉择》（*The Choice*），1996 年出版，关于克林顿总统二次竞选的经历；

《金融大师》（*Mastro*），2000 年出版，关于美国“财爷”阿兰·格林斯潘（Alan Greenspan）的杰出理财表现；

《战争中的布什》（*Bush at War*），2002 年出版，关于美国在“9·11”事件后进行的阿富汗战争；

《进攻计划》（*Plan of Attack*），2004 年出版，关于布什政府攻打伊拉克的进程和原因。

在繁忙的工作之余，伍德沃德竟然每隔几年就出一本纪实类畅销

---

① Wikipedia-Free Encyclopedia，2004 年 8 月 2 日（网络版）

书，这既表明其勤奋，也显示他很善于利用自己手中的资源。他的书在美国公众中影响很大，有的也引发较大争议，有人还批评他与白宫官员走得太近因而丧失了新闻工作者应有的中立立场。2004 年 4 月 18 日出版的《进攻计划》是伍德沃德近年来最受欢迎的著作。这本书的出版，适逢美国公众关注美军在伊拉克的局势恶化，并开始质疑布什发动这场战争的动机。人们发现，布什政府当初所宣称的那些理由，如萨达姆包庇和支持基地组织，如伊拉克拥有大规模杀伤性武器等等，已逐渐失去了说服力。在这个时候，有一本书来揭开笼罩在这场 21 世纪最大规模战争上的重重迷雾，并且出自撰写国家决策内幕的高手伍德沃德之手，自然很具吸引力。

据《华盛顿观察》周刊（*Washington Observer weekly*）2004 年第 18 期载文介绍，为写好这本书，伍德沃德不仅获准采访了现任总统布什 2 个多小时，还访问了包括副总统切尼、国务卿鲍威尔、国防部长拉姆斯菲尔德在内的 70 多名参与过伊拉克战争决策的白宫高层官员。据该书披露，布什攻打伊拉克的想法起源于 2001 年 11 月 21 日他与拉姆斯菲尔德的一次私人会晤。当时布什要求国防部长负责秘密制订一项进攻伊拉克的计划。于是，拉姆斯菲尔德便布置美军中央司令部司令弗兰克斯（Tommy Franks）将军制订这项作战计划。当时还在指挥阿富汗战争的弗兰克斯得到布什和拉氏的默许，挪用阿富汗战争的军费在科威特布置军用机场、输油管道等多项准备工作。伍德沃德在书中认为，切尼是伊拉克战争计划的驱动力量，因为正是他第一个明确提出伊拉克拥有大规模杀伤性武器，并动用了他所有的关系和影响促使布什下定进攻的决心。在 2002 年 12 月 19 日的一次关键性会议上，中央情报局局长特内特（George Tenet）被问到有关伊拉克拥有大规模杀伤性武器的情报是否准确时，他说“绝对可靠”。至 2003 年 1 月，布什最终作出了攻打伊拉克的决定。

这本书也透露了白宫官员在决策过程中的一些分歧，因而招致政府中强硬派人士的批评。据悉，伍德沃德在书中提到切尼与鲍威尔在很多问题上意见不一，两人甚至因此很少说话。鲍威尔与国防部长拉姆斯菲尔德在攻伊问题上也有矛盾。书出版后，美国民主党人抓住书中有关细节不放，猛烈抨击布什政府的伊拉克政策。他们说，这将为证明布什政府在没有得到广泛的国际社会支持和制定完备的占领方案之前就草草向伊拉克出兵，提供了有力证据。民主党总统候选人克里最近更是随身携带这本书，并且在多个公众场合提到它。此书的出版引起白宫上下震动，加剧了布什政府内部一些积聚已久的紧张关系，而且在伊拉克局势日趋恶化、布什正在为自己连任而努力的情况下，给布什添了乱。

《进攻计划》出版前，美国有不少人曾对伍德沃德表示怀疑，认为他和白宫官员走得太近，写作过程又得到布什本人和多位高官的支持，担心他成为政府的传声筒。书问世后，很多人松了口气，觉得伍德沃德还是坚持了新闻工作者应有的操守。

谁知《进攻计划》的热闹劲还未过去，一桩新闻又让伍德沃德成为公众人物。2004 年 7 月 27 日，水门事件中的最神秘人物——弗雷德·拉吕（Fred LaRue）被发现在密西西比州的一家汽车旅馆内因心脏病突发去世，享年 75 岁。他的去世使一桩保守了 32 年的秘密大白于天下。当年的水门事件，正是由于一位白宫官员向《华盛顿邮报》记者透露那 5 个被捕盗贼的真实身份，才使该报开始了为期一年多艰苦卓绝的调查的。《华盛顿邮报》当时的执行总编霍华德·西蒙斯（Howward Simons）用一部色情电影的名字“深喉”（Deep Throat）来代替这一秘密新闻来源，而外界则将提供绝密消息的人称为“皮包人”（Bagman）。后来，每当采访难以深入或遇到难以克服的困难时，总是这位“深喉”通过电话指点迷津。但“深喉”究竟是谁，当时只有《华盛顿邮报》的两位记者和执行总编西蒙斯知道，真正与之接触过的只有伍德沃德一人。美国各界猜测了几十年，也不得要领。美国北卡罗莱纳大学新闻学院的学生甚至将此作为一个课题进行了长达 4 年的研究。笔者查询发现，由于伍德沃德等人坚守秘密，即便是《华盛顿邮报》，也完全不知“深喉”的真实面目。该报 1997 年 6 月 13 日曾发表文章猜测“深喉”是谁。该文在一番分析之后认为，“深喉”的可能人选包括尼克松担任总统时的国务卿亨利·基辛格（Henry Kisinger）和总统办公室幕僚亚历山大·黑格（Alexander Haig），中央情报局官员科德·迈耶（Cord Meyer）和威廉斯·科尔比（Williams C. Colby）以及联邦调查局官员帕特里克·格雷（L. Patric Gray）、马克·费尔特（W. Mark Felt）、查尔斯·贝茨（Charles W. Bates）和罗伯特·孔克尔（Robert Kunkel）。事实上，这些猜测全不沾边。

后来伍德沃德对外界说明了不能披露此人姓名的原因。原来，当初在获得秘密信息时，他就答应了“深喉”的要求——这也是他继续获得信息的先决条件：只有当这位提供消息者去世以后，他们才可以向公众披露其真实身份。于是伍德沃德、伯恩斯坦和西蒙斯守口如瓶。两位记者只在 1974 年出版的《总统麾下》对“深喉”作如下描述：“深喉”是一位“在政府关键岗位占有极其重要位置的人物”，“只有在非常重要的场合才有可能见到他”，“他可以出入白宫、联邦调查局、总统竞选委员会等国家重要部门”[1]。如今，拉吕去世，人们才知道他就是“深喉”。拉吕当时是尼克松连任总统的竞选办公室成员。至笔者截稿，美国的公众仍急切等待伍德沃德来全面揭示这一秘密。或许，这又是他下一部著作的题材。

① Deep Throat Suspects，*The Washington Post*，1997 年 6 月 13 日

甘尼特公司新址——《今日美国》大楼

第4章

甘尼特公司

Gannett Co., Inc.

报团老大新址落户
玻璃世界自诩"透明"

甘尼特公司，创办于1906年，是美国最大的报业集团，报纸发行总量和经营总收入均居全国第一；拥有101份日报，其中包括美国发行量第一的《今日美国》，300多份周报，22家电视台，另有11份日报列入全国100家最大日报行列，2003年经营总收入达67亿美元，还在英国拥有一个大型报业集团；公司还分别在美国和英国拥有130个和80个网站；公司在最新的全球500家最大公司排名中列印刷出版类企业第一名；公司目前员工总数约52800名。

一、辗转寻访甘尼特

访问甘尼特公司（Gannett Co.，Inc.），可谓蓄谋已久。这不仅因为它是一个“百报之团”，也不仅因为它拥有《今日美国》，最主要的是因为它是美国报业集团的代表和象征，在很多方面值得中国报人探究。所以，我的出访课题将美国报纸的集团化运作列为重点。

出访之前，正值中国大陆报业集团化扩张乍兴之时。1996 年 1 月，中国第一家报业集团——广州日报报业集团挂牌成立。几年后至 1999 年 11 月，全国已有 7 家报业集团先后挂牌，分布于广东、上海和北京三地。笔者所在的深圳特区报业集团是经中央批准挂牌的第七家。到 2001 年 2 月我启程赴美之前，集团化趋势向东北、华东、华中、西南等地扩展，报业集团的数量已近 20 家。到 2001 年底，连同广电集团、出版集团在内，全国已有各类经批准成立的媒体集团 26 家，而拥有一家主报多家子报子刊的准集团化报纸数量就更多，如笔者所在地的《深圳商报》就拥有五家报刊，实际上也已在探询集团化运作机制。2002 年 9 月，深圳特区报业集团与《深圳商报》及其子报子刊合并，成立拥有 8 报 4 刊的大型深圳报业集团，成为继上海新民晚报社和文汇报社合并集团以来全国第二家两强合并而成的大型报业集团，总资产达 50 亿元，号称全国第一。如今，报业集团早已遍布全国，放眼望去，似乎稍有影响的报纸，若不在名称后面加上个“集团”二字，就比人家矮了一截。

在这样的集团化背景之下，甘尼特公司自然就成了我的重点关注对象。到美国不久，我就通过各种信息渠道，获得了该公司高层管理人员的电话、电子信箱地址及公司的确切地址。

由于两个学期学校都有课，我将访问策略定为“由远而近，先南北后中央”。利用暑假，我尽量远行，第一趟是南方，第二趟是北方。甘尼特公司靠近华盛顿特区，它与华盛顿、纽约、费城、巴尔的摩等地的报社距我驻地相对较近，可以利用课余时间访问，所以放在暑假之后第二个学期和短暂的寒假进行。谁知开学不久，我刚把致甘尼特公司有关负责人的信的初稿写好，就遇到“9·11”事件，诸事停歇。此后，一些朋友反馈的信息称现在外国人访问美国大公司非常困难，拒绝率极高，他们都放弃了。我有些怀疑将近处公司的访问活动推至秋后的策略。要知道，这些近处的公司都是美国报界的巨头啊。我决定硬着头皮试试。

10 月 1 日，在中国人民庆祝国庆 52 周年的日子，我将不同的电子邮件分别发给了甘尼特公司的总裁兼首席执行官道格拉斯·H. 麦克科金戴尔（Douglas H. McCorkindale）、他的助手乔伊斯·M. 切里（Joyce M. Cherry）、公司分管公共事务及政府关系的高级副总裁麦阿密·A. 菲勒（Mimi A. Feller）、公司报业总裁嘉里·L. 沃森（Gary L. Watson）及同在一栋大楼办公的《今日美国》总编辑凯伦·朱尔金森（Karen Jurgensen）、她的行政助理芭芭拉·达切克（Barbara Dutchak）和该报公关部主任史蒂夫·安德森（Steve Anderson）。这些信的内容不尽相同，但在邮件主题词栏用的都是同一句话："一位中国报纸编辑希望访问您及贵报（或贵公司）。"我在信中表达了自己到他们公司取经的迫切愿望，希望能约定一个时间，语气十分委婉，尽量给人以彬彬有礼的印象。写这些信花去我很多时间，我还将其中一封信先寄至深圳大学的美国教师安·斯旺森（Ann Swanson）女士，请她修改。这位年近六旬的教师极负责任，很快回信，还称赞我的信写得好。她对我的信改动很少，但却画龙点睛，使我大受启迪。

信寄出后半个月，除了《今日美国》公关部主任来了一份回函说他已经调离该报外，无任何回音。而此时，《华盛顿邮报》、《巴尔的摩太阳报》和《费城问讯报》的访问日程已经确定，均在 10 月下旬，虽然那些约会也十分难得。我原先想将访问甘尼特公司及《今日美国》的时间与访问《华盛顿邮报》的时间尽量靠近，这样可以少跑一趟华盛顿，现在看来显然不切实际。别说时间，人家是否愿意接待你，还成大问题呢。

正着急间，《今日美国》总编辑的助理芭芭拉女士于 10 月 20 日突然来电话，说总编辑收到了我的来信，认为应当接待我并指示她与我联系。这个电话令我激动了好一阵，随后的几天我和她经常通电话，一来二往，相互已经熟悉。于是我小心翼翼地将联系不上甘尼特公司的烦恼讲给她听，问她能否牵个线。她竟一口应允。几天后，她来信说，她和甘尼特公司报业总裁沃森说了，沃森因常外出，建议我和高级副总裁菲利普·R. 柯里（Philip R. Currie）联系。我不敢拖延，赶紧写信给柯里。几天后，柯里的秘书梅兰尼·扎德里马（Melanie Zadrima）小姐打来电话，说柯里愿意见我，让我先说个时间。

这样的结果真让我高兴。此刻已是 10 月下旬，我从网上查了到甘尼特公司的路线和车程，知道公司位于华盛顿特区位于弗吉尼亚州内的阿林顿，离五角大楼不远，从我住处开车过去要 5 个小时。我当然想把甘尼特和《今日美国》安排在同一天采访。但在安排时间时，《今日美国》方面希望推延到 11 月中旬以后，说公司正准备搬家，上下忙乱，最好等搬到新址后再来。我忙把这个意思告知梅兰尼，她表示同意，说他们也在忙于搬家。到 11 月上旬，我们三方商量后，将我到访的时间定为 2001 年 11 月 29 日，上午访甘尼特，下午访《今日美国》。随后，芭芭拉从网上传来了公司新址的地图及行车路线。

11 月 28 日晚，我先到达好朋友程晓鸿在马里兰州首府安纳波利斯（Annapolis）的家暂住一晚。晓鸿是我在中国人民大学念研究生时的同班同学，毕业后曾在中央电视台东方之子节目组当编辑，现在华盛顿美洲大学传播系读硕士研究生（本书修订时，她早已毕业，并成功制作了三部据说在美国圈内颇受好评的电视片）。次日清晨，幸亏她提醒我早点动身，否则一定迟到了。我于早上 7 点整驱车上路，沿着宽敞的 50 号州际高速公路以 60 英里（合 96 公里）的时速行驶，但在华盛顿市区附近的高速公路上遭遇大塞车（晓鸿说得不错，上班高峰时华盛顿特区周围总是这样），结果一个小时的路程走了两个小时，总算于上午 9 时按图索骥准时到达了甘尼特总部新大楼。

新址位于弗吉尼亚州北部小城麦克林市（Mclean），据说距原址约 30 分钟车程。

二、豪华新办公楼通体透明

甘尼特公司新址之豪华气派，超出我的想象。

首先，它占地面积之大，是迄今为止我所见到过的其他美国报业公司不可比拟的。它的院落一直延伸到大马路边上，办公大楼却藏在内里深处，距大门口约有几百米远。院内车道两侧，是大片青翠欲滴的草坪绿地和修剪整齐的灌木，新栽不久的小树均匀散落在各个地块。办公大楼的左边有一个大池塘，一群野鸭正在池中嬉戏，池塘的上方不断有不知名的大鸟上下翻飞。远处还有一大片山坡地，后来得知是公司预留建高尔夫球场的。回国后据福斯特女士补充介绍，甘尼特的新址院落占地 25 公顷，合 101,172 平方米，其中有 1.6 公里长的休闲小道，两个网球场，两个棒球场，两个排球场。

其次，这是座很别致的办公大楼。它外表看上去是由若干错落有致、高低不等的群楼组成，其实是一栋整楼，内里全部贯通，占地面积很大，约 8 万平方米，内含 2 层楼的健身俱乐部。建筑物的两个最高楼矗立两端，形状相同，一个高 12 层，一个高 9 层。由于周围很少高楼，所以这两座塔楼显得很高。两塔楼顶端分别镶有银色金属大字：GANNETT 和 USA

TODAY，颇显气势，却也没有更多雕饰，只是顶上有几个碟形卫星天线。而最有特点的是，这一组建筑全部被玻璃覆盖，不着任何颜色。玻璃不像我们在国内越见越多的玻璃幕墙，而是通体透明，视线既可从里到外，也可由表及里。因此，从远处看，整栋大楼呈现一片浅绿色，清丽端庄，雾色空蒙。而当我走近这座大楼时，又顿觉温暖明媚，仿佛置身世外桃源。

后来接受我采访的两位老总告诉我，大楼建成这样有其深刻的寓意，即标示整个集团各媒体公正、客观、准确，不党、不私、不谬，如同玻璃一样，晶莹剔透，不藏污垢。当然，从功能上看，设计时也考虑到最大限度利用太阳光，节省照明电能，同时避免反射、辐射等光污染，具有良好的环保效果。

开车进入大门时，我通报了自己的姓名，并主动出示驾驶证。值班门卫显然已经知道我要来，并不多问，很快打印出一张印有我姓名的约16开大小的硬纸通行牌。我将其置于车前窗内侧，便在甘尼特大院内畅行无阻了。走在从院内停车场到办公大楼的水泥路上，尽管天气阴沉，心情仍十分舒畅。

进得大楼宽阔的大厅，只见周围不是本色木版装饰，就是白色金属支架，然后是大片玻璃，没有其他颜色，脚下是灰色大理石铺就的地板，整个大厅再次给人既时尚现代又浑然天成的印象。大厅两侧墙上各挂一个花环，分别呈金黄色和银白色，上面缀满了彩色小灯珠，闪闪发光。这是大厅唯一可见的点缀物，提醒人们圣诞节快要到了。

大厅门口有一位黑人保安，小伙子很热情，对来客总是笑容可掬，全无保安脸上惯有的凛然表情。保安柜台则在大厅里侧，与宽敞的大厅相比显得略微窄小。柜台周围没有遮拦，因此这里的值班人员并不能阻拦人们从大厅3个通道进入不同的办公区域，似乎有意创造一种自由的环境。保安们只用眼睛审视着大厅，对未经登记而企图直接进入的陌生人加以阻止。但没有人这样擅自闯入。在我前面，已有3人在排队登记。登记后，值班员给我一张印有我姓名的不干胶访客纸贴在胸前，打了个电话，便让我在大厅等候。

下来接我的是梅兰尼小姐。她微笑着领我前行，并不多言，回答我的话总是比我的问话短。她告诉我，今天有两位老总在等着我，他们是柯里和福斯特。

三、长盛不衰的报业王国

此次访问加上与集团老总们的交谈，使我对甘尼特公司的过去和现状有了较新的认识。在见到两位老总前，容我先将公司的情况作简单介绍。

甘尼特公司是美国最大的报业集团，也是报纸收入在集团总收入中所占比重最大的媒体集团。1906 年，弗兰克·E. 甘尼特（Frank E. Gannett）以 3 万美元银行存款和 7 万美元贷款，在纽约州的埃尔迈拉市（Elmira）买下了《埃尔迈拉公报》（*Elmira Gazette*）的一半股权。由这样一个小合资公司起家，甘尼特迅速膨胀，先后购买了若干家报纸。1918 年，甘尼特搬至纽约州的罗切斯特市（Rochester），将新买入的两家报纸并入《罗切斯特时报—联盟》（*Rochester Times-Union*）。1923 年，甘尼特正式组建甘尼特有限责任公司。至此，该公司总共拥有纽约州北部 6 家报纸，进入在它之前成立的斯克里普斯—霍华德报团（Scripps Howard Co.）、赫斯特报团（Hearst Corporation）等著名报业集团行列。到 1929 年，美国 10 万人口以上的城市共 106 个，甘尼特和上述两家报业集团加上另一家后来被吞并的报团共 4 家公司，就拥有近半数 10 万人口以上城市的 60 家日报。但此刻的甘尼特比起上述其他报业集团来说还很弱小。

到 1947 年，甘尼特发展成拥有 21 家日报和 7 家广播电台的较大公司。但该公司真正迅速扩张，则始自上世纪 60 年代起对其他报业集团的收购。从 60 年代开始，甘尼特公司不满足于并购单个的报纸，开始收购报团：1964 年，该公司收购韦斯切斯特·罗克兰报团（Westchester Rockland Newspapers）；1971 年，公司兼并了联合出版集团（Federted Publications），同年买下《檀香山明星—公报》（*Honolulu Star-Bulletin*）；1977 年，又以 1.73 亿美元的换股交易买入斯派德尔报业集团（Speidel Newspaper Group）；1979 年完成当时美国出版史上最大的一次交易——兼并联合传播公司（Combined Communications）。至此，甘尼特旗下已在美国 33 个州拥有 78 家日报、一家全国新闻社、14 家电台、美国和加拿大的多家户外广告公司、21 家周报以及路易斯·哈利斯研究所（Louis Harris & Associates）。甘尼特新闻社还在美国所有新闻社中首家获得普利策奖。1995 年，甘尼特公司再次出手，买下总部在南卡罗莱纳州的多媒体公司（Multimedia Inc.），净增 10 家报纸。在不断收购报纸的同时，甘尼特高层认为广播电台的风头已过，便逐渐将电台卖出，并买入电视台。1997 年甘尼特将自己最后的 5 家电台卖掉，而电视台却增至 22 家。

甘尼特公司在其早期发展史中，关注技术，推崇革新，成为美国报业的主要技术创新者。1929 年，公司投资发明了电传排字机。稍后，公司的新闻编辑部又装备了短波电台用以加快对远地新闻的报道。1945年，甘尼特公司成为加入电报图片网（Telephoto Network）的首家美国报业集团。甘尼特公司的电台也成为播送最新新闻的先锋。甘尼特的这一创新精神一直延续到现在。1957年，弗兰克·甘尼特（Frank Gannett）去世。此前，保罗·米勒（Paul Miller）被推举为公司总裁和首席执行官。在米勒执政的上世纪60年代，甘尼特公司从一个地方性报业集团发展成全国性大型报业集团。1966年，公司创办了第一份位于佛罗里达州的日报，后定名为《今日佛罗里达》（*FLORIDA TODAY*）。该报33个月即告盈利，被全国报纸协会授予综合优秀奖。

在百年美国报业发展史中，任何历史记录几乎都绕不开甘尼特公司。随着一些历史上赫赫有名的报业集团渐渐沉沦，甘尼特却保持着强盛的发展势头，1967年在纽约证券交易所挂牌成为上市公司。1982年，公司在争议中创办了美国真正的综合类全国性报纸《今日美国》，在办报手法上屡有创新（这些容后详叙），如今这家报纸的发行量已连续多年居全国第一。就在《今日美国》扭亏为盈后不久，甘尼特又于1999年大举进军英国，收购了英国最大的地方报团——新闻公众股份公司（Newsquest plc），成立甘尼特英国有限公司（Gannett U. K. Limited），从而在英国拥有了11家日报和100多份周报，其中包括收购了世界现存连续出版时间最久的报纸《伍斯特日报》（*Worcester Journal*）。2000年，甘尼特又收购英国第八大地方报业集团纽斯康姆（Newscom），增加4家日报和95家周报和杂志。这些报纸的总发行量每期超过60万份。

如今，这家集团公司在美国43个州拥有101份日报，其中除《今日美国》之外，还有位于密歇根州的《底特律新闻》（*Detroit News*）、位于亚利桑那州凤凰城的《亚利桑那共和报》（*The Arizona Republic*）、位于肯德基州的《路易斯维尔信使日报》（*The Louisvelle Courier-Journal*）、位于印第安纳州首府的《印第安纳波利斯星报》（*The Indiannapolis Star*）、位于俄亥俄州的《辛辛那提问讯报》（*Cincinnati Enquirer*）、位于田纳西州的《田纳西人》（*The Tennessean*）、位于纽约州的《罗切斯特民主纪事报》（*Rochester Democrat and Chronicle*）、位于新泽西州的《阿斯巴利公园报》（*Asbury Park Press*）、位于衣阿华州的《得梅因纪事报》（*The Des Meines Register*）、位于夏威夷州的《檀香山广告报》（*The Honolulu Advertiser*）、位于特拉华州的《新闻日志》（*The News Journal*）等在各地较为著名的报纸。这11家报纸在美国报纸发行量稽核局2002年5月份公布的2001年10月至2002年3月平均发行量最新排名中，均列入前 100 名大报行列。换句话说，加上名列第一的《今日美国》，在最新的美国 100 家大报中，甘尼特属下的报纸占了 12%。不仅如此，该集团还拥有约 300 家周报或半周报。到 2004 年，公司在英国的报刊也增加到 300 份以上，其中日报为 17 份。

2000 年是甘尼特公司大丰收的一年。这一年的 6 月 1 日，麦克科金戴尔担任总裁兼首席执行官。就在他上任后的第一个夏天，在短短 12 个工作日，集团就一举收购中部报团（Central Newspapers Inc.）、汤姆森报团（The Thomson Corporation）和纽约时报公司三个报业集团属下共 25 家报纸，使得全公司报纸经营收入达 53.34 亿美元，占集团总收入的约 87%。在报纸经营收入中，广告收入为 39.73 亿美元，发行收入为 11.21 亿美元，商业印刷及其他收入为 3.40 亿美元。这一年，公司的经营性总收入达 62.22 亿美元，较上年大幅增长 22.1%，是公司自 1967 年公开上市之后第九次打破收入纪录；当年净利润达 17.19 亿美元，较上年增长 79.5%，是公司历史上第 31 次打破利润纪录；至 2000 年 12 月 31 日，公司总资产为 129.80 亿美元。到 2001 年我访问该公司时，公司报纸的期发行总量超过 780 万份。公司的电视台总观众数占据美国电视观众市场的 17.7%。同时，公司还出版一份周刊《周末美国》（*USA WEEKEND*），随全国 563 家报纸送到订户手中，每期发行量高达 2180 万份。公司拥有的 22 家电视台覆盖的电视观众市场已占美国的 17%。公司现有员工 53,400 人。至 2001 年 9 月，遍布美国 50 个州的 14,000 名股民拥有甘尼特公司的公众股票 2.64 亿股。2000 年公司股票每股净收入高达 6.41 美元，较上年增长 88.5%。在 2000 年《财富》（*Fortune*）杂志的全球 500 强公司中，甘尼特公司排第 304 位，在印刷出版企业中排行第二。同年，公司跻身美国最佳百家股票行列。①

从公司负责人的介绍和后来向我提供的资料看，甘尼特公司对这年的报纸大收购颇为得意。2000 年甘尼特公司的最大斩获，是以 28 亿美元的巨额资金一举吞并美国中部报团，从而完成了美国历史上第二大报业公司交易。这也是甘尼特公司自 10 多年前以 3.19 亿美元从宾厄姆家族手中买下南方大报《路易斯信使日报》以来最大的一笔交易。中部报团虽然仅有 5 家报纸，但报纸的分量都不轻，有一半在各州处于领先地位，按其拥有报纸的发行量计，20 世纪 90 年代初曾在报业集团中排名

---

① 2000 ANNUAL REPORT：TURNING CHALLENGES INTO OPPORTUNITIES, GANNETT CO.，INC.

第 16。得益于这次收购，甘尼特公司将中部报团在印第安纳州的最大报纸《印第安纳波利斯星报》（2002 年最新排名第 43，平日刊发行量 230,292 份）及在亚利桑那州的最大报纸《亚利桑那共和报》（2002 年最新排名第 17，平日刊发行量 464,561 份），悉数收入彀中，使之成为公司目前第三、第四大报纸。甘尼特公司的另一大斩获是从汤姆森报团收购 19 家报纸。汤姆森报团可是美国老牌大型报业集团公司，由原英国报业巨头汤姆森爵士的儿子肯尼思·汤姆森创办。其拥有的日报数量长期居美国第一，1989 年曾达到 124 家，发行总量居全国报业集团第六位。后来该报团的报纸渐渐减少，但也保持在 100 家以上，多于甘尼特公司。这一收购，使甘尼特在较为薄弱的威斯康辛州、俄亥俄州、印第安纳州及路易斯安那州的报纸数量有了显著增加，并令公司报纸覆盖的范围又多了两个州——马里兰州和犹他州。特别要提到的是，这一年甘尼特公司居然虎口夺食，从正处良好状态的纽约时报集团公司手中收购了位于路易斯安那州的一家报纸。

但 2001 年的“9·11”事件对公司经济造成较大冲击。据美联社 2001 年 9 月 21 日报道：“全国最大的报业公司甘尼特公司当天向公众发布预警报告，称由于恐怖袭击事件导致的广告大幅下滑，第三季度公司的收入可能较去年同期减少 15% ～ 20%。这意味着甘尼特股民去年第三季度每股赚 79 美分，而今年同季只能赚 63 美分，比专家今年第二季度预测的 73 美分低了 10 分。其他主要报业公司也不同程度受到冲击，论坛报公司、奈特—里德报团、道·琼斯公司和纽约时报公司均发布预警报告。对广告依赖较大的娱乐公司也出现收入下滑。拥有 CBS（哥伦比亚广播公

采访甘尼特公司报业高级副总裁菲利普·R. 柯里（中）和报业副总裁米歇尔·J. 福斯特

司）、MTV 及其他产业的世界最大媒体公司之一的维亚康姆公司（Viacom Inc.）也称袭击事件导致公司资金流量减少。”[①] 但次日美联社又报道说，自纽约证券交易所 17 日重新开盘以来，“尽管昨日甘尼特发布预警报告，该公司股票却不跌反升，购买该公司股票者大量增加，当日公司股票劲升 1.75 美元，收市报 57.30 美元”。[②]

笔者 2002 年回国前与公司报业副总裁福斯特女士通话时得知，公司的经济已经开始复苏，“9・11”事件带来的负面影响已基本消除。2004 年 7 月下旬，福斯特女士应笔者邀请访问深圳，得知该公司 2003 年经营总收入达到 67 亿美元，比 2000 年的 62 亿美元又增长了 5 亿美元。一切迹象表明，甘尼特，这家老牌报业巨头仍处于健康发展的快车道上。

四、百报运筹　全靠服务

梅兰尼小姐将我领到 3 楼的一个房间，向我介绍说：“这位是甘尼特报业高级副总裁菲利普・R. 柯里，负责新闻事务；这位是报业副总裁米歇尔・J. 福斯特（Michelle J. Foster），负责市场。”

两位老总笑容可掬地和我握手。柯里先生身材魁梧，福斯特女士体态微胖。坐定后，我扫视了一下柯里的这间办公室。办公室有一个角凸出去，因此有两面外墙。外墙即从天花板到地板的巨大玻璃，玻璃由细细的白色柱子自上而下垂直分割，此外再无任何窗框。这是我第一次从内部感受到这建筑的“透明度”，那玻璃也是我迄今所见最大的“落地窗”。

寒暄几句后，采访随即开始。

柯里先介绍了公司的一些情况，但有些地方与我从公司有关材料上得到的说法稍有出入。他说：

“我们公司在股东之下有首席执行官，然后有分管合作、日常事务、法律、财务、人事、采购等方面的负责人。全公司主要有四大部分，第一部分是报业分局，第二部分是广播分局，第三部分是《今日美国》，第四部分是英国报团。我们总共有 27 家电视台和广播电台，但我知道你主要对报纸感兴趣。公司有 45,000 名员工（资料显示是 53,000 名——笔者，下同），公司年收入约 65 亿美元（资料显示是 62 亿多美

---

① 均据当日新闻网站上查到的美联社消息

② 同上

元)。在报纸方面，我们有 97 份日报（未包括《今日美国》，公司最新材料表明共 99 份日报）。我们将公司在全国的报纸分为 8 个区域，它们分别是大西洋区、东区、新泽西区、皮德蒙特区、海湾区、太平洋区、中西区和南区。每个区设一正三副共 4 名区域总裁，由他们管理这 8 个区域的报纸。另外还有 3 份直属报纸，分别是《底特律新闻》、《亚利桑那共和报》、《印第安纳波利斯星报》三家发行量较大的报纸，它们各有一名首席执行官，直接归沃森（报业总裁）先生管。

“区域总裁们不在这里办公，他们大都兼着某个报纸的总裁或发行人。他们通常在各区域办公，办公地点尽量贴近区内各报。各报的结构虽有不同，但无非是新闻编辑、广告销售、发行、市场拓展、印刷、技术支持、财务、人事这些部门。每个区域一般管 5～25 家报纸，总裁们不仅要管好自己的报纸，还要管好区域内其他报纸。作为报业分局，我们还负责管理《周末美国》、甘尼特新闻社以及所有报纸的网站。我们报业分局的员工总数约 35,000 人，甘尼特公司总收入的 80％来自报纸。”

报纸多达百多家，集团怎样对它们实施日常管理呢？这是我最感兴趣的话题。柯里说：“就像一个报纸内部分为新闻管理和经营管理一样，我们集团公司也有类似划分。比如我是公司报业分局的高级副总裁，但我主要管新闻，即各报编辑部方面的事情；米歇尔则负责市场拓展。下面的部门也各有分工。我们要做的最重要的事，就是帮助集团除《今日美国》以外的所有日报对重大事项进行决策。例如，辛辛那提一位报纸总编辑打算让主报的一则新闻在各地方版刊用，但广告部门持不同意见，他们担心过于刺激某广告客户。这时他们就要我们拿主意。再如，当一家地方报纸的发行人决定挑选一名总编辑时，我就会下去和他一起工作，从我们更宽阔的视野里帮助他挑选合适的总编辑，当然最后还是由这位发行人自己决定。他们需要我们的帮助。还有，如果一家报纸想做重大的改变，如由晚报改为晨报，我们会在具体的操作程序上向他们提供帮助，因为我们在不同的地区都实施过这样的改变，可以说是富有经验且见多识广。这时，我和米歇尔也会合作，我负责编辑部方面的程序，她负责帮助解决市场经营方面的问题。现在越来越多的晚报或下午版改在早上出版，因此我们这方面工作挺忙的呢。总之，任何将对报纸今后发展产生重大影响的决策，我们都会参与。但同时，所有最终的决定都由各报自己的负责人做出。

“当各报提拔或任命一名副总编或副总裁时，那里的一号人物也会和我们商量。当他们遇到不好解决的难题时，我们会帮助他们分析。常

常是他们遇到的难题，某报早已遇到过并已妥善解决，这时我们就把别人的成功经验和做法传授给他们，事情就解决了。我们总是与各报共同解决难题，因此他们很欢迎我们的帮助。你问我们有多少工作人员？在这座大楼里，分管报业的仅有10人，包括我俩，尽管我们下面的总员工超过35,000人。我们试图让管理结构更浅、更宽，即人们所说的'扁平式管理'。我们不设很多层次的部门，这样最高管理者可以尽量靠近基层管理，上下沟通方便，有助于提高效率。"

柯里的上述谈话，使我对"领导就是服务"的概念有了真切的印象。在这家全球首屈一指的大型报业集团，总部管理报业的干部仅有10人。这10人做的主要工作并非发号施令，而是"为基层服务"（套用中国一句流行语）。他们利用自己的经验，利用自己对全局信息的掌握，利用总部的资源优势，向基层报纸提供各类帮助，为基层解决单一报纸较难解决的问题，在帮助的同时有效地实现了对全局的控制和管理。这一点在后来的采访中还可以感受到。

例如在谈话之后，福斯特副总裁陪我在大楼里参观。我们走过一楼的一个通道，来到一个开阔的场所，这里至少有七八个大房间，墙壁都是银白色的，看上去整洁干净，有一两处墙上挂着大幅鲜艳的现代装饰图画，显得分外耀眼。房间旁还有若干敞开式厨房。福斯特告诉我，这就是公司的培训中心。这些房间可以合并成若干更大的房间，也可以隔离成许多小房间。她介绍说："我们开展很多很多培训。这个培训中心可以同时培训300人，包括供他们就餐。我们每年为各报员工提供不同内容的培训项目。眼下我们正在筹备报纸新闻网站的培训。**甘尼特公司所属日报的所有新员工，都必须经过公司的集体培训。这是我们用以提高集团报纸总体水平的一个基本途径。另外我们还举办一年一度的广告设计竞赛，今年的竞赛马上就要开始。**"

说着，她把我领进一个大房间，那里果然有两位女员工在布展，几个长条桌子上摆满了衬着黑底的各报广告样报，有些已经上墙。这些报纸五彩缤纷，有的富含艺术性，有的颇具冲击力。她说，这项竞赛共设17个奖项，最高奖可获得2000美元奖金。举行这一竞赛的目的，是让集团内的报纸互相学习，交流设计经验，从总体上提高甘尼特报业的广告设计水平，以吸引更多广告商向集团内报纸投放资金。

然后我们来到与两位老总同在一层的新闻社。新闻社也归报业分局管理。福斯特说："我们开发了不少新闻产品，也是为各日报服务的。从前几年开始，我们为各报制作一些各报以自己力量达不到的优质版面。例如我们现在制作的版面叫做'E'版，是有关IT消费产品和科技内容的，包括网上信息采集、个人软件、移动电话、数字电视、MP3等，共 6 页，每周一次。这些版上还有专为家长和孩子开设的栏目，如‘与孩子一起玩电脑’（Computing with Kids）。‘E’版的创办目的是向读者提供消费类现代科技成果的指导信息。”她强调说：“我们这样做并非想越俎代庖。我们认为集团公司拥有的信息多于大多数报纸自己所能获得的信息。我们主要从公司的信息资源库获取信息，同时也从下面一些报纸吸取优质的新闻稿件，然后将所有这些优质信息精心编排，制作成品版面向各报传输。各报可以用全部 6 页版面，也可根据自己的需要（如有的报纸较小，版面较少），选择其中若干版面。如果他们有需要，我们还可专门为这些节选的版面重新设计。我们这样做，就是发挥集团的资源优势。”

我看到几位编辑正在电脑上查看小样。应我的要求，一位编辑出了一套最近的“E”版清样。这是对开全彩色的专版，头版图文并茂，6 厘米高的通栏版头以蔚蓝色为底，上书一个三维金属效果的大“E”字，旁边是带图的导读，下方有一行小字：“个人消费科技一周指南”（A WEEKLY GUIDE TO PERSONAL TECHNOLOGY）。栏头未标任何报纸名称，只有“甘尼特新闻社”（Gannett News Service）字样和甘尼特公司网址。头版内容从《高科技玩具妙不可言》、《应对炭疽病恐慌》、《电脑游戏的程序控制》，到《让国家身份证件包含更多信息》、《微软 XP 软件令电子音乐爱好者大吃一惊》等，可谓琳琅满目，版式也颇现代。福斯特女士在一边继续介绍说：“这个版是去年 10 月推出的，很受欢迎，集团内至少有 90 多家报纸全部或部分采用了它。该版创刊一个月，网上该版的点击率就超过 100 万次。”

关于甘尼特公司属下的其他 300 多份周报或半周报，报业分局基本不问。这些报纸只通过财务报表等与公司财务部门发生关系，及时反映盈亏状态即可。公司对它们采取一种松散的管理方式。当我问及日报与集团公司的经济关系时，柯里的回答过于简单：“（这些报纸的）资金由这里提供（Money comes from here）。”至于各报赚的钱，他的回答是：“当然交回公司，但这里会根据它们的合理预算给足运作和发展资金。”

五、沃森总裁谈报业集团优势

两位老总关于甘尼特对集团内报业管理的介绍，使我很受启发。但要作更深入的了解，这样的谈话仍嫌不够。所以在写到这一章时，我与福斯特副总裁多次联系，希望补充更多的信息。有一次，她说起她曾代表传媒采访过甘尼特公司报业总裁加里·L. 沃森先生，问我是否有兴趣看看那次对话的记录。我听了很高兴，因为沃森正是我这次访问的首选对象，可惜他太忙，无缘面谈，能有这个补充，那再好不过了。

她先让工作人员传真给我，但字迹不清。她干脆通过 UPS 快递公司将文章的复印件特快专递到深圳。我一看，原来是 1997 年她应邀给中国的《现代广告》写的一篇对话体文章，由当时在美国攻读博士学位的李海荣（音译）帮助翻译的。在这篇文章里，福斯特问了很多非常好的问题，沃森的回答也干脆而到位。文章内容基本不涉及广告，所以我对《现代广告》这样的杂志能广开思路、较早关注外国报团的一般业务管理而略感惊奇。

经福斯特女士同意，我在这里摘录部分对话，主要是关于报纸的集团化管理的优势及怎样发挥这些优势（个别标点和字句有所改变）：

福斯特： 甘尼特集团的报业和其他媒体业务遍及美国各地，那么这种多市场经营模式具有什么样的优势？

沃森： 优势有两个。第一是在全国不同地区开展业务，可以使我们免受区域经济滑坡的影响。比如 70 年代中西部地区的报业经济衰退，但我们在佛罗里达和加利福尼亚的业务却获得了巨大的增长；而 80 年代末至 90 年代初，东西海岸地区经济很不景气，而我们中西部的业务却保持了稳定，东南部则呈现出一派繁荣。第二，我也相信拥有不同类别的产品业务链群是很重要的。比如报纸业务具有周期性，并与国民经济密切相关，特别是我们有关招聘、汽车、房地产和私人事务的报纸分类广告业务很容易受到宏观经济形势的影响；而其他如电视业务，则与国民经济的联系不那么密切，从而使我们的收益状况长期保持良好态势。

福斯特： 您是怎样在多个市场经营甘尼特报业的？

沃森： 在一家大公司，你必须采取灵活措施尽快促成变化。一个成功地例子是，我们负责采购的甘尼特物资供应公司是北美最大的新闻纸购买商，我们通过统一采购我们各报所需的新闻纸，大大降低了我们所有报纸的成本。又如，我们最近解散了我们的全国性广告销售集团。虽然作为国内最大的报业机构，我们的这个销售集团曾足以吸引各大零售商，并将多家报纸的广告版面卖给他们，但如今全国的广告市场却在改变，我们已不再适应国内零售商购买广告版面或时段的方式了，而且我们发行量超过 10 万份的报纸还不多，真正有效的全国性报纸也不多。因此，我们决定解散全国性销售集团，而与甘尼特以外的公司合作，以便使我们的市场定位更具竞争力。

Gannett Co., Inc.

福斯特：这就是说，在多个市场经营好甘尼特的业务是可行的。

沃森：经营一家媒体公司并不像把一家麦当劳餐厅放到各个角落那样简单。在新闻界，每一个市场都是独特的。同那些收费昂贵却不一定了解我们这个行业的顾问们有所不同的是，我们能够从我们彼此的不同经验中学习，从而使我们在全国范围内做出更好的决策。比如，我们今年已建立了30个网站，这些靠的是我们在成长中积累起来的经验。虽然其他公司也可建立30个网站，但显然它们的成本要更高，所冒的风险也会更大。

福斯特：甘尼特最近通过收购一些大业务而获得了快速的成长。那么当你准备收购一项有利可图的业务时，你的决策是基于该项业务本身还是所在的当地市场？

沃森：二者都有。关键是看它的增长潜力。增长可能来自更好的经营以及市场的繁荣，或者二者兼而有之。在一个稳定的市场上，我们考虑的是能否将经营管理的专门知识融入其中并促进其业务的发展。我们的经验能够帮助我们产生更多的利润吗？或者该项业务是处于一个成长着的市场并且可以使我们的投资随之增长吗？当然，理想的状况是二者同时具备。如我们在加利福尼亚 Palm Springs 的报纸就是这样，那里正处于成长中的市场和我们更加强有力的经营已经带来了更好的业绩。

福斯特：这意味着不论该项业务大小，你都会特别看重其收益吗？

沃森：不全是。有些公司给当地经营者下达一个硬性的利润目标，如果没有其他措施配合的话，这种方式就有可能使你丧失掉在这个市场上具备的真正潜力。因为不考虑长远最大利益而一味追求这一硬性目标的实现是很容易的事情，但这是一种短见。即使你短期内可以赚很多钱，但用不了多久你就会无钱可赚。所以，如果想要使我们的公司成长，重要的是我们购买更大的企业，因为经营一家小报同经营一家大报相比，要花费同等的精力和努力。所以经营更大的企业，在花费同等经营力量和时间的投入时，会带来比小企业更高的回报。

福斯特：既然如此，甘尼特为什么还保留一些小型和中型的报纸呢？

沃森：除了这些中小规模的报纸收支情况良好之外，它们还担负着培训我们经营人员的重任。新的经营人员和业务主管可以从中获得他们最重要的专业知识。每个人都会犯错误，这是学习过程中的重要组成部分。通过拥有较小的报纸，我们就能支撑起内部激励模式并允许我们的员工犯错误，而这时所犯的错误对公司的影响并不大。

福斯特：在报纸业务中，你对各家报纸都保持着同样的结构，这是为什么?

沃森:如果在每一个地区都有同样的结构，管理起来就会容易得多，而且这也使得员工激励变得更容易，因为他们可以从一家报纸调到另一家报纸并且马上取得成效。我们在各地使用同样的计算机、同样的客户计划、同样的软件以及同样的财务报表系统。当一位业务主管或管理人员调任到一家新的机构时，他们就会立即投入工作，而不必再学习运用所有新的工具。保持各机构一致性的另一个重要理由是，所有的机构都会定期地遭遇紧张和混乱局面，而这种结构则有助于组织的稳定和继续运转。我们已经以一种有序的方式度过了剧烈变革的时期，而且没有损害企业的表现。①

福斯特与沃森的这番谈话，加深了我对报业集团管理优势的认识。我想，成立了集团怎么办?这正是很多中国报人关心的问题。

六、JOA合作前途未卜

在上午的采访中，两位老总还谈到公司的JOA情况。

JOA是“报纸合作经营协议”(Joint Operating Agreement)的英文缩写，是美国报纸之间合作的一种特殊形式，即经过报团之间的协商，把两家竞争对手报纸中编辑部以外的经营部分剥离出来，共同组建成新的公司，统一经营报纸的广告、发行等业务，所得利润按协议约定分配。1970年，美国颁布“报纸保护法”(Newspaper Preservation Act)，目的在于当市场难以维持两家相互竞争的日报时，维护该市场的言论多元化。根据这一规定，报纸编辑部的运作仍然各自独立运作，但其他各经营部门可以合并。报纸的这种合作可以免受美国反垄断法制裁。

柯里说:“我们有三家报纸参与JOA，一家在密歇根州的底特律市，一家在亚利桑那州的图森市，一家在俄亥俄州的辛辛那提市。我们曾经还有好几家JOA报纸，但那些都结束了合作。例如最近结束合作的报纸是夏威夷檀香山的报纸。”

我知道美国的JOA曾引起不少争议，还听说底特律的报纸在实施JOA前后还引起报社工人大罢工，一度轰动全国。我趁此求证此事。

福斯特女士回答说:“我们不认为底特律的罢工是由JOA引起的。

① Michelle J. Foster:《如何在多个市场成功地经营一家报业集团》,《现代广告》, 1997年第6期

那是一场劳资纠纷。事实上是这一纠纷导致我们决定立刻实施 JOA。上世纪 80 年代，那个城市（指底特律）的两份报纸竞争激烈得不可收拾，它们是我们的《底特律新闻》和奈特—里德报团的《底特律自由报》。两家报纸从早到晚争个没完没了，双方都投入巨资以期获胜，但实际上是两败俱伤。于是到了 1989 年，美国政府同意我们实施 JOA。你说合作经营是为了省钱？也对也不对。JOA 的真正目的不是为了省钱，而是为了拯救两家报纸，为了在同一个地区保持两种观点不同的报纸，从而向读者提供多元化的信息选择，避免舆论一律。如果让两家报纸像原来那样继续竞争下去，最后的结果是一死一伤，读者届时只能读到一份大伤元气的报纸。而如今，读者可以从两家主要报纸听到不同的声音，有利于自己对事物的正确判断。在这一过程中，由于你合并了一些报纸的功能，例如经营部门、发行部门等，所以你省去一些经营成本。但就底特律而言，由于一家报纸是晨报，一家报纸是晚报，所以你还是得在两家报纸的发行上花费人力，并不能省多少。你还得有不同的广告部门，所以成本是省些，但不像人们说的那么多。两家报纸的编辑部门是完全独立的。实施 JOA 后，两家报纸的广告价格得以小幅回升，因而收入开始增加。我们在底特律的报纸是一份地方报纸，那里的市场只有一定数量的广告商，广告潜力也是有限的，恶性竞争使两家报纸都难以存活，JOA 挽救了它们。对报纸来说，在一个地方独家经营当然最好，这样它可以挣更多的钱，但对读者而言，一个市场最好有两家报纸。从这个意义上说，JOA 对竞争的两家报纸和对读者都有利。”

看来，福斯特对 JOA 的评价是相当高的。在访问甘尼特之前，我曾访问过底特律，那里报业的情况诚如她所言，但罢工的原因似乎比她说的要复杂。接着，她介绍了另外两座城市的 JOA 情况。有趣的是，这两座城市的对手报纸也是一家晨报和一家晚报，格局与底特律相似。她说：“在图森市，我们公司的《图森公民报》（晚报）和普利策公司的《亚利桑那星报》投入同样的资金实施 JOA 合作。在辛辛那提市，当地最大的报纸是我们的《辛辛那提问讯报》，对手报纸是斯克里普斯集团的《辛辛那提邮报》（晚报）。”

“但是，”她话锋一转，**“JOA 将走向消亡，原因是经济不景气，一个市场的资金最终还是难以支撑两家报纸。其中的第二家报纸，特别是晚报，将难以生存。”**

她的话不无道理。据当地媒体报道，美国颁布条例推行 JOA 的目的，是将报纸的经营部分合并以维持编辑部的独立存在。理由是，将某些经营部门统一办公，可以免去恶性竞争，使其中一家报纸免于被淘汰出局。美国国会最早于 1970 年同意这种合作。但在实际运作过程中，两家报纸很难做到在权力和利润分配上的绝对公平，即绝对的一半对一半。最新的 JOA 于 2000 年出现在科罗拉多州首府丹佛市。至此，美国历史上总共出现过 27 对 JOA 报纸，共 54 家报纸，协议终止期最长到 2090 年。但其中 15 对已经解体。在解体的报纸中，有 9 家报纸停刊，2 家报纸被另一家报纸吞并，1 家报纸改为周报。可见，失去 JOA 的保护，报纸果真难以两全。但檀香山和旧金山的两对报纸是个例外。它们相继提前终止了 JOA 协议。其中，在旧金山，赫斯特报团卖掉了《旧金山检察报》，却买进当地最大的报纸《旧金山纪事报》；在檀香山，甘尼特也将自己原有的下午版《檀香山星报》卖给当地的商人，而购进更大的报纸《檀香山广告报》。出人意料的是，这两市的报纸并未因为 JOA 合作体系终止而消亡，它们仍然存活着。报纸的激烈竞争依然故我。

到笔者回国为止，美国仍存在 JOA 合作报纸的城市共有 12 个，见下表：

序号	地名	报纸	发行量	隶属	终止期
01	辛辛那提市	辛辛那提问讯报 辛辛那提邮报	194,328 72,616	甘尼特公司 斯克里普斯报团	2007
02	盐湖城	盐湖城新闻 盐湖论坛报	61,609 129,836	圣基督教会 基恩斯论坛	2012
03	伯明翰市	伯明翰新闻 伯明翰先驱邮报	150,346 25,652	前进出版集团 斯克里普斯报团	2015
04	亚利桑那市	亚利桑那星报 图森公民报	91,561 42,267	普利策出版公司 甘尼特公司	2015
05	佛韦恩市	佛韦恩日报 佛韦恩新闻哨兵	61,782 48,289	家族拥有 奈特—里德报团	2020
06	阿尔伯克基市	阿尔伯克基日报 阿尔伯克基论坛报	113,694 25,061	家族拥有 斯克里普斯报团	2022
07	西雅图市	西雅图时报 西雅图邮讯报	219,698 191,169	西雅图时报公司 赫斯特报团	2033
08	查尔斯顿市	查尔斯顿公报 查尔斯顿每日邮报	51,514 49,906	家族拥有 汤姆森报团	2036
09	丹佛市	丹佛洛基山新闻 丹佛邮报	396,114 376,549	斯克里普斯报团 传媒集团	2051

序号	地名	报纸	发行量	隶属	终止期
10	拉斯维加斯市	拉斯维加斯评论报 拉斯维加斯太阳报	158,441 38,332	多雷传播集团 家族拥有	2049
11	底特律市	底特律自由报 底特律新闻	365,145 232,434	奈特—里德报团 甘尼特公司	2086
12	约克市	约克派遣报 约克每日记录报	40,323 43,003	媒体新闻公司 巴克纳新闻联盟	2090

注：以上发行量为 2001 年上半年统计数据。①

七、热情的副总急流勇退

和两位老总谈了约一个小时，柯里说他要去参加一个会，委托福斯特陪我参观。于是在此后的其他时间包括吃午饭，福斯特女士都和我在一起。

福斯特是她的姓，她的名字叫米歇尔，但她却让我称呼她迈克尔，以至我一直以为她的名字是 Michael，还纳闷她怎么用了个男子名。回到纽约后核对她给我的名片，上面却分明印着米歇尔（Michelle），两个英文名字很相似，所以我觉得还是按白纸黑字印刷的名字称呼她更稳妥些。后来我知道她还有一个中国名字，是按她英文姓氏的谐音起的，很像中国人的名字：冯思敏。我回国后与她通信，她似乎更喜欢我用她的中国名字的拼音：Simin。

这位甘尼特公司的报业副总裁看上去有 50 多岁，身穿一件粉红色开衫，外面还披着一条鲜艳的花丝巾，黑色连衣裙上衬托着一条银灰色金属项链。这是典型的美国妇女打扮——随意但爱装饰。

初次见面，米歇尔就给我热情爽朗的印象。令我吃惊的是，这位白人妇女竟会说不少中文，有的中文发音还很地道，而且能够很快地说一连串的话。问她怎样学的中文，她说上世纪 70 年代初期在台湾学过中文，中美建交后她又应聘在北京外贸大学当过专家，顺便也学了一段中文。她说可惜这几年用的机会不多，一些学过的词又忘了。我们在一起的时候她常插上几句中文，然后自己先笑起来，我有时也用尽量标准的普通话回答她的问题。她的听力比说话强，很多话都能听懂。

① *Facts About Newspapers — A Statistical Summary of the Newspaper Industry Published in the Year 2001*, Newspaper Association of America, 2001

米歇尔陪我走了一圈。在经过一间办公室时，她领我走进去并将屋里一位女士介绍给我："这位就是甘尼特公司的公共事务部主任塔拉·康内尔（Tara Connell）。你的这次访问，她还从中做了一些工作呢。"我忙表示感谢，心里却在想为什么她没有和我联系而是副总裁的秘书从中牵线？瘦瘦高高年约50岁的康内尔女士热情地和我打招呼，让座。我见米歇尔在百忙中陪着我，便没敢逗留，但表示希望今后能继续向她请教问题，她很爽快地答应了。

然后，我们来到大楼甘尼特公司这一边的顶层。米歇尔告诉我说，公司的董事长兼首席执行官道格拉斯·H. 麦克科金戴尔的办公室就在这层，但他现在不在公司。我注意到这层楼的装饰典雅精致，周围被一种蓝色基调所环绕：宽阔的走廊，灰黄色花纹的大理石地板擦得锃亮、一尘不染，地板上每隔几步可见一块约40厘米见方的蓝色玻璃，里面隐约透着光，似乎可透过它看到底下一层，其实什么也看不见；走廊两侧墙壁由淡绿色磨砂玻璃组成，玻璃上有若干幅抽象的灰白色图案，其中有一幅图案酷似中国的太极图；走廊尽头靠近拐弯处的丁字路口，一个宝蓝色的一人多高的玻璃圆球立在光亮的大理石地板中央，似透非透，稳若泰山，仿佛一个巨大的蓝宝石被人遗忘在静悄悄的角落，它与地板上那些蓝色的"窗口"寒光互射，为走廊平添一种神秘色彩；走廊两侧还有白色的长条皮凳，供人休憩。

走过丁字路口，与刚才蓝色世界相垂直的走廊同样宽阔光鲜。所不同的是，这个走廊的一侧是巨大的玻璃外墙，我们居高临下，甘尼特公司新址大院的风光尽收眼底，那里是大片的绿地、清澈的小河、棒球场、露天餐桌、弯曲的小道……从这里，也能清晰见到这座建筑的另一座塔楼，那是《今日美国》的办公楼，因全部是玻璃房，里面晃动的人影依稀可见。米歇尔又领我走进一间宽敞的会议厅，说这就是公司董事会开会的地方。屋子中央是一个长方形的暗红色樱桃木会议桌，中间有4处接线用的插座，周边配有二三十张白色座椅，与屋内的深色基调形成强烈反差。靠近桌子一头的墙上镶嵌着大型投影屏幕。会议厅有一面墙是用暗花布装饰的，颇具东方韵味，其余墙面仍是银灰金属色，与大楼其他很多场所的基调保持一致。

到了中午，米歇尔执意要请我去吃饭。餐厅在一层，面积很大，地下仍是灰色大理石。进门的右手边，是成排的各类瓶装或罐装饮料，然后是一个大不锈钢桌，上面的窟窿里分门别类地插满了刀叉、汤勺等不锈钢餐具和吸管等饮具，旁边是一摞蓝色塑料餐盘。往里走，可见若干方形柜台，各个柜台的饮食风格互不相同，每个柜台四周有很多品种，可自取，也可请柜台中间的服务员代劳。米歇尔示意我自便，我便到一个有米饭和菜汤的柜台挑选了几样饭菜。这几个柜台共用一个收银台，米歇尔坚持掏钱为我付了款。我说你们美国人不是喜欢 AA 制吗？她笑着一个字一个字地用中文说："这次例外，因为你是我的尊贵客人。"连收银小姐听了也忍不住笑了起来。然后我们坐在靠窗的餐桌，她吃着比萨饼，我享用着准中国餐。这时就餐的人已渐渐多起来，但并不拥挤，桌子似乎足够用的。

谈话中得知，福斯特曾获国际管理硕士学位（Master of International Management），并在 1970 年代末至 1980 年代初在汉语学习上下过功夫：1979～1980 年，她在中国台湾的台北市参加一个大学交流项目学习中文；1980 年在衣阿华大学参加亚洲研究并获得学士学位；1982 年作为外国专家应邀到北京外贸学院（如今的外贸大学）工作，同时继续学习中文，难怪她的中文不错。她在甘尼特公司的经历始于 1984 年：1987 年的前几年，她在前面提到的甘尼特公司在衣阿华州的《得梅因纪事报》任广告营销主管；1997～1990 年，她调任密歇根州首府的《兰辛州报》（*Lansing State Journal*）市场营销部主任；1990～1991 年，任佛罗里达州的《新闻报》（*The News Press*）的市场营销部主任；1991～1992 年升任甘尼特公司报业分局市场发展部主任；1992 年至今，再升任为甘尼特公司主管市场发展的报业副总裁，掌管着总额为 54 亿美元的甘尼特报业（包括 100 家日报和 100 多个网站）的市场规划重任。迄今她掌此要职已 10 个年头。从福斯特的成长过程，可明显看出甘尼特公司对她培养锻炼的轨迹。一个在南北东西子报磨炼多年的管理人员，才有可能进入甘尼特高层管理岗位。

我还获悉，福斯特 10 年前不幸得了癌症，好像是腺癌，所幸治疗很成功，迄今未复发，所以她相信已经得到根治。我也确信她早已康复，因为她看上去是那样的健康。她说，在甘尼特公司工作，很稳定，工作环境很好，给她的待遇也不错，公司甚至为她配备了小汽车。所以她打算在甘尼特一直干下去，暂时没有跳槽的计划。她对中国印象很好，说今后若有机会，还会再去。

吃完饭，她赶紧上楼办公。我见离采访《今日美国》的时间还有半个小时，便在周边逛了一阵。

回国后，我一直与福斯特女士保持着联系。2002 年底的一天，她突然发来邮件说她已向公司提出辞呈。"我的辞职不是因为发生了什么问题或错误，而是我想干一些自己感兴趣的事，"她解释说，"事实上，公司多次挽留我，但我真的想干些别的事。"后来我知道，她所谓想干些自己更感兴趣的事，一是到亚洲欠发达国家帮助培训报纸人员，二是为这些国家的孤残儿童做些善事。其实两件都是助人为乐的事。放弃全球最大报业集团待遇优厚的高层岗位，却去扶贫助困，的确让人顿觉意外。联想到她早年就曾在中国的台湾和大陆工作学习过，也可看出她对中国乃至亚洲国家很有好感。

当然，得先休息一下，然后争取基金的支持到亚洲从事研究或帮助性的工作，她说。此后不久，她说和先生在郊外买了一栋别墅，又去陪老母亲外出旅游了一趟。她在2003年夏天给我的电子邮件中，兴奋难抑地说好久没有这样轻松过了，趁着空闲读了不少书，并难得与父母相聚这么久。此后，她还陪她的好朋友、一对美国夫妇到中国江西南昌市收养了一个中国孩子。就在这次行动中，她和朋友目睹了南昌福利院的简陋条件，遂决定捐献一些钱为福利院装修，还免费辅导福利院少年儿童学了几天英语。

与此同时，她一直积极申请奈特基金会的海外资助项目，到年底果然如愿。2004年2月，她在华盛顿接受一周的培训之后，来到柬埔寨，帮助那里的新闻界培训报纸工作。后来她还去越南和老挝做同样的工作，所有费用由奈特基金支付。

她在柬埔寨待了5个月。在给我的信中，她描述了那里的情形，还将柬埔寨与越南、老挝作了比较。她觉得柬埔寨是三国中最贫穷的，国民受教育程度也很低。当地的东西很便宜，也很有特色。但乞丐很多，大多数是上学的男孩子，他们上午上学，下午到市场乞讨。她一开始给这些孩子一些钱，但当地人告诉她，不应该给他们钱，因为他们总是拿这些钱去买毒品或赌博。于是她就常常买一些面包或果汁送给乞讨者。她从柬埔寨来到香港的最大感受，就是终于又看到那么多人在阅读了，他们在读报纸、读杂志、读书，而在柬埔寨，公共场合几乎看不到人阅读。在柬埔寨期间，适逢两大政党组成联合政府，这是两党协商的结果，于是政府很庞大，有很多部门。她觉得当地的报纸倒是比较自由。她见一些报纸发表评论批评政府的架构，说为什么柬埔寨比美国小得多、穷得多，而政府机构却如此庞大，官员数量比美国还多。另外，柬埔寨虽然落后，却有若干颇有影响的外文报纸，如英语日报、法语日报、德语日报等。这一点倒是超过了中国。中国这么大的国家，目前英语日报只有三家，即《中国日报》（*China Daily*）、《上海日报》（*Shanghai Daily*）和《深圳日报》（*Shenzhen Daily*），其他语种的日报完全没有。

尽管柬埔寨贫穷，她离开时还是依依不舍，到机场的路上看到很多人在屋顶上放风筝就觉得很亲切。2004 年 7 月，她结束了在东南亚的义务工作。趁她回国前一段空隙，我邀请她来深圳看看，并为深圳报业集团的干部讲课。她欣然同意，于 7 月 19 日抵达深圳。这次见面，我发现她比 3 年前我见她时瘦了，但气色很好，显得更年轻了。她说出来半年，很想家，家里人也很想她，所以她恨不能立刻就飞回美国。21 日，她应邀为深圳报业集团经营管理方面中层以上干部讲了整整一天课，重点是报业集团的管理，受到热烈欢迎。第二天一早就匆匆飞往南昌。她要趁这次访问中国的机会，再去看看福利院的老人和孩子。她说那里有位女青年，长得很漂亮，但因恋爱问题被原男朋友毁了容，双手也烧残废了，精神也有了问题，很可怜，她要去看看她，还要看看上次捐助的装修计划完成得怎样。月底前，她一定要回到美国，她说。

www.usatoday.com | THE NATION'S NEWSPAPER | 50 CENTS

USA TODAY

NO. 1 IN THE USA

FINAL SPORTS

Teams play wait-and-see for free agents

AL star Jason Giambi, right, and home run king Barry Bonds are available. But so far, few teams are coming to bat. Top players ■ 7C

By Robert Deutsch, USA TODAY

Is 'Millionaire' out of lifelines?

ABC may not renew TV mainstay next year. 1D

Thursday, November 29, 2001

Newsline

■ News ■ Money ■ Sports ■ Life

■ Dow and Nasdaq stocks slide

Dow Jones industrial closes down 160.74 to 9711.86; Nasdaq drops 48.00 to 1887.97; 30-year Treasury bond yield rises to 5.36%. 1, 4B.

► USA TODAY Internet 100 falls 1.79 to 49.93. 4B.

► Japan's Nikkei average is down 46 points, 0.4%, to 10,579 early today. Hong Kong's Hang Seng index is down 70 points, 0.6%, to 10,996.

Justice Dept. defends aggressive stance

While senators express concern over use of military tribunals, Justice Department lawyer tells Senate committee that detainments and other aggressive moves are necessary in the war on terrorism. 4A.

Supreme Court reviews Internet porn law

Federal law prohibiting availability of online pornography to children under 17 is tested before high court. American Civil Liberties Union lawyer says it is a problem for parents, not the government. 4A.

U.S. agrees on smallpox vaccine deal

Efforts to stockpile vaccine in case of emergency lead to $428 million deal with Baxter International and Acambis to provide United States with 155 million doses; government is preparing to buy more. 1B.

By Ron Frehm, AP

Bright lights, big tree in NYC

Rockefeller Center Christmas tree is lighted Wednesday night in New York, above. In Washington, White House tree arrives, and first lady pledges the public a video peek because tours are canceled. 11A.

Military truce during Olympics denied

"We have to be realistic," International Olympic Committee chief responds to President Bush's denial of IOC's request of a military truce during the Winter Games in Salt Lake City. 1C.

■ Today's debate: Beyond Afghanistan

In USA TODAY's opinion, "Get tough with Iraq? Yes — when timing is right." 15A.

► "Knowing he is doomed, Saddam could decide to take us down with him," say Ivo H. Daalder and James M. Lindsay of the Brookings Institution. 15A.

■ Money: Enron deal falls through

Dynegy withdraws $9 billion plan to buy ailing Enron, leaving the energy trader on the verge of having to file for Chapter 11 reorganization. 1B.

■ Sports: Picabo Street ready to ski

The Olympic skier is putting her injuries behind her, and she fills fans in with an occasional diary that starts today, the same day she returns to competition. 7C.

■ Life: War's dangers hit media hard

More journalists than U.S.-led troops have died recently in Afghanistan, as media struggles to live in and report on an increasingly lawless zone. 1D.

► DNA from genetically modified corn is found inside native varieties grown in a remote mountain area of Mexico. 15D.

By John O. Buckley

USA TODAY .com Get breaking news updated 24 hours a day, 7 days a week. Visit us on the Web at www.usatoday.com

USA TODAY Snapshots®

Wheat acreage harvest shrinks

U.S. farmers harvested 48.7 million acres of wheat this year, 8% less than last year and the smallest acreage harvested since 1972. Annual wheat acreage harvested: (In millions of acres)

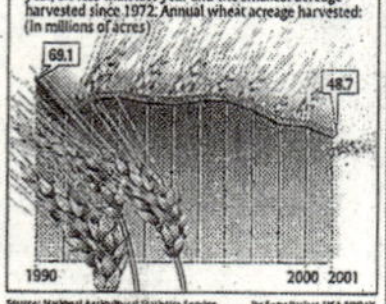

Source: National Agricultural Statistics Service | By Suzy Parker, USA TODAY

Subscriptions, customer service 1-800-USA-0001
www.cs.usatoday.com

Holiday books guide

8-page pullout For comfort, escape or just a good recipe, 7D

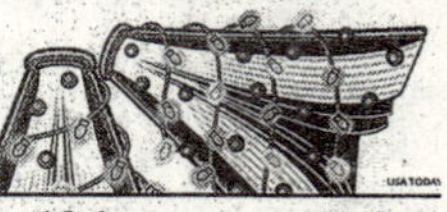

USA TODAY

Fight to death, Taliban told

Family photo via AP

Spann: Alabama native trapped while interrogating Taliban prisoners, CIA says.

CIA identifies war casualty in prison riot

By Larry Copeland
USA TODAY

The first American casualty in Afghanistan since U.S. bombing began nearly 8 weeks ago is a CIA officer, the agency confirmed Wednesday.

Johnny "Mike" Spann, 32, was killed during prison rioting at a compound at Mazar-e-Sharif in northern Afghanistan, CIA Director George Tenet said.

Spann, who was at the compound to interrogate captured Taliban prisoners, was trapped inside when the riot erupted. He had been missing since Sunday.

The agency gave few details of the circumstances surrounding Spann's death. But the CIA rarely even acknowledges that one of its officers has been killed.

The agency almost never speaks publicly about where it operates or what its agents are doing — even after they're killed. Only 43 of 78 agents killed in the line of duty have ever been publicly identified.

"It is unusual to identify a CIA officer who has died in the course of duty, but we believed in this case it was fitting and appropriate to do so," CIA spokesman Mark Mansfield said.

The U.S. flag outside CIA headquarters in Langley, Va., was lowered to half-staff. In an address to agency employees Wednesday morning, Tenet praised Spann as "an American hero" who "fell bringing freedom to a distant people while defending freedom for all of us here at home."

President Bush regrets the death, spokesman Ari Fleischer said.

"The president understands that this battle began Sept. 11," Fleischer said. "There may be more injuries, there may be more deaths, and the president regrets each and every one."

Hundreds of prisoners and dozens of their Northern Alliance captors also were killed during the uprising. The Northern Alliance ended it Tuesday with the help of U.S. airstrikes and special operations.

The war in Afghanistan began Oct. 7 when the United States launched airstrikes against the Taliban, then that nation's ruling force, and Osama bin Laden's al-Qaeda network, which the Taliban was sheltering. Bin Laden is the accused mastermind behind the terrorist attacks in New York and Washington on Sept. 11.

Spann was an officer in the CIA's Directorate of Operations, the agency's clandestine service. He grew up in Winfield, Ala., about 75 miles northwest of Birmingham. He joined the agency in June 1999 after 8 years in the Marines.

"Mike was a loyal and patriotic American who loved his country very much," said his father, Johnny Spann. "Our family wants the world to know that we are very proud of our son Mike and we consider him a hero."

Asked whom he blames for his son's death, Johnny Spann said: "Osama bin Laden."

Contributing: Barbara Slavin

► Proud hometown, 8A

By Jim Hollander, Reuters

U.S. troops in battle: A Marine plugs his ears Wednesday as another Marine launches a mortar round on the perimeter of their base outside Kandahar in southern Afghanistan.

Order comes as U.S. targets leadership

By Jack Kelley
USA TODAY

ISLAMABAD, Pakistan — The Taliban's supreme leader ordered his commanders Wednesday to fight to the death against U.S. soldiers on a day the Pentagon declared its top objective to be hunting down the regime's leadership.

Mullah Mohammed Omar, who the Taliban said was unharmed in a U.S. bomber attack Tuesday, told his fighters not to surrender.

"You must stand strong, my brothers," Omar said in a radio message. "Don't vacate any areas."

The Taliban's former ambassador to Pakistan, Abdul Salam Zaeef, said no leaders were hurt in the attack on a compound south of Kandahar. The site was believed to be a base for top figures of the Taliban and the al-Qaeda terrorist network loyal to Osama bin Laden.

Pentagon spokeswoman Victoria Clarke said it was not known whether any leaders had been killed. A Taliban spokesman said Omar had been whisked from the compound shortly before the bombs struck and was defiant.

"Stick to your positions and fight to the death," Taliban official Hafiz Majidullah quoted Omar as saying. "We are ready to face these Americans. We are happy that they have landed here, and we will teach them a lesson."

About 800 Marines have taken over an airstrip outside Kandahar, the last city controlled by the Taliban. Their mission is to prevent Taliban leaders and their supporters from escaping, the Pentagon said.

"If we break the leadership of the Taliban and break the leadership of al-Qaeda, there is reduced motivation for troops to stay loyal to the cause and continue to fight," Rear Adm. John Stufflebeem said at the Pentagon.

Meanwhile, Pakistan began deploying hundreds of troops and intelligence officers to neighboring Afghanistan to help in the manhunt for bin Laden, U.S. and Pakistani officials said.

Americans showed overwhelming support for the U.S. troop buildup. A USA TODAY/CNN/Gallup Poll found 91% approve of the use of U.S. ground troops in Afghanistan. More than nine in 10 said they were "very satisfied" or "somewhat satisfied" with progress in the war, and 64% said they were "not too worried" or "not worried at all" about terrorism striking them or someone in their family — the highest level since Sept. 11.

Contributing: Wire reports

► FBI still stumped in anthrax probe, 3A

► Scientists to use robot to open letter to Sen. Leahy, 3A

THE threat OF nuclear terror IS slim but real

Experts say there is enough material and know-how out there for terrorists to mount a lethal radiological attack with a 'dirty bomb,' turning a U.S. downtown into a death zone

By Bill Nichols and Peter Eisler
USA TODAY

Cover story

WASHINGTON — It's a scenario even more horrific than the Sept. 11 attack that destroyed the World Trade Center: Terrorists launch a nuclear strike on an American city.

If a crude nuclear bomb were set off, as many as 100,000 people would be killed instantly within a 3-mile radius of the blast. Thousands more would die slowly of radiation poisoning.

This nightmarish picture might be on the minds of many worried Americans in the wake of Osama bin Laden's statements that his al-Qaeda network has acquired nuclear weapons. There also have been reports that al-Qaeda members have boasted of plans for a "Hiroshima" against America.

But U.S. intelligence and defense officials have some comforting news. They don't believe that al-Qaeda, which the Bush administration and its anti-terrorism partners believe carried out the Sept. 11 attacks, or any other terrorist group has acquired or built a nuclear bomb — yet.

The more immediate worry is a lethal radiological attack. Experts say terrorists could construct a "dirty bomb" that uses dynamite to disperse radioactive material in an urban setting. It lacks the force of a nuclear blast but still could kill 1,000 people in

Please see COVER STORY next page ►

《今日美国》2001 年 11 月 29 日头版

第 5 章

《今日美国》

USA Today

全国大报后来居上
彩色版式引领潮流

《今日美国》，创刊于 1982 年，是美国第一份真正意义上的全国性大报，也是美国各大报中最年轻的报纸，但后来居上，成为美国最大报纸（以发行量论）。隶属于美国第一大报业集团甘尼特公司；在版面彩色化、全国卫星远程传版、推行短新闻等方面走在美国报纸前列；2003 年 10 月至 2004 年 3 月平均日发行量为 2,280,761 份，居全国第一，没有周末版。

一、世界报业的现代神话

2001年11月29日下午1点半，我准时从甘尼特公司一楼大厅给《今日美国》总编辑的行政助理芭芭拉·达切克女士打电话。不一会儿，她已经到达大厅，并一眼就认出我来——我是当时大厅里唯一的亚洲人。这是一位中年妇女。她和我握手、问候，便领我往里走。

在接近《今日美国》的走廊的内侧墙上，突现三大块鲜红底板，每块底板都至少有2米多高，3米多宽，上面分布着“WORDS IN THEIR BEST ORDER”这几个银色金属立体英文大字，我试译为“最佳文理”。这是我从上午到现在首次在这幢大楼内见到的标语式文字，而且是那么醒目。它似乎在昭示来客，你正步入一家规矩严谨、管理到位的著名大报的编辑部。

《今日美国》创刊于1982年。它是美国新闻史上首家从一开始就面向全国市场的大型日报，也是甘尼特公司在一片争议中不惜工本以大手笔塑造出的集团的旗舰。在此之前，甘尼特公司几乎没有什么著名的报纸，与美国前20名大报完全挨不上边。这对于一家世界驰名的报业集团来说，无疑是件憾事。但在报业秩序十分稳定、新办报纸如凤毛麟角且极少获得大成功的美国，要将一份报纸从无到有并一举成功，简直无法想象。

在美国新闻界，谁都知道甘尼特公司的发展，是靠兼并和购买其他报纸，特别是其他报团实现的。在2000年购入中部报团之前，它就买下过多个报团，如1964年和1971年就分别将韦斯切斯特·罗克兰报团和联合报团连锅端地收归己有。它旗下在底特律、亚利桑那、路易斯维尔、檀香山等城市的大报，也都是在20世纪70年代以后陆续买进的。**但这一回，甘尼特公司想尝尝自己创办报纸的滋味，而且想不鸣则已，一鸣惊人：决定为他人所不为，创办一份真正意义上的全国性报纸！**

作为创办者之一的该报现任总编辑凯伦·朱尔金森女士，后来在接受我采访时谈到了该报创办和发展的过程。

《今日美国》的最初设想来自甘尼特公司董事长艾伦·H. 纽哈斯(Allen H. Neuharth)。这是一位有丰富办报经历并喜欢创新的高层管理者。他第一次会见项目组成员是1980年2月29日在佛罗里达州的可可海滩。这次会议被认为是《今日美国》“动工”的象征。在后来《今日美国》创办的日子里，纽哈斯亲临“前线”，参加编前会，听取编辑意见，深入到具体的业务工作中，对该报的成功起到了关键的作用。

据说，该报创刊号的头条就是由纽哈斯亲自拍板的。1982 年 9 月 14 日是该报创刊的前一天，上帝似乎想帮助这家报纸以轰动新闻打开局面，在那一天竟发生 3 宗惨剧：一是黎巴嫩总理被杀，二是美国昔日明星格雷斯·凯利（Grace Carry）遇车祸身亡，三是一架美国客机在西班牙起飞时失事，55 人遇难。结果在很多报纸第二天都用黎巴嫩总理被杀消息作头条时，《今日美国》出人意料地采用了 52 岁昔日影星之死。纽哈斯的理由是，《今日美国》应有自己的主见，事实上美国人谈论得更多的是凯利之死。于是，《今日美国》的创刊号就显示其不同凡响的个性。

后来，该报在很多方面不是特立独行就是领风气之先。例如，该报一开始就将自己设计成电视画面模样，希望以大画面和短文章与电视争夺观众。迄今在我所见到的美国对开报纸中，还没有一家报纸像《今日美国》那样敢于用短新闻的；该报是全国最先在头版用全彩色图片的报纸，在该报的影响下，美国报纸从上世纪 90 年代初刮起一股彩色风，连坚守“高贵灰色”的《纽约时报》也于 1996 年开始在头版用彩色图片；该报对灾祸新闻一改美国报纸惯用的悲观口吻，而采取积极报道姿态；该报还是全国最早通过卫星向全国传版的报纸之一，如今卫星传版已是各报的家常便饭了；该报设计的独特版式，不仅在美国产生很大影响，远在太平洋另一端的中国报业，竟也纷纷效仿……

该报的试刊号介于开始“动工”与正式出版之间的 1981 年 6 月 11 日，距两者都为一年多时间。1981 年，甘尼特公司董事会一致同意创办《今日美国》，但股票却有所下跌，表明市场和全国多数报人一样，对此重大举措存有疑虑。1982 年 9 月 15 日，报纸正式在华盛顿特区与巴尔的摩市之间的办公地点创刊，首日报纸全部售罄。从此，该报走上一条发行量直线上升的轨道：1982 年 11 月 19 日，发行量达到 362,879 份，比原先预计的年底发行量多了一倍；1983 年 4 月 24 日，纽哈斯宣布发行量首次突破百万大关，达到 1,109,587 份；1984 年 6 月 25 日，美国报刊发行量稽核局（ABC）首次确认该报 1983 年 10 月至 1984 年 4 月的 6 个月平均发行量为 1,179,834 份；1986 年 2 月 6 日，甘尼特公司宣布，在过去的一个季度里报纸发行量升至 140 万份以上，居全国第二；1987 年 7 月 9 日，美国西蒙斯市场调研局（Simmons Market Research Bureau）确认该报每天的读者人数达到 550 万，居全国第一。

在发行量增长的同时，报纸的内容不断扩张，面孔逐渐变靓：1984 年 7 月 2 日实现 4 叠报纸全部彩色；7 月 27 日扩大至 48 个版；1985 年 11 月 7 日再次扩至 56 个版……

伴随如此迅猛的发行量增长的是甘尼特公司对该报的巨额投入。可以说，尽管发行量大增，但该报在创刊的最初几年一直亏损。1987 年 7 月 2 日，公司宣布，《今日美国》创刊 4 年半累计亏损 2.33 亿美元，但预测当年第四季度会有可观的盈利。这一巨额赤字曾引起美国新闻界很大议论，有人甚至怀疑《今日美国》继续存在的价值。但纽哈斯充满信心，并认为创办这样一家真正有全国影响力的报纸，投入二三亿美元完全值得。事实果然如此，《今日美国》从 1987 年开始盈利，迄今已连续 15 个年头，成为甘尼特公司的重要收入来源。

《今日美国》的成功，成为世界传媒史上一个现代神话。

二、13 万售报机与发行奇迹

在芭芭拉的带领下，我走进朱尔金森总编辑的办公室。

采访《今日美国》总编辑凯伦·朱尔金森

早就听说甘尼特公司比较注意任用女性和少数民族高层管理者。在甘尼特公司的一份资料中，我获知甘尼特公司女性占员工总数的 45%，占公司各级管理岗位的 39%，占专业人士的 46%；少数民族员工占员工总数的 25%，占管理岗位的 14%。人们把甘尼特公司称为妇女和少数民族员工就业的好去处。所以，我对自己一天内在甘尼特见到两位女老总并不感到惊奇，尽管美国的报业目前仍是男人的天下（中国近年来新闻系大学生中女生明显增多，新闻传播专业的女硕士、女博士也多起来，而 20 世纪 80 年代笔者读新闻硕研时，女生真是凤毛麟角。各报老总反映近两年到报社求职的女生也远多于男生。有趣的是，当 2004 年笔者与来华讲学的密苏里新闻学院教授们谈及这一话题时，他们说美国报界的女职员也比过去多了，而且越来越多。但在高级管理岗位，依然是男人的天下）。1986 年出版的 *Newspaper Leadership* 就曾将美国报纸总编辑的典型形象描述为“一位有一个孩子的中年白种男人”[①]。但在对美国诸大报的访问中，这已是我见到的第四位女性负责人。

不巧的是，朱尔金森得了重感冒，说话带着浓重的鼻音，而且因喘气困难而影响了说话的音量。患病的她依然很忙，在我之前刚和一个人谈过话，见我时已经是下午 1 点半，助理说她还没吃午饭呢。这让我感到了不安，表示可以另外再约时间，或者等她吃过饭再谈。她友善地笑笑说：“不不，我们可以谈，你来自远方，跑一趟不容易。另外，我现在也没有胃口。”我很受感动，联想到当初能够联系成功对甘尼特公司和《今日美国》的访问，也是这位老总首先表态同意的，因此先表示了诚恳的谢意。

她在回顾了《今日美国》的早期发展后，应我要求谈到目前的发行状况：

“我们在五六年前就超过了《华尔街日报》，成为发行量全国第一的报纸，此后它一直没有再超过我们。发行量的统计是以有价发行为准的。我们在旅馆酒店有较大发行，我们称作 BLUE SHEET（蓝页）或 CHEAP（廉页）。这些报纸由旅馆或酒店付费，但绝大多数情况下这些费用从客人的房费中扣除，实际上是客人在付费购买报纸，所以它们属于有价发行。但我们对这类报纸有一定的折扣优惠。**目前我们有 550 万读者，这不是发行量，而是权威机构对实际阅读报纸人数的调查统计。按照这个统计，《华尔街日报》的读者为 390 万，比我们少多了。**

“从 1987 年开始，我们已经盈利 10 多年了。1988 年 1 月 29 日，我们当天的广告页数首次超过半数，在 78 页报纸中占了 44.38 页（当时讲的数据不太精确，后来根据她给我的有关材料更正，下同——笔者）。同年 5 月 25 日，我们当天的广告收入超过 370 万美元，创出第一个高点。我们的发行量也一直在增长，也在 1988 年 1 月 29 日首次单日突破 200 万份，达 2,114,055 份。但经 ABC 统计确认的半年平均数超过 200 万份，还是近几年来的事。10 多年来，我们的报纸每逢重大事件发生，发行量就会创出新高。例如我们几个 300 万纪录都是在这种情况下发生的：第一次是 1991 年 1 月 18 日美国发动打击伊拉克的海湾战争，当日报纸连同号外共发行 3,261,609 份；1997 年 9 月 5 日是英国王妃黛安娜（Diana）葬礼的前一天，本报发行 3,251,310 份；1999 年本报推出 100 页的世纪末特刊，发行 3,367,062 份；今年 9 月 12 日，即“9·11”恐

① *Newspaper Leadership*，中文译名《报业管理艺术》，辜晓进译，中国人民大学出版社，1991 年版

怖袭击事件发生的第二天，本报发行量再创单日历史最高纪录，达到3,638,600份，比前6个月的平均发行量高71%。

“这样大的发行量，当然需要一个强有力的发行部门来运作。我们发行部的员工数量占整个报社人数的一半，大约900人。我们下面有很多发行区，每个区都有发行经理。我们在全国有30个分印点，每个分印点至少算作一个发行区。个别大的分印点有两个发行区，所以我们总共有36个发行区，同时配有36个发行经理。他们负责当地发行，你说得对，他们属于‘地方发行经理’，但对本报而言，‘地方’不是某个大城市的郊区县市，而可能是两个州，管辖的面积比很多大都市报纸覆盖范围还大。他们努力占有当地市场，同时对当地的旅馆和学校展开攻势。我们在民航客机上的发行量也很大。我们有一半以上的零售，所以和当地分销商合作及送报和投递都是他们的职责范围。我们的住户投递量很小，大约20万份，但这个数量正在增长。我们现在通过自己的网站扩大发行，效果很好，每天都有很多读者从网上订阅我们的报纸。由于发行队伍健全和销售网点密集，我们现在已经不再主要依靠售报机卖报纸了。”

听她谈到售报机，我想到一个问题：“贵报创办初期曾建了很多售报机，甚至沙漠地区的路上都有售报机，这我在中国都知道，现在还有多少售报机在使用?”

“现在比当初可就少多了，”她回答说，“报纸创刊初期，我们全国的发行队伍还没有建立起来，销售网点和独立签约人更少，但又想办成真正的全国范围内发售的报纸，所以就想到一个办法：大量分布售报机。我们的售报机做成电视机模样，这与我们的编辑方针很吻合。最初几年内，我们在全国各地的售报机最高达到约13.5万个，分布在全国50个州的城乡公路上以及几乎所有加油站，你说得对，包括人烟稀少的沙漠地区的公路。我们的口号是，凡有人烟的地方就有《今日美国》。公司在售报机这一个项目上的投入就超过3亿美元。这也是早期办报一笔最大的投入。后来我们各发行区机构成立，他们积极建立网点和发展合作伙伴，加上我们报纸的影响力增大，对读者的吸引力也加强了，所以我们将重点渐渐转到报摊、超市、独立签约人方面。如今我们在全国2500多个城市的几乎所有报摊上都销售《今日美国》。这样一来，售报机的用途就不像当初那么大了，早在90年代初，售报机的数量就降至5万个，现在更少了。具体多少我不太清楚，要问发行部。”

“这样大的发行量，又涉及多个时差，且要照顾到当地内容，你们怎样运作呢?”我不禁问道。

“我们的报纸每周出版 5 天，即周一至周五，但我们的网站每周 7 天，天天更新。对这 5 天报纸的发行，我们采用至少 6 个不同版本，以满足地区和时差的需要。其中，国际版有 3 个版本，它们分别于美国东部时间下午 3：30、5：30 和 7：30 开始印刷，印刷地点分别在香港、比利时、意大利和英格兰，当然是通过卫星传送版面。国际版没有住户投递，都是零售，大约有 10 万份。国内版也有 3 个基本版本。第一个版本晚上 10：40 付印（都是美东时间，下同），用来送往远途地区；第二版我们称为‘追加版’（Chase Edition），在第二天凌晨 1：30 付印；最后版在凌晨 2：30 付印。但上述所有时间都可能临时改变，这要根据新闻发生的情况来定。所有分印点都获得这 3 个不同版本，因此所有接近分印点的城市，都能买到我们的最后版。

“为了使所有读者能获得尽可能多的信息，我们各版本的内容绝大多数是相同的。我们出版不同版本主要是因为时差关系。你知道的，东海岸和西海岸相差 3 个小时。但有时候我们会在头版的某个角落编印不同的内容，因为在某些特别地区发生了一些当地人特别关心的事情。有时则因截稿后又发生了新闻，需要让全国知道。例如，昨晚有两个地区有重要体育赛事且结束很迟，我们就在后来的版本的头版撤换一些稿件，将这最后体育消息放在头版的角落里。这时你就会在同一天看到不同的头版。但总体来说，全国的版本内容基本一致。而国际版的内容与国内版相差很大。国际版的页数比国内版少多了，而且它是从国内版选择一些新闻，然后加上各国的最新重要新闻编辑而成的。因此，国际版和国内版看上去很不相同。”

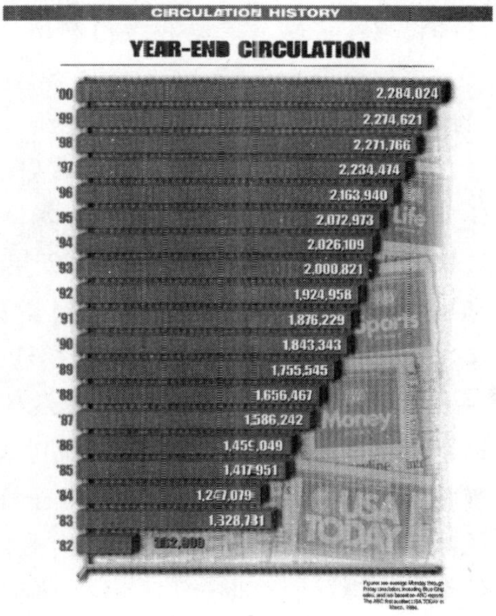

《今日美国》发行量逐年增长图

“‘9·11’事件对你们的发行和广告影响大吗？一般来说发行问题不大吧？另外，我在旅行时常在房间里获得贵报，有时我也从街上买，但似乎贵报几乎没有广告插页，这与你们没有星期天版有关吗？”我再次发问。

"我们有插页广告，你瞧（她拿起当天的报纸给我看，果然其中有一些插页广告，但不多）。现在，我们的发行量已经持续多年增长，但现在我们也和其他报纸一样受到'9·11'事件的严重影响。这个影响包括发行和广告。因为我们报纸和那些大都市报纸不同，我们在全国发行，而且旅行读者很多。我们读者的42%是在旅行当中，而'9·11'事件对航空市场及旅游业打击沉重，所以我们这部分发行受到很大影响。但我们总体的发行量未受太大挫折，原因是我们在各大城市的零售量增长很快，这部分的增长超过了旅行读者的损失，所以我们的发行量仍保持增长。我们在旅馆的发行有折扣，但不像人们说的那样大。至于广告收入，'9·11'后有所下降，具体情况需要向广告部了解，我不太清楚。"

三、色彩创新引领潮流

朱尔金森总编辑应邀介绍了自己的经历。她说，她14岁时就开始接触新闻工作，然后断断续续地做报纸，1982年正式加盟甘尼特公司参与创办《今日美国》。见她感冒较重，不忍占用过多时间，我建议请她的秘书在采访之后给我一份简历。从后来秘书给我的个人工作简历看，朱尔金森女士于1971年毕业于北卡罗莱纳大学查珀尔希尔分校（University of North Carolina at Chapel Hill）大众传播系；1972～1975年在北卡罗莱纳的《夏洛特新闻》（*Charlotte News*）任社论版评论员和副刊记者及社论版版面编辑；1976～1979年在北卡罗莱纳大学校报当记者和编辑；1979～1982年在《迈阿密新闻》（*The Miami News*）先后任助理副刊主编、副刊主编和助理本市新闻部主编；1982年《今日美国》创刊时受聘该报担任"生活"副刊（该报四大板块之一——笔者）选题编辑；1983～1985年任该报"生活"副刊特别项目编辑；1985～1986年任"生活"副刊部副执行主编；1986～1987年任头版新闻执行主编；1987～1991年任特别项目高级编辑；1991～1999年任社论版主编；1999年在50岁时升任总编辑，成为美国大型日报第一位女总编辑。她获得过若干新闻奖项，最重要的一项奖是于2001年5月获得2000年度的梅特利克斯奖（Matrix Award，或译为"杰出女新闻工作者奖"）。该奖项专门奖励那些在西南非洲传播领域做出突出贡献的女性，每年只奖励一人，由美国女新闻工作者协会（AWC）颁布。她还在一些报纸编辑协会担任主席等职务，是位繁忙的社会活动家。

接着，她介绍了报纸的基本情况：

“我们报纸的全部员工共约 1800 人，但实际上只有一半人在这里及附近地区工作，其余约 900 人都在全国及国外。我们几乎在所有大城市都建有自己的发行办公室，我们在全国还有 35 个分印点（她在谈话中 3 次谈到分印点，但数量都有出入，只好照录——笔者），这些分印点的印刷厂不归我们所有，只是按照协议为我们印报。在新闻方面，我们在洛杉矶、芝加哥、旧金山、纽约、华盛顿特区、迈阿密、西雅图等大城市设有分社，另外还在许多城市设有一两个人的记者站。我们编辑部全部人员，包括外国分社和记者站在内，共约 440 人，其中约半数为记者或专栏作家，有 80～90 人在分社或记者站工作。我们有一些驻外国机构，如柏林、伦敦、墨西哥城和北京。北京分社人数不多，它兼管香港新闻。”

此次访问之前暂住同学程晓鸿家时，她在马里兰大学当教授的美国男朋友和我聊起摄影（他是个摄影迷）。他问我：“你是否知道美国最早使用彩色照片的报纸是哪家？我对这问题很有兴趣，但迄今找不到答案。”我回答说《今日美国》是较早用彩图的，是否最早就不清楚了。于是他希望我在今后的访问中留意这个问题，然后将答案告诉他。和朱尔金森谈话时，我突然想到这个问题，她回答说：

“我们在报纸的彩色运用上是有着革命性创新的。我们在 1982 年创刊之初，就在副刊版运用彩色，当时国内还见不到其他报纸这样做。那时彩色版制作十分复杂，也很困难，需要花两三天时间，也就是说在报纸出版前三天，你就得开始制作彩版和图片，因此那时我们虽然用彩色图片，但也用得很节省，不像现在这么多、这么花。但那时我们有些彩色版并没用全彩，有的用绿色，有的用蓝色。大概从 1984 年起，我们开始在头版和体育版少量采用全彩色装饰和彩色图片，在这方面我们绝对是全国第一家。然后我们将彩色扩大到财经板块和生活板块。这些年，美国很多报纸也在头版用彩色图片了，如《纽约时报》。现在用彩色是太方便了。举一个例子，当初我们刚推出彩色天气版时，虽然已进入 90 年代，可依然很困难。那时我们是用手工分色，每道颜色都要分别制版，一个天气版至少要工作整整 8 个小时。如今同样一个天气版，只需 45 分钟就完成了。这都归功于各种新技术的应用。”

诚如她所言，《今日美国》是美国报纸的色彩运用的带头人。它不仅最早采用彩色，而且直到今天仍在彩色版面的设计上独领风骚。该报头版特别注重选用大幅彩色照片。“挑战者”号宇宙飞船升空几秒钟即爆炸并造成 7 名宇航员身亡的事件发生后，该报头版用几乎占据整版的巨幅彩色照片，清晰表现了飞船爆炸和地面观众惊恐的表情，极具冲击力。这个版面已成为报业的经典，也被美国及中国很多新闻学院作为编辑教学的重要参考。在该报四大板块的各个头版，也可见到色彩的充分运用，如“新闻”、“生活”、“体育”、“财经”四个板块的报头或版头分别用蓝色、紫色、红色、绿色方块铺底。但《今日美国》的色彩运用也很节制，尽量采用冷色调，彩色铺底的版头面积也不大，标题字和所有线条一律用黑色，颜色鲜明而不乱，不像中国一些报纸，特别是香港特区的报纸，常常是红彤彤、暖烘烘一片，连新闻版一个标题也套用几种颜色，恨不能将赤橙黄绿青蓝紫都抹在一个版上，仿佛不懂化妆的村姑往脸上乱涂胭脂。

据朱尔金森介绍，《今日美国》实施彩色战略的目的之一，是向电视观众争读者。该报创刊时，正逢彩色电视开始普及、电视观众数量急剧增加、一代青年人沉迷于电视机前，报纸读者不断流向电视媒体，报纸发行量开始下降。针对这一形势，《今日美国》确定了短新闻、大图片、快餐化的编辑定位，被同行称作“电视报”。她说：“你说得对，我们的报纸看上去就像一部电视，上面是大图片、短内容。我们的售报机就是照着当时的电视机样式和尺寸设计的。报纸的头版对折后仍可见到三四幅彩色图片，置于售报机里简直就像一幅静止的电视画面。”在朱尔金森总编辑的办公室门外，就有一个这样的售报机，采访结束时我还和她站在这个售报机旁照了个相。

《今日美国》的彩色版式也是中国读者最喜欢的。现在有越来越多的中国报纸借鉴和模仿《今日美国》的版式。此次从美国回来，发现《深圳商报》的版式有很大改变，变得更漂亮了，据说是去年从北京请来专家帮助设计的。这个新版式，就有很多模仿《今日美国》的痕迹，包括各板块的头版设计。中国报纸能取他人之长补己之短，更多地借鉴西方发达国家的办报经验，这是一种可贵的进步。但创刊不久的上海《新闻晚报》做得就有点过了。该报头版的样式、色彩乃至采用的“瘦版”形式，几乎都照搬了《今日美国》的设计，据说 2001 年还为此引起一场诉讼，结果不了了之——这是题外话了。

天气彩版也是《今日美国》之首创。1993 年，《今日美国》在第一叠（第一板块）的封底推出全彩色的天气预报版，其版式之漂亮、信息之齐全，令所有美国报纸刮目相看。这个版只有底端有 8 厘米通栏彩色广告，其余都是天气内容。以我这次访问当天的天气版为例，在一个整版篇幅里，顶端的版头右侧是专家答疑，上半部有五栏宽的大幅彩色全国气象地图，面积为 25 厘米×17 厘米。地图上用 10 种不同颜色标出

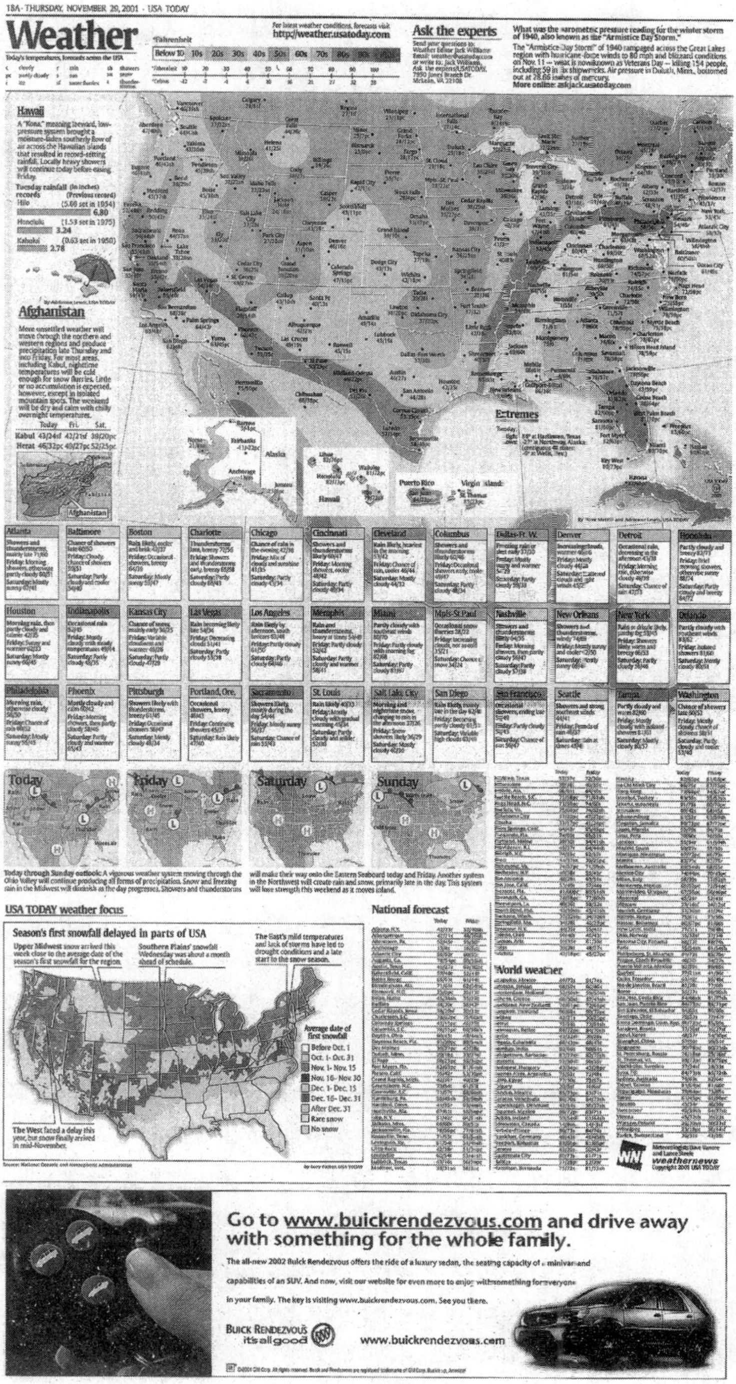
18A · THURSDAY, NOVEMBER 29, 2001 · USA TODAY

Weather

Ask the experts

Hawaii

Afghanistan

Extremes

USA TODAY weather focus

Season's first snowfall delayed in parts of USA

National forecast

World weather

Go to www.buickrendezvous.com and drive away with something for the whole family.

Buick Rendezvous it's all good

www.buickrendezvous.com

《今日美国》2001 年 11 月 29 日 A13 版 天气版

从华氏 10 度以下到 100 度的气温，并用黑字标出全国约 200 个城市当日天气预报。这幅大图左侧一栏，分别是阿富汗和夏威夷天气情况。据介绍，将这两处单独列出，是因为阿富汗是美国当前反恐战争的前沿国家，是新闻的焦点；夏威夷则因为距美国大陆太远，地图上未标出。中部 9.5 厘米通栏以彩色小方块排列全国 36 个大城市今、明、后日天气预报。下半版为当地城市（各地方版）未来 5 日天气情况，全国 68 个中等城市和世界 90 个主要城市今明两日天气预报。左下方还有“天气聚焦”专栏，配有一幅 5 厘米三栏面积的全国地图，这次的“焦点”是今年冬天偏暖，各地普遍降雪推迟，地图上用 9 种颜色标出各地今年第一场雪的大致来临时间。

在《今日美国》天气彩版效应的影响下，美国各大报都开始引入彩色天气版。这些报纸每天不仅在头版固定位置刊有天气简况，还在新闻板块某固定版面用半个版至一个整版的彩色版，刊登本地、全国、全世界主要城市未来五天的天气预报，同时附有气象、海浪等天气图，并用地图将各主要城市天气标识出来，有的还有气象专家的分析，可谓应有尽有，琳琅满目。一些使命感很强的大报也像《今日美国》那样随时预报世界热点新闻地区的天气。如我访问《纽约时报》的当天，该报不仅在报头右侧刊登本市当天白天、夜晚及第二天白天、夜晚的简要天气情况，还在第二板块第十页用 4/5 彩版刊登极为详细的天气情况（头版有提示）。这些天气情况包括：大幅全国天气彩图，全国天气预报，本市昨日及未来 5 日天气情况，山区及海洋气温（含彩图），全国及世界 170 个主要城市昨日、今日、明日天气，阿富汗地区天气预报（当时美国在阿富汗的反恐战争激战正酣），本报气象网址（可查 1500 个城市天气情况），等等。

各地方报纸也纷纷效仿《今日美国》的天气彩版，如笔者居住的斯塔藤岛（纽约市的一个区），其主要报纸《斯塔藤岛前进报》（*Staten Island Advance*）是纯粹的地方报纸，发行量 9 万份，基本上限于本岛，岛外几乎买不到该报。就是这样一份地方报纸，每天除在头版刊登类似《纽约时报》那样的简要天气预报外，另在 A12 版（即第一板块第 12 页）用半个彩色版篇幅刊登天气情况，内容包括本岛未来 5 天天气预报，全国天气彩图，全国 70 个大中城市和世界 35 个主要城市昨日和今日天气情况，本岛昨日气温，附近地区近日天气走势，等等。笔者访问过的其他一些中等城市报纸，如《奥兰多前哨报》（*Orlando Sentinel*）、《夏洛特观察家报》（*Charlotte Observer*）、《圣彼得斯堡时报》（*St. Petersburg Times*）等，每天的彩色天气版面积也都在 2/3 版以上，且都是五颜六色，做得非常漂亮，很吸引眼球。

说到天气，我觉得中国报纸的气象服务意识很差。很多报纸对读者这一需求并不重视，刊登的天气资讯少得可怜。其中我所在的深圳两家大报做得更差。《深圳特区报》每天只在头版的报头之下用 30 多个字报道深圳市当天的天气简况，与改革开放之前的上世纪 70 年代各对开四版报纸的做法如出一辙。尽管深圳人口的 80%是各地移民，尽管深圳的对外开放程度全国第一，但在这份每天平均 36 个版的报纸中，读者看不到包括香港、广州、北京、上海等任何国内其他城市的天气，更不用说世界主要城市的天气预报。就深圳本地来说，也只有当天而没有第二天的天气。《深圳商报》的天气预报更是随心所欲，读者只能既不定期，也不定版地从内页偶然发现一块比《深圳特区报》内容稍多的天气信息。**美国传媒界认为，天气情况是受众每天最需要获得的基本信息之一，传媒不提供，便是失职。**

本书第一版出版及笔者有关美国天气报道的文章发表后，立刻引起国内同行的重视，纷纷学习美国报纸这一先进经验。深圳的《晶报》率先推出整版的彩色气象版，该版很快成为最受读者欢迎的服务性专版之一。随后，广州的《南方都市报》、北京的《京华时报》、上海的《新闻晨报》等一批发行量较大的报纸都相继开辟了彩色的天气服务版。可以这么说，大众化综合报纸开辟天气版，是近两年中国报业的崭新气象。

四、五大特点成竞争法宝

我们交谈的重点，当然还在于《今日美国》区别于其他报纸的特色，这是它在竞争中立于不败之地的法宝。这一点，我在见到朱尔金森之前就预先将问题告诉她的助手了。

朱尔金森说："我们有很多竞争对手。美国大概没有一家报纸有我们这么多的竞争对手。因为是全国发行，每一家大城市日报，包括《纽约时报》，都是我们的竞争者。我们与几乎所有报纸都有竞争关系。我们还与电视竞争。1982 年本报创刊时，CNN（美国有线电视网）也正在创办，各类有线电视频道也是从 80 年代才开始兴起的，现在全国一半左右的电视频道就是在那以后陆续建立的。所以我们和电视竞争，和互联网竞争。信息太多，竞争者也太多。人们走在街头随处可从商店的电视屏幕上获取信息，也可从网络甚至电话上得到新闻标题。在这个信息过剩的时代，我们必须具有自己的特色，必须让受众从我们这里获得他们真正想要的东西。为做到这一点，我们在以下五个方面确定并发扬自己的特色。

“首先，我们是一份全国性报纸。我们是目前唯一真正综合性的全国性报纸。因此，我们尽自己最大的努力去覆盖全国各地的新闻。我们在全国设的分社或记者站数量超过任何报纸，为保证各地读者及时得到我们的报纸，我们的分印点多达 36 个，这在全国报界首屈一指。我们租用了 GE2 和 GE4 两颗美国卫星，它们距地面 22,300 英里，足以覆盖包括夏威夷在内的全国各分印点，确保报纸及时传递和印刷。通过卫星，一个黑白版传送仅需 10 秒钟，彩色版也最多花 30 秒钟，这要看彩色图片的多少。目前我们正在扩大对全世界新闻的覆盖，因为读者对全球新闻的兴趣正日益增加。我们从 1984 年起就开辟国际版，分别在法兰克福、伦敦、香港、米兰、沙勒罗瓦（比利时）印刷，国际版平均每天的发行量为 72,000 份。我们报纸的网站在全球 60 个国家开通，网络版国际读者超过 25 万人。我们还要建更多的驻外记者站。

“第二是我们的板块包装。我们在美国报界较早按内容进行板块式包装，并给每个板块设计不同的彩色头版，这样读者就可以很容易找到自己喜欢的部分。虽然现在越来越多的美国报纸采用类似的包装，但我们仍然有自己的特色，例如我们各板块头版的栏目设计及内页的安排。我们将努力保持和挖掘自己的这一特色。

“第三是独特的编辑设计。就像前面说到的那样，我们的一切设计都是为了满足那些行色匆匆的读者（time-fast readers）的需要。我们所做的最艰苦工作，就是让报纸上的信息易于获取和易于理解。我们要求新闻的处理有预见性。我们尽量用图片、图表来表示新闻内容，让读者通过图表迅速明白新闻的要义。我们称此为‘信息图表’（informational graphics）或‘解释性图表’（explanatory graphics）。我们的图片、图表在新闻中的运用频率超过国内任何一家报纸。我们还努力使信息便于浏览。也就是说，读者在时间很紧的时候，可以用 5 分钟、15 分钟读完本报的主要内容；但如果读者有空，也可花 2 小时来阅读本报。读者可以轻易作出上述选择。

“第四是打破基本栏的限制。美国绝大多数报纸的设计是按一栏一栏来设计的，但我们认为不该为读者提供这样的设计。读者需要的是最容易接受的信息，而不是你排版的方便。于是我们给他们最便捷的阅读版式，给他们大字标题，给他们跨栏或破栏的文章，给他们常变常新的感觉。我们把很大的精力放在新闻的包装上。我们希望给读者密集的信息。我们在‘巡视’（surveillance）。我的工作就是时刻关注着国内、国际发生着的一切事情，然后用最可靠、最显而易见的方式让读者参与我们的‘巡视’。

“第五方面是我们近年来为《今日美国》增加的新特点，即我们所说的‘雄心勃勃’(enterprise)。‘雄心勃勃’的意思是我们向读者提供他们在其他媒体上不易获得的东西，如更多的突发新闻和新闻中的新闻。在创刊初期我们对此并不重视，但现在我们认为这对读者很重要。”

说着，朱尔金森给了我一张塑料卡片，大小和名片一样。她说《今日美国》编辑部的员工每人怀里都揣着这张卡片，也向读者提供，让其检验报纸的承诺。卡片的正面，上方是和《今日美国》报头一样的蓝底反白大字——USA TODAY，下面是一行粗体黑字：Put the Reader First（读者第一）。卡片反面的内容实际上是对刚才总编辑一番“特色”谈话的补充，也可以视为《今日美国》的编辑方针，不妨照录如下：

《今日美国》读者权益承诺

SERVICE（服务）

当我阅读《今日美国》时，我会有如下期望：

1. Surveillance（巡视，即刚才总编辑反复提到的词——笔者）：我将得到我今天需要的国际、国内新闻，同时获得我和我的家庭想要的其他内容。

2. Exclusives（独家）：我将获得在其他媒体上得不到的先到新闻、突发新闻和独家分析。

3. Reader-friendly presentation（易读）：我将迅速发现自己正在寻找的新闻。图表、划线、围框、标题、图片说明、小标题等编辑手法的运用将方便读者理解新闻。

4. Veracity（真诚）：我可以相信自己所读到的东西是真实、公正、客观的。当有错误发生时，我相信报纸会及时更正。

5. Ingenuity, fun and excitement（机智、有趣和兴奋）：我将从阅读《今日美国》中获得娱乐、惊奇和快感。

6. Community（共享）：作为一位经常出外旅行、经常上网处理生意、兴趣不限于本地新闻的全球读者成员，我将读到我所需要的信息。

7. Equality and Diversity（公平和多样）：我将从《今日美国》上看到任何年龄、任何种族、任何国家的妇女和男人的信息。

以上七条承诺的第一个英文字母，正好组成“服务”(SERVICE)。这也表明《今日美国》编辑部是在刻意强化员工们的读者服务意识。

五、名记者深圳抱回三孤儿

与朱尔金森总编辑谈话结束后，芭芭拉奉命陪我参观编辑部。《今日美国》的编辑部占两层楼：三楼和二楼。它和美国其他报纸一样，采取大面积敞开式办公，但比大多数我见过的编辑部办公室更宽敞、更明亮、更洁净，每位员工的办公区也较大。这里的所有办公桌都设计有一体化的小书柜，桌椅被漆成柔和的乳白色，唯办公桌之间及靠过道的隔板用鲜红色带细花纹的布料包装，员工可在上面钉些照片、贺卡等饰物。一眼望去，大片乳白色中露出点点红色，分外夺目。无闪烁的光源从天花板上一排排毛玻璃框里均匀地洒向地面，每个办公桌上还备有一台臂式可调节落地灯。办公桌上摆放着较大屏幕的电脑和一部电话，而女员工的书柜上往往摆放着很多小巧玲珑、色泽鲜艳的小玩具小公仔。“Made in China”，我心里想着。

作者在《今日美国》编辑部

路过美术设计组时，见一位金发碧眼的女编辑正在设计一幅包裹着美国国旗的石头，我不由得停住脚步。芭芭拉将我介绍给了这位女士。女编辑见我好奇，告诉我她正在为一篇特稿配图。她给我看了这幅配图的黑白草图，说她准备将这幅草图搬进电脑后再用相关软件修改和着色。她说，现在一切美术设计都在电脑上进行，所以每位美编都必须会用电脑绘图。说着，还向我出示了一幅彩色人物肖像，看上去像是水彩画，她说这也是在电脑上画的。我问该报有多少美术设计员，芭芭拉说有 14 或 15 位。在相邻的摄影部，一位摄影主编在回答我的问题时说，该报的摄影记者大多数用了数码相机，像素为 500 万，有一些传统相机仍在使用，因为胶片的独特作用暂不可替代。

访问《今日美国》前，在同学程晓鸿小姐的引荐下，我与该报经济部的记者詹姆斯·考克斯（James Cox）联系上，并约好在采访总编辑后见个面。于是，参观完编辑部，我便向芭芭拉告别，说我还要见一位记者。热心的芭芭拉一直将我领到考克斯跟前。

考克斯看上去约 30 来岁（后来我知道他当时已 42 岁），是《今日美国》国际经济新闻的首席记者，一见我就热情地招呼坐下。他正在写一篇东西，但愿意停下活和我谈话。我从程晓鸿那里知道他曾在中国工作，便先介绍了自己的情况，然后请他谈谈在中国的经历和现在的工作。他说：

“我现在的工作是报道国际经济新闻，但说是经济新闻，其实包括了各类国际新闻。比如这个星期我就负责写阿富汗方面的新闻，同时也做一些编辑工作。我非常谨慎地为老板（指部主任——笔者）工作。我们很幸运有这样好的工作环境。我为这位老板（说着他向不远处一位大胡子男子招了招手，看来那就是他的老板了，他也向我招手笑笑）干了很多年，因此我知道他的立场和好恶。最大的报纸应该有最多的版面，所以我们必须写最多的稿件。我们这里鼓励你写各类国际新闻和国际经济新闻稿件，越多越好，只要那些事件对世界有较大影响。你问我为什么坐在财经新闻部？因为我现在主要报道经济新闻。除了在香港工作 4 年及那以前的年月，我大多数时间都为财经部干活。

“我 1986 年到《今日美国》之前在印第安纳州一家报纸工作，我太太也在那家报社干。其实我在上高中时就为当地的报纸干活，那时我才十五六岁，如今我已 42 岁了。我对深圳很熟悉，你们报社的大楼我也见过。我猜你不是深圳人，对吗？（我说不是。）因为据我所知，很多深圳白领都不是本地人。我还记得邓小平关于白猫和黑猫的高论。但我不太确切他第一次去深圳是哪一年？（我说是 1979 年。）谢谢。那座城市真是发展太快了。我几乎走过那里每一寸土地。我大概几十次经过罗湖桥，那里很拥挤，但现在好多了，因为靠近香港一方的口岸重新修建了。我 1993 年起参与北京记者站的筹备并在那里工作了两年。1995 年我就到香港工作，直至 1998 年。香港的工作和北京的工作是紧密相连的。我最后一次在深圳是 2000 年。我到过当地的公证处，那个机构正好就在你们报社的楼下。好像一楼还有一个证券交易市场，很多人跑到大屏幕跟前看股票是升还是跌（我告诉他那是我们原先的办公楼，现在的办公楼很高大）。”

在访问美国各报老总时，我常常问的一个问题是记者有无工作定额。我得到的回答全部是“无”。他们认为，记者的工作很复杂，而且富有创造性，难以量化。《纽约时报》的老总还举例说：“一个跑警察局的记者一天可以写三五条新闻，而一位跑环保的记者可能三天也写不出一篇稿，你能说后者就懒吗?”他们也承认记者有懒惰和勤奋之分，也有高产和低产之别，但认为编辑清楚记者是否卖力气，不卖力气的记者肯定干不长。这次我想从眼前这位资深记者口中听到这方面的情况。他一听就明白我的意思，说：

“我们记者的任务是发现哪些是读者们需要的或正在寻找的信息。《今日美国》创刊时，我才 21 岁。**我们报纸不像《纽约时报》和《华尔街日报》那样企图成为所谓的档案记录报。我们只是努力获取最重要的新闻。我们倾全部精力、花全部时间，只是为了得到那些能影响人们生活的最重要的新闻。**我们还从地方琐事中解脱出来，因为我们不是任何人的‘家乡报纸’。我们不必要告诉读者谁结婚了、谁获得了执业资格或谁开了一家饭馆。我们不必报道任何琐碎杂事。所以我们不惹怒谁，因为所有美国人都不喜欢他们的‘家乡报纸’。但我们没有定额。你问我一年写多少稿子? 我每年写将近 100 篇稿件。去年我写了大约 90 篇，有些年我写超过 110 篇。我写的很多稿件都是长稿。”

我知道他说“长稿”时内心是颇为自豪的，因为《今日美国》是美国唯一提倡短稿的大报，在其他报纸极难见到的数百字短稿，在《今日美国》的版面上却比比皆是。大图片，短稿件，正是该报的特色之一。在这种政策下，记者发的“长稿”，都是非常重要的重点报道或深度报道。能经常发长稿，可见考克斯出手不凡。

谈话时，我被考克斯贴在桌板上的几幅中国孩子的照片吸引住了。在我的询问下，竟引出一段有趣的故事。原来，考克斯结婚多年没有生育，自己却非常喜欢孩子。在香港工作的 4 年间，他竟先后收养了三位中国孤儿，两个男孩一个女孩，第一个和第三个是在深圳市社会福利院收养的，第二个是在香港收养的。二楼编辑部的隔板用带细花纹的蓝色布料包装。在考克斯的这面蓝墙上，钉着 9 幅放大的照片，除一幅他太太的照片和一幅风景照以外，其余 7 幅竟全是这些孩子的。孩子们的照片有单人的，更多的是三人合影，个个喜笑颜开。有一幅单人照片是孩子正坐在一个生日蛋糕前，乐得嘴巴张老大。其中有一张照片是三个孩子身着白色中袖无领 T 恤的全身照，T 恤上印着他们的中文名字，老大是女孩，名叫“明月”，老二是男孩，名叫“博文”，老三是女孩，名叫“小波”，小波看上去有些先天愚型。

考克斯告诉我，老大和老三都有残疾，三个孩子现在分别为 6 岁、5 岁和 4 岁，都是被遗弃的孤儿。他说他很喜欢他们，写稿累了看看他们，就觉得很轻松，外出也常常揣着他们的照片。他给每个人都起了英语名字，老二是杰夫，老三是莫莉（老大的名字我忘了）。老大今年刚上小学，其余两个孩子都上幼儿园。他和深圳社会福利院的一位女士还成了朋友，每次去深圳都尽量抽出时间去看她。他说今后还会带他们回中国看看，让他们知道自己的祖国是什么样子。他还主动说起自己的家庭和婚姻，说他们过得很好，“但是……但是……”，连说几个“但是”，竟然说不下去，眼里闪出泪光。我不知道“但是”后面他想说什么，不知道他的生活有哪些曲折故事，但猜出他有难言之隐，也就没再问下去。

我们交谈时间虽然不长，但这位身着绿色灯芯绒长袖衬衣的记者给我留下很深印象。看得出来，他属于那种充满爱心、有责任感、为人忠厚的男人。我给了他一张名片，希望他再次来深圳时能够重聚。

六、女总编辞职令人扼腕

这两年是美国新闻界的多事之秋。就在我刚为修订版写完《纽约时报》总编辑雷恩斯因记者造假丑闻辞职这一节后不久，媒体又传来《今日美国》总编辑朱尔金森辞职的消息，原因竟也是记者造假，而这位记者还是该报最有名的记者之一，曾获普利策奖最后提名，是该报创刊以来首位入围普利策奖最后角逐名单的记者。这位记者名叫杰克·凯利(Jack Kelley)。

2004 年 1 月 8 日，《今日美国》突然发布消息称，该报著名记者杰克·凯利已于 6 日辞职。43 岁的凯利是《今日美国》最早的记者之一。1982 年该报创刊时，刚刚毕业于马里兰大学新闻学院的凯利就被聘为该报记者。此后，他常年采访国际新闻，先后到过全球 90 个国家和地区，几乎所有国际大事发生地都有他的身影。他报道的 1991 年海湾战争、卢旺达种族灭绝事件、索马里大饥荒等重大事件为他赢得了读者的好评和业界的尊重。2002 年他采写的关于国际恐怖主义的系列报道更为他争得角逐普利策奖的资格。多年来，他平均每年代表《今日美国》进行 30 多场演讲，还曾与该报创始人纽哈斯合作出版两本图书。尽管报纸当时没有说明他辞职的原因，但这样一位资深记者突然被自己的报纸证实辞职，在美国新闻界立即引起反响，也多少证实了过去一段时间有关这位记者造假的传闻。

其实，早在 2003 年 5 月份，《今日美国》内部就根据一封匿名举报信开始对凯利的新闻稿件进行调查。当时一名记者受报社管理层委托，抽查了他过去发表的 7 篇报道，发现有一部分是真实的，但有一部分无法证实真假。直到 2004 年 1 月 6 日凯利递交辞呈，他也拒不承认自己造过假。他在接受《华盛顿邮报》记者采访时坚决否认对自己新闻造假的有关指控。《今日美国》在接受凯利辞职时也未将他的报道从网站上撤下来。因此，关于凯利造假一事在美国新闻界一直众说纷纭，以至报社内部很多员工为凯利叫屈，对高层的处理表示不满。然而，事情很快就有了变化。2004 年 3 月 1 日，《今日美国》发表长篇声明，披露该报对凯利重新调查获得重大进展，基本查明凯利有造假行为，并列举了很多事例。3 月 19 日，《今日美国》发表消息，宣布调查已经结束，称有明显证据表明，凯利至少在 8 篇主要报道中有造假或剽窃行为。

这篇报道称，《今日美国》在 2004 年 1 月 6 日凯利辞职之后，立即选择 1 名主编、5 名记者组成调查小组并聘请 3 位外报退休主编为顾问，对凯利问题进行重新调查。在为期 7 个星期的调查中，小组审读了凯利自 1993 年至 2003 年发表的 720 篇新闻作品，每篇作品至少有两名小组成员阅读和讨论。同时，调查小组派员分头赴古巴、以色列、约旦等凯利曾发回重头报道的国家和地区，核查了凯利在这些国家相关旅馆的通讯、电话及手机记录，约谈了 10 多位凯利的同事，3 位外报前主编还先后与凯利面谈累计不下 20 小时。调查发现，720 篇报道虽然大多数属于正常的日常报道，但有 20 多处引用自其他媒体的信息而未注明消息来源，有至少 8 篇重点报道有明显的造假行为。消息举了其中一个典型例子，说凯利 2000 年报道一位古巴女偷渡者在偷渡到美国的过程中死亡，并配了一幅该妇女的照片。但这位妇女于本月（即 2004 年 3 月）被《今日美国》记者发现，她的真实身份是一位古巴旅馆的服务员，是凯利在古巴偷拍的。事实证明，这位古巴女工既不是偷渡者，也没有死亡。消息还说，凯利的报道常常耸人听闻，至少有 10 次提到他亲眼目睹新闻主角的死亡。但凯利始终不承认自己有过错。

就在《今日美国》难能可贵地进行深入细致的调查终于使真相大白于天下后不久，总编辑朱尔金森和负责新闻的执行总编哈尔·里特（Hal Ritter）先后宣布辞职。2004 年 4 月 20 日，朱尔金森正式宣布辞职。她谢绝一切媒体的采访，但给编辑部全体员工写了一封信。这位自 1999 年起就担任《今日美国》总编辑并为该报效力了 22 年的 55 岁妇女在信中说：**"和所有与杰克·凯利共事的人一样，我也希望我们能够早日发现凯利的问题。这一可恶现象所带给我们的悲惨教训，将有助于《今日美国》成长为一份更美好、更强有力的报纸。"**[①] 《今日美国》发

① USA Today's Top Editor Quits Under Fire, *The Washington Post*, 2004 年 4 月 21 日

行人克雷格·穆恩（Craig Moon）用电子邮件向全体员工发了份简短声明，称朱尔金森的"退休"，显示"一位新总编就要到位"。其实，这位新总编已经崭露头角。他就是朱尔金森的副手、该报第一副总编布赖恩·加拉格尔（Brian Gallagher）。他表态说："我不知道还有谁不会为凯伦（朱尔金森的名——笔者）的离去而悲伤。我认为，无论从个人角度还是从业务角度看，这都是巨大的损失。"①

两天后，另一位自该报创刊就为该报服务并担任现职长达8年的执行总编里特也向发行人递上辞呈，成为这场风波中高层辞职的第二人。连同凯利在内，《今日美国》在4个月中先后有3位参与创刊的资深员工辞职。这一事件为新闻同行敲响了一记警钟。

---

① 同上

HOCKEY DAD SENTENCED **SATURDAY** TO 6 TO 10 YEARS — A3

Staten Island Advance

SINCE 1886 | JANUARY 26, 2002 | 50 CENTS

A6 Mayor appoints new Parks commissioner

B1 **Olympics** Mormons put their best face forward

C1 Giants' Fox gets a new job

BRIAN MC LOUGHLIN'S weekend

A guide to some special events

Go take a hike

One thing you have to say about Staten Island is that it's home to the Greenbelt. But if you're like too many of us, you know about the Greenbelt, but you've never really seen it, right?

Did I hit a nerve?

Today is your chance to remedy that when the Protectors of Pine Oak Woods offers its annual 10-MILE WINTER TREK through the Greenbelt. While ya gotta love trees, they can obscure the view. This time of year you can glimpse **ponds** and *birds* that may not be fully seen during the warmer months. And with the mild weather we're currently experiencing, you've run out of excuses. If you're game, you have to **hurry** — *hikers* begin to assemble at 9:30 this morning in the parking area near the Lake Cafe in Clove Lakes Park. That's also where the hike will end. So c'mon ... throw on some sturdy shoes, and don't forget to bring **lunch** and a beverage.

GREENBELT CONSERVANCY, INC.

You gotta have heart

If you have a heart ...or want to give one, then head down to **SNUG HARBOR** for Family Day. Youngsters and their parents can spend today creating *valentines* from recycled materials just in time for Feb. 14.

Family Day, from 2 to 4 p.m., is being held in conjunction with the Newhouse Center for Contemporary Art's current **exhibit**, "Fresh Kills: Artists Respond to the Closure of the Staten Island Landfill."

Hey, you just might be surprised to see what found objects (forget trash, OK?) can become with a little creativity.

The Center is located on the grounds of Snug Harbor Cultural Center, 1000 Richmond Terr., Livingston. For more information,

PLEASE SEE TICKETS, PAGE A4

SITTING IN THE CATBIRD'S SEAT

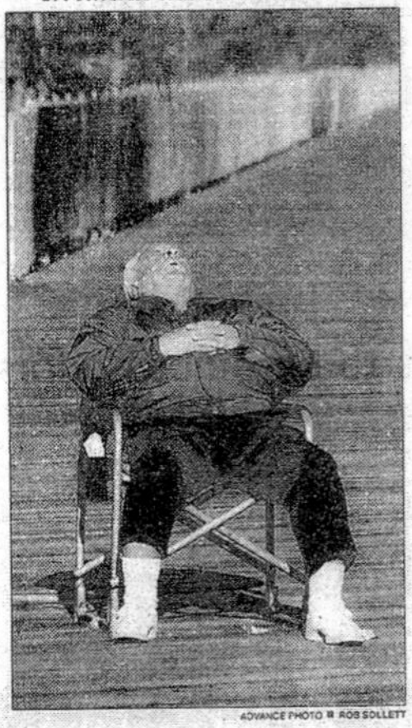

ADVANCE PHOTO ■ ROB SOLLETT

Angelo DiPietro, of South Beach, seated on the Franklin Delano Roosevelt Boardwalk in his home community, takes advantage of yesterday's pleasant weather. Temperatures are expected to reach 54 today, and a balmy 63 degrees tomorrow. Turn to Page A 12 for complete forecast.

Teen mom charged in newborn's death

■ A 14-year-old Silver Lake girl who gave birth in a toilet Christmas night is now accused of second-degree manslaughter

By RYAN LILLIS
ADVANCE STAFF WRITER

A 14-year-old Silver Lake girl who gave birth in a toilet Christmas night, drowning her baby boy, was charged with the child's death yesterday, police said.

The suspect, Siedah Smith, who lives with her mother in a third-floor apartment in 1961 Victory Blvd., was charged with second-degree manslaughter after a medical examiner's report determined she "made no attempt to take the baby out of the toilet," police said. She is being charged as an adult, authorities said.

The medical examiner's office determined Thursday the baby was alive when it was born and listed the cause of death as "unretrieved delivery of a newborn into a toilet bowl," said Ellen Borakove, a spokeswoman for the city medical examiner.

Once the autopsy was complete, the medical examiner notified police the case had been classified as a homicide. Investigators waited to file criminal charges against Ms. Smith until the medical examiner determined the baby was not stillborn.

Authorities said the girl hid her pregnancy from her mother — Antoinette Southwell — who told the Advance in December her daughter had suffered a miscarriage. However, police said the baby was delivered at full term.

Miss Smith gave birth at about 12:20 a.m. on Dec. 26, police said. Her mother called paramedics when she found the baby, but the child was dead by the time the first ambulance arrived.

Beth Nelson, a neighbor, told the Advance Ms. Southwell "was

PLEASE SEE BABY, PAGE A4

Ex-Enron executive found dead in his car

■ Texas police believe J. Clifford Baxter, who resigned in May, committed suicide

By KRISTEN HAYS
ASSOCIATED PRESS

HOUSTON — A former Enron Corp. executive who reportedly complained about the company's questionable accounting practices and resigned last May was found shot to death in a car yesterday, an apparent suicide.

J. Clifford Baxter, a 43-year-old former vice chairman of the energy giant, was discovered dead in a Mercedes-Benz parked on a median not far from his home in the Houston suburb of Sugar Land. He had been shot in the head.

Police said a suicide note was found. Its contents were not disclosed.

Baxter resigned several months before Enron's collapse in the biggest bankruptcy in U.S. history. Enron's sudden downfall and accounting practices are being investigated by federal prosecutors, the FBI, securities regulators and 11 congressional committees and subcommittees.

The House Energy and Commerce committee had asked to interview Baxter. He had not been subpoenaed, and no date had been set for an interview.

J. Clifford Baxter

"Our investigators were interviewing someone else and his name came up," said Rep. Jim Greenwood, R-Pa.

Baxter had also been named in a federal lawsuit accusing him and other Enron executives of reaping huge profits on Enron stock before its collapse.

"We are deeply saddened by the tragic loss of our friend and colleague, Cliff Baxter. Our thoughts

PLEASE SEE ENRON, PAGE A3

Fossella to Cuban detention center critics: 'Get a life'

■ Congressman scoffs at charges conditions at Camp X-Ray are inhumane

By TERENCE J. KIVLAN
ADVANCE WASHINGTON BUREAU

WASHINGTON — Returning from his visit to Camp X-Ray, the military detention center for Taliban and al-Qaida captives at Guantanamo Bay, Cuba, Republican Rep. Vito Fossella had some advice for national and international human rights groups that have protested conditions there.

"I think they should get a life," said Fossella yesterday, as he and 20 other members of Congress returned from their daylong trip to the camp.

"The criticism is unjustified, it's totally unwarranted," he said. "Most of these people are getting far better treatment than they deserve."

Fossella reported that the 158 prisoners at the facility — who come from 25 different countries — were living in open air cells of chain link fence sections covered by corrugated roofs. "I went in one that was empty," he said. "It was nice in there. It was cool."

"The shelters are reasonable," he said. "Look at it this way: A few weeks ago many of these people were living in Afghan caves

PLEASE SEE VITO, PAGE A4

ASSOCIATED PRESS

Republican Rep. Vito Fossella and other members of Congress arrive at Guantanamo Bay, Cuba.

Man charged with bribing cop

■ Indictment alleges multiple payments were made over a 5-month period last year

By JOHN O'BRIEN
ADVANCE SUPREME COURT BUREAU

A 26-year-old Annadale man was indicted yesterday on charges he offered bribes to a police officer over a five-month period last year for what he thought was the cop's cooperation to squash any summonses issued to him or his New Dorp business.

The defendant, Frank Giuffre, of Eylandt Street, is accused in the indictment with making at least 11 payments of $150 each to Sgt. Joseph Memoly of the Street Crimes Unit, who secretly recorded the transactions while other investigators filmed the exchanges from a distance, court papers show.

Giuffre, who according to court documents, runs a New Dorp Plaza bar and lounge "93 Inc.," allegedly made the illegal payments to Memoly in exchange for the officer disposing of "any summons issued to the defendant and/or the defendant's place of business." The non-descript bar — which was not crowded early last night — has a black awning and glass front, and sits next to a real estate office.

Police say Giuffre gave the first envelope to the officer July 7 when investigators recorded the defendant essentially telling the cop, "I'll give you a yard and a half [$150] a week."

Giuffre allegedly also told the officer, "I'll always take care of you. You take care of me and we'll see how it goes."

Giuffre allegedly made 10 additional payments to the cop, the last recorded on Nov. 15. Giuffre was arrested Dec. 4, according to court records and subsequently released on $500 bail.

In addition to 11 counts of third-degree bribery, a Class D felony, the indictment charges Giuffre with 11 counts of giving unlawful gratuities, a class A misdemeanor.

The defendant's attorney, Mario Gallucci, contends his client's constitutional rights were violated as a result of the sting and that police entrapped Giuffre.

"This case begins with an unwarranted arrest and rises to the conduct we now see in this case," Gallucci said, adding that Giuffre will enter a "not guilty" plea when he is arraigned on the indictment Tuesday in state Supreme Court, St. George.

INDEX

COMPLETE INDEX AND NEWS SUMMARY PAGE A2

ADVANCE ONLINE: www.silive.com

OUTSIDE

TODAY
Sunny, breezy and mild. HIGH 54

TONIGHT
Mainly clear. LOW 38

COMPLETE WEATHER, PAGE A 12.

8 31107 00800 8

《期塔藤岛前进报》2002 年 1 月 26 日头版

第 6 章

《斯塔藤岛前进报》

Staten Island Advance

纽约老牌社区报纸
斯塔藤岛唯我独尊

《斯塔藤岛前进报》，创刊于1886年，是纽约市斯塔藤岛区的地方报纸，隶属于美国著名报团——纽豪斯的前进出版集团，在人口为50万的斯塔藤岛区占据绝对统治地位，是大多数本地居民必读的一份报纸。至2001年3月，日平均发行量为71,000份，星期天刊平均发行量为90,000份。

一、接触，从促销电话开始

“叮铃铃……”我住处的电话铃响。这是 2001 年 4 月某个傍晚大约 6 点多钟。我拿起话机，立刻传来甜美的女声：“你好，杰弗里，我是《斯塔藤岛前进报》的莉萨……”

我知道她是在推销报纸。在美国，电话推销叫做 telemarketing，是一种商家普遍采用的销售方式。报纸的分类广告上每天都有招聘电话推销员的，要求嗓音动听，说话热情，吐字清晰，有一定文化程度，男女不限，但我接到的电话都是女的打来的，包括这位。我后来从各报的访问中了解到，电话推销在报纸发行促销上的作用尤其明显，很多地方报纸都不惜花费大量人力进行这类促销活动。打电话的时间一般选在傍晚 6 时左右，因为这时工薪一族刚刚下班回到家，还没开始吃饭，是个什么事也干不成的间隙，对接电话不会太反感。特别是这时推销者往往会说出一串优惠措施，让你一时找不出拒绝的理由。你决定订阅，当然最好；你若觉得对方的提议还不错，但又不想这样束手就范而有些含糊其词，那对不起，不出两天你就会开始收到报纸，再过几天，账单也就跟着上门了。这时，你就稀里糊涂地成为了该报的订户……

但我此刻却感到奇怪。“杰弗里”是我在美国大学校园里使用的英语名字。我的中文名，美国人发音十分困难，于是我以名字里的“进”为音头，请一位美国老师起了这个名字。但在我的住处，特别是与包括电话公司、银行在内的一切外界往来邮件中，我一律用中国名的拼音，与护照上的名字完全一致。在申请电话时用的也是汉语拼音，因此电话黄页上只可见到我的中国名拼音。所以我不知道这位素不相识的莉萨小姐是怎么知道我的外国名字的。

对于我的疑惑，对方只咯咯笑，却不回答，然后一口气说出订阅报纸的好处和报社正在开展的优惠措施，语速极快，你根本插不上嘴。她的这个措施也的确很有诱惑力：在订阅的最初 3 个月，可以收到美国人所说的“库邦”（coupon），即购物的优惠券或折扣券。向上门收费的报童交纳一张“库邦”，即可少交一半订费，相当于半价订阅。老订户不享受这一优惠。3 个月以后如不愿续订，可立即终止。

在这颇具诱惑力的声音和措施的感染下，我有些动心，但还是告诉她，纽约的报纸很多，我正在选择一份最适合自己的报纸，希望给几天考虑时间。其实，我对该报已经很熟悉了。刚到纽约那会儿，为了找房子，我就经常买这报纸，从分类广告上找合适的地点和价格，然后给房东们打电话、看房。我进修的学校之一，就是纽约市立大学的斯塔藤岛学院，而要想在斯塔藤岛上居住，《斯塔藤岛前进报》是唯一可以获得较多租房资讯的当地报纸。所以，当 3 天后这位小姐再次打来电话时，我二话不说即答应了。这个电话后的第三天，我即开始每天在门前见到这份报纸。又过了几天，竟收到该报发行部经理理查德·赛勒诺 (Richard Salerno) 的来信，全文如下：

亲爱的杰弗里：

欢迎走进我们《斯塔藤岛前进报》的每日天地。您作出了一个明智的选择，在连续 12 个星期的日子里，您每星期只花 1.5 美元，即可收到 7 天的《斯塔藤岛前进报》。您一下省了 18 美元。当然，您还得到一个 3.75 英寸×7 英寸的库邦塑料皮夹。

既然您已经同意接受我们给予的优惠，您应该在收到这封信之前即已收到我们的报纸。随信奉上免费的库邦夹，里面装有 12 张属于您的库邦，每张库邦价值 1.5 美元。那么请从本周起，在向投递员交纳每周 1.5 美元订报款的同时，也给他一张库邦。这些库邦上印有第一周、第二周等字样，希望您按编号顺序给他。

12 个星期之后，您也只需付 3 美元一星期，那比在街头零售便宜 1.5 美元。实际上您得到的何止 10 倍于此！您会从我们的报纸上获得大量其他购物库邦和减价销售广告信息。

因此，祝贺您作出如此明智的抉择。如有任何问题，请打电话到我们的订户服务中心。电话是：816—390。每周一至周五上午 9 时至下午 8 时，星期六上午 7 时至中午 12 时，星期天上午 8 时至下午 1 时 30 分。

您忠诚的

理查德·赛勒诺（签名）

发行部经理

斯塔藤岛前进报

看得出来，这是一封例行公事的来信，不过信中确实附了一叠绿色的类似电影票的库邦，而且每张库邦上面竟然都印有我的名字和住址，比较个性化。

这就是我与《斯塔藤岛前进报》的早期接触。但后来当我决定访问该报而与之联系时，却并不顺利。赛勒诺先生直到和我见面，也记不得他曾给我寄过一封信和 12 张库邦。显然那都是下面员工代劳的。我在美国访问的第一家报纸，并没有因为我是其订户而享有任何方便，实际上是费了不少周折的，这一点已在引言中说过，不必再提。

二、几乎家家必订的报纸

2001年11月，深圳某报一位朋友在电话中向我通报了一个信息，说深圳的南山区正在筹办一个社区报纸，叫做《南山日报》，已有正式刊号。我一听挺有兴趣，说在深圳可以尝试办一张中国最好的社区报纸。我说这番话的时候，其实心里想着的是《斯塔藤岛前进报》。这份报纸的优良品质，让我觉得中国这样的社区报纸太少，办得好的更少。本书第一版出版后，《南山日报》曾邀我去做过一次演讲，我勉励该报争取办中国最好的社区报纸，员工们看上去很受鼓舞。不过世事难料，到2003年末，国家对政府部门主办的专业报纸和各区县报纸进行整顿，涉及报刊1452家，其中停办报刊677家，力度之大为近20多年来所仅见。区县所办报纸原则上一律停刊，《南山日报》未能幸免，这是题外话。

一段时间下来，我对《斯塔藤岛前进报》已有很好的印象。该报是一份晚报。美国晚报很多，在所有日报中，晚报长期占据绝对多数。美国最早创办的日报几乎都是晚报。在上世纪50～80年代间，晚报占全部日报的比例一直在80%左右。但后来晚报开始减少，到90年代中期已降至60%。2000年，美国晚报占日报总数的48.7%，历史上首次低于半数。有人甚至推断，晚报的消亡是迟早的事。晚报式微的主要原因是城市产业结构的调整导致工厂向郊区搬迁，另外大多数晚报都是所在城市的第二类报纸，随着报纸垄断的加剧，广告商总是垂青各城市居第一的报纸，晚报日子渐渐难过。再加上美国的晚报从形式到内容都和晨报无异，不像中国的晚报那样有自己特色（如大量刊登社会新闻，迎合小市民兴趣等)，难以和晨报竞争。但《斯塔藤岛前进报》是个例外，它在本区是第一位的报纸，在当地无人能与其争锋，更重要的是它办出了一份社区大报品质，能较好地满足当地居民的需要。

该报平日刊一般对开40至50版，分3至4叠，售价50美分。3叠的内容分别是：A叠12页，是新闻版，包括国内新闻、本岛新闻、社论、邻近市镇新闻、讣闻和天气预报等；B叠14页，是副刊，包括娱乐、电视、卡通画等；C叠是体育，14页，包括体育和四五个版的分类广告。该报的星期天刊就厚多了，通常240多页，共10多叠，内容应有尽有，包括平日刊不太关注的国际新闻和经济新闻。

该报的最大特点，是坚持有所为有所不为的方针，不求面面俱到，

但求服务到位。以平日刊而论，该报 40 个版已不算少了，但比起近在咫尺的《纽约时报》、纽约《每日新闻》等报纸来说还是单薄些。因此该报只在头版覆盖最重要的国际和经济新闻，内页不再设太多版面，而将空间省下来刊登详细的社区新闻、本地资讯和服务性新闻，注重贴近性。以我回国前读到的最后一期该报（2002 年 1 月 26 日，星期六）为例，本区新闻就占了 5 个版，不乏生动有趣的本地新闻；社论版也分为“我们的意见”（即社论）、“你们的意见”即社外评论，还包括一个“历史上的今天”栏目；讣闻报道的头条是一位 91 岁的环卫工人去世，上面着重提到他曾获业余拳击冠军；天气版报告了本岛未来 5 天天气情况、全国天气图、全国 70 个城市和世界 35 个城市昨天和今天天气情况、本岛昨日气温（用以和今日比较）、附近地区天气走势等；副刊报道很多有趣的结婚、订婚消息，还配了图；少年儿童版报道当地孩子的校园活动；分类广告则大量刊登当地招聘、售物、售车、卖房、旧货交易等信息。该报的星期天刊更注重向读者提供各类实用信息。

再以 2001 年 4 月 29 日（星期天）我订阅的该报为例，其 G 叠刊出厚达 92 页的《2001 年指南》。这个指南在头版有一行小字：一切新来者或本地居民都应知道的本岛事实。指南分四个部分：第一部分是“我们是谁”，介绍本岛历史资料、人口资料、经济状况、宗教情况、宠物医院、广告商名录等；第二部分是交通情况，包括渡口、桥梁、运输等情况（该岛与曼哈顿分别有渡轮、隧道、桥梁相通），这些设施与岛上居民关系密切；第三部分是警务服务，包括警察、医院、消防、社区服务机构等；第三部分是教育和政府，包括大学教育、中小学教育、图书馆及分布图、公墓及分布图、政府部门以及从总统到地方议员、州长、市长、区长等各级官员的照片、办公地址、电话、邮编等信息。报纸上这样一份厚厚的指南，对于我这样一个新来者说，是绝好的帮手，对当地居民来说也是值得保留的宝贵资料。

让家庭主妇高兴的是，该报还附送大量超市、酒店、快餐、商场等零售企业的插页式促销广告，里面降价或优惠信息比比皆是，还有美国人特别喜爱的库邦。我到商店购物时，总是见很多顾客手里拿着从报上剪下来的库邦，或手中拿着报纸广告按图索骥地去货架上寻找降价物品。很多美国人是不看到报纸不上街。只有从报纸上获得有用信息或进行一番货比三家后才开车去购物。仍以 4 月 29 日这一天的报纸为例，该星期天刊夹有 Target，Jennifer，The Wiz，Staples，Shop Rite，Sears，Path Mark 等 20 多家大型连锁超市或商场的广告插页约 350 页，广告大都标有价格，很吸引人，这些商场分布在本岛各处，开车过去并不太远。

读者从该报可以获得大量其他报纸所不能提供的信息，难怪该报在岛上的订户数量庞大而稳定。斯塔藤岛大约50万人口，其中成人30多万，该报的发行量为平日刊7万份、星期天刊9万份，有82%的成人阅读该报，90%的家庭订阅该报。该报的广告量也很大。从这个意义上说，这家社区报纸办得相当成功。

三、七百报童组成发行大军

6月11日下午3时，我开车来到该报，采访发行部经理赛勒诺。和他通了多次电话和E-mail，这次还是第一次见面。这是一位和蔼可亲的高个男子，从其花白的头发看年纪应在50岁以上。

对美国报纸的发行情况，过去只略有耳闻，这回是第一次亲耳听美国同行介绍其发行手段。他说：

采访《斯塔藤岛前进报》发行部经理赛勒诺

"我们的星期天刊有74,000份投递到户，有17,000份零售。我是发行经理，下面有2名地区经理、2名零售经理和2名主管。地区经理各管8名社区经理（共有16名），确保所管辖区全部报款的回笼，跟踪处理各类投诉。社区经理负责所辖社区发行量的增长，回收所有报款，通过对业余投递员（该报共有1150名业余投递员）的管理，负责所有家庭投递工作。零售经理各管2名零售账目经理，在其协助下负责与所有分销商合作，确保报纸及时、足数送达各个报纸零售点，并及时回收所有报款。2名主管中，1名为发行业务主管，指导3名员工处理所有账单并负责向外地邮寄报纸，我们大约有500个外地订户，需要通过邮局寄报；1名客户服务主管，下设17名业务代表，负责电话征订和受理客户投诉。另外，我还管着一个拥有20辆卡车的运输队，他们每天负责将报纸输送到分销商和较为集中的投递点。在本报总共 400 名员工队伍中，发行部占了 100 多名。

“我们的报纸每天 12：30～1：00 印完，星期天刊是早上印完。然后卡车将报纸运送到各个站点，由投递员投递到户，大约在 2：30 至 5：00 之间完成。我们有 1150 名签约的投递员，他们都不是我们的员工，其中中学生占了 750 人，其余是成人。成人都是些家庭妇女、退休人员等不上班的人。他们不仅送报，还负责收款。我们的报纸订费为每周 3 美元，我们只收 2.25 美元，加上这里住户比较密集，所以他们能挣很多钱呢。”

“大概能挣多少钱?”我好奇地打断他。

“他们的收入来自两个方面，一是订报款中的一部分，二是订户给的小费。这么说吧，一个投递员每天可以送报约 80～100 份。他们只要步行就可以将报纸送到各户，因为大家住得都不远。如果每天送 100 份报纸，一周就可赚 150 美元（他讲这话时我未及计算，但后来发现应该是一半，不知他为何这么肯定地说出这个数字，或许是包括小费？后来他在回答我的 E-mail 询问时，称各个线路的投递收益并不相同，对于比较密集的地段，每周 150 美元的收入是可以实现的），快手 40 分钟即可投递完毕，你说赚不赚？我们收到很多投递员的申请信，然后将他们记录在案。一旦区域经理需要增添新的投递员时，就会从名单中选择。然后他会约见申请人及其家长，觉得满意后就会告知对方权利和义务并和家长签约。这些手续办完后，一个新报童就诞生了。

“另外，我们还有 400 多个零售摊点，他们都在超市或小商店。向这些零售摊点收报款也是每周一次。”

“你们如何确定给各个零售点的数量?”我问。

“主要看各零售点以往的销售记录，他们每天的销售数量都储存在我们电脑里。我们只根据这些数据来送报，并不是他们想要多少就给多少的。第一天没卖完的报纸，我们会在第二天送报时收回。我们不允许降价销售剩余的报纸，因为那样会扰乱市场，并造成价格漏洞。例如某零售点会多要报纸，而将部分已售出的报纸谎称是第二天降价出售的，这将很难管理。各报都是这样处理的。”

他的话打消了我的一个疑问。在美国，有时我忘了买报纸，第二天想补买前一天的报纸，甚至以为买过期报纸会享受降价折扣，不料这一愿望从未得到满足。原来竟是报纸内部有这样的规定。有一次陪一位朋友到皇后区唐人街买《世界日报》（斯塔藤岛买不到任何华文报纸），时间稍晚，所有摊点的该报都售完了。这位朋友一心想看到最近的该报，摊主就到处翻找，总算找到一份一周前的皱巴巴的《世界日报》，但仍要价50美分。我说这旧报纸跟废纸一样，还按新报收钱？摊主说没多收就不错了，这报纸不知怎么剩下来的，但肯定已按新报价钱付给了报馆。

赛勒诺说到的报童现象也引起我较大兴趣。中国很多人会唱田汉和聂耳写的《报童歌》，“啦啦啦，啦啦啦，我是卖报的小行家”的歌词几乎家喻户晓。但实际上中国少年儿童参与卖报的现象已绝迹半个世纪。不料在经济发达、社会对少年儿童关怀备至的美国，一个区就有七八百人的报童大军！远的不说，每天向我住处投递报纸的就是一位报童。每到下午（星期天是早晨），他都推着一个像超市使用的那种手推车将报纸扔到我的家门前。遇到下雨，他会用塑料袋将每份报纸包裹好，以防淋湿。

这位报童名叫切斯特（Chester），是附近社区的中学生，南美裔，上11年级。我一有机会就和他聊天。从谈话中得知，他家生活富裕，父亲在一家银行工作，母亲打一份政府工，自家拥有一套独立洋房，家中兄弟二人，他是老大，功课很好，总是得A。**他告诉我，他爸爸积极鼓励他当报童，说这个工作可以熟悉邻里社区，学会自我推销，培养责任感，锻炼口才，对中学生来说是很好的社会实践机会。**他还告诉我，投递员不仅要确保每天的报纸快速投递到户，还要每周一次收取报款。一般是先送报，再收款，也就是每周末收上周的报款。这时他会骑一辆自行车挨家挨户地跑。这种收款通常不需预约，只是拣主人最可能在家的时候上门，时间长了就会知道各家的规律，但上门两三次才收到报款也是常有的事。

切斯特父亲的观点在美国是很有代表性的。在美国住久了，发现美国的家长和学校都很注重培养孩子的商品意识和社会活动能力。yard sale（家庭销售）是美国一大景观，即一种将多余物品于周末摆放在自家院内或草坪上廉价出售的旧物调剂方式，人们常可以出奇便宜的价格买到自己需要的东西，如家具、厨具、餐具、图书、衣物等（我在美国就以1.5美元买到完好的烤面包机、1美元买到台灯等物）。每到这时，我总会见到五六岁或七八岁的孩子在出售自己的玩具或图书，家长则坐在后面指导。美国的小学也常结合各类节日，让孩子们从家中带自制的糕点等物到学校摆摊出售，价格全由孩子自己定。小学一年级的数学课，早早就教如何认识和计算各种币值的美国钱币，老师有时还将从商店买来的假钱币（一种专供孩子识别和练习的纸币）发给孩子，让他们分别扮买方和卖方进行模拟交易。在社会实践的锻炼方面，美国从中学起就有特别要求。一般来说，考取名牌大学的条件主要有三个：一是高中四年的平均成绩，二是文体或其他某个方面有无特长，第三就是社会实践活动，包括义工、社会组织、社会劳动等。因此，中学生在课余时间参加各种义务或有偿的社会工作是十分普遍的，这些活动都被学校记录在案。从这些因素考虑，当报童的确是个挺不错的差事。

切斯特也告诉我，送报并不都能拿到小费。为了提高收入和工作效率，他们会努力扩大在本路线的发行量。订户密度越大，对报童越有利。在扩大发行方面，那些退休人员或家庭妇女也有他们的优势，即他们在本社区时间长、熟人多，上门推销报纸的成功率比学生大。

在我回国前不久，有一次，切斯特见到我说："我不打算再干报童了，我找到了一个更好的差事，是在一家设计公司干。我电脑很好，他们给我专门配备一台电脑，每小时付我 12 美元！"说到这里，他一副得意神情。

我知道这个薪水是很高的，纽约最低工资标准是每小时 5.5 美元，《斯塔藤岛前进报》招聘送报司机，自带小汽车，每小时工资才 7 美元。我于是向他祝贺，顺便问了一句："那这里的送报工作今后由谁干？"

谁知他更得意了，说："我现在正在物色人，准备以 500 美元将我送报的差事转让出去。你别觉得 500 元贵，我这里有那么多客户，一个月连小费可以拿到 800 元呢！我相信开价 500 元会有很多人要。"

"你当初从别人手里接过这活也花钱吗？"我表现出怀疑的样子。

"当然！"他有些着急了，"不花钱谁能得到这个工作？"

"花多少？"我紧追一句。

"350 元！"

"干了多久？"

"一年多。"

"好啊，你真是个鬼精灵，一年多就加价四成！"

他笑了，"谁不想赚钱？怎么，你问这么多，是想接这差事吗？"

我忍不住笑着说："这点钱，我还看不上呢。"

从这次谈话我发现，报童的工作是有可能私下转让的，报社的区域经理未必能够控制。就在这次谈话后不久的一个周末，有人按电铃。我开门一看，来者是个陌生少年，向我收报款来了。圣诞节前，我收到他送来的一张贺卡，上面写着他的名字、地址及欢迎继续订报和提意见之类的话。显然，他和切斯特之间已完成"工作交接"。

四、 古老的社区大报

访问发行部经理赛勒诺的同一天，经赛勒诺带领，我来到二楼编辑部的一个房间。在那里，值班的秘书艾琳·卡瓦纳（Eileen Kavanagh）小姐将我介绍给了该报总编辑布赖恩·J. 莱朗（Brian J. Laline）先生。莱朗对我的到来显然已有准备，一见到我立刻让艾琳把本市新闻部主编托马斯·切奇（Thomas Checchi）叫来。于是，我对莱朗总编辑的采访，变成了与他、切奇和赛勒诺三人的会谈。

采访《斯塔藤岛前进报》总编辑布赖恩·J. 莱朗（中）和新闻部主编托马斯·切奇

从会谈中得知，《斯塔藤岛前进报》创刊于1886年3月27日，当初是一份只有4个版的小型周报，名称是《里士满县前进报》（*Richman County Advance*）。用这个名称是因为斯塔藤岛区原是纽约州的里士满县城所在地。这里早在17世纪就有荷兰移民前来开发，因此岛上古迹和博物馆较多。里士满县后来并入纽约市，成为该市五大区之一，以其原岛名命名为斯塔藤岛（Staten Island）区。1922年，这家周报被家住新泽西州的富豪赛缪尔·欧文·纽豪斯（Samuel Irving Newhouse）收购。数年后，报纸改为日报。纽豪斯先生也在此基础上扩大经营规模，到他1979年去世前，他所创立的前进出版集团（Advance Publications Inc.）已拥有31家报纸、7家杂志、5家广播电台、6家电视台以及15个有线电视系统，从而发展成为美国著名的媒体集团。他的两个儿子继承家族资产后，集团又实现大幅扩张，报刊的数量增加到50多家报纸，广电资产包括与时代华纳公司的合作股份及著名电视频道Discovery的部分股份。集团拥有多个著名杂志，包括《纽约客》（*The New Yorker*）、《浮华世界》（*Vanity Fair*）和《时尚》（*Vogue*）等，报纸则包括位于新泽西的《泽西日报》（*The Jersey Journal*），位于宾夕法尼亚州首府的《哈里斯堡爱国者报》（*Harrisburg Patriot-News*），位于亚拉巴马州的《亨茨维尔时报》（*The Huntsville Times*）等。这些报纸都不太著名，但用《哥伦比亚评论》（*Columbia Review*）

上一篇文章的话说，就是纽豪斯的报纸虽然名气不大，但都是赚钱的机器。闻名世界的兰登书屋出版公司（Random House Publishing Company）也于 1980 年被其收购（1998 年又售出）。1995 年该报团拥有的报纸平均发行总量为 291 万份，仅次于甘尼特公司和奈特—里德报团而居第三位。1998 年，纽豪斯家族的总资产达 130 亿美元。老纽豪斯先生去世后，其侄子理查德·E. 戴蒙德（Richard E. Diamond）接替他担任《斯塔藤岛前进报》的发行人。笔者到访时，该报已有 115 年历史，报龄远远超过中国现存任何一家报纸。

头发乌黑、看上去有南美血统的莱朗总编，其实是地道的本地人。他在岛上修完从小学到研究生的全部课程，于 1972 年进入《斯塔藤岛前进报》当记者，20 年后升至总编辑。他还是岛上若干民间团体的负责人或成员，是活跃的社会活动家。在介绍到报纸时，他说："我们的报纸规模不大，总共 400 人左右，其中编辑部有 150 人。这 150 人中，编辑占了约 40 人，记者 40 人，还有 25 位钟点员工（part time）。我们的摄影部有 7 名全职摄影记者和 3 名钟点记者，即临时工作记者。摄影记者拍的照片由各部主编选择，是否采用由他们说了算。例如体育部主编可对摄影部提出要求，但照片若拍得不好，主编可用其他媒体或通讯社的照片。

"从结构上说，在我之下，有执行总编、社论版主编、编辑部主任、星期天刊主任和本市新闻部主编。我们不设副总编。我们的记者没有固定的写稿数量要求，必要时我们可以向他们下运任务，但不是按周或按月来计算。有时他们会一天写四五篇稿件。他们的主要任务是负责覆盖各分工领域的新闻，尽量做到不遗漏重要消息。例如，我们有两名记者负责教育新闻，一名记者负责犯罪新闻，一名记者负责文艺，等等。所有记者都有自己的领域。"

"对于漏稿你们怎么处理呢?"我问。

"如果遗漏了重要新闻，我们首先会询问遗漏的原因。原因往往是复杂的，不能一遇到遗漏就怪记者失职。有时新闻的遗漏是因为有关方面不想让其公开。例如最近的渡口事故，渡口管理者不想公开报道此事，向我们的记者封锁消息，但如果其他报纸报道了，我们就会质问渡口管理者为何向我们封锁消息，他们就会很尴尬。这种情况下，对记者素质的要求就很高，他们必须想方设法才能搞到消息。有些报纸允许记者花钱，不惜重金向知情者购买消息，报社给予报销。但我们很少这样做。"

联想到中国的报纸往往采用很多通讯员的来稿，不知美国报纸是否这样，于是我问："你们社外来稿多吗？有没有固定的写稿者？"

莱朗继续回答说："我们有社外的写稿者，但不太多。新闻主要靠自己的记者和临时记者。对临时记者，我们按小时付酬。我们还有大约20名较为固定的自由撰稿人，他们主要为我们的专栏写稿。当然我们还刊登读者来信。读者来信很多，每周我们大约选择100封读者来信予以刊登。上周我们刊登了95封信。绝大多数来稿或来信都通过E-mail发送。此外，我们向一些大报购买新闻，如《洛杉矶时报》、《华盛顿邮报》等。我们不设国际记者，但需要时会派记者出国采访。如前不久南北朝鲜首次离散亲友见面的仪式，我们就派记者去了，因为这个岛上有很多韩国居民，他们及其朋友对这些新闻非常感兴趣。总之，只要读者需要，我们就会尽量满足。"

赛勒诺补充说："我们公司现在仍然属于纽豪斯家族公司所有。本报只是纽豪斯的一个分支，该家族拥有26份报纸，其中有8份报纸在密歇根州，其他是在新泽西州和另外一些城市。纽豪斯还有杂志和几个有线电视台，但最近将电视台都卖掉了。"

谈话中，本市新闻部主编切奇始终未发一言，但始终笑容可掬。他只在送我离开时说了一句："有任何问题，只管来信或来电询问，我的电话和E-mail地址都在名片上。布莱恩（指总编辑）很忙的，找不着他就找我吧。"

会谈结束后，赛勒诺陪我参观了报社的印刷厂和发行部。在印刷厂，他指着一个捆扎机说："我们发行部的工作就从这里开始。报纸一旦离开这台机器，就是我们的事了。我们每天都有人在这里工作。"

接着我们来到同样设在印刷车间的一个工作台，旁边一个柜子里有很多格子，有点像我们的中药铺。他介绍说："这里是通过邮局发往外地的报纸。我前面说过，我们每天有大约500份报纸发到全国各地，星期天的报纸更多。这些外地订户主要分布在佛罗里达、加利福尼亚和得克萨斯等西南各州。对这些外地订户来说，最大的问题是时效慢，大概10天才能收到，甚至在隔壁的新泽西州也要拖一个星期才到，因为报纸邮寄被列为较慢也较便宜的类别，不享受任何优先。"

"既然如此，外地订户还看这报纸吗？"

"看啊，你瞧，每天500份，星期天是六七百份，厚厚一摞。那些外地订户，大都是从岛上出去的，他们订报主要并不为了获得即时新闻，而是关心家乡情况，因为我们报纸上有大量其他报纸看不到的斯塔藤岛上的社区新闻及各类活动。他们订报就是为了保持与家乡的接触。我们的订户中有不少是国家工作人员，即在外地的军队、警察等流动性很大的职员。还有一些订户是监狱服刑者。总之，外地人订我们的报纸有很多理由。他们需要，我们就服务。”说着，他从柜格里取出几个只有手指宽的彩色硬纸标签给我看，上面印有地名和编号等信息。他告诉我，将这些标签别在报纸上，邮局就知道报纸应该发往何处了，不会出错的。

他最后说：“我们的报纸每天要 3 个小时才印完，说明机器的数量和质量都需改进。我们正在建一个新印刷厂，当然都由纽豪斯报团投资。”

五、情人节广告叹为观止

作为一家社区报纸，《斯塔藤岛前进报》在广告开发方面的业绩引人注目。在美国居住期间，我连续订阅或零买该报达大半年时间。该报每天总有一种广告会成为我特别感兴趣或必读的内容。我渐渐地和岛上的大部分居民一样，以阅读各类地方广告为订阅该报的目的之一。

应我要求，赛勒诺先生在接受采访时也谈到该报的广告情况，尽管广告不归他管。据介绍，该报在广告种类和刊登方式上动了很多脑筋，以最大限度地满足广告客户的需求。该报对外宣称，广告商可选择报纸的任何部分刊登广告，广告可在新闻、生活时尚、体育和分类广告等板块刊出，也可在“健康”、“餐饮”、“为人父母”、“家居”、“房地产”、“星期五”、“影视指南”等每周特刊上刊登。

该报还刊登大量插页广告（insert），即由报纸代印或由广告商直接提供的活页广告。由于这类广告都是提前分开印刷的，所以美国报人更喜欢称其为“预印页”（preprint）。这类广告印刷精美，一般都是彩色铜版纸印刷。该报的插页广告以星期天居多，数量常在 300 页以上，不亚于美国任何一家大型日报。该报向广告客户承诺，插页广告可以按客户指定的区域和数量随报投递，印数最低可在 5000 份，最多可达 90,000 份。插页广告又以大型超市为主要客户，当某超市确定自己的主要顾客来源于某区的时候，超市老板往往会向报纸了解在该区的发行数量，然后按此数量委托报纸将插页广告投递到该区所有订户及零售点。当然，超市购买某一区域的插页广告要比购买全部发行量的广告便宜很多。一般来说，插页广告的费用是以 5000 份为基数，按每千份的印数和投递数计算的。插页广告在美国的日报广告中占了较大的比重。可惜赛勒诺未能告诉我该报插页广告的价格标准和全年插页广告总额（这类问题我在后来访问的报纸中得到了解答）。但我从该报一则资料中获悉，2000 年，该报总共投递插页广告 1.515 亿份。

为使客户满意，该报专门与贝尔登咨询公司签订协议，委托其调查该岛人口分布、地理位置、人们消费习惯、商店分布、报纸读者成分、各类传媒的喜好等情况，有关资料由该报精心编印，免费备索，客户一个电话，报社的市场部就可寄出。同时，报社的广告客户服务部还向客户提供编制广告宣传预算、广告设计、广告词撰写、预出清样等服务，其中所有设计都是免费提供。该报的广告合作部则专门与零售商等大宗客户合作，免费帮助他们进行各类策划、设计、制作等事宜。

该报各类节日广告做得更加出色。2001 年 2 月 14 日，我到达纽约不久，恰逢西方的“情人节”。我买了一份《斯塔藤岛前进报》，翻看完 A、B、C 三叠后，突见 D 叠封面是一幅占据整整一版的套红插图，图案是两个带翅膀的小天使在空中飞舞，四手合擎两个带花边的“爱心”，压在图上的大字为：

Valentine's Day

Love Lines

&

Photos

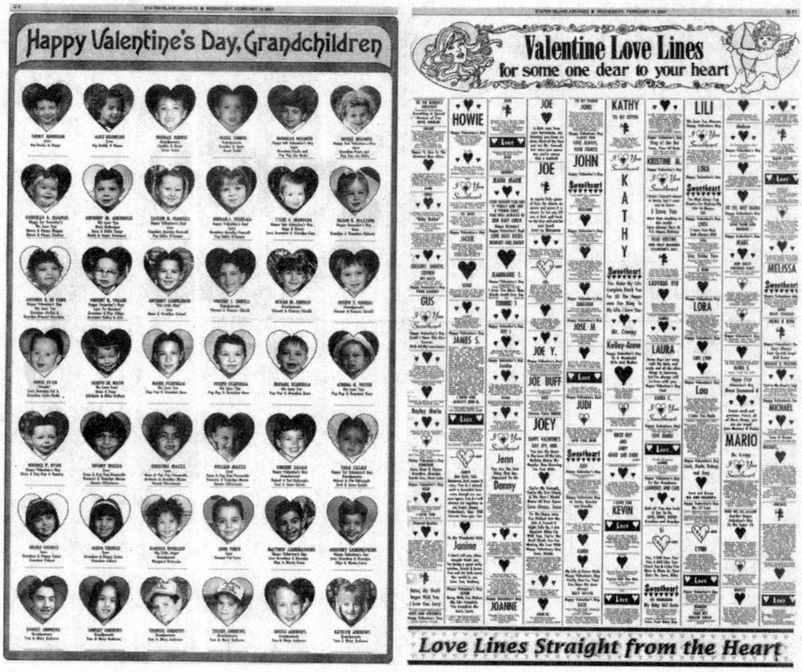
Happy Valentine's Day, Grandchildren

Valentine Love Lines
for some one dear to your heart

Love Lines Straight from the Heart

2001 年 2 月 14 日《斯塔藤岛前进报》情人节分类广告版

Staten Island Advance

意为“情人节爱心话语和图片”。原来这是该报专为情人节组织的广告专辑。打开一看，总共 12 大版，布满了密密麻麻的情人节广告。出人意料的是，这些广告中的主体，并非爱人、情人、夫妻之间的互送温情，而是爷爷奶奶们对孩子的祝福。这个专辑里，从第二版至第九版的上半版，全部是在 Happy Valentine's Day, Grandchildren（情人节快乐，孙儿们）的通栏标题下的儿童广告。每幅广告都是一个“心”状图案，里面是孩子的肖像，图案下是祖辈的祝福话语，每幅广告占据约 7 厘米×5 厘米广告。每个版刊登 42 则这样的广告，两个版就是 84 则，报纸打开来看到 84 张稚气可爱的笑脸，心里不由得一阵感动。

再看那些祝福的话语，也是五花八门，各有特色。如：“第一个情人节快乐，我们热爱你。”“你是糖、调味品及一切美好的东西，我们爱你这个安琪儿，至高无上的爱！”“致我们的小甜心。”“拥抱你，吻你，我们的小超级男孩！”“哎哟，我们的小公主！”“永远爱你！”“上帝保佑我们的安琪儿。”“无数的爱和吻。”等等。抬头和署名变化不大，一般都是上面抬头是孩子的姓名，下面署名是爷爷、奶奶等称谓加姓名，也有只有称谓而不署名的。有一个署名写着“奶奶格尔茜，爷爷（在天堂）”，估计爷爷已经去世，是奶奶代他表达祝愿的。从很多序数词的使用看（如第一个情人节，第二个情人节，第六个情人节等），很多老人是逐年为孙儿登报祝福的。这期专辑总共刊登了 317 则儿童祝福广告。

接下来的广告，即从第九版下半版开始直到第 12 版，就是我们所理解的情人节广告了，但也五花八门，有夫妻之间、孩子与父母之间、未婚夫妻之间、情人之间，也有兄弟姐妹之间。广告图案的变化也多了，仔细观察，也有规律可循：一颗红心的，是夫妻或情人之间；一颗红心带两颗小红心的，是父母和儿女之间；一颗白心中间有一颗小红心的，是未婚夫妻之间；一颗白心上面写着“love”字样并有一箭穿过的，是正在热恋中的男女；在“Sweetheart”（甜心）字样下排列七颗心的，是结婚多年夫妻间在表达强烈感情；还有少数没有“心”状图案的，其中有些是对已故爱人的怀念；等等。这些广告所用的词语比前述儿童广告更丰富，更动情，有些简直就是一首发自内心的爱情诗篇，试采撷数则供欣赏：

“你是世界上最好的母亲和妻子。”

“我生来很好，您生来很好，我们在一起最好，快乐 15 年！”

“情人节快乐！阿丽桑德拉·玛莉（孩子名），我的爱，我的生命，我的幸福，我为你骄傲，万分感谢上帝把你给了我，妈妈。”

“谁要电话？谁要钥匙？有了你我就有了一切。我爱你，你使我的生命变得完美。”

“你是我所接触到的世间最伟大的事物。你是我生命的全部。可惜我们的浪漫故事刚刚开始就结束了。尽管我们的婚姻只存在了一年零一天，但我无悔无憾。我爱你……我为曾经拥有你而感到幸运。你将永远活在我心中，活在我的和我们的家！”

“你是我生命之爱，是我最好的朋友。再过 3 个月，我们就成夫妻了，爱你到永远！”

“对我来说你是整个世界。我不知道离开你我将怎样生活。我们的友谊从邻居开始，而后成为最好的朋友，3 年半前我们的关系再进一步，从此你成为我的全部生命和幸福。我们共同度过甘苦时光，但我永远不会抹去我们在一起的每一分钟！千言万语难以表达我对你的爱。你是我的朋友，我的甜心，我的一切。我生活中的每一个障碍都在你的伴随下越过。人们说你是我的树阴，那是千真万确的，因为没有你，我将孤立无助。我爱你胜过昨天！”

“你想过我吗？你曾经哭泣着进入梦乡吗？当夜半梦醒时分，你会呼唤我的名字吗？你会回忆我们的过去吗？我简直难以置信我会变成这个样子。我知道我可能有点疯了，我此时此刻竟能感觉到你热烈的亲吻！我离开后已相隔那么长久，但我对你仍是思念无限，难以言表。我应该忘掉你，我应该向前看，但我做不到！你曾问起过我吗？你的朋友还在教你如何行动吗？电话铃响时你会希望是我在叫你吗？我怀念你，用我的心，用我的思维，用我灵魂的每一次闪烁……我会爱你直到永远。”

“每当你呼吸，我就深深吸气，那是为了品尝由你那伟大的心脏发出的每一缕情义！感谢你让我热爱你和教导我如何热爱自己。感谢你让我从我们每次目光碰撞中享受特殊的愉悦。我憧憬着我们共同度过美妙的余生。”

“妈妈和爸爸，感谢你们所给予我的一切，感谢你们在我困难的时候倾注的热爱和支持。我只希望自己能令你们为有像我这样的女儿而感到骄傲。永远爱你们。”

……

这后一类广告因为没有头像，所以占据面积较小，数量也就更多，每个版大约有 120 条左右，总共大约有 450 条。广告词语也各有创意，若收集起来，出一本小册子也勉强可以了。据后来和赛勒诺交谈，该报总是抓住各种节假日提前组织广告，使这种稍纵即逝的节假日成为重要的广告来源。据统计，该报每年要做类似情人节广告这样的节假日广告70多辑。有了这个情人节印象，后来对母亲节、父亲节、感恩节等登有大量广告也就不以为奇了。

该报的分类广告也做得很好，每天体育版后面6页分类广告和星期天刊的分类板块，是绝大多数读者必读的部分。而且这些分类广告的服务非常到位，客户可以足不出户，轻而易举地完成刊登事项。这里不妨举一则自己的亲身事例。

笔者回国前一周，想要把自己在美国驾驶了2.3万多公里的丰田Camry轿车卖掉，但此前已将自己的信用卡账户关闭，付款已不方便。记得当时是星期四下午3时半，笔者试着给《斯荅藤岛前进报》广告部打电话，问能否在第二天刊出自己的售车广告。对方竟一口允诺并非常热情地向笔者推荐了一种周五至周日的三天套餐优惠，每次4行，价格连税总共才23美元。没有信用卡怎么办？她说没问题，报社会寄账单来，届时照单寄回支票即可。但由于事先没指望可以立即刊登广告，自己并未准备好广告词。我告诉小姐准备起草好广告词后再打去，谁知她说："为什么不可以在电话中商量着办呢？那样会省你很多时间。"于是，她非常耐心地在电话里与我商量了广告的内容，我说她写。她同时帮我进行修改和规范缩略语使用。然后她念一遍给我听。我表示满意，但想充分利用4行字的空间，便问她还有没有空位。她说只有一个短词的空位。我提议加上"cruise"（指巡航速度，也叫自动油门，指美国一些高级汽车上装备的可按驾驶员设定的速度自动行驶而无需加油的装置，我的汽车上就有，在高速公路上长途行驶十分轻松）。她一试，说很抱歉，排不下，若用5行就不合算了。我一转念，决定加上"red"，即红色，我那汽车的颜色是很多美国人喜欢的暗红色。她一输入，说"正好"，竟和我一样高兴地笑出声来。事情就这样轻易搞掂了，第二天广告果然见诸报端。在我离开美国的当天，收到账单，价钱和那位小姐说的一样，我填了张支票塞进房东的邮筒，结束了我回国前在美国做的最后一件事。

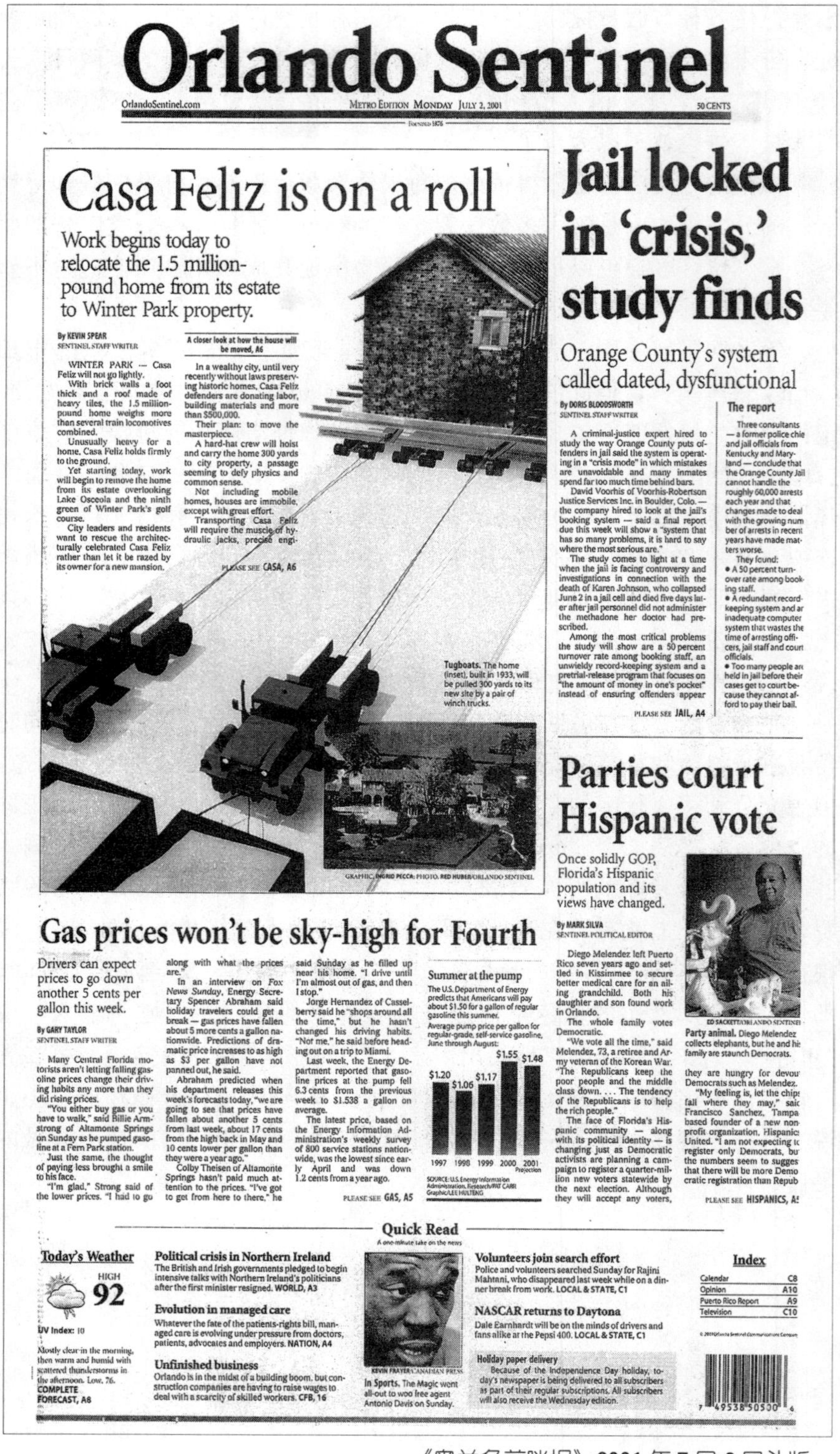

Orlando Sentinel

OrlandoSentinel.com — METRO EDITION MONDAY JULY 2, 2001 — 50 CENTS

FOUNDED 1876

Casa Feliz is on a roll

Work begins today to relocate the 1.5 million-pound home from its estate to Winter Park property.

By KEVIN SPEAR
SENTINEL STAFF WRITER

A closer look at how the house will be moved, A6

WINTER PARK — Casa Feliz will not go lightly.

With brick walls a foot thick and a roof made of heavy tiles, the 1.5 million-pound home weighs more than several train locomotives combined.

Unusually heavy for a home, Casa Feliz holds firmly to the ground.

Yet starting today, work will begin to remove the home from its estate overlooking Lake Osceola and the ninth green of Winter Park's golf course.

City leaders and residents want to rescue the architecturally celebrated Casa Feliz rather than let it be razed by its owner for a new mansion.

In a wealthy city, until very recently without laws preserving historic homes, Casa Feliz defenders are donating labor, building materials and more than $500,000.

Their plan: to move the masterpiece.

A hard-hat crew will hoist and carry the home 300 yards to city property, a passage seeming to defy physics and common sense.

Not including mobile homes, houses are immobile, except with great effort.

Transporting Casa Feliz will require the muscle of hydraulic jacks, precise engi-

PLEASE SEE CASA, A6

Tugboats. The home (inset), built in 1933, will be pulled 300 yards to its new site by a pair of winch trucks.

GRAPHIC: INGRID PECCA; PHOTO: RED HUBER/ORLANDO SENTINEL

Jail locked in 'crisis,' study finds

Orange County's system called dated, dysfunctional

By DORIS BLOODSWORTH
SENTINEL STAFF WRITER

A criminal-justice expert hired to study the way Orange County puts offenders in jail said the system is operating in a "crisis mode" in which mistakes are unavoidable and many inmates spend far too much time behind bars.

David Voorhis of Voorhis-Robertson Justice Services Inc. in Boulder, Colo. — the company hired to look at the jail's booking system — said a final report due this week will show a "system that has so many problems, it is hard to say where the most serious are."

The study comes to light at a time when the jail is facing controversy and investigations in connection with the death of Karen Johnson, who collapsed June 2 in a jail cell and died five days later after jail personnel did not administer the methadone her doctor had prescribed.

Among the most critical problems the study will show are a 50 percent turnover rate among booking staff, an unwieldy record-keeping system and a pretrial-release program that focuses on "the amount of money in one's pocket" instead of ensuring offenders appear

PLEASE SEE JAIL, A4

The report

Three consultants — a former police chie and jail officials from Kentucky and Maryland — conclude that the Orange County Jail cannot handle the roughly 60,000 arrests each year and that changes made to deal with the growing number of arrests in recent years have made matters worse.

They found:

- A 50 percent turnover rate among booking staff.
- A redundant record-keeping system and ar inadequate computer system that wastes the time of arresting officers, jail staff and court officials.
- Too many people are held in jail before their cases get to court because they cannot afford to pay their bail.

Parties court Hispanic vote

Once solidly GOP, Florida's Hispanic population and its views have changed.

By MARK SILVA
SENTINEL POLITICAL EDITOR

Diego Melendez left Puerto Rico seven years ago and settled in Kissimmee to secure better medical care for an ailing grandchild. Both his daughter and son found work in Orlando.

The whole family votes Democratic.

"We vote all the time," said Melendez, 73, a retiree and Army veteran of the Korean War. "The Republicans keep the poor people and the middle class down. . . . The tendency of the Republicans is to help the rich people."

The face of Florida's Hispanic community — along with its political identity — is changing just as Democratic activists are planning a campaign to register a quarter-million new voters statewide by the next election. Although they will accept any voters, they are hungry for devou Democrats such as Melendez.

"My feeling is, let the chips fall where they may," saic Francisco Sanchez, Tampa-based founder of a new nonprofit organization, Hispanics United. "I am not expecting tc register only Democrats, bu the numbers seem to sugges that there will be more Democratic registration than Repub

PLEASE SEE HISPANICS, A5

ED SACKETT/ORLANDO SENTINEL

Party animal. Diego Melendez collects elephants, but he and his family are staunch Democrats.

Gas prices won't be sky-high for Fourth

Drivers can expect prices to go down another 5 cents per gallon this week.

By GARY TAYLOR
SENTINEL STAFF WRITER

Many Central Florida motorists aren't letting falling gasoline prices change their driving habits any more than they did rising prices.

"You either buy gas or you have to walk," said Billie Armstrong of Altamonte Springs on Sunday as he pumped gasoline at a Fern Park station.

Just the same, the thought of paying less brought a smile to his face.

"I'm glad," Strong said of the lower prices. "I had to go along with what the prices are."

In an interview on *Fox News Sunday*, Energy Secretary Spencer Abraham said holiday travelers could get a break — gas prices have fallen about 5 more cents a gallon nationwide. Predictions of dramatic price increases to as high as $3 per gallon have not panned out, he said.

Abraham predicted when his department releases this week's forecasts today, "we are going to see that prices have fallen about another 5 cents from last week, about 17 cents from the high back in May and 10 cents lower per gallon than they were a year ago."

Colby Theisen of Altamonte Springs hasn't paid much attention to the prices. "I've got to get from here to there," he said Sunday as he filled up near his home. "I drive until I'm almost out of gas, and then I stop."

Jorge Hernandez of Casselberry said he "shops around all the time," but he hasn't changed his driving habits. "Not me," he said before heading out on a trip to Miami.

Last week, the Energy Department reported that gasoline prices at the pump fell 6.3 cents from the previous week to $1.538 a gallon on average.

The latest price, based on the Energy Information Administration's weekly survey of 800 service stations nationwide, was the lowest since early April and was down 1.2 cents from a year ago.

PLEASE SEE GAS, A5

Summer at the pump

The U.S. Department of Energy predicts that Americans will pay about $1.50 for a gallon of regular gasoline this summer.

Average pump price per gallon for regular-grade, self-service gasoline, June through August:

1997	1998	1999	2000	2001 Projection
$1.20	$1.06	$1.17	$1.55	$1.48

SOURCE: U.S. Energy Information Administration. Research/PAT CARR Graphic/LEE HULTENG

Quick Read

A one-minute take on the news

Today's Weather

HIGH 92

UV Index: 10

Mostly clear in the morning, then warm and humid with scattered thunderstorms in the afternoon. Low, 76.
COMPLETE FORECAST, A8

Political crisis in Northern Ireland
The British and Irish governments pledged to begin intensive talks with Northern Ireland's politicians after the first minister resigned. WORLD, A3

Evolution in managed care
Whatever the fate of the patients-rights bill, managed care is evolving under pressure from doctors, patients, advocates and employers. NATION, A4

Unfinished business
Orlando is in the midst of a building boom, but construction companies are having to raise wages to deal with a scarcity of skilled workers. CFB, 16

KEVIN FRAYER/CANADIAN PRESS

In Sports. The Magic went all-out to woo free agent Antonio Davis on Sunday.

Volunteers join search effort
Police and volunteers searched Sunday for Rajini Mahtani, who disappeared last week while on a dinner break from work. LOCAL & STATE, C1

NASCAR returns to Daytona
Dale Earnhardt will be on the minds of drivers and fans alike at the Pepsi 400. LOCAL & STATE, C1

Holiday paper delivery
Because of the Independence Day holiday, today's newspaper is being delivered to all subscribers as part of their regular subscriptions. All subscribers will also receive the Wednesday edition.

Index

7 49538 50500 6

《奥兰多前哨报》2001年7月2日头版

第 7 章

《奥兰多前哨报》

Orlando Sentinel

论坛公司南方大报
旅游名城独领风骚

《奥兰多前哨报》，创刊于 1876 年，是美国南部旅游名城奥兰多市第一大报，也是美国第二大报业集团论坛公司在南方的最大报纸，与美国在线合办一个 24 小时滚动播出的本地有线新闻台，并出有多份周报，2002 年 4 月至 9 月平日刊平均日发行量为 256,520 份，居全国第 35 位；星期天刊平均发行量为 382,896 份，居全国第 33 位。

一、冒暑南行访佛州

7月的南方，骄阳似火。阳光从车窗外一泻如注，浑身全无遮挡。就像美国人从不打遮阳伞一样，美国的汽车也从不贴遮阳纸或挂窗帘。这趟南行，我握方向盘的两臂被晒得乌黑，只在左手腕戴手表处留下一圈白印。好在汽车的空调相当好，还不至于灼热难耐。

这是我到美国后第一次驱车远行。

我是2001年6月26日离开纽约市的，当晚在费城附近我弟弟家住了一宿。次日上午，我沿95号州际高速公路继续向南，经过特拉华州和马里兰州，进入弗吉尼亚州，在该州首府里士满市休息吃午饭，再沿85号高速公路向西南方向行驶，到达北卡罗莱纳州。晚上10时许，终于来到北卡罗莱纳州的最大城市夏洛特市，入住市中心的假日酒店。此行途径6州，行程800多公里，用了10个多小时，创了我单日行程的最高纪录。这样长距离地驱车，过去连想都不敢想。第二天休息一天，逛了逛街。

夏洛特市是这次长途跋涉前往佛罗里达访问的第一站。之所以选择这座城市而放弃了必须经过的弗吉尼亚首府里士满市和北卡罗莱纳首府哥伦比亚市，是因为这座城市最有特色。夏洛特历史上第一次繁荣是1799年，当时一个重17磅的大金块被发现导致淘金热。这阵热潮后来移到美国西部的加利福尼亚州，但该市的金融地位却渐渐形成。1837年美国政府在这里建立了一家造币厂，后来建成了全国最大的黄金交易市场。目前该市是美国第二大金融城市，地位仅次于纽约市。该市的大银行总部数量超过美国任何一个城市，全国200家最大银行中有9家总部设在夏洛特，包括美洲银行和我开户的第一联合银行。当地人说，这座城市的很多建筑物喜欢用绿色，就是因为它代表了美钞的颜色。

夏洛特很干净，依我所见，该市市容最大的特点有两个：一是市区街头摆放很多色彩艳丽、形状各异的大靠背椅，这椅子显然不是供游人休息的，而是一种街头装饰，与城市雕塑的作用相仿；另一特点是市中心很少住户，除了商店就全是高大的写字楼和大片平面或立体的停车场，人们都住在郊区，市中心好像只是一个上班的场所。我居住的假日酒店旁就有至少数千个收费停车位，供附近的全国最大黄金交易所商户使用。

这一天，我还去了同样位于市中心的《夏洛特观察报》(*Charlotte Observer*)，但因是星期六，且事先未联系，所以未做任何采访，只在大厅和周围参观了一下，并了解到该报平日和星期天的发行量分别约为 24 万份和 29 万份。我此次南行的目标是佛罗里达州两家极有特色的报纸——《奥兰多前哨报》和《圣彼得斯堡时报》，途中不敢久留。在酒店，我抓紧时间继续与《奥兰多前哨报》联系，因为当时还未得到确切的答复，只说由于 7 月 4 日国庆日前后有不少人休假（美国人国庆休假一天，2001 年 7 月 4 日是星期四，很多人喜欢调休与上一个或下一个周末连起来过所谓的“长周末”），欢迎我来，但日子待定。结果是电话无人接听，电子信箱没有新邮件。而 7 月 3 日访问《圣彼得斯堡时报》的日子业已敲定。

6 月 30 日一早，继续赶路。这一天开了 600 多公里，中途经过该州首府哥伦比亚市，匆匆参观了美国历史上著名的哥伦比亚运河和导致南北战争的南方 11 个州决定脱离联邦的第一次会议地点——第一基督教新教教堂。晚上到达南卡罗莱纳州的海滨名城查尔斯顿市，入住美国著名大众化连锁酒店 Days Inn。这个城市傍海而建，景色迷人，沿海有长达数公里的休闲长廊和保留的土炮台，市内有战争公园和多处公墓。据查阅当地资料，美国独立战争的第一个决定性胜利即在该市取得，挑起南北战争的第一枪也在这里打响。

第二天上午离开酒店前查阅电子信箱，终于接到《奥兰多前哨报》阿什莉·艾伦（F. Ashley Allen）女士的 E-mail，称我可以于 7 月 2 日上午访问该报。这比我预料的国庆日之后的日子提前了数日。不容耽搁，当天我即穿过佐治亚州进入佛罗里达州，晚上赶到奥兰多市郊的凯西米镇，在一家旅店歇息。这个旅店叫做 Flamingo Inn（火烈鸟酒店），以当地人们最喜欢的热带海鸟火烈鸟名字命名。酒店虽只有两层高，但幽雅清静，房间里冰箱及免费制冰的器具一应俱全，院内还有一个漂亮的小游泳池。这样的房间每天仅收 50 美元（含 12% 的税），是我在纽约按照美国驾驶员俱乐部（AAA）优惠手册的指引，通过电话谈妥的价格。

二、旅游名城的都市大报

打开美国地图，一眼可见其东南角上伸出去的仿佛乌龟头的凸出部分，这个狭长半岛便是佛罗里达州，简称佛州。在佛州中部紧靠大西洋一侧的城市，便是著名旅游城市奥兰多。

奥兰多是个年轻的城市。直到 19 世纪末，这里还是人烟稀少、被称作“cowtown”的乡村小镇，1929 年一次严重的果蝇灾害使当地的农作物及其加工产业受到大面积毁损。奥兰多的繁荣和工业化，首先归功于二次大战后的冷战时期，美国在附近积极开发空间产品，与苏联激烈竞争，著名的肯尼迪宇航中心离此不远。但奥兰多真正成为世界旅游名城，主要归因于一批大型主题公园的兴建。

1971年，这里耗资4亿多美元建立了第一个主题公园“魔幻王国”，成为后来迪斯尼世界的五大公园之一。如今，奥兰多的大型主题公园多达数十个，其中包括世界最大的迪斯尼公园——迪斯尼世界、好莱坞两个主题公园、海洋世界、阿拉伯之夜以及从中国深圳移植而来的锦绣中华等。奥兰多不仅靠近大海，而且在方圆100多英里的范围内有大小湖泊1200多个，使得这里的城市乡村、路边楼旁处处临水，为原本漂亮的奥兰多再添几分清秀靓丽。难怪不到200万人口的城市，每年吸引游客4200多万，相当于纽约州、新泽西州和宾夕法尼亚州人口的总和。也难怪这里宾馆酒楼、商店超市多如牛毛，其中各类商店多达118万家。据后来阿什莉女士给我的《访客指南》，该市1999年共接待游客42,598,000人次，其中国内游客39,129,000人次，国外游客2,863,000人次。这些游客包括参加各类会议的人数368万人次，所有游客在此花费的资金总额多达211亿美元。

这个城市某些方面很像我所居住的深圳市：两个城市同样缺乏任何工业资源；两市同样有自己的特色水果，只是一个盛产柑橙，一个丰收荔枝；两市都靠近大海但市区离海滨旅游点都较远；两市都以主题公园和亚热带气候吸引游客；两市工业化的历史都不长（相对本国其他城市而言）；两市常住人口（深圳是户籍人口）都少于外来暂住人口；《奥兰多前哨报》作为该市的第一大报，1982年才正式改用现名，而《深圳特区报》作为深圳市的主要报纸，1982年刚刚创刊；等等。有了这样的感觉，就与奥兰多亲近了许多，一住就是7天，包括后来访问《圣彼得斯堡时报》。

7月2日一早，我开车一个多小时，于上午9时前来到奥兰多市中心的北奥兰治大道633号，进入《奥兰多前哨报》大楼。佛罗里达橙举世闻名，所以这里很多地名都和柑橙（Orange）有关，包括奥兰多市所属的县，音译为奥兰治县，意译应叫“橙县”（Orange County）。奥兰治大道是奥兰多市区的主要街道。《奥兰多前哨报》是美国目前第二大报业集团论坛公司在美国南方的最大报纸，也是美国最著名的主题公园城市的第一大报，其特色超过佛州首府的《迈阿密先驱报》，虽然发行量稍逊于它。我此次南行的目标之一，就是奔该报而来。

我查看当天的该报，发现这家报纸版式花哨，大幅彩色图片随处可见，分量也很足。当天是星期一，该报共 78 页，共分 5 叠，分别为：A 叠新闻，12 页；B 叠体育，8 页；C 叠本地新闻，12 页，含电视预告和卡通画；D 叠分类广告，14 页；E 叠财经，32 页，旅游是其重点。前一天是星期天，报纸共 278 页，共分 14 叠，其中包括一个 16 开 68 页的电视杂志和 8 开 16 页的广场杂志（*PARADE*）。另有一叠 16 版的彩色卡通画。在我访问的所有美国报纸中，该报的彩色卡通画数量最多，每天都有，而且都是彩色。仅次于该报的是《华盛顿邮报》。

下楼来迎接我的是阿什莉女士的助理丽萨，一位身着一袭黑色无袖连衣裙的金发小姐。她引我上楼，介绍给阿什莉。接过阿什莉的名片，我才知道她是报社身兼多职的一个重要人物，主要头衔是计划发展与合作公关部主任。据她介绍，她主要管三摊子事：一是计划与规划，包括论坛公司在这里的长期规划、本报战略规划、本报经营计划、项目管理规划等；二是对外合作，包括与外界交往、媒体合作、集团内媒体支持项目、各类会议、演说培训等；三是慈善事业，包括《奥兰多前哨报》家庭捐助基金、公益广告项目、社区年度报告等。从后来她的谈话及向我提供的材料看，这是一位精明干练的女管理家。

采访《奥兰多前哨报》计划发展与合作公关部主任阿什莉·艾伦（左）

阿什莉介绍了当天对我的安排：先由她介绍报社情况，然后参加报社的社论委员会会议，接着由社论委员、普利策奖获得者约翰·C. 伯西亚（John C. Bersia）接受采访，然后再由她继续介绍情况并回答我的所有问题。我对这个安排表示满意，没有执意要求见高层负责人。

她介绍说："本报的结构主要分为广告、行政管理、市场营销、技术支持、编辑部、经营、人力资源、规划与发展这几大块。另外我们还有一个网站，有 20 多个员工在那里服务。我们还有一个地方有线电视新闻台，占用第 13 频道，和 CNN 一样 24 小时滚动播放新闻节目。我们这个电视台是与 AOL（美国在线）合作的，各占 50%股份。这（指一本杂志）是我们出的期刊，我们的期刊分别为招聘专刊、新房专刊等，是报纸分类广告的延伸，我们向读者提供很多优惠券，很受欢迎。可惜这些工作将面临停顿，因为我们的合作伙伴将出现变化。

“我们的员工共 1500 人。编辑部门大约 350 人。最大的部门是经营部，因为它包括了发行和印刷，在很多报社发行部门和印刷厂是单独分开的，而我们合在一起。也就是说，我们的经营部门包括了印刷、住户投递、街头零售等工作。这个部共有 650 人。我们报纸发行量的 80%是住户投递，20%零售。这一点和我们的姐妹报纸《芝加哥论坛报》不同，它的零售量占八成（但我后来访问中发现这个说法不准确——笔者），因为那是大城市，像纽约，那里有地铁，人们喜欢在地铁里读报，而我们没有地铁。你问谁在发行我们的报纸？我们靠独立签约人，即社会力量帮我们发行。但我们不要孩子送报，因为我们是晨报，我们夜里 1：30 开始印报，凌晨 3 点就开始往外送报了，孩子不能起这么早，他们要上学。有很多版面是白天就提前印刷的，如一些广告、副刊和星期天刊的一些板块。我们没有专门部门做星期天刊，记者为一周内所有板块写稿。销售和发行人员也是一样。你会感到奇怪的是，我们一些每周一次的板块，如旅游、艺术、娱乐等，只有一个编辑负责。另外，我们从不预印第二天的报纸，所谓提前印刷也就是白天印。但很多大城市报纸，如芝加哥、纽约的报纸就会提前一天印刷。人们有时可以在星期六买到星期天的报纸。对我们来说，那是过时的热狗。”

谈到这里，她一看表，连忙说：“你得去参加社论委员会的会议了，然后还要和伯西亚先生见面。我现在就领你去，回来我们接着聊。”

三、2500 小时换来普利策奖

阿什莉送我到同楼层的一间会议室，八九个人已经端坐那里，后来又到了几位，总共 12 位。阿什莉将我介绍给主持会议的社论版主编简·希利（Jane Healy）女士和社论作家伯西亚先生。两人对我的到来表示欢迎。

这是我第一次列席美国报纸的社论委员会会议。当天是星期一，会议正在研究第二天的社论版选题，大家发言很有条理，讨论不算热烈，最后确定了三个选题，分别由提出选题的委员去撰写。我记得有一条是关于监狱改造的，另一条好像与汽车问题有关，还谈到中国。据后来伯西亚介绍，该报的社论委员会由资深评论家和社论版编辑组成，共有

《奥兰多前哨报》社论委员会会议

13 名成员，但今天少了一位。为了保持社论的新鲜感，会议一般不讨论远期选题，多为第二天的社论。也就是说，每天见报的社论或评论，都是在这次会议之后才开始写作的。社论委员会每周周一至周四共召开 4 次会议。这次的会议 10 时开始，大约 10 时 40 分结束。

就在这间会议室，伯西亚接受了我的采访。这是一位英俊的美国白人，看上去 40 岁左右。从后来他给我的报纸中，我看到一段关于他的履历。他当年 44 岁，是该报的社论作者，专长于国际关系、国家事务和财经方面的题目。他 1985 年加入该报社论委员会之前曾任《环球观察》（*Global Perspectives*）杂志的编辑和在大学讲授政治学，并先后在伦敦经济大学（London School of Economics）、乔治城大学（Georgetown University）和美洲大学（American University）获得国际关系和政治经济、政府管理、公共信息管理三个专业的硕士学位。

采访《奥兰多前哨报》社论委员、普利策奖获得者约翰·C. 伯西亚

他的第一句话就是："我到过中国，访问过一些地方，包括《南华早报》（The South China Morning Post，香港的著名英文报纸——笔者）。"接下来，他介绍了社论版其他一些运作情况。他说："我

们的社论版归社论主编领导，社论主编向总编辑和发行人负责。发行人和总编辑每周参加一次我们的会议。这个会议对我们来说非常重要，选题都与当前的新闻有关。选题一旦确定，我们就投入紧张的写作，写成的稿件就代表报社的声音，这就是我们的工作。明天将要见报的是一篇重要社论，该社论与头版一篇新闻稿配合刊发，主题是关于这里的监狱管理问题，这方面有很多问题。还有一个选题是关于防卫组织。我们还讨论了中国共产党关于允许私营企业人士入党的决定。我们每天发表两篇社论，星期天有一叠评论板块，也归我们负责，那里会发更多文章。”

从他这段话可以看出，在《奥兰多前哨报》，评论与新闻不像《纽约时报》那样互相分离。该报的社论版主编归总编辑领导，而总编辑每周参加社论委员会的会议，社论与头版重要新闻可以互相呼应。这在美国大型日报中是较为少见的。

关于编辑部，伯西亚说：“他们每天召开两次编前会，分别在上午11时和下午4时。会议的目的是决定哪些内容可突出发表以体现一家地方报纸的价值。到会的编辑讨论次日的头版，也讨论内页的某些内容。我们有上百个记者，他们整天都在获取信息并及时向编辑们报告这些信息。编辑们则将这些信息带到会上，大家设法将这些信息处理得最好。这些会议都是每天进行的常规会议，还有些非常规的会议，即晚上召开的编前会，那都是出现了最新突发新闻的时候，需要通过会议对版面进行调整。编辑部的基本程序是这样的：记者外出采访，回来写稿，稿件交给自己部门的编辑（主编），编辑查看该稿件是否有意思，遇有真正重要的稿件，编辑或主编会交给总编辑审阅。我们的总编辑每天晚上8时起在这里上班，直到深夜。我有时晚上11时看到他还在忙碌，那说明我自己11时也在忙碌，我也很勤快（大笑）。我们的目标是，不仅使自己的报纸成为佛罗里达州最好的报纸，而且成为南方最好的报纸，甚至全国最好的报纸。这意味着我们会干得更苦。蒂姆·弗兰克林（Tim Franklin，该报总编辑）是个雄心勃勃的人，他去年12月才担任此职，但一心想把报纸搞得更好。简·希利原是社论版主编，现在升任执行总编，继续负责社论版。她上任才一年。你瞧，我有一个雄心勃勃的总编辑，还有一个胸怀壮志的执行总编兼社论委员会的头，我的日子会好过吗?”（再次大笑）

然后，我们谈到他的普利策奖。原来，该报尽管有着125年的历史，却到1988年才第一次获得普利策奖。这次零的突破是由现任执行总编辑简实现的，获奖作品是她的系列评论《佛州蒙羞》，文章尖锐批评了佛罗里达州中部的错误管理。第二次获奖是两位记者写的系列调查报道，内容是揭露沃罗西亚县县长不公正地向车主们敛财，该报道于1993 年获奖。第三次也是最近的一次普利策奖是 2000 年获得的，得主就是我面前的伯西亚先生。他的作品是一个长达一年半的系列评论，总标题为《佛罗里达雁过拔毛》（FLEECED IN FLORIDA），内容是披露佛罗里达州消费者在消费贷款方面遇到的种种不公待遇，包括汽车按揭、信用卡消费等，同时提供一些解决方法，并介绍了许多社会组织正在采取的积极行动。这些类似述评的文章由伯西亚单枪匹马完成，其间进行了艰苦的调查，公布了大量数据，作品被认为具有积极的社会服务动机与效果，因而一举获得普利策社论奖。

从他给我的资料可以看出，《奥兰多前哨报》对普利策奖给予极大关注，不仅将三次获奖经历写入报史，而且对这次获奖更是大造声势，整个报社兴高彩烈。2001 年 4 月获奖后，整个编辑部立即为伯西亚举行了一次盛大的庆祝会，发行人、总裁、总编辑等领导悉数出席。报社还为这此次获奖出了个 16 页的特刊，封面是一个拳头握着一把钞票，在“正本清源”（Righting a wrong）的大标题下，是几行大字：**“《奥兰多前哨报》的一系列评论，直指那种将佛罗里达消费者变为牺牲品的贪婪商业。斗争是长期而艰巨的，但最终换来了公正变化、消费者的保护，以及我们的普利策奖。”**特刊的第二页，是一幅夫祝酒会的大照片，上面可见发行人正向伯西亚的酒杯里倒酒，背景是欢笑的采编人员。特刊的其他部分主要用来刊登伯西亚获奖作品的部分内容。封底又是一幅彩色照片，上面是当时的总编辑约翰·海勒（John Haile）咧开大嘴笑着向伯西亚鼓掌致贺，背景里数不清的同事们也在鼓掌欢笑。该版的大标题是《我们新闻的优秀传统在继续》，下面一个围框的提要里写道：“《奥兰多前哨报》在 12 年内第三次获得了无上荣光的普利策奖。对于本报评论家约翰·伯西亚来说，这是一年半的奉献，1500 小时以上的苦干以及 100 多篇激动人心的评论。”① 不仅如此，伯西亚还给我看了2001 年元旦报纸上再次回顾这件盛事的照片，照片上他正和一位老太太在很多同事的包围下相拥而泣。

他说：“那是我亲爱的妈妈。”关于这次获奖，他不愿再说了，拿起一枝圆珠笔在一份资料上写下“2500 H，my time”几个字，脸掉向一边，默然不语。

我也为之感动。我明白他的意思，为了这个普利策奖，他花去了2500 个小时，而不是报上说的 1500 个小时。这一年半的苦衷，只有他

① *FLEECED IN FLORIDA*，2000 年

自己心里清楚，而当初他动笔写这个系列评论时，并不是为了这个奖。伯西亚为此付出了巨大的代价，而美国很多新闻工作者也一样，随时准备为自己热爱的新闻事业付出高昂代价。由此我想到《华盛顿邮报》两位报道水门事件的记者，想到《华尔街日报》的珀尔……

四、干练的阿什莉

与伯西亚先生谈完，他将我送回到阿什莉女士的办公室。阿什莉一见我，忙停下手中的活继续与我攀谈。她接着介绍说：

“我们有 6 个办事处，各处既有记者编辑，也有广告推销人员。他们分别做自己的事，直接与总部有关部门联系。我们还有若干副总编（我数了一下，实际上当时是 8 个副总编——笔者），每个副总编负责一个部门或方面。如盖尔负责经济新闻，他本人有时也像记者一样去采写经济报道；鲍勃负责本市新闻，我们有很多记者报道本地新闻，本市新闻自己有驻各区或郊外的记者站。由于我们属于论坛公司，所以我们和该集团公司旗下的大报有很好的合作关系。自从我们加入论坛公司后，我们就无需设外国记者站了。我们现在从《洛杉矶时报》、《芝加哥论坛报》和《新闻日报》获得很多新闻，特别是从它们的驻外分社获得大量国际新闻。我们只保留波多黎各一个驻外记者站，那是因为我们的读者较为关注南美洲新闻。尽管集团内各报的运作是相互独立的，但我们从上述三大报纸获取新闻却是完全免费的，这是加入集团的好处。我们还买美联社的电讯稿。我们在奥兰多没有竞争对手，但芝加哥有，《芝加哥论坛报》有很多竞争者，那里有两家大报，而且分属不同的报业集团。

“我们的广告部有 250 至 300 人。分类广告是我们最大的广告源，包括三个主要方面：汽车、招聘和房地产。分类广告按英寸栏或行收费，普通版按 1 英寸高、6 栏宽的基本单位收费。一个普通版价格为 15,000 美元，如果刊登量大可享受折扣优惠。星期天刊的广告最贵，一个彩色整版收 40,000 美元，是所有广告版中最贵的价格。平时分类广告每行（1 英寸宽）11 美元，是最贵的广告价格。本报去年的广告收入为 2.4 亿美元。我们的发展势头很好，报纸赚很多钱。我们下个月还将创办一份新的周刊，用两种文字印刷，一种是英文，一种是西班牙文。西裔人口在这座城市占了 17%，你住的凯西米更多，大约 40%。亚裔人口在这里占 5%。现在佛罗里达州中部的西裔人口总数近 30 万。我们计划首期发行 6 万份。这是新刊的样报。”

我接过她递来的样报，发现这是一份颇为奇特的报纸。这份对开12版的报纸，日期是2001年8月11～17日，全部彩色印刷，图片很多。报头位置写着“El Sentinel”，算是报纸名称了，其中“Sentinel”是“前哨”或“哨兵”的意思，与母报一致，“El”的意思可能性有两种：一种是美国一些报纸常用“E”代表以高科技为主的现代经济，而该报的内容的确以经济为主；另一种可能是“E”取自西班牙语的“西班牙”（Espana）的第一个字母，表明这是一份西班牙语报纸。令我感到新奇的是该报两种文字混合的形式。以第一版为例．头条文章标题《西裔人涌入佛罗里达寻梦》是英文，但副标题却是西班牙文，而正文则一半是英文，一半是西班牙文。两条文章全是西班牙文，底端一条通栏标题的文章又是英文。其他文章包括天气预报，也是两种文字混用。这报纸我读起来很别扭，但相信这很适合那些懂得一点英文的西裔人阅读。

阿什莉约三四十岁的年纪，身材高挑，脸蛋俊俏，穿一身紫红色西式套裙，愈显端庄。从她分管的多项工作及助手不断向她请示的情况看，她有着做不完的事务，但总是笑呵呵的。再看她应我信中要求为我准备的材料，更加深了我对她的印象——一位精明干练的职业女性。

她给我的材料主要由她领导的部门完成，每种材料的封面都印有“奥兰多市场成功向导”字样。这些材料中给我留下最深印象的是《2001年本市基本数据》。这本印刷精美的资料为大16开本，62页，内容包括：

1. 奥兰多人口基本情况，含每周成人增长数量、机场每天到达班机及载客数量、18至34岁人口所占比例、成人生活方式及主要消费行为、大学生数量及本市各类人种所占份额等，从中可知奥兰多人口的增长率达18%，居全国第三；

2. 经济及就业状况，包括岗位数量、就业比例、大公司数量等，从中可知奥兰多市区有高科技企业2900家，职工40,000人，每年销售额47亿美元；

3. 房地产情况，包括20家最大独立洋房建造商、房屋平均成本及售价、房地产市场走向及回顾等，从中可知奥兰多每年大约新增29,500个新家庭，占现有家庭数量的5.1%；

4. 交通和旅游，包括旅客数量增长率全国第六、12家主要航空公司在本市的旅客吞吐量、每年接待游客数量、酒店平均入住率等，从中可知奥兰多平均每天有30万外地游客，每年接待游客4200万人次，数量是纽约州、宾州、新泽西州三州人口之和；

5. 零售情况，包括该市零售市场增长率居全国第四、居民消费结构、商店数量、居民每天购买物品种类等，从中可知奥兰多各类商店多达118万家，每个家庭的平均零售消费额居全国第二；

6. 媒体情况，包括《奥兰多前哨报》的各类数据、报纸在本市及各县的销量、在当地发行的其他报刊发行量、当地可以收看到的电视台情况、广播情况、受众分布情况等，从中可知佛罗里达州中部（即奥兰多及其附近地区）有85个电台、30个电视频道和20个有线电视节目经营商，当地住家可以收到200个以上不同的电视播出信号。

资料中列了大量表格，使得有关数据的意义一目了然。据阿什莉介绍，这本资料每年更新一次，是从大量政府及中介组织公布的材料中筛选整理出来的。我不禁感叹这一资料工作做得如此扎实。我相信，这样一本东西，对报纸无论是采编部门、行政管理部门还是发行部门、广告部门，都具有极大的参考价值。在中国干了近20年报纸，还没见任何报社编印过类似的资料。

其他还有版式花哨的《访客指南》(Visitor Guide)，2001年1月出版，里面分析了到奥兰多的游客的各种情况，数据翔实，包括游客国家分布、每年消费总额及分类金额等。例如，1999年海外游客的消费行为分别为：购物94%，公园游玩87%，餐饮82%，水上运动或日光浴44%，市容观光31%；国内游客消费行为分别为：公园游玩72%，一般娱乐51%，餐饮48%，购物46%，市容观光20%。在游客消费统计中，海外游客平均每日消费711美元，国内游客平均每人消费526美元，参加会议者平均每人消费760美元。另外还有一些有意义的数据，前面已经谈过，不再赘述。这样的手册不像是一家报纸编印的资料，倒像是旅游局的读物。

还有五大本广告书，是2001年1月生效的最新版本。其中包括广告政策、大幅广告价目及刊登方式、分类广告价目及刊登方式（分为招聘分类、汽车分类和房地产分类三本）等，内容不厌其详。另外是一些报社基本情况的材料，其中有一个本报大事记，从中可以看出一家新兴城市第一大报的发展轨迹：

1876年6月6日创刊，当时名称为《奥兰治县记者》(*Orange County Reporter*)；

1903年，《奥兰多晚星报》(*Orlando Evening Star*) 改为日报；

1905年，《奥兰治县记者》改为日报；

1913年位于奥兰多的《南佛罗里达前哨报》(*South Florida Sentinel*)改为每日出版的晨报；

1916年，《奥兰治县记者》和《奥兰多晚星报》合并为《记者星报》(*Reporter Star*)；

1931年，《奥兰多前哨早报》收购《记者星报》，马丁·安德森(Martin Anderson)受聘来到奥兰多管理这两份报纸；

1945年，安德森买下上述两份报纸；

1951年，两报搬入北奥兰治大道的新印刷厂；

1960年，印刷厂扩建一倍；

1965年，安德森将两报卖给芝加哥的论坛公司；

1966年，安德森退休，威廉·科诺默斯(William Conomos)被任命为总编辑和发行人；

1973年，两报合并为一份日报，取名《前哨星报》；

1976年，查尔斯·T. 布朗贝克(Charle T. Brumback)被任命为总裁，詹姆斯·D. 斯夸厄斯(James D. Squires)被任命为总编辑；

1981年，哈罗德·R. 利芬道尔(Harold T. Lifvendahl)成为总裁和发行人，报社投资2.8亿美元建立印务中心；

1982年，戴维·伯金(David Burgin)担任总编辑，报纸更名为现名《奥兰多前哨报》；

1985年，约翰·海勒担任总编辑；

1988年，投资3500万美元的印刷厂扩建完成，报纸获得第一个普利策奖；

1990年，报社位于湖县的印刷新址落成，从此可以满足广告商印刷"直邮广告"的需求；

1993年，约翰·P. 普尔纳(John P. Puerner)担任总裁、首席执行官和发行人，报纸获得第二个普利策奖；

1994年，开通首个互联网站；

1996年，创办《黑人之声》互联网站；

1997年，在互联网上创办《奥兰多数码城》，创办24小时有线电视新闻台；

1998年，创建为企业家和商务旅行者服务的网站《日志》；

1999年，创办为西裔服务的星期天副刊，创办发行14,000份的《旅行指南》；

2000年，报纸获得第三个普利策奖，凯思琳·沃尔兹(Kathleen

Waltz）担任发行人，报纸自1982年改用现名以来首次全面改版，包括在头版增设快速导读（Quick Read）、增加更多副刊、运用更多彩色、缩窄报纸宽度，蒂默西·弗兰克林（Timothy Franklin）被任命为总编辑。

所有这些资料的封面，都印有“奥兰多市场成功手册”（Tools for Success in the ORLANDO Market）字样。

我们的谈话一直延续到中午12时，阿什莉邀我共进午餐。在餐桌上，我谈及自己感觉到南方人似乎比北方人和善好客。她立刻赞同，说她在纽约住过较长时间，也常去芝加哥和波士顿等大城市，那里的人远没有佛罗里达人那么友好，很有些咄咄逼人的味道。一般说来，越往南方人们越亲切。我问为什么，她说很难解释，也许是北部居民生存压力大、竞争激烈和移民多的缘故吧。

当谈起我正在开展的一个课题时，她突然问：

“你和西北大学的媒体管理研究中心谈过吗？就是芝加哥那个西北大学。”

“没有，西北大学是很著名的学校，但我没听说这个中心。”

“你今后如果去芝加哥，一定要去这个中心。它曾经叫报业管理研究中心，正好合你的课题啊，”她热情地建议道，“我有一个朋友叫迈克，在那里当主任。他是个很好的人，你和他交谈会很愉快。我手头没有他的电话，但我会从网上传给你，如果需要的话。西北大学就在城市的北部，它有商学院和新闻学院。”

“当然需要，太谢谢你了！”我为这意外的收获欢喜不迭。后来我果然访问了那个研究中心，和迈克主任交谈甚欢，那是后话。

五、美国报纸的中国情结

在和伯西亚的谈话中我发现，《奥兰多前哨报》较为关注中国大陆的情况。例如，今天的社论委员会会议就考虑将中国共产党吸收私营企业主入党作为社论题目，而伯西亚2001年曾专程去中国采访。作为一家地方报纸，其眼界之宽阔，值得敬佩。我曾和他谈起他的中国之行。

他是2001年4月受美国全国社论作家联合会的资助去中国旅行的。这个时间距他获得普利策奖正好一周年，可以想象其踌躇满志的样子。据他介绍，在中国期间，他访问了“各层次”的政府官员，与西方国家政府和经济组织在中国的代表交谈，还会见了中国的经济学家、新闻工作者、企业家，并向大、中学校的师生作了演讲，经历可谓相当丰富。回来后，他写了多篇报道，《奥兰多前哨报》2001 年 6 月 10 日在星期天评论板块的封面刊登了其中三篇，并加了带大幅彩色插图的大字标题——中国改革之风（The Winds of Change in China）。他给了我这期报纸，打开一看，这三篇文章中第一篇为《中国的未来蕴含着各种机会和可能性》，第二篇为《不同文化视点导致美中关系复杂》，第三篇为《上海的复苏显示一座城市企图挽回失去的时间》。三篇文章都很长，分别转至第四、第五和第六版，总共占去两个整版面积。文章做了很多分析，有些未必准确，或有失偏颇，如第一篇文章对中国未来的分析。但总体来看，他掌握了很多情况，引述了很多观点，信息量丰富，有助于加深美国人对中国的了解。

这期报纸的内页还刊登了他写的另一篇占据半个版的文章，题为《由旅游转向高科技——一个熟悉的话题》。文章写了伯西亚在西安采访时的感受，说当地人不甘心仅靠旅游景点赚钱，希望经济实现多元化，最好在高科技方面迈出坚实的步伐。他认为这一意愿和奥兰多很类似。奥兰多也是靠旅游景区和主题公园发展的，这里的政府和企业家也希望经济能够多元化，更希望在高科技领域取得突破。事实上，奥兰多靠近肯尼迪宇航中心，航天工业的相关产业会较好地带动当地经济发展。所以伯西亚说由旅游转向高科技是“一个熟悉的话题”。同一天该报还有其他作者写的一些关于中国的文章。如第三版有一篇头条评论为《中国会因脆弱的自由而衰落》，这就比较“负面”，也是美国报纸喜欢搞的平衡术，正面评论多了，就来点负面的。文章开头即称：“美国记者在挖掘让民众知情的新闻时享有极大的自由。当然，有时民众宁可不知道某些新闻。有时记者不得不报道的内容实际上伤害或打扰了读者。但我们的先辈们明白，一个自由的社会要想维持下去，所有不同观点，哪怕是令人沮丧的观点，都应该公平发表。正因为这样，先辈们写下了《宪法第一修正案》，用来保护新闻不受政府的干涉。”接着，这位作者批评了中国政府对报纸的管制。这是一篇与中国社会主义新闻原则格格不入的文章，当然代表了很多美国同行的观点。但按照“莫谈政治”的自我约束，我避开与伯西亚谈这类话题。我知道，就在一个多月前，他和我的一位同行就此话题展开了热烈的讨论。

后来，我在美国各报跑了一圈后发现，关心中国状况的报纸，不独《奥兰多前哨报》。几乎我到过的所有报纸，都经常甚至大量地刊登有关中国的消息、通讯和评论。这里仅举我访问各报当天看到的情况为例。

在 7 月 2 日对《奥兰多前哨报》的访问中，我见到当天报纸在 A3

版，也即美国人所谓“第二头版”（second front page）上，赫然有《中国接受企业家》的新闻。导语如下：“中国国家主席江泽民星期天（即昨天——笔者）宣布，中国共产党将允许私营企业主成为共产党员。这是中共在意识到企业家们在国家未来发展中日益重要的作用时作出的最新决策。”在接下来的段落里，消息继续说：“江作为中共领袖，是在人民大会堂庆祝中共诞生 80 周年的讲话时作出上述宣布的。这是两个月来对中国社会主义制度作大肆宣传后的一个惊人结果。”一查消息出处，还是来自华盛顿邮报新闻社。佛罗里达州的报纸比较喜欢用《纽约时报》和《华盛顿邮报》这两家大报新闻社的稿，相对较少用美联社的稿件。

7 月 3 日访问《圣彼得斯堡时报》时，在我索要的该报最近的星期天刊中，即见该报在国际版刊登《华盛顿邮报》提供的报道，题为《中国接受美国关于加入 WTO 的条件》。消息导语称：“美国和中国昨天宣布，双方就中国加入世界贸易组织的一些问题达成协议，从而为中国成为该组织成员铺平了道路。”显然，当天《华盛顿邮报》也有此消息。

8 月 13 日访问《芝加哥太阳—时报》（*Chicago Sun-Times*）时，该报给我的最近一期星期天刊（7 月 22 日）的 A 叠新闻版，用了两个整版篇幅，以横跨两版的大通栏标题《中国的稀有鹤类与它们的美国朋友》，刊登了该报记者的专题报道，讲述了中国云贵高原草海自然保护区保护野生鹤鸟的故事。该文虽然讲到美国一些动物保护专家前往协助的事迹，但刊登的 6 幅图片，除一幅丹顶鹤照片和一幅保护区位置图外，其余 4 幅大幅照片全部是关于当地农民的，尤以一农户全家 4 口人的合影最为抢眼。照片上两位年轻夫妇满足的微笑和两个孩子天真无邪的目光，加重了这两版内容的中国味道。

8 月 14 日访问《芝加哥论坛报》，和该报媒体关系经理比厄里格谈话时，他特别谈到该报对中国的报道，说该报对中国的报道不仅较多，而且客观全面；不仅新闻方面的报道量大，在社评方面也经常列入选题。他向我出示了几份该报近期对中国重点评论的网络下载版，如 7 月 1 日该报在星期天刊评论版以《一个我们知之甚少的中国》为题，用数千字的篇幅讲述中国改革开放的全面情况，小标题分别为“现代、大型、自豪”，“经济改革”，“大陆生意人”，“自知之明”，“人们感觉良好”，内容丰富有趣，里面提到 WTO 和 2008 年北京奥运会；有些信息我还是第一次听说，比如说上海现在有 1300 万人口和 300 万流动人口。其他几篇分别是 7 月 4 日的社论《中国为何积极申办奥运会》，7 月 2 日的社论《香港是关键》（Hong Kong，a case in point，主要观点认为北京和台湾的未来关系，关键看香港的发展），6 月 13 日的社论《自由贸易的一道亮色》（A brighter day for free trade，主要观点认为中国加入世界贸易组织后，将成为发达国家与发展中国家之间自由贸易的桥梁），等等。

8 月 16 日到访《底特律新闻》（*The Detroit News*）的当天，该报在 A 叠第三版头条位置刊登一则中国新闻，标题占据 3 栏：《台湾人在中国大陆找到事业和财富》，副标题为《新到大陆的台湾人投资数十亿美元，创造 300 万工作岗位》。报道说："台湾商人无视导弹防御计划和潜水艇问题，也不顾北京和台北政府之间如何致对，他们对大陆热爱有加，特别是对上海。……据估计，目前台湾 2200 万人口中，大约有 80 万人在大陆工作，其中多达 30 万人在上海这座中国新的梦幻城市。"文章又说："台湾不明朗的经济前景是促使商人北移的主要原因，如台湾的失业率创 16 年最高，达 4%；台湾股市市值损失 40%；对台湾'总统'陈水扁的管理信心大幅下挫……今年 4 月台湾一项调查显示，64% 被调查者都有意愿到大陆开创事业或在那里工作。这个数字是一年前的同类调查数据的 8 倍。"这篇报道还在标题下专辟一栏放置背景资料，题为《岛民外流》，列举了"在过去的 30 年里，台湾掀起的三次移民潮"：第一次是"在 1971 年台湾被迫将在联合国的席位让位给共产党中国之后，移民主要目标——北美洲"；第二次是"1979 年，华盛顿与北京建立正式外交关系后，移民目标——北美洲"；第三次是"2000 年，在台湾民主选举'总统'、陈水扁的当选结束了 50 年的一党统治之后，经济出现滑坡，移民主要目标——中国大陆"。这篇报告是《洛杉矶时报》提供的，可以肯定该报也会在同一天刊载此文。

8 月 24 日访问《波士顿环球报》的当天，该报 A8 版的头条文章是《中国承认艾滋病患者猛增》（China admits big rise in AIDS），用了近 2000 字报道中国艾滋病蔓延的情况。这算是一条"报忧"的稿件。

10 月 23 日访问《巴尔的摩太阳报》时，见该报在 A 叠第 23 版（评论版）刊出占 4 栏宽标题的中国问题评论，题为《西方门前打仗 中国感到不安》。评论第一段说："中国对美国反恐战争策略性的、有限度的支持，已经得到美国国内广泛的尊敬。"接着，文章另起一段将话锋一转："但是，尽管中国与美国有一些共同的敌人，但从深层次来看，中国对美国军事力量在其后院的运作感到越来越不安。"这篇评论还配了龙和鹰互相怒目而视的漫画插图，文图面积超过 1/4 版。

10 月 25 日访问《费城问讯报》时，该报当天 A 叠第二版刊出《保罗就有关失误向中国道歉》的报道，占 3 栏。报道的导语称："教皇保罗二世昨天向中国伸出橄榄枝，就殖民历史阐述中的错误表示歉意并希望与中国建立外交关系。”这篇消息的背景是，梵蒂冈此前就历史上西方神职人员在中国的作用作了不符合事实的阐述，并称中国有 800 万人忠于教皇并秘密进行礼拜活动。对此中国政府表示强烈不满并予以坚决驳斥。

12 月 12 日我第三次访问《纽约时报》时，见一份报纸（12 月 5 日）头版刊登题为《中国正努力使器官捐献法制化》的报道，介绍中国目前在器官移植方面的进展和存在的问题。报道篇幅较长，转文至 A14 版，共占 1/4 版面。同日，见前一天（12 月 11 日）报纸头版再次刊登中国新闻，题为《中国农村艾滋病蔓延迅速》，导语称：“正当中国中央政府对艾滋病人数增长问题采取公开化的透明政策时，很多地方政府对此类问题却讳莫如深，对病人需求不愿理睬。”这篇配有彩色图片的报道也很长，转文至 A16 版。

2002 年 1 月 25 日，当我再次与《华尔街日报》执行总编辑的秘书联系时，该报当天在 A10 版头条位置刊登题为《中国人的言论向台湾示好》，副标题为《外交政策负责人称北京有可能接纳台湾执政党》。报道称：“中国高级外交官员暗示北京可能愿意接纳台湾执政党，这一表示将舒缓目前两岸的紧张关系。……在北京昨天一个会议上，国务院副总理钱其琛说，台湾民进党中只有‘极少数人’真正在致力于将台湾独立出去，他邀请绝大多数人来大陆访问。”和该报其他重要报道一样，这篇报道配发了钱其琛和陈水扁的“钢笔画”肖像。同日，该报在国际板块头版刊登 3 栏报道，题为《飞机事件调查涉及解放军》。报道称前段时间暴露的中国向美国购买的总统专机装有大量窃听装置的事件，正在深入调查中，有可能涉及参与这宗交易的军方人士，云云。

总之，穿行于美国报界，有关中国的报道可谓不绝于耳。有一次我索性用自己纽约公共图书馆借书证的号码登录该馆的一个网站，查阅各报中国报道的数量，结果是：据不完全统计，自 1999 年 1 月至 2001 年 12 月，美国各报刊发的有关中国的报道达 1 万多篇，其中在中国加入世界贸易组织后的一周内，《华尔街日报》、《洛杉矶时报》、《华盛顿邮报》和《今日美国》4 家报纸就刊发中国报道 38 篇。

依我所见，美国媒体的中国报道热至少给我留下三个印象：**一是中国的崛起正引起越来越多的美国读者的关注，各报正努力满足读者的这一“知情权”；二是这些报道反衬出美国公众对中国的了解还太少，中国目前社会任何现状的披露，都可能成为“新闻”**（我在美国期间，处处感到美国人对中国之了解程度远远低于中国人对美国的了解。有一次，我带着数码摄像机到教室，任课的美国教授课前闲聊时问我这个摄像机花了多少钱。我说是 1998 年在香港买的，当时是最好的索尼机，花费港币 15,000 元，接近 2000 美元。她听了大吃一惊，说我一定属于中国最富有的阶层。我忙解释说中国城市中拥有数码摄像机的人很多，他们和我一样都是普通工薪阶层人士。我所在的城市，花二三万美元买私家小轿车的也数以万计。她听后更加吃惊，摇摇头，做了一个难以置信的表情。另注：去年美国境内数码摄像机的最高价格为 1500 美元)；**三是就我所见到的中国报道，并没有明显的“妖魔化中国”的倾向**，上面列举的 10 多篇报道都是到各报采访时撞上的，没有刻意挑选，报纸也有一定代表性，某种意义上也可视为一种抽样调查吧。

当然，上述各报关于中国的报道，都是在中美关系处于正常状态下进行的。一旦中美关系出现波折或有什么突发事件发生，如 2001 年的中美撞机事件，报纸上关于中国的报道就有可能偏激，对中国的批评指责或所谓负面的报道可能会多于常态下的报道，这是读者需要分辨清楚的。

St. Petersburg Times

FLORIDA'S best NEWSPAPER

TAMPA EDITION

TUESDAY July 3, 2001

25¢

WEATHER
High 92, low 74
P.M. thunderstorms
rain chance 30%. 8B

Women's tennis picks Pasco

■ Saddlebrook beats out St. Petersburg, Atlanta and Charleston, S.C., for the WTA headquarters.

By JAMES THORNER
Times Staff Writer

The allure of a world-renowned resort and lobbying by top players have persuaded the Women's Tennis Association to move its headquarters to the Saddlebrook Resort in Pasco County.

Saddlebrook's promise of a 13,000-square-foot office building for the WTA, paired with a $5-million to $7-million public tennis arena Pasco is considering building in Wesley Chapel, would transform the county into a tennis mecca.

Saddlebrook, home to Jennifer Capriati, Martina Hingis and the Harry Hopman Tennis Academy, beat out St. Petersburg, Atlanta and Charleston, S.C., in the competition for the WTA.

As the governing body of the women's professional tennis tour, the association manages more than $50-million in prize money at 64 tournaments in 33 countries.

The organization runs a corporate headquarters in Stamford, Conn., and a tour management office in St. Petersburg but will consolidate operations into one location in 2002.

Saddlebrook's worldwide reputation in the sport, combined with its resort atmosphere conducive to WTA functions, proved decisive with the association's board of directors, which chose Saddlebrook during a meeting Saturday at Wimbledon.

"Saddlebrook is one of the world's leading tennis training facilities, an outstanding venue for corporate meetings and entertain-

Please see TENNIS 6A

Judge: Coach's dismissal wrongful

■ Basketball coach Jerry Ann Winters should be reinstated, he says. USF president says no.

By ANTONYA ENGLISH
Times Staff Writer

TAMPA — A Florida administrative law judge ruled Monday that former South Florida women's basketball coach Jerry Ann Winters was wrongfully dismissed in December and should be reinstated.

Winters

But late Monday afternoon, USF President Judy Genshaft said she stands behind the decision to fire Winters and will not accept the judge's recommendation.

Winters, 52, was fired after USF's Equal Opportunity Affairs department ruled she dismissed point guard Dione Smith from the team in retaliation for racial discrimination claims against Winters. Winters said she kicked Smith off for insubordination.

In February, Winters filed a petition with the Division of Administrative Hearings — a legal avenue for state employees to appeal administrative actions — ask-

Please see WINTERS 8A

Pennzoil Corp.

The scaled-back tract is so far from Florida that people standing on the state's beaches would not be able to see any oil or gas rigs, such as this one in the Gulf of Mexico, says Interior Secretary Gale Norton.

Compromise limits new drilling off Fla.

■ The plan, which puts leases 285 miles off Pinellas, tries to defuse a powerful issue between Bush brothers.

By BILL ADAIR and CRAIG PITTMAN
Times Staff Writer

WASHINGTON — In a move that won praise from Republicans and mixed reviews from environmentalists, the Bush administration on Monday announced plans to sell oil and gas leases in a drastically reduced area of the Gulf of Mexico.

Interior Secretary Gale Norton said the new area for future leases was one-fourth the size of the original proposal and was at least 100 miles from Florida beaches. The new site is 285 miles west of Pinellas County, rather than 213 miles in the original proposal.

At a news conference, Norton said the new tract is so far from Florida that people standing on the state's beaches would not be able to see any oil or gas rigs.

Deal creates more problems for Gov. Bush. Column, 6A

By announcing the scaled-back proposal for the Gulf of Mexico tract known as Area 181, the Bush administration is trying to defuse a powerful issue as the president's brother, Gov. Jeb Bush, heads into a re-election campaign. Like most Florida politicians, Gov. Bush has said he opposes drilling off the state's coast — and he has told his brother as much repeatedly.

Two weeks ago, the U.S. House of Representatives voted against the original 181 plan, reflecting public opposition to drilling and President Bush's energy policies. By making the announcement now, the administration probably has pre-empted the Senate from taking more drastic action.

The new site is entirely to the

Please see DRILLING 6A

Source: Interior Department — Times art

Drilling in the Gulf of Mexico

■ Closest active drilling: Union Oil Co. (Unocal) owns a gas rig that is about 10 miles off the coast of Alabama and 20 miles from Florida.
■ Count: About 4,000 oil and gas rigs are in the gulf.
■ Deepest: Unocal is drilling an exploration well for oil and gas in 9,743 feet of water less than 4 miles from the U.S.-Mexico coastline.
■ Production: About 522-million barrels of oil were extracted from the gulf in 2000, up about 5.5 percent over the year before. Gas production dipped slightly.
Source: Minerals Management Service

THE NEW AMERICANS

Times photo - TONI L. SANDYS

Farrah Hornidas, 4, of Tampa waves a flag.

They came together last week as immigrants from all corners of the world and left with a common bond — as Americans. The stories of some of these new U.S. citizens — people from Moldova to Haiti to the Philippines — embrace the rich immigrant tradition upon which the nation was built.

Floridian, 1D

Travelers may feel US Airways' pain

■ Tampa's largest carrier may have to cut unprofitable routes to survive after deal fails.

By STEVE HUETTEL
Times Staff Writer

The collapse of its sale to United Airlines is forcing US Airways to scramble for a new survival strategy.

But none of the choices is great, say airline experts, and some would be bad news for customers of the airline that carries more passengers than any other at Tampa International Airport.

The most likely effect on travelers: fewer places to fly on a shrinking US Airways, both in Florida and across the country.

More than a year after announcing what would have been the biggest merger in U.S. aviation history, United and US Airways confirmed Monday that the deal had come apart.

The airlines issued a brief statement that they were

DEAL KILLER: American's TWA purchase may have hurt. 1E

talking about killing the merger before the Aug. 1 termination date.

US Airways was more blunt in a recorded telephone message to employees. The $4.3-billion deal is "no longer an option," said the message from US Airways Group chairman Stephen Wolf and chief executive Rakesh Gangwal. Directors would conduct a "thorough and exhaustive review" of new strategies July 18 and report to employees as soon as possible, they said.

Those options are limited.

Other merger partners are unlikely to line up for US Airways, the nation's No. 6 airline. Most experts don't see a likely suitor and say the timing is bad in an industry suffering through a financial slump.

The airline could sell valuable assets such as its Northeast shuttle and landing rights

Please see AIRLINE 8A

THE TIMES TODAY

Wimbledon run over for Sampras

Allsport

Pete Sampras, who won 31 straight Wimbledon matches en route to four straight titles, is ousted in five sets by Roger Federer. 1C

A Basketball Bond: Part IV
Dominique Redding and Kelcey Roegiers-Jensen, among Florida's top juniors-to-be, step toward their dream of playing at Tennessee. 1C

Yankees 7, Rays 1
The Rays lose to New York much the same way they've lost many games lately — competing well for six innings and then falling off. 1C

LOCAL

Menacing mosquitoes
Recent rains have provided the ideal breeding ground for mosquitoes, but mosquito control officers are on the job. 1B

Aisenberg case botched
Federal prosecutors agree the blown case entitles the Aisenbergs to recover attorneys' fees. The question is how much? 1B

School audit costly
Counting errors in the School Board's cafeterias prompt the state to withhold about $1.2-million until they are fixed. 1B

NATION & WORLD

President single no more
On his 59th birthday and the first anniversary of his election, Vicente Fox delights Mexico by marrying his press secretary. 9A

Peace deals in peril
As more die, eroding what's left of the cease-fire between Israel and the Palestinians, the Good Friday accord is in jeopardy in Ulster. 2A

Creating human eggs
A technique that would let a woman create an unlimited supply of eggs is years from producing a healthy baby, researchers say. 4A

BUSINESS

Economists optimistic
A new batch of economic reports, especially one showing a rise in consumer spending last month, adds to economists' hopes that the nation's recovery could begin by year's end. Stories, 1E

INDEX

Vol. 117 - No. 344
6 sections

《圣彼得斯堡时报》2001 年 7 月 3 日头版

第 8 章

《圣彼得斯堡时报》

St. Petersburg Times

佛州大报特立独行
坚守贞操傲视群雄

《圣彼得斯堡时报》，创刊于 1884 年，自称是佛州发行量最大的报纸，曾被《时代》周刊评为全美 10 大日报。该报最大特点是独立运作，不属于任何报团，这在当今美国大型日报中是极为罕见的，其控股权被该报创始人交给自己创办的新闻学校。该报售价也最廉，仅 25 美分一份。2002 年 4～9 月平日刊平均日发行量为 333,557 份，居全国第 24；星期天刊平均发行量为 421,585 份，居全国第 29；冬季最多发行近 500,000 份。

一、海湾名城有如仙境

将这家中国人很少听说过的报纸列入采访对象，不仅仅因为它是美国排行前30名并在华盛顿特区以南的南方诸州中享有盛名，而主要因为它是一份罕见的独立大报，这在当今美国大报几乎悉数归报团所有的形势下，十分难得。

2001年7月3日一早，我驾车从佛罗里达州的奥兰多市出发，目的地正是这个州的另一座重要城市——圣彼得斯堡市。

两个城市相距不远，走高速公路约一个半小时车程，相当于深圳至广州。但我出门不久即遇前面发生重大车祸，很多警察在疏导交通，所有车辆必须离开高速公路绕行一段小路，结果导致这条小路大塞车。我因有重要约会在身，不免心急火燎，只好告知对方因路遇车祸可能会迟到，并表示歉意。对方倒也客气，要我别着急，注意安全。好在一个多小时后汽车总算重新回到高速公路，我便加速前进。美国的高速公路一般最高限速55至65英里/小时（合88～104公里/小时），南方少数路段最高限速可达70英里/小时（合112公里/小时），这是美国高速公路的极限了。奥兰多至圣彼得斯堡有不少路段可以开70英里/小时，但我为了赶路，车速已经超过80英里/小时，前面有些车也是这个速度。直到我前面两辆车突然被不知哪里冒出来的警察拦住，吓出我一身冷汗，这才将速度降回70英里/小时。即使这样赶路，我还是没有忘记欣赏车外的风景，因为这里太美了。

佛罗里达州是美国东南部三面环海的狭长半岛，到处可见旖旎的南国海滨风光，而圣彼得斯堡市位于海水似镜、海岸如钩的坦帕湾，更是旅游者的胜地。这里的海滨如同半个月亮，从“水晶滩”到“福特·德索托公园”，长达48公里。访问结束后我曾专门开车绕道福特·德索托公园，见这里的海滩果然绿树婆娑，滩长无际，水清沙幼。更为奇特的是，偌大一片海面，水平如镜，海水从孩子膝盖深处缓缓向前延伸，直到100米外成人仍可站立呼吸，仿佛人工修建的游泳池。我看到几对父母放心地让孩子们在水中嬉戏，自己则在岸边的吊床上读书消遣，或拿着面包招引大群的海鸥在自己周围飞舞。岸边深处，在密集的树阴下，是这些家庭带来的一顶顶帐篷和一辆辆汽车，每辆汽车旁都有自来水、烧烤灶等设施。我用摄像机记录下了这片美景，一面感叹大自然之神奇造化。

我的汽车先经过坦帕市。这里的海水似乎已流进了城市，若干精致的桥梁跨越其间，其中有一个通往圣彼得斯堡市的跨海大桥长约 6 公里。汽车在上面行驶时，只见一边是水天一色，另一边是蓝天碧海之间的现代建筑群，惹得我恨不能将沿途美景尽收眼底。离开坦帕市，不远就到了圣彼得斯堡市。这两个姐妹城市共享一个海湾，市区人口都不到 30 万，经济都很发达。坦帕市仅港口收入每年就达 110 多亿美元。

作者在《圣彼得斯堡时报》大楼前

但我万万没料到，就在坦帕市美丽的建筑群中的一幢 42 层高的大楼，后来上演的一幕，把神经本已很脆弱的美国人又吓了一跳：2002 年 1 月 5 日傍晚，一位年仅 15 岁的少年，驾驶一架轻型飞机，一头撞入这座美洲银行大厦的第 28 层，造成机毁人亡惨剧。幸好当时该层人员已下班离开，未造成更大伤亡。那天是个不吉利的日子，当天下午已有两架小型飞机坠落，造成至少 5 人死亡。但引起最大震动的还是这位少年的行为。美洲银行的高度相当于世贸大厦姊妹楼的一半，但也是方方正正的；而少年驾驶的飞机虽比那波音 767 小得多，但机翼也有 36 英尺长；撞击大楼的位置是第 28 层，与世贸大厦南楼被撞的位置相若。因此，整个事件看上去像是"9・11"恐怖袭击事件的缩微版。后经查明，这位 9 年级高中优秀学生，是谋划已久、刻意模仿"9・11"事件进行这次自杀式袭击的。少年是附近一所飞行学校的业余学生，那天趁教练不注意将飞机独自开出，教练发现时想拦截已来不及，还以为他是要上天过把瘾呢。谁知，此时少年上衣口袋里已揣着遗书，表示支持本・拉登，但否认与任何恐怖分子有联系。当时一架海岸巡逻直升飞机的驾驶员欲引导他降落，但对方置之不理。在撞上美洲银行大厦之前，人们发现这架飞机曾掠过麦克代尔空军基地上空，这个空军基地当时是美国指挥阿富汗反恐战争的总司令部所在地。此次事件发生后，这里的空中戒备森严。

但在我7月份访问这里的时候，周围还是一片祥和景象。汽车穿过洁净秀美的圣彼得斯堡市区街道，来到市中心的南第一大道490号。这座看上去还是崭新的由玻璃幕墙和透明玻璃装饰的大厦，便是《圣彼得斯堡时报》的办公楼。

二、竟有同仁先行造访

接待我的是该报老资格高级编辑托马斯·C. 罗林斯（Thomas C. Rawlins）。美国报界并无中国那样全国统一的专业技术职称，“高级编辑”只是各报自己任命的一种职务，数量很少，其地位大概相当于部门主编或更高，通常负责若干项目。罗林斯似乎就属于那种地位“更高”的高级编辑，分管两三个部门，自己有宽大的独立办公室，有秘书听命于侧房。他说，他今年已经60岁了，为这家报纸服务了整整38年。此前，他已经在电话里告诉我，因为明天是国庆日（7月4日），不少人员休假，编辑部很忙，总编辑无暇出面和我交谈，特委托他接待。见面时他又作了解释，并婉转表示，我向总编辑提的问题他基本都可以回答，我忙称是。

采访《圣彼得斯堡时报》高级编辑托马斯·C. 罗林斯

罗林斯戴副金边眼镜，笑呵呵的，看上去倒不像60岁，只是脑袋有些谢顶，嘴巴中间掉了颗上门牙。他要我称呼他的名字——托马斯。

他的领带下端未及腰带，衬衣口袋里插着两枝钢笔，两边衣袖挽了几道，这个打扮使我想起中国写字楼里一些职员的夏季装束。他说："你来得真不巧，若早来一个月，就会碰到你们一位同行。"我忙问是谁，他说那人在一家好像很知名的周报工作，但记不清名字和单位了，说着就去抽屉里翻，竟找到了这位同行的名片。我一看，不由脱口而出："徐列！"我告诉他，我不仅和他认识，还很熟。他比我年轻得多，但干得很好，我若干年前最后一次见到他时，他已经在中国目前最著名的周报《南方周末》当了编委。"他是跟随一个代表团来访的，代表团带着翻译，他问了我一些问题。"托马斯补充道，接着便介绍了这家报纸的基本情况：

"本报在发行量上超过了《迈阿密先驱报》，是佛罗里达州最大的报纸。我们平日刊的发行量约为 35 万份，星期天刊的发行量为 43.8 万份。到了冬天，由于大量游客来此度假或过冬，我们冬天的发行量会大大增加，星期天刊最多可接近 50 万份……"

我插上一句："我查了资料，你们现在的人口才 28 万，怎么会发行那么多报纸，平均每人一份还多?"

他回答说："你说得不错，我们的城市市区人口仅 28 万多人，但我们报纸的覆盖面积最远可达 100 多英里之外，在附近 5 个县发行。我们位于佛罗里达州的右海岸，最大的竞争对手是邻近的《坦帕论坛报》(*Tampa Tribune*)。该报的规模及所在城市坦帕市的大小均与我们相仿，地理位置又很接近，因此竞争一度非常激烈，谁也占不了太大便宜。但 12 年前我们两家报纸达成协议，我们的报纸在这里销售，他们的报纸在坦帕销售，互相不得越界。至于两市之间的德克萨科县，他们在东部发行，我们负责西部。"

《圣彼得斯堡时报》创刊于 1884 年 7 月 25 日。当时还没有圣彼得斯堡市，这里的小镇属于希尔斯伯勒县。根据无报不成镇的美国早期移民的习惯，三个男子汉——一位 41 岁的内科医生、一位 28 岁的牙医和一位 22 岁的印刷商，在这一天出版了第一期报纸，当时的报名为《希尔斯伯勒时报》(*Hillsborough Times*)，报纸每周出一期。3 位创始人在内科医生药铺后面那十来平方米的屋子编印报纸。他们认真地在这个交通不便的边陲小镇做着这件前途渺茫、毫无功利的活儿，直到今天人们也不明白他们创办报纸的真正目的是什么，只是猜测他们可能是为了小镇的繁荣。1890 年，一位名叫普兰特的俄裔将军在南北战争胜利后带着一帮队伍来到这里，用自己在俄罗斯家乡的地名为小镇命名。这时一位有着 20 个孩子的工匠买下这份报纸并将其迁移至附近的清水港镇

(Clear Water Harbor)，目的是“不仅让孩子们有事可做，而且让他们接受教育”。[1] 1892 年，一位名叫理查德·J. 摩根（Richard J. Morgan）的年轻商人花 1200 美元将报纸买下并搬回圣彼得斯堡，并更名为《圣彼得斯堡时报》。后来报纸又几经易手，至 1907 年发展为周二刊，至 1912 年改为周六刊，成为真正的日报。这年 9 月，印第安纳州的出版商保罗·波因特（Paul Poynter）以 3000 美元买下了该报的大部分股份，从此该报一直为波因特家族所拥有。

1947 年，担任该报总编辑的尼尔森·波因特（Nelson Poynter，保罗的儿子）从自己家族手中买下了大部分股权，成为该报的新主人。报纸当时的发行量为 31,336 份。为确保报纸在日后的所有权问题上不违背自己的意图，他列出 15 条“产权标准”。其中的第十条认为，这份报纸最关键的资产之一是不断增加的房地产。20 世纪 30 年代他在斯克里普斯—霍华德报团在华盛顿和哥伦布的报纸工作期间，曾亲眼目睹报团内部的房地产拥有者是如何影响编辑出版方针的。他在这一条“标准”里规定，“《时报》的运作不应和该报的房地产拥有权混为一体”。[2] 他很快将那些房地产评估出售给报社以外的各类投资者。他甚至不希望自己的员工成为大的资产拥有者。在执政一年后，当他听说报纸经营部门一位高级主管拥有游艇、网球和公寓等资产时，便要求该职员离开报社。在他的领导下，《时报》的编辑质量提高很快，报纸的内容也极大地丰富起来。他本人的相片上了 1962 年的《新闻周刊》。1968 年，报纸获得第一个普利策奖，此后成为南方著名的家族报纸，曾被《时代》周刊评为全美十大日报。

“现在我们公司已经很大了，员工总数大约 3000 人，”托马斯接着说，“编辑部的人数为 388 人，另有 70 位钟点员工。我们有很多临时工作者，但他们中的大多数每天只工作 3 个小时左右。在编辑部，我们的编辑多于记者，而且我们很重视图片。我们的摄影记者就有 32 人。我们的报纸是大型报纸，每天有 5 叠。我们还出一些地方版，因此对一些县的读者来说，他们还可多得一叠，如《拉尔戈时报》(*Largo Times*)、《佛罗里达时报》（*Florida Times*）、《坦波时报》（*Tempo Times*）等。为了向读者提供一份完美的地方报纸，我们设立了很多分社或记者站，有的多达数十人，有的仅几个人，它们分布在华盛顿特区、迈阿密（佛罗里达州首府）及本县和附近的县，总共 13 个分支机构。例如，我们

① 据《圣彼得斯堡时报》内部资料：*100 Years St. Petersburg*，1984 年

② 同上

的最大分社在坦波市，共有 62 名员工，其中 31 名负责新闻，17 名负责广告，14 名负责发行。我们大约有半数记者都在各分社或记者站工作。我们在经济上实力雄厚，1998 年总收入首次突破 2 亿美元，这两年保持在 2 亿美元以上的水平。这包括了广告和发行收入，广告收入约占总收入的 80%，去年大约 1.7 亿美元。我们这么大的报纸售价每份仅 25 美分，是本州最便宜的日报之一。我们打算提高至 35 美分。我们在全国排名前 30 名。我们还出版两份杂志，一份是全州范围发行的财经杂志《大趋势》(*The Trend*)，另一份是在华盛顿特区编印的政治杂志《国会季刊》(*Congressional Quarterly*)。"

三、千方百计保持个性

美国报业 200 年的发展过程，其实是报纸走向垄断的过程。知名报纸或本身发展成集团，或被集团所控制，很少能够幸免。2001 年笔者在美国访问的 18 家著名报纸，只有《圣彼得斯堡时报》是独立报纸，其余都为各报业集团所有。报团强大的经济力量，是很多地方报纸难以抗拒的。《圣彼得斯堡时报》在奈特—里德报团 (Knight-Ridder Newspapers)、论坛公司、赫斯特报团 (Hearst Corp.) 和媒体集团等报业集团的四面夹击下能够挺到今天，堪称奇迹。应我的要求，托马斯向我讲述了《圣彼得斯堡时报》坚持独立性、不为报团所利诱的立场和做法。

他说："和绝大多数美国日报不同的是，我们是独立报纸，不属于任何报团。这也是我们不同于其他报纸的主要特点，你的兴趣算是落到了点子上。我们最为独特的是该报的所有权结构。我们经营多种项目，其中包括一所学校。波因特先生于 1978 年去世，当时他是总裁。他从他爸爸手中买下这份报纸，而他爸爸是在印第安纳州买下这份报纸的。当时他从印第安纳州来到这里，将报纸重新启动。**波因特和我们整个报纸的理念是，地方报纸一旦归报团所有，就会不再忠于自己所在的城市或社区，那时报团的经济利益是第一位的。因此，波因特将报纸被报团收购视为世界上最糟糕的事情。**他认为，报纸有义务忠于为自己的社区并为之服务。报纸不应该公众化，因为一旦被公众拥有，就随时可以被出售——报团可以轻而易举地收购公众股票而拥有我们的报纸。报团总是越来越大，而私人报纸一旦拥有者去世，后果也难预料。因此，波因特先生在去世前，为了使报纸继续保持独立品格而不落入报团手中，将报纸的控制权交给了他创办的福利性质的新闻学校，并为此设计了非常奇特的所有权结构。"

托马斯向我出示了一幅示意图。按照这个示意图，加上他的讲解，我才基本弄懂了《圣彼得斯堡时报》目前的真正归属，也体会到波因特家族保持报纸独立的良苦用心。

原来，从上世纪70年代起，人到晚年的尼尔森更加关注报纸今后的命运。那时报纸盈利增加，他本人也拥有数亿美元的资产。他想出了一个绝妙计策，即创办一所学校——他命名为波因特传播学院（Poynter Institute for Media Studies），让这所学校拥有报纸的主要产权。这样做的目的，主要是为了确保报纸的地方所有权（防止被外地报团所收购），同时也确保报纸的优秀品质不受家族私人影响，另外还可避开重税。避税的目的也在于免除报纸今后可能出现的因经济窘迫而生存困难。他说："很多人对这份报纸觊觎已久，我想保留这份报纸的独立性，最后的办法就是不再拥有它。"[①] 不过，《时报》的产权也并非学院所独有，其产权结构是复杂的：

首先，《圣彼得斯堡时报》归时报出版公司所有，该公司同时拥有《大趋势》、《国会季刊》和《编辑部研究报告》等报刊。但是时报出版公司总共3500份股权中的3000份属于时报控股公司，包括500份有选举权股票中的300份。另200份有选举权的股票属于尼尔森妹妹艾琳娜及其两个女儿。而时报控股公司3000份股权中的2600份又归波因特传播学院所有，另有400份归尼尔森的太太马莉森（她在尼尔森死后才真正拥有这些股权）。波因特传播学院还直接拥有时报出版公司300份股权。也就是说，时报出版公司股权的95%不在自己手中，其中的82%由学院控制。在这样的股本结构下，没有人能够将《圣彼得斯堡时报》收购。

那么，谁来控制这个学院呢？过去是尼尔森亲自控制的。尼尔森1978年去世前对此重新作了安排。他坚决认为，报纸最终必须由一个人控制。他要求学院的控制权以托管人的名义选举产生。他指名由自己的好友和继承者、时报控股公司的首席执行官及《圣彼得斯堡时报》总编辑尤金·帕特森（Eugene Patterson）担任首任托管人。帕特森虽然后来身兼时报出版公司董事长、总裁、首席执行官三大要职，权倾一方，但他本人却不拥有公司任何股票。更为重要的是，他完全继承了尼尔森坚持独立办报、绝不参与报团或自己组建报团的意志。他曾经说：

"报纸是一个高度独立化的团体。如果你拥有一个报团，那么其中的哪一份报纸是你最喜欢的？哪一个城市是你最乐意服务的？你不会关

---

① 据《圣彼得斯堡时报》内部资料：*100 Years St. Petersburg*，1984年

心报纸所在地民众的需求。一家报纸只有为当地机构所拥有，才可能为当地社区提供最无私的贡献，才可能将当地社区的利益置于一切外来利益之上……你的读者遇有不满便会到报社来找你表述，办报者和读者都无需看远在外地的报团总部什么头头的脸色行事。”①

帕特森的这番话有些极端，但却明确显示当今美国新闻界对报团垄断趋势的忧虑。类似帕特森这样的担心者认为，报团收购地方报纸，目的在于扩张实力以牟利。尽管为了扩大市场，报团会尽量改进报纸，提高报纸质量，但一旦遇到报团利益与当地社会利益的冲突，报团会首先考虑自己的利益，甚至不惜牺牲地方利益。报团也喜欢在全局范围撤换地方报纸的总编辑，或将总编辑异地调任，这使得那些忠于地方利益的原总编辑地位不稳，而外地新来的总编辑则缺乏对当地的感情和了解。最要命的是，报团根据自己发展战略的调整，可以随时决定关闭或转卖自己属下的某个地方报纸。

这些观点很多已被事实所证明。以我在美国这一年所见，报业集团之间买卖报纸的交易是相当频繁的，集团内报纸老总的易地任命也如家常便饭——去年我见过的好几位老总都来自千里之外的另一家报纸。但市场是无情的，在反垄断法制约相对宽松的美国报业，集团化的趋势难以阻挡，大报吃小报、大报团吞并小报团甚至小报团反吃大报团的活剧每年都在上演。《圣彼得斯堡时报》目前虽然固若金汤，但能否长期自标清高不为他人所控，很多人正拭目以待。

四、 独特的学校

波因特传播学院拥有这样大的权力，与这家著名报纸又是这样的关系，自然引起了我的兴趣。

托马斯介绍，这所学校创立于 1970 年代，1975 年首次开课，用英语和西班牙语两种语言授课，课程有高级写作、高级编辑等。虽然是私人学校，但学费低得离奇，每年仅 400 美元。学校完全不以盈利为目的，连税收都由《圣彼得斯堡时报》代付。这样的学校当然大受欢迎，几年发展下来，原建于 1920 年代的小楼房显然不够用了。1985 年，学院搬离市中心，到自建的新校园办公。从托马斯提供的照片看，新校园建筑华丽而处处体现艺术品位。在新校园里，学院增添了编辑部管理、图片制作、图片设计、广播新闻等课程，最近还增加了网络新闻课。

① 据《圣彼得斯堡时报》内部资料：*100 Years St. Petersburg*，1984 年

我向托马斯要来了该校2001年的课程设置，发现这些课程的实用价值之大，超过我所知道的一些大学新闻系。请看：

媒体管理方面——

“高级编辑部管理”，生源：报纸中层管理干部，包括报纸的一切部门及网络部门；

“经济及财经会议新闻”，生源：财经记者及经营管理者；

“形象新闻管理”，生源：美术设计及摄影部的主编、主任及所有摄影编辑和印刷厂电脑扫描制作人员；

“执行总编领导艺术”，生源：报纸执行总编；

“媒体新领导上岗训练”，生源：报纸、广播、电视的新管理者；

“媒体领导艺术”，生源：报纸、广播、电视有领导素质的高级管理者；

“电视新闻制作实习”，生源：电视新闻制作者及合作者；

“国内新闻领导实习”，生源：报纸、广播、电视国内新闻部主编或主任。

采访与编辑方面——

“报纸采编”，生源：报纸记者、编辑；

“企业报道”，生源：印刷媒介经济记者；

“目击新闻采写”，生源：报纸、电视记者、编辑、摄影记者、制作者；

“电视、广播高效报道”，生源：电视、广播记者及摄制者；

“国内新闻报道实习”，生源：所有传媒的记者、编辑、作家；

“经济新闻采编及版面设计”，生源：记者、编辑、版面编辑、摄影记者、美术设计、网站制作者；

“种族报道”，生源：记者、主持人、制作者、编辑、摄影记者；

“高级采写技巧”，生源：有10年以上从业经历的广播、电视记者及摄影记者；

“网络新闻采编”，生源：记者、编辑、网络制作者。

视觉新闻方面——

“21世纪图片编辑”，生源：助理执行总编、摄影主编、摄影主任；

“美术设计、组版与用彩”，生源：新闻版设计员及美工；

“网站设计”，生源：网站设计员、制作主任；

“数码新闻摄影”，生源：摄影记者、摄影编辑、视觉记者；

“财经板块报道、编辑及设计”，生源：记者、主编、文字编辑、版面编辑、图片编辑；

"文字编辑的版面设计、组版和用彩"，生源：文字编辑及未学过美术设计的组版编辑；

"助理总编辑的视觉新闻"，生源：指导记者和与摄影记者有合作关系的助理总编辑及助理主编。

其他还有职业道德和法律、广播电视新闻、网络新闻方面的数十门专业课程及各类专业研讨会，在此不一一列举。该校要求，参加学习的人员必须是报刊、广播、电视、新闻网站的全职新闻工作者或新闻教育者。自由撰稿人也可申请参加。

由此可见，这样一所由著名报社创办的新闻学院，其课程的设置具有很强的针对性和实用性，因而诱惑力不比一般大学的新闻学院小。我相信，如果中国有教学机构开设上述课程，也一定会大受欢迎。

五、 我们的报纸是这样编辑的

作为一家小城市报纸，《圣彼得斯堡时报》的规模和容量算够大的了。我到访的那天是星期二，该报共 84 页，另加 6 个地方版（每个地方版加 6 页本地内容），因而大多数读者收到的是厚达 90 页的该报。

这 90 页是怎么分工的呢？第一叠是新闻板块，共 12 页，包括国内新闻、国际新闻、华盛顿新闻、健康和医疗、人物副刊及社论评论版；第二叠是州市新闻，共 8 页，包括本市新闻、本州新闻、娱乐新闻、讣闻、天气预报等内容；第三叠是体育，共 8 页；第四叠是副刊，共 6 页，包括 3 个人物版、1 个电影预告版、1 个电视预告版和 1 个彩色卡通画版；第五叠是经济，共 6 页，包括 2 个综合新闻版及行情分析、纽约证券交易所、纳斯达克及共同基金各 1 个版；第六叠是分类广告，共 12 页；第七叠是《邻里》杂志，4 开，24 页；第八叠是地方版，分别为《北派恩勒斯时报》、《帕斯科时报》、《赫南多时报》、《西特拉斯时报》、《拉尔戈时报》和《清水时报》，各 6 页。

该报的星期天刊共 216 页，分为 12 叠，比平日刊多了"视野"、"书评"、"旅游"、"电视指南"及 16 个版的彩色卡通画等板块，内容琳琅满目，可读性很强，完全是一份大型报纸的架构，分量上不输《华盛顿邮报》、《波士顿环球报》、《芝加哥论坛报》等报纸，比《今日美国》及《华尔街日报》的页码还多。

谈到编辑部的运作时，托马斯倒是介绍了一些我从其他报纸未曾了解到的细节。他说："我们这里有很多种编辑，以本市新闻部为例，就有本市新闻主编，他一般负责下达任务和组织报道；然后有一组编辑，大约3至4名，是记者稿件的第一读者，他们判断稿件的分量及是否可用或是否需要记者对事实进行修改；他们满意的稿件，就交给文字编辑（即copy editor），后者负责拼写、语法的修改及稿件的修饰和篇幅的控制；接着稿件交给设计员，即组版编辑（page editor或designer）；组版出来的清样（layout），交由前面的主编或编辑审看，然后就可以付印了。"

想到中国报纸的各个编辑环节有签字负责的习惯，我便问："你们这些环节需要不需要签字？"

"不需要。"

"那么每天大量稿件需要处理，万一出了差错谁负责任？"

"责任视情况而定，原则上是每个碰过稿件的编辑都要负责任。我们鼓励编辑和记者们多商量。一般来说，第一个读稿的编辑都是资深和业务过硬的编辑，他们会迅速发现问题和判断出稿件的价值。我们通常选择知识面宽、兴趣广泛的编辑担任此职。"

关于部门的分工，该报与其他报纸也有所不同。例如，很多报纸的A叠，即新闻板块是由规模庞大的本市新闻部负责最后工序，但《圣彼得斯堡时报》的A叠却归一个叫做电讯部（Wire desk）的部门管理，因为该报A叠没有地方新闻，头版除外。这个部门的负责人是国内新闻主编。他指挥编辑将通讯社的电讯稿和记者来稿选择编辑上版，内容是国内或国际新闻。该报的电讯稿主要取自《纽约时报》和《华盛顿邮报》的通讯社，并不太依赖美联社或合众国际社这样的大通讯社。编辑有时会将编前会决定的某条地方新闻（它们通常在B叠）编入头版，但该叠的社论评论版不归他们管。像很多美国报纸一样，社评版有专门的部门编辑处理。

第二叠即州市和地方新闻，才由本市新闻部主编总负责。至于六个地方版，主要由各分社或记者站负责采写和编辑，但最后也受本市新闻部主编监控。

第三叠即体育新闻，由体育部主编总负责，包括地方、国内和国际的体育新闻。但体育部的编辑也得和电讯部合作，从他们的电讯稿中挑选合适的体育新闻。

副刊部之庞大仅次于本市新闻部。该部不仅负责平日刊的第四叠，还负责周四的餐饮版、周六的宗教版以及周日的影视、文艺、旅游、家居等副刊。此外，该部的记者和编辑还负责出版大量和节日、时尚等有关的特刊。

关于日常管理，托马斯说："我们的记者没有固定的任务。他们只是负责自己分工的领域，我们不用发稿数量来衡量记者是否称职，他们若想偷懒，就不会干很长时间。现在有大量的求职者想在我们这儿干，竞争很激烈呢。如果报社某职员工作不力，主编就会和他谈话，然后主编会召集编辑们商量对策。是否解聘该职员，最终的主意由执行总编辑拿。关于职员的工作表现，我们有很多反馈的渠道。这一点大家都明白。"

六、"万里长桥"结束南方之旅

采访完《圣彼得斯堡时报》后，我曾经考虑是否应去迈阿密看看并访问《迈阿密先驱报》(*Miami Herald*)。迈阿密是佛州首府，著名的三面临海的海滨城市。从当时的资料看，该市的《迈阿密先驱报》发行量距该州第一(但《圣彼得斯堡时报》说他们第一。本书第一版出版后，《迈阿密先驱报》的发行量有所下跌，全国排名第 25 名，居《圣彼得斯堡时报》之后)。这里距迈阿密也就一天车程。但我掐指一算，这样至少要多花 3 天时间，而我这个暑假还要进行另一趟更为重要的远行，何况也未和《迈阿密先驱报》约定时间，且该报的特色不及奥兰多和圣彼得斯堡两报。于是又回到奥兰多。

7 月 4 日是美国国庆日，大街小巷到处飘扬着红蓝白三色的星条旗，很多家庭一家数口人穿着同样式样的胸前印有美国国旗的 T 恤衫，晚上在酒店的阳台上可见到不远处燃放的焰火。我在这美国人的节日里游览了奥兰多几个主题公园，带着各景点惊心动魄的经历，启程返回纽约。路上在佐治亚州的海滨小城萨凡纳和北卡罗莱纳州的一个小岛歇脚，参观了莱特兄弟试飞世界上第一架飞机的场地和纪念馆，又到了英国殖民者第一个登陆美洲大陆的地点观看美丽的弗吉尼亚海滨。在美国开长途车不像想象的那么累，原因除了路况好以外，主要是沿途风光美不胜收，乘飞机旅行则少了这份体验。而这一路回去最让我惊奇的，就是那奇长无比的跨海大桥。

在弗吉尼亚，本想沿来路回去，但在北卡遇到的一位朋友推荐我走海上大桥，说那桥虽然要交 10 美元过桥费，却绝对值得一看。于是我开车经过弗吉尼亚东部的威廉斯堡，驶入这个堪称奇观的超长大桥。

桥并不宽，双向四车道，来去桥梁时分时合，直刺大海深处。这是一个晴朗的中午，烈日当空，路上汽车闪着耀眼的光芒。起初，桥与大海是水平平行的，且贴近海面，汽车仿佛是在海上行驶，两面都是湛蓝的海水——右边是海天一色的大西洋，左侧是切萨皮克湾，同样一望无际。海面上许多白色或彩色的运动帆船和游艇，星星点点地撒在碧波荡漾的大海里，看上去像是无数小玩具摆放在整洁的蓝色画布上，最近处的一艘游艇上似乎有人在向我招手。我这时的感觉，好像自己不是在桥上开车而是在在海上驾车行驶，被碧海、蓝天、红车、白帆包围着，一时竟物我两忘。

这样走了很长一段后，前面的桥突然没有了，而我的汽车正向前全速行驶，三面环海！正纳闷间，大桥已开始下坡，渐渐钻入海底。原来，这一段桥梁变成了海底隧道。后来听美国朋友解释说，切萨皮克湾这座大桥大部分路段是沿着海平面建的，为确保海上交通不因此而中断，特修建海底隧道，以便船只可以在上面通行。这段海底隧道变成了双向二车道，刚才还分开的两座桥，在这里合二为一，汽车双向行驶，中间没有隔栏。

出得隧道，又分作两个桥，桥面继续擦着大海向前延伸。汽车开了大约七八分钟，前面的桥梁又不见了，我知道即将进入另一条隧道。刚才在进入第一条隧道的一刹那，发现隧道入口旁有一个环形通道，似乎可以让汽车停下观光，可惜那时已无法停车。这次有了思想准备，便放慢速度，果然见到一个同样的环形通道，但通道口上竖了块牌子，说暂停使用。我顾不得了，照样驶入该通道，因为对于我来说，也许这辈子就只能来这一次了。到了通道边上一个停车场，果然没有任何车辆。我下车仔细看这真正的“断桥”，海水呈深蓝色，看上去清澈冷冽，另一截大桥横在远处，两“断桥”之间的海面上，一些白色游艇正进进出出，悠然自得。再回过头来看刚才走过的桥，才发现那细细长长的桥并非笔直，而是打了几个折，与隧道位置成一夹角。那走过的桥已看不到尽头，可见刚才已开了很长一段路。我赶紧取出摄像机，将周围景色匆匆收入，便钻进汽车开出这块是非之地，唯恐被警察抓住罚款。

又是平桥，汽车飞速向前行驶。也不知开了多久，一看计程表，竟已在桥上开了 12 英里，折合 19.2 公里。大桥两侧依然竖着很多高高的路灯，相信晚上路灯开启后，会是另一番绝妙景观。这时，一个大拱桥突然呈现在前方，来回仍是两座桥。不一会儿，原来水平的大桥开始爬坡，汽车驶上了这高高的拱桥上！我相信在这拱桥上看后面的桥会非常壮观，无奈后脑勺未长眼睛。从拱桥上下来，又是一段长长的平桥，仿佛与最初的平桥相呼应，就像一篇文章，有了开头还需要个结尾。渐渐地，汽车缓缓驶入陆地，已是特拉华州境界，急忙再看计程表，总共在桥上开了 19 英里，合 30.4 公里!

一路上，我想象着刚才那两度入水两度出水、最后又出人意料地高耸长天的超长大桥，觉得设计者一定是个浪漫主义艺术家。这座大桥即使不是世界上最长的大桥，也一定是世界上最有特色的大桥。再后来又见报上华人旅行社的旅游广告称此为“万里长桥”，按照中国古代诗人“燕山雪花大如席”的夸张手法，这“万里”二字也还用得。

回到纽约后查看汽车里程表，此次南方之旅是 3000 多英里，接近 5000 公里。

Chicago Sun-Times

www.suntimes.com

MIDWEST'S BEST-READ NE

35¢ Chicago/Suburbs 50¢ Elsewhere For home delivery 1-888-848-4637

PHIL ROSENTHAL REVIEWS IYANLA'S NEW DAYTIME TALK SHOW

PAGE 41

CUBS FACE FIRST-PLACE SHOWDOWN SERIES; WOOD ON DISABLED LIST

BACK PAGE

DELIGHTFUL Pages 2, 30

MONDAY, AUGUST 13, 2001

Late Sports Final

ANOTHER BOMB ROCKS MIDEAST

RICH HEIN/SUN-TIMES

Alese Reichart, 15, who has never before spoken publicly about her ordeal, wants to return to Arizona, where her mother moved with her 10 years ago. "Whatever has happened is not my fault. I am a good kid. I've never gotten detention in my whole life. I didn't do anything wrong."

'I FEEL ALONE'

After 10 years of living a secret life, teen Alese Reichart wants her story told

BY BRYAN SMITH
STAFF REPORTER

It has been a case marked by heated hearings and harsh words. What to do about a girl taken on the lam by her mother 10 years ago?

In hearing after hearing, everyone—but most especially the lawyers—have had their say.

But one voice, maybe the most important of all, seems to have gotten lost.

Now, Alese Reichart, 15, is speaking out for the first time. "I feel very alone," she says.

Like Dorothy, in her own nightmare, she has said all along that she wants one thing: to go home to Arizona. But as a hearing that may determine her fate gets under way today, she fears her last chance to speak for herself will be lost.

And so she has asked that her voice, her message, be heard.

□ Details, Pages 6-7

SUICIDE ATTACKER INJURES 20 AT RESTAURANT NEAR TOWN OF HAIFA

BY GREG MYRE

JERUSALEM—A suicide bomber blew himself up on the patio of a restaurant near the Israeli coastal town of Haifa, killing himself and wounding up to 20 other people, Israeli authorities said.

The bombing resembled a Palestinian suicide attack Thursday at a Jerusalem pizzeria that killed 15 and wounded about 100. However, in that attack the assailant went inside, and his bomb sprayed shrapnel and nails throughout the densely packed restaurant.

In Sunday's attack, the bomber set off his explosives on the patio outside the restaurant, shredding an awning, overturning tables and chairs and leaving the patio of the Wall Street Cafe covered with blood.

Almost all of the injuries in Sunday's blast were light, according to police and rescue workers in Kiryat Motzkin, a suburb north of Haifa, about 50 miles north of Tel Aviv.

Cafe owner Aharon Roseman said he saw the bomber approach and light a fuse that was strapped to his body.

"I grabbed a chair and threw it at him, and ran behind a wall, and that's what saved me," he told Israel radio.

Islamic Jihad, the radical group that has claimed many previous bombings, said its activist Muham-

Turn to next page

Weiss reviews 'Seagull' in N.Y.

Page 39

《芝加哥太阳一时报》2001年8月14日头版

第 9 章

《芝加哥太阳—时报》

Chicago Sun-Times

布氏集团美国旗舰
都市小报读者青睐

《芝加哥太阳—时报》，由《芝加哥太阳报》和《芝加哥时报》合并而成，是目前芝加哥第二大报，隶属于加拿大人布莱克在美国的著名报团霍林格国际集团，是该报团在美国的核心报纸。该报团拥有大约 200 分报纸，集中于美国、英国、加拿大和以色列等国家，其中包括英国著名报纸《每日电讯报》。2000 年，该报被评为芝加哥最佳阅读报纸，每日拥有 170 万读者，居全国城市日报第四。2003 年 10 月至 2004 年 3 月平日刊平均日发行量为 486,936 份，居全国日报发行量第 13；星期天刊平均发行量为 391,185 份，居全国第 30。

一、西行芝加哥

南方归来后稍事休整，即开始联系西北和东北部报纸。我列了计划，设计了路线，打算利用暑假的后半段时间，访问芝加哥、底特律、波士顿三大都市的主要报纸和报团。这些报纸或报团在美国报业都占有很高地位，历史上也赫赫有名，如论坛公司、《芝加哥论坛报》、《芝加哥太阳—时报》、《底特律新闻报》、《波士顿环球报》等。我计划从纽约到芝加哥，从芝加哥到底特律，然后从底特律出美国到加拿大，经多伦多、渥太华、蒙特利尔，再南下回到美国的波士顿，最后返回纽约。当然这暂时还只是一厢情愿的事，结果如何尚未可知。

把各类精心写就的信件发出后，我再次来到位于曼哈顿的 AAA（美国汽车驾驶员俱乐部）办公室。AAA 是个在全球有 4000 多万会员的庞大组织，在美国和加拿大各地有大量的分支。加入该俱乐部可以享受很多优惠和服务，例如可以免费获得旅游资料和咨询，可以在与其签约的酒店享受折扣优惠，一年内可以享受两次免费拖车服务（如果汽车半道出了故障的话）等。我是 2001 年 5 月加入 AAA 的，首次年费为 55 美元。那时我正筹划着暑假的南行，所以加入的当天即请教行车路线。对于我这个新会员，俱乐部的工作人员服务格外周到，派了一位小姐和我谈了近一个小时。她拿出一幅美国东南部的地图，按照我的计划，用绿色记号笔在地图上画着行车路线及建议停留的地点和时间，又计算出路途的距离。然后她给了我沿途各主要城市的地图和旅行手册，这些地图和手册印刷精美，沉甸甸地装满了我带来的手提箱。最后她给了我一张会员卡和标签，标签是贴在汽车上的，做得很漂亮；会员卡供随身携带，用来住旅馆和享受拖车等服务时出示，上面印有服务电话。说实话，就这些图书资料的价值就远远超过 55 美元，别说其他服务了，难怪这么多人加入该俱乐部，而且所有会员都认为值得。那次住奥兰多，在那么热门的旅游胜地，住条件较好的旅馆只花 50 美元一天，就是从 AAA 旅行手册上找到的。这回再次去 AAA，是为了咨询北部之行的路线。工作人员同样耐心地为我标明了行车路线，并再次给了一堆崭新的图书和地图。

一个星期后，有的给了回音，有的没有消息。我有了南方之行的经验，故伎重演，用各种方法继续联系，终于在 8 月初与大多数报社取得了联系。于是在避开周末等节假日的前提下，仔细与对方商量访问时间，其中在 8 月 3 日～8 月 9 日这一周内，我和各报网上来往十分频繁，各报的回函效率相当高。例如我在 8 月 9 日这一天，就收到 5 封来函，它们是：《芝加哥论坛报》媒体关系经理杰弗里·D. 比厄里格（Jeffrey D. Bierig）一周内的第三封回信，西北大学媒体管理研究中心主任迈克尔·P. 史密斯（Michael P. Smith）一天内的两封回信，论坛公司新闻社总裁戴维·D. 威廉斯（David D. Williams）一周内的第二封回信，威廉斯秘书卡西 10 天内的第二封回信。我在回复这些信后立即开始预订沿途旅馆。

据学校一位同学推荐，我在南方之行中就尝试了从一个叫做“Priceline. com”的网站预订酒店，并发现这个方式果然比 AAA 还要合算。这个网站号称能订到最便宜的酒店，理由是任何酒店都可能有空置房间，他们可以用较低的价钱拿下这些空置的房间。订的方式也颇有趣：你登录该网站后，即可选择目标城市，电脑上会出现该城市市区和郊区的地图和相应酒店位置（这些酒店都和该网站有签约关系），然后给出这些酒店的级别和平均价格，这时要求你选择地点和酒店级别并给出自己的目标价，同时填上拟居住的天数和你的信用卡号码。你出的价钱当然会低于这些平均价格，是否有酒店接受你的出价，15 分钟即可得到答复。答复是一封 E-mail，如果有酒店接受你的条件，信中会祝贺你并告诉你酒店的地址和方位，你的信用卡随即被划去旅店费用和 5.95 美元的佣金；如果你定的价格太低，没有旅店愿意接纳，来信则会表示歉意，建议你提高定价或换一种类别或地区试试。

我一度对这种预订酒店的方式大感兴趣，整个过程如同玩游戏一般，能否按最理想的价格订到较好的酒店，需要一定的估算能力，而在 15 分钟的等待消息的过程中，总是伴随着一些悬念。最重要的是，我用这种方式订到了不少好的酒店，频频尝到甜头。此次由东向西、再向北、再向东、然后向南的一大圈旅途，我全部从网上预订酒店，且运气出奇地好，大多数酒店不仅按照我开的低价成交，而且高于我提议的酒店级别。例如去芝加哥中途拟停靠美国历史较久的工业重镇克里夫兰市，为节省成本，我以网上出示的平均价的半价订克里夫兰市区的一星级酒店，出价 40 美元，试试而已。没想到，15 分钟后接到来函称：

祝贺您晓进幸，您得到了克里夫兰市一家酒店的一间客房，且按您出的 40 美元价格成交。不仅如此，我们找到了一家愿意接受您价格的二星级酒店，也即我们按您的出价给了您更高标准的客房。下面是该酒店的地址、方位及您的收据，请查收。请注意将此页打印出来并将其随身携带在酒店登记时出示。

此函后面附的是酒店地址、电话、入住和离开时间、登记名称、确认号码、实收价格、佣金、总价、信用卡最后4位数密码等信息以及一大段关于该酒店的介绍文字。读到这里，我不禁喜出望外。注意，这里所说的一星级酒店、二星级酒店与国内的标准不同。按照该网站的解释，一星级酒店是“设施齐全但不奢侈的酒店”，比那些汽车旅馆（虽然很多条件也不错）要高一个级别，可见起点较高。二星级已相当好了，相当于国内的三星至四星级酒店。后来我还在芝加哥、底特律等地以低廉价格订到希尔顿、喜来登等高档酒店，所以说此行运气不错。

大部分酒店订好后，还需确定具体的行车路线。AAA标示的只是粗略的旅行线路，这路线不可能涵盖后来确定的具体酒店位置。不过不用急，美国发达的资讯轻易就解决了问题——仍向互联网求助。在美国，通过雅虎等网站上的驾车站点，只要输入任何两地的地址和邮政编码，网上便会出现由A地至B地的详细路线，包括所有途经的公路、各公路的转折、各段公路上的里程、总共行驶时间及起始地的地图。这种两地交通信息，可以长达数千英里，也可以在一个城市一个区甚至邻里之间。这种点对点的联系是无穷多的，真难以想象美国这样的基础信息库是多么庞大！不管怎么说，将这些信息打印下来放在车上，出门完全不用担心找不到地方。我南行数千公里，几乎不用问路就能在完全陌生的城市找到预订的酒店或报社，靠的就是这网络资讯。

8月10日是星期五，我一早即驱车出行。尽管直到这时底特律的报纸还没有任何回音，但我不能因此而耽误与其他各报约定的采访，照样如期启程。去芝加哥的路线比较简单，沿78号高速公路出斯塔藤岛进入95号州际高速公路往北，再经过280号高速公路往西，就进入漫长的80号州际高速公路了。芝加哥及中途停靠站克里夫兰都在这条路上。在这条路上的大部分时间，我都按高于限速5英里的速度锁定在“巡航”位置，然后在宽阔的高速公路上一路驰骋，连油门也不用踩。

我经过新泽西州，再横穿宾州的山区，进入俄亥俄州，700公里的路程下午5时前就完成了。住的酒店也是一个连锁店，网站上标示为二星级半，名叫“比奇伍德家庭式庄园”（Homestead Village Beachwood)。这家酒店环境和条件非常好，院内开满了鲜花，楼房的窗口也装点着红花绿叶。屋内设施齐全，除彩电、冰箱、空调、微波炉以外，还有一套可烧饭炒菜的宽大煤气炉具，另配有全套餐具、调味品和一个餐桌。这样，只要开车去附近超市买点东西，就完全可以自己动手做饭了。在台灯和电话上各有一个上网插口，我将手提电脑接上，就可以继续与各报社联系。这样的酒店连佣金加税不到60美元，很值。

剩下到芝加哥的路途不到一半，所以第二天上午走马观花地游览了一下市容。克里夫兰市位于俄亥俄州境内美加五大湖之一的伊利湖畔，是建市于 1796 年的美国北部老城，也是美国最早开通地铁的工业城市之一。就我个人兴趣而言，克里夫兰交响乐团是美国五大交响乐团之一，水平堪称世界一流。这里还有世界最高的过山车。我上了号称世界 25 座最高楼之一的 56 层高的“公众广场”，看了看市容和近处的伊利湖。

午饭后继续西行。这一段路沿途都是玉米、大豆等庄稼，没有什么变化，是我在美国长途旅行见到的最枯燥的景色。穿过印第安纳州，进入伊利诺伊州，于 8 月 11 日下午 7 时到达美国北部最大城市芝加哥，行程约 600 公里。到达芝加哥时已是傍晚，西下的夕阳将市区高楼大厦染得金碧辉煌。但这夕阳却刺得我眼睛都睁不开，在一段长达 10 多英里的高速公路上几乎无法看清马路标志，戴上墨镜也无济于事，而这时我恰恰最需要根据路标决定何时出高速公路。挣扎了一阵，总算平安来到靠近俄亥俄国际机场的“双树酒店”（Doubletree Hotel）。根据 AAA 旅行手册，俄亥俄机场是世界上最繁忙的国际机场之一，平均每天接送旅客 18 万人次，起落 2500 架飞机，繁忙时刻每分钟起落 6 架飞机。“双树酒店”也是一家连锁店，规格是三星级，比我出价预订的一星级酒店高了两级，相当于中国的四星级酒店。这个酒店附近还有很多大酒店，虽在郊区，但高楼林立，车来车往很热闹。

二、密歇根大街两对头

从 AAA 的资料上看，芝加哥市区人口 278 万。美国所谓市区人口，其实是个很狭窄的概念，主要指市中心区域的人口，大约相当于北京市的二环路以内。前述奥兰多、圣彼得斯堡的人口也是如此。若按中国城市人口统计口径，芝加哥的人数是绝对不止 278 万的。我数了一下，该市附近的机场就有 9 个。

芝加哥市位于美加五大湖之一的密歇根湖畔，曾经是美国第二大城市，现规模小于洛杉矶，仅次于纽约、洛杉矶而退居第三，但仍是美国内地最主要的工业、商业、金融和文化中心，尤以钢铁、电子设备、乐器等制造业和印刷业最为发达。另有西北大学、芝加哥大学、伊利诺伊理工学院等全国一流高等学府。该市有很多全美第一或最值得骄傲的记录，如 1886 年 5 月 1 日，芝加哥曾爆发 20 万工人大罢工，要求实行 8 小时工作制，国际劳动节即由此而来；1942 年芝加哥大学一群物理学家在著名科学家恩赖克·费米（Enrico Fermi）的带领下，成功进行了一系列核反应试验，其突破性的成果导致原子弹的诞生，进而迫使日本于1945年投降；1955年，后来驰名世界的美国快餐麦当劳在此诞生，导致快餐业的一次革命；这里还有世界最高银行大楼“全国第一银行”大厦，有110层高（1353英尺）的美国最高楼西尔斯大厦（总部设在芝加哥的西尔斯也是美国著名的全国大型连锁零售企业，“9·11”袭击事件的当天，该大厦员工全部撤离，因为有传言称恐怖分子下一个目标就是这座全国最高楼），有100层高（1127英尺）的美国第二高楼约翰·汉考克大厦，等等。

当晚住下无话。第二天是星期天，我来到市中心的密歇根湖畔。直到这时，我才体会到美国“五大湖”之大。密歇根湖看上去宛如大海，一望无际。芝加哥城完全依湖而建，沿湖形成一条由马路、绿化带和风景名胜组成的观光带，长达数十公里。我站在风景如画的“大公园”（Grant Park）风景区，由此向东可欣赏密歇根湖及湖上无数白色游艇，往西则领略到高楼大厦鳞次栉比的大都市风采，两边的距离都很近。相对纽约而言，芝加哥愈显整洁、漂亮。

从大公园步行不到10分钟，就来到芝加哥最繁华的密歇根大道。这条大道并不宽，两边高楼大厦摩肩接踵，此起彼伏，使路上行人感到压抑。但人们想不到1871年一把“芝加哥大火”曾将包括密歇根大道在内的数条大街上的几乎所有建筑物化为灰烬，密歇根大道幸存的只有一个教堂和一个老水厂。现在的大道下面还有多条马路纵向穿过，所以密歇根大道在很多地段给人以高架路的感觉。芝加哥最大的两家报纸及全国目前排行第二的报业集团就坐落在这条大道的中心地段，可谓芝加哥城中心的中心。

芝加哥市有若干家日报，但最大并在全国享有盛名的报纸只有两家：一是发行量全国排行第七的《芝加哥论坛报》，在密歇根大道的东侧；二是发行量全国排行第十三的《芝加哥太阳—时报》，在大道的西侧紧挨密歇根大道的一条马路上——正门虽然开在这条马路上，但大楼上Chicago Sun-Times的大字却写在大楼一侧面向密歇根大道的方向，使进出《芝加哥论坛报》的人很容易看到。**两家报纸分属两家著名报业集团，竞争激烈，办公大楼相距不到200米远，是真正的冤家对头。在它们之外还有一家重要日报叫做《每日先驱报》（*Daily Herald*），发行量在该市排行第三。**

我“踏勘”了两家报社，核对了它们在地图上的位置，为明后天的采访做好准备。这两家报社离我住处大约20公里远。此次我在芝加哥计划住 5 天，采访 4 家单位，它们是：《芝加哥太阳—时报》，《芝加哥论坛报》，论坛公司，西北大学媒体管理中心。时间分别约定为 13、14 和 15 日。

三、报纸交易 乐此不疲

2001 年 8 月 13 日下午 2 时 45 分，我如约来到位于瓦伯西大道北 401 号的《芝加哥太阳—时报》大楼，开始对霍林格国际公司（Hollinger International Inc.）旗下最大的美国报纸进行访问。

在《芝加哥太阳—时报》楼前

《芝加哥太阳—时报》的老板就是大名鼎鼎的康拉德·M. 布莱克（Conrad M. Black），国际报界的一个传奇人物。布莱克 1944 年 8 月 25 日出生于加拿大一个富裕家庭，父亲曾任国内最大啤酒公司的总裁。布莱克大学期间主修新闻和历史，据传，他曾于 22 岁那年从新闻系一位同学手中以一加币的价格买下一份小报，自己独立负责编辑、排版、发行、销售等一切办报业务，开始了自己第一次办报的经历。后来他还写了很多文章，包括出版一部人物传记和自己的传记，同时对收购报纸产生极大兴趣，与别人合伙成立了一个报业公司，到 1976 年拥有的报纸总量已达 18 家。不过，尽管他父亲很有钱，他自己并不具备购买多家报纸的实力。他的伎俩是：收购报纸前先让对方同意预付一半费用，其余一半费用以后再付；而这预付的一半也不是布莱克及其合伙人自己的钱，而是银行的贷款。报纸到手后，他们就千方百计压缩成本和裁减人员，从中牟利。这样“东方不亮西方亮”，多数报纸总有钱赚。有的报纸遇到好价钱，就及时出手，换取更多的利润。所以说，布莱克与其说是办报纸，不如说是以资本经营的方式在做报纸交易。就靠这种出色的经营策略，他在 40 岁以前已经拥有 1 亿美元的资产。

布莱克引起世界注意的第一个举动，是于 1985 年以 6700 万加币购买了英国《每日电讯报》(*The Daily Telegraph*)51%的股权，居绝对控股地位。1987年布莱克正式就任该报董事长。《每日电讯报》是英国老牌报纸，发行量曾居英国高尚日报之首，但20世纪70年代以来经济不景气，到1985年亏损近900万英镑。该报经布莱克经营后，短短两年就扭亏为盈，1989年盈利4150万英镑。有报道说，布莱克对这笔交易大为满意，称其为“一生中只能有一次的交易”。还有评论家们说他是“用有史以来最小的钩，钓到有史以来最大的鱼”。传媒巨子默多克曾表示，《每日电讯报》如果出售，值10亿英镑。

这次巨大的成功，为布莱克积累了收购和经营著名报纸的经验和资本。1989年，布莱克的霍林格国际公司以1750万美元竞购成功，买下了中东最大报纸、以色列的《耶路撒冷邮报》80%的股权。1991年，布莱克又以16亿澳元的价格收购澳大利亚费尔法克斯报业集团。就在酝酿购买《耶路撒冷邮报》(*The Jerusalem Post*)期间，布莱克同时插手其垂涎已久的美国市场，注册成立美国出版集团（前几年改名为霍林格国际公司），大量收购美国报纸，包括1994年收购的这份《芝加哥太阳—时报》。到1995年，美国出版集团已拥有105份美国日报，数量居美国报业集团前茅。不过，这些报纸绝大多数是发行量在4000份至25,000份的小型地方日报，唯有《芝加哥太阳—时报》2001年平均发行量达到48万多份，居全国报纸发行量第十三位。

在加拿大，布莱克也摆出一副咄咄逼人的姿态，蚕食报业资源。本来，加拿大的三大报业集团中，霍林格国际公司居第三位，龙头老大是索瑟姆公司（Southam Inc.）。这家创建于1877年的老牌报团拥有28家日报，总发行量居全国第一。居第二的是起源于英国、同时在美国也一度拥有最多日报数量的汤姆森报团（The Thomson Corporation），拥有包括全国最大报纸《环球邮报》(*The Globe and Mail*)在内的9家日报和一批周报。霍林格国际公司在90年代初时只拥有14家日报，发行总量居第三。但1996年5月霍林格公司收购索瑟姆公司41%的股份，此后又大肆兼并其他报纸，至1998年已拥有27家日报和大量周报，并控制了索瑟姆公司58%的股份，因而实际拥有了全国105份日报中的59份，一跃成为加拿大报业老大。

布莱克一直对买卖报纸的游戏乐此不疲。他领导的霍林格公司经多年的收购积累，一度拥有或合股经营世界范围的日报总数超过500家。1999年，集团在加拿大购入45家日报、180家周报和106家杂志，花费3亿多美元，但同年又以4.6亿美元的价格卖掉45家美国社区报纸。据美联社2001年8月1日报道，霍林格公司于2000年以22.7亿美元价格又将其在加拿大的大多数报纸出售，其中 18 亿美元的报纸卖给了加拿大最大的媒体集团——西部环球传播公司（CanWest Global Communications Corp）。就在笔者访问该报前不久，霍林格国际公司又将旗下 28 家加拿大日报以 1.47 亿美元的价格转手出售。《芝加哥太阳—时报》负责人后来在介绍这一交易时称，集团公司此次出售的目的，是为了腾出资金发展多媒体产业。2000 年，布莱克又将其美国“社区报团”（Community Group）的大部分报纸以 2.15 亿美元价格出售给 4 家买主，这些报纸包括 11 份日报、3 份周报和 31 份免费发行的周报。尽管如此，至笔者访问时为止，布莱克拥有的日报总数仍有约 200 家，其中英国《每日电讯报》、《芝加哥太阳—时报》和《耶路撒冷邮报》是其三大旗舰。

但英国《每日电讯报》近年的发行量有下降趋势，2001 年的平均发行量为 95.8 万份，较上年减少 7 万份，较 5 年前少了 20 多万份，但仍是英国高尚报纸中发行量最大的报纸，仅次于《太阳报》和《镜报》两家小报。布莱克在美国的最大报纸《芝加哥太阳—时报》的发行量近年却小幅上涨，2001 年的平均发行量超过 48 万份，较上年增长 9008 份，至 2004 年第一季度笔者修订此书时，该报的发行量在原有基础上仍有所上升。这家报纸其实是一份 4 开报纸，只不过内容和风格较为正统，与《太阳报》等不属同类报纸。

在本书第一版出版后不久，布莱克遇到了他经营报业以来最大的麻烦。他的麻烦主要来自他长期利用银行资金实现其频繁的企业资产关联交易，而最近这几年，正是世界报业特别是英国报业不太景气的时期。到 2003 年，他的公司在报业的不断扩张中已累计负债超过 15 亿美元，而他个人大量挪用股东资金大肆挥霍浪费的行为也引起股东们的怀疑。2003 年 6 月，部分股东成立的一个委员会经过对布莱克的调查，发现他多次挪用公司资金填补债务，并发现一笔高达 3200 万美元的公司资金未经授权就被公司高层瓜分，其中布莱克获得 720 万美元。这一调查结果公布后，舆论哗然。美国证券交易委员会（Securities and Exchange Commision，简称 SEC）立即着手对霍林格公司的业务进行正式调查，结果发现了更多的问题，除了挪用巨额资金和酬金丑闻外，还包括其他资金的不合法使用及一些内部经济问题。2003 年 11 月 17 日，面对愤怒的股民和种种被揭露出的丑闻，布莱克不得不宣布辞去霍林格公司首席执行官职务。2004 年 1 月 17 日，位于芝加哥的霍林格公司董事会宣布免去其董事长的职务。如今，布莱克及其前副手们正面临总值达 2 亿美元的诉讼。看来，不把他们侵吞或挥霍的钱“吐”出来，股东们是不会罢休的。

四、"我们是典型的市区报纸"

该报编辑部在4楼，接待我的是行政助理瑞琪小姐（可惜忘了她的全名）。她简单介绍了一下报纸情况后，就领我到一个会议室，参加将于3时举行的编前会。这时离会议还有近10分钟，会议室没人，瑞琪给了我一份当天的《芝加哥太阳—时报》。

该报的头版版式，与我所见到过的大部分美国4开报纸有所不同。大多数美国4开报纸和英国的《太阳报》类似，都是一幅大图片，若干大标题，头版基本不登正文或只有一篇正文的一个开头。《芝加哥太阳—时报》的头版图片不像其他4开报纸那样大，而腾出位置刊发两至三条新闻。该报平日刊大约130页，售价35美分。我访问该报的当天，该报共128页，按次序分别为要闻、新闻特写、本市新闻、国内新闻、国际新闻、天气预报、评论、艺术与休闲、经济、讣闻、分类广告、体育、汽车时代等。这些内容的页码都是连续的，因而没有明显的板块区分。

该报星期天刊的分量较平日刊多一倍。以我访问前一天（8月12日，星期天）的报纸为例，共240页，其中40页为对开报纸，售价1.50美元，共分4叠：A叠为新闻板块，包括要闻、本市新闻、国内新闻、国际新闻、一周回顾、评论、经济、天气预报、理财、证券行情、体育、汽车时代、讣闻等，共140页；B叠为"星期天卡通"，是对开6页的彩色卡通画；C叠为"家庭生活"，内含10个版的房地产广告，也是对开，共16页；D叠为"精品柜"，包括音乐、电影、时尚、书评等内容，对开18页；E叠为一周电视杂志，16开60页。

据该报老总后来介绍，经权威咨询机构统计，该报平均每天拥有读者170万，相当于每份报纸3～4人阅读。读者量居芝加哥市之首，居全国第四。

见会议还没开，我便走出会议室与编辑部大厅紧靠会议室的一位记者聊了几句。这位记者正在一个外壳为透明有机玻璃的新型电脑上写稿，但看上去很乐意与我说话。原来这位小伙子去年曾访问过中国，他说回来后写了很多有关中国的稿件，但他没有去过深圳。我告诉他我服务的报社，并给了他一个网址让他试试。他兴致勃勃地在电脑上查到了深圳特区报业集团的主页，并进入集团所属的英文《深圳日报》（*Shenzhen Daily*）的网页，仔细阅读起来。我回头见会议室人已陆续

《芝加哥太阳—时报》编前会

到齐，便中断和他的谈话，来到会议室。一直陪着我的瑞琪将我介绍给主持会议的副总裁约翰·克鲁克香克（John Cruickshank）。他和我寒暄后请我坐下，会议随即开始。

这是我有生以来参加的第一个美国报纸的编前会，对一切都很好奇。这个会主要讨论第二天（8 月 14 日）新闻版面的安排，侧重点是头版和各主要版面的头条。与会者每人获得一叠供头版选择的新闻提要及新闻图片目录。坐在我旁边的女士是摄影部主编，她小声地向我介绍情况并回答我的问题。她告诉我，明天的新闻版共有 32 页，除去广告共 86 栏可用来刊登新闻（美国的 4 开小报都是 5 栏分隔）。她给我看了图示（即我们习惯称的小版样），32 个版中只有头版、3 版、6 版、7 版、8 版、12 版、23 版和 26 版没有广告。

新闻提要一共 15 条，稿件后面注有是否完成、预计交稿时间和稿件长度。看了一下，大部分稿件都尚未写好，是要后面写的预计交稿时间从 5 时到 7 时不等，多数在 5：15 至 6：00 之间。稿件长度以英寸为单位，多数在 10 英寸至 15 英寸之间（英寸为高度，宽度为一栏），有若干条新闻长度未定。在新闻提要之后，还有经济新闻要目、体育新闻计划、国内和国际新闻要目。据我观察，这后面的内容并未讨论，大概是供大家参考，如有疑问或建议，可提议讨论。

会上，初步确定新闻提要中的第一、第六和第七条为次日头版新闻。第一条新闻是一位 17 岁的流氓团伙成员当天被判终生监禁，不得假释。这位少年罪犯去年夏天开枪杀死两位 13 岁的无辜初中生。这条新闻看来已经写好，15 英寸长。第六条新闻是关于一所重点学校，因扩建和装修延误而迟迟不能竣工，眼看 9 月 5 日新生入学已成问题。约定 5：45 交稿，长度未定。第七条新闻是两位市参议员将被替换，5：30交稿。

这位摄影部主编在会上展示了一批新闻图片，有的是配以上重要新闻的，有的是单独的图片。她还向副总裁提交了一份要闻图片目录，同时给了我一份拷贝。这份目录上共有4栏：第一栏是任务（ASSIGNMENT），表明摄影目标；第二栏是新闻简称（SLUG）；第三栏是状态（STATUS），这一栏下多数图片被注以“in”的字样，表明图片已经完成并入库，少数注有预计完成时间；第四栏为摄影者（PHOTOG），栏内有的注有摄影记者名，有的注明是资料片（file），还有两幅图片注着“ho”。经询问摄影主编，得知“ho”是指社外特约图片。她还告诉我，该报的摄影部共有13名全职摄影记者和编辑。

大约3：40会议结束。会后，我随克鲁克香克来到他的办公室。接过名片才知道，这位看上去接近60岁的副总裁，分管编辑部事务。后来进一步了解到，这个副总裁的地位在总编辑之下、执行总编之上，是编辑部的第二号人物。这是个很奇怪的头衔，我在美国访问众多报纸，只在《芝加哥太阳—时报》见过这种职务。

克鲁克香克介绍情况说：“《太阳—时报》是家小开本的报纸。我们的发行以零售为主，零售量约占发行总量的75%。”

到我访问这家报纸为止，前面所有接触过的报纸都以家庭投递为主，所以我有点少见多怪地问：“为什么零售量占那么大的比重?”

他回答道：“我们是典型的市区报纸，报纸的主要对象是马路上过往的市民和写字楼里的上班一族。我们在公共汽车、地铁上都有很多售报点。上班族也喜欢上街买了报纸带到办公室去看。为满足市民零售的需要，我们在全市装了大约1万个自动售报机。你说第一次见到以零售为主的报纸，其实你住的纽约也有这样的报纸，例如《纽约邮报》。的确，我们和《芝加哥论坛报》不一样。他们的家庭投递恐怕占了80%。我们和他们不属于同一个市场，我们的编辑方针也完全不同，我们的读者群更不同。”

“芝加哥是一个巨大的市场，”他继续说，“这里有很多不同层次的市场。我们报纸针对的是中等阶层的市场。我们在年轻人，特别是男性年轻人当中颇有市场，因为我们的体育报道力度很大，而年轻人都喜欢体育。也正因为这样，我们在市区销量很大。《芝加哥论坛报》则在中老年人群中销路很好，很多中老年人住在郊区。他们喜欢普通的报纸，而我们是典型的市区报纸。我们通过杂货店、小超市、商场和自动售报机销售报纸。不过我们也有约25%的家庭投递量，每天大约15万～16万份。《纽约邮报》和我们差不多，估计纽约《每日新闻》的家庭投递比重也大体如此。

“我们编辑部有225名全职员工，他们是记者、专栏作者、摄影记者和编辑。我们只有 5 名钟点员工。整个公司有大约 1225 名员工，其中编辑部占 18.4%。你说公司的组织架构？我们一般不关心这个，这是公司高层考虑的事。在编辑部这一边，我们有新闻、娱乐、体育等部门。我们从伦敦、加拿大、《今日美国》和美联社获得国际新闻和重要国内新闻。我们在芝加哥的主要竞争对手是《芝加哥论坛报》，另外还有一个竞争对手也是对开大报，即《每日先驱报》。

“我们属于霍林格集团，这个集团里有很多报纸。我们与集团内各报尽量友好合作，但实际上我们经常成为相互竞争的伙伴，我们之间的关系是竞争大于合作。关于广告收入，我们美国的报纸广告收入都占绝对多数。

“《芝加哥论坛报》的记者数量比我们多 10 倍，因此我们不得不刻苦工作，比他们的记者辛苦多了。即便如此，我们的记者都自我约束，他们不需我们规定硬性任务，都会卖力干活。你说懒汉？懒汉肯定干不长，他们迟早会离开这里。在这家报纸，任何人都必须努力工作。所以我们不存在明显的员工懒惰的问题，我们也很少炒员工鱿鱼。这使得我们也较少招聘新员工。迄今我们已经有连续 7 个月没有聘用一名新员工了。”

知道他下午 5 时还要和编辑部主任等研究版面安排，我未好意思再和他多谈。

五、创办《纽约太阳报》

与《芝加哥太阳—时报》总编辑迈克尔·库克和副总裁约翰·克鲁克香克合影

采访完克鲁克香克先生，他领我去见总编辑迈克尔·库克（Michael Cooke）。库克大约 1 米 75 的中等个头，身高和模样都有些像《斯塔藤岛前进报》的总编。他和克鲁克香克一样，穿着白色衬衣和深色西裤，扎着花领带，只不过他把领带弄得很松，显示此人比较喜欢舒适的状态。我见他时，他正在埋头看一篇稿件，见有来客，赶紧站起来和我握手。

他简单介绍了一些情况，例如，该报的社论版也在他的管辖范围，因此重要的社论稿他必须过目审定。每到下午这个时候，他正忙于审稿，所以一般情况下他不参加 3 时的编前会，编前会通常由克鲁克香克主持。这大概就是另外配备一名管编辑部的副总裁的原因吧。由于在约定的访问活动中没有采访他的计划，所以我不便多谈。但他愉快地同意和我在编辑部大厅合影留念。

然后我与两位老总告别，径直来到一楼 100 号房间，那里是该报分管广告的副总裁希瑟·麦凯女士（Heather Mckie）的办公室。采访麦凯女士，是我当天见到瑞琪小姐时临时提出的要求。当时她说编辑部老总不适合谈广告情况，于是我要求见广告方面的最高主管。她征得麦凯同意，麦凯说可以和我见一面，但只能谈 10 分钟。

关于广告的年收入，她说公司都是以集团名义公布收入，从不披露某个报纸单独的收入。但她可以给我集团内几个小集团的数字。所谓几个小集团，即霍林格国际公司下面分成 4 个报业集团：芝加哥报业集团（Chicago Group）、社区报业集团（Community Group）、英国报业集团（U. K. Newspaper Group）和加拿大报业集团（Canadian Newspaper Group）。2000 年 4 小集团的广告和发行收入情况见下表：

霍林格国际公司 2000 年财务状况（单位：千美元）

报团名称	总经营收入	广告收入	发行收入	其他收入	总经营支出	总利润
芝加哥报团	401,417	305,027	80,261	16,129	368,166	33,251
社区报团	67,336	38,294	19,168	9874	64,317	3019
英国报团	562,068	388,283	145,099	28,686	476,313	85,755
加拿大报团	1,065,198	812,278	202,522	50,398	956,007	109,191

（根据麦凯女士提供的年报整理）

从这份表格可以看出，霍林格集团收入居第一位的还是加拿大的报纸，但 2001 年这部分收入一定会大幅减少，因为 2000 年底和 2001 年 7 月集团已卖出了大部分加拿大报纸。那么，接下来应是以《每日电讯报》为龙头的英国报团居首，芝加哥报团的收入可望居第二，而芝加哥报团尽管有 97 份报纸，但主要报纸就是《芝加哥太阳—时报》一家，其余都是些发行量很小的报纸。相信在 4 亿多美元的总收入中，《芝加哥太阳—时报》会占据绝对多数。有关资料还表明，2000 年各报团的收入和利润指标都较上年有较大增长。

对于本报的广告收入，麦凯虽不愿透露具体数据，但却精确地告诉了我广告收入的构成。该报广告收入的大头是零售广告。2000 年，该报零售广告收入占广告总收入的 43%。后面依次是汽车广告，占 23%；全国广告，占 17%；其他分类广告，占 8%；招聘广告，占 5%；房地产广告，占 4%。需要说明的是，这里的分类广告其实应占第二位，因为汽车广告、招聘广告和房地产广告中的相当一部分都属于分类广告，加上“其他分类广告”的 8%，数量应在 20%以上。这只是统计口径不同罢了。例如，零售广告是指零售商的广告，这类广告中包括了大量的插页广告，也可分出来作为一个类别。

在采访麦凯女士的 10 多分钟过程中，不断有电话打进来，还有 3 位属下先后来请示工作。看得出来，她很忙，加上离下班时间不久，我不好意思再打扰，便告辞离去。

就在这次访问之后大约两个月，我突然从订阅的《纽约时报》上获悉，霍林格国际公司打算在纽约投资 3000 多万美元，创办一份报纸，沿用《纽约太阳报》（*New York Sun*）的名称。

《纽约太阳报》原是由美国著名报人本杰明 · H. 戴（Benjamin H. Day）于 1833 年 9 月 3 日创办的。这家报纸一创刊就将售价定为 1 美分，而此前纽约所有的报纸售价都在 6 美分。此外，该报以亲近小市民的面孔出现，大量刊登本地社会新闻，注重人情味，受到读者的欢迎。在短短 6 个月时间，该报发行量就达到约 8000 份，超过纽约所有报纸。在美国新闻史上，《纽约太阳报》被看作是“便士报”（便士是美分的英译，便士报即每份只卖一便士的报纸）早期代表，开了美国大众化报纸的先河。《纽约太阳报》在此后的几十年里，培养了大批名记者、名编辑，其中包括 1906 年发表传世佳作《城市不再》（描写毁于地震和火灾的旧金山）的威尔 · 欧文（Wier Owen）和后来成为《纽约时报》最著名总编辑的卡尔 · V. 范安达（Carr V. Van Anda）。“狗咬人不是新闻，人咬狗才是新闻”这句关于新闻价值的夸张的名言，就出自该报都市新闻部主任约翰 · B. 博加特（John B. Bgart）之口。但该报于 1916 年卖给了一位对新闻传统知之甚少、完全出于商业目的收购此报的商人之后，一些骨干失望地离去，报纸一蹶不振，于1920年停刊。

布莱克想办《纽约太阳报》的消息传出后，立即引起传媒界很大反响，各报及电视台都予以披露，一时议论纷纷。我归纳了一下，这些传媒议论的焦点主要是：一是纽约报业竞争已经白热化，是全国报纸竞争最激烈的城市，市场空间不大，这时再来一份《太阳报》，势必引起更大动荡；二是在当今传媒大投入的时代，初期投资区区3000多万美元创办一份新报，能否在纽约获得成功，很多人表示怀疑；三是布莱克一向以买卖现成报纸为事业，这次突然要自己创办一份报纸，太不同寻常。

不过，议论归议论，布莱克领导的霍林格国际公司坚定地按既定计划办。经过一段时间筹备，《纽约太阳报》果然于2002年4月16日创刊。不同于纽约现存的三份小报，该报是一份对开报纸，但又是平民化的。其市场空间可能就在于目前纽约的对开大报主要是《华尔街日报》和《纽约时报》，而它们走的都是高端路线。霍林格公司在该报创刊时称，《纽约太阳报》是近几十年来在纽约市创办的第一份对开大众化报纸。在本书第一版出版之后，我们果然看到这份报纸取得初步的成功。

据美国报刊发行量稽核局统计，该报有价发行的平均数量迅速增长，其增长速度居全国各报之首：截至2002年9月份，该报平均发行量为17,994份；2002年10月至2003年3月的平均发行量即增至26,263份；2003年4～9月的平均发行量达到40,483份，较上年同期增长125%。不仅如此，该报的发行还不限于曼哈顿，在纽约市其他四个区的发行量也有显著增长——在这一点上，它的势头似乎完全可以与纽约《每日新闻》、《新闻日报》和《纽约邮报》三家老牌四开报纸竞争。面对这一业绩，该报首席执行官威廉·库迈尔（William Kummel）踌躇满志地说："读者数量的快速增长，清楚地表明这里有我们的市场，这个市场需要通过本报所提供的新鲜的新闻和视角独特的观点来填补。我们将继续向那些对我们有很高期待的读者奉献高质量的、有竞争力的报纸内容。"① 该报还公开向广告商承诺，报纸的销量将很快突破45,000份。

离开《芝加哥太阳—时报》后在回旅馆的路上，绕道来到市郊一个叫"橡树村"的地方，看了看海明威的故居。故居是一栋普通的美国式

① The New York Sun circulation more than double since last year, *The New York Sun*, 2003年11月4日

三层尖顶独立洋房，房顶和部分外墙漆成蓝色，内里有陈列馆，可惜已经下班，只能在四周参观。橡树村在当地是个著名的社区，很多名人在这里居住过，包括美国 20 世纪初的著名建筑设计师弗兰克·L. 莱特（Frank Lioyd Wright）的故居及其部分建筑设计。

Chicago Tribune

NORTHWEST FINAL

155TH YEAR — NO. 226 © CHICAGO TRIBUNE

TUESDAY, AUGUST 14, 2001

50¢

Report criticizes work in Lee case

Energy Dept., FBI spy probes were shoddy, U.S. says

By Naftali Bendavid
Washington Bureau

WASHINGTON—A "woefully inadequate" and "blatantly inaccurate" Energy Department examination of alleged Chinese espionage led to an irrational focus on Los Alamos scientist Wen Ho Lee, according to a blistering Justice Department report released Monday.

The report, assigned by former Atty. Gen. Janet Reno, criticized the Department of Energy for shoddy work, and the FBI, for uncritically accepting the Energy Department's conclusions and consequently "spending years investigating the wrong crime."

"Had *either* the FBI *or* DOE done what it should have done, the FBI could have been investigating in the year 1996 what it is now investigating in the year 2000," declares a heavily censored portion of the report, which was made public.

The report, authored by veteran federal prosecutor Randy Bellows, was completed in May 2000 but kept secret until now. It was an attempt to clarify the mistakes of the Lee case, one of the FBI's biggest embarrassments of recent years. In the midst of national concern about alleged Chinese espionage, Lee was charged in 1999 with 59 counts of mishandling classified information.

The government's case quickly collapsed, and Lee was freed after pleading guilty to just one count of downloading classified information on his computer. The episode left many wondering why investigators had focused so heavily on Lee, and also left unclear just how much Chinese espionage there had actually been.

The Justice Department report was an attempt to answer some of that. But the two chapters released Monday, under court order, were censored for reasons of privacy and national security. The rest is still being reviewed and redacted.

The report's scathing language will likely do little to quiet the debate over the Lee case. Some argue that the FBI focused too heavily on Lee, possibly for racial reasons, and

PLEASE SEE LEE, PAGE 11

Tribune photos by Chris Walker

Dan Peters and wife Joli Taylor leave a Daley Center courtroom Monday after a judge ruled that Peters could return to Tucson, Ariz., with his stepdaughter and Taylor's daughter, Alese Reichart.

Michael Reichart agreed to let his daughter return to Tucson provided he gets regular visits.

Photo courtesy of Reichart family

Alese Reichart holds her half-brother, Hawk, in this copy of a family photograph posted outside the courtroom Monday.

Girl in kidnap case gets wish

Dad agrees to let teen return to Arizona with stepfather

By Mickey Ciokajlo
Tribune staff reporter

Alese Reichart, the teenager at the center of a bitter and highly publicized child abduction case, will return to Arizona this week after bouncing for eight months among three group and foster homes.

A settlement reached Monday in Cook County Circuit Court will allow the girl, 15, to start her freshman year of high school Friday with her friends in Tucson, where she was found in December. She will live with her stepfather, Dan Peters, in an arrangement approved by Judge Karen Shields.

"She has a lot of people there who love her," Peters said. "We're ecstatic for her that she'll be able to get back there."

Alese Reichart had made no secret of her desire to return to Arizona, where she and her mother lived for years under assumed names. She told her parents, attorneys and the judge that she did not wish to live in Chicago.

Her mother, Joli Taylor, is charged in Cook County with abducting her in 1991. Taylor cannot leave the state under terms of her bond.

In the end, the girl's father, Michael Reichart of Arlington Heights, agreed to let her return to Arizona to live with Peters. Reichart retains legal custody of the girl under a 1994 court de-

PLEASE SEE TEEN, BACK PAGE

Bayer to cut Medicaid drug prices

Giant must pay states $14 million

By Andrew Zajac
and Bruce Japsen
Tribune Staff Reporters

One of the world's largest drug companies said Monday that it would reduce prices on some products paid for by the government in the wake of a trailblazing Medicaid fraud-settlement finalized between the drugmaker and state and federal regulators.

Bayer Corp., a U.S. subsidiary of Bayer AG of Germany, would be the second major drug company to cut prices this year amid allegations that U.S. drug companies lied to the government about the wholesale prices of certain pharmaceuticals.

The settlement, signed by Bayer last week, divides a $14 million payment by Bayer among 45 states, including $114,000 to the Illinois Medicaid program.

In addition, it finalizes a five-year agreement under which the drugmaker is obligated to make thorough disclosures of the prices it sets and upon which the government bases it reimbursements.

More broadly, the settlement with Bayer is expected to serve as a model for similar arrangements for up to 20 drugmakers—including five in the Chicago area—that are still under investigation in the 4-year-old state and federal pricing fraud inquiry.

The Medicaid investigation is

PLEASE SEE BAYER, PAGE 11

Settlement conditions

The Bayer settlement is expected to serve as a model for settlements with other drug companies under investigation. Up to 20 drug firms, including five in the Chicago area, remain under scrutiny.

The settlement includes:

- Payments for overcharges to the Medicaid program. Bayer agreed to pay $14 million.
- New, lower prices for a number of Bayer drugs reimbursed by Medicaid.
- Agreement to continue reporting accurate prices, based on marketplace sales data. Bayer agreed to a stringent reporting procedure for five years.

Officers guilty in shakedowns

Polish immigrant sting ensnares 2

By Janan Hanna
and Eric Ferkenhoff
Tribune staff reporters

Two veteran Chicago police officers were sentenced to probation Monday after pleading guilty to shaking down undercover federal agents who were posing as Polish immigrants and pretended to be drunk as they walked out of bars and clubs.

The guilty pleas from Officers Steven G. Miller, 56, and William Tortoriello, 51, came as new details emerged in court documents about what happened outside a club on the Northwest Side that formed the foundation of the case against the officers.

According to the documents, the officers approached the agents, posing as patrons of the club, asked for identification and then took hundreds of dollars from them.

The undercover operation by federal authorities and police internal affairs investigators was launched amid widespread complaints from Polish immigrants that they had been systematically victimized by police.

Many of the victims were reluctant to cooperate with state and federal authorities, who had captured numerous shakedowns and shakedown attempts on video, said Assistant State's

PLEASE SEE PROBATION, PAGE 10

Israeli tanks, troops enter Palestinian city

Officials tie town to suicide attacks

By E.A. Torriero
Tribune staff reporter

JERUSALEM—Israeli tanks rumbled into the Palestinian-controlled city of Jenin early Tuesday, destroying a building that housed police and the regional governor and receiving heavy gunfire from residents before withdrawing three hours later.

Four Palestinians were wounded in the fighting, according to unconfirmed Palestinian hospital reports. The Israeli military was silent Tuesday morning and refused comment during the raid.

"There are reports of fierce fighting," said Palestinian spokesman Marwan Barghouti at the height of the incursion. "We have reports that Israelis disguised as Arabs entered in civilian cars and that there are several targets. This is an attack of war."

The assault came in the wake of two suicide bombings within a week and was the first time Israeli forces have hit the heart of a Palestinian-ruled area since a Palestinian uprising began 10 months ago. The two Palestinian bombers responsible for the most recent terrorist attacks came from the Jenin area, the Israelis said. Israeli news media reported that nine suicide bombers launched attacks from the area in the past two months.

Jenin was labeled "a suicide bomb factory" in an Israeli intelligence report. Tuesday's operation seemed to target the town's Palestinian security headquarters, an office sometimes visited by Palestinian Authority President Yasser Arafat. The operation came while most Israelis were asleep, and by the morning rush hour, the assault had ended. Israeli radio was reporting that the aim was to destroy a few Palestinian police outposts.

Palestinians in Jenin, the northernmost city in the West Bank, said that as Israeli forces withdrew, they took with them about 70 Palestinians who had been jailed by Jenin authorities on charges of having collaborated with Israel.

Under the 1993 Oslo peace accords, Israel is allowed to enter Palestinian territory only while in pursuit of suspects.

PLEASE SEE MIDEAST, BACK PAGE

AP photo by Shizuo Kambayashi

Japanese Prime Minister Junichiro Koizumi is led by a Shinto priest after offering a silent prayer during Monday's visit to the Yasukuni shrine, which memorializes the nation's war dead. Asian neighbors, whose people suffered atrocities at the hands of Japanese forces during World War II, denounced the visit.

Asia bristles as Koizumi pays respects at war shrine

By Michael A. Lev
Tribune foreign correspondent

BEIJING — Japanese Prime Minister Junichiro Koizumi infuriated China and South Korea, and stirred up a sensitive political debate at home, by making a visit Monday to a controversial shrine in Tokyo that memorializes Japan's veterans, including convicted war criminals from the Second World War.

The trip by Japan's popular new leader to the Yasukuni shrine reignited a powerful resentment in Asia that Japan remains unwilling to accept full responsibility for acts of aggression before and during World War II, when it brutally colonized Korea and rampaged across China.

Protests were vehement, in once instance violent: Governments in Beijing and Seoul denounced Koizumi's decision and, hours before Koizumi's visit, a group of 20 burly men in a South Korean park chopped off their little fingers in a macabre

PLEASE SEE SHRINE, BACK PAGE

INSIDE

NATION

Bush unwavering on stem cell decision

President vows veto if lawmakers attempt to alter his compromise plan. PAGE 7

SPORTS

Astros knock Cubs out of 1st

Houston rocks Jason Bere for nine runs and takes the NL Central lead with a 9-5 victory.

INDEX

Weather: Sunny; high 78, low 57
Tomorrow: High 84, low 67

24 hours a day go to chicagotribune.com

7 49485 00001 2

《芝加哥论坛报》2001 年 8 月 16 日头版

第 10 章

《芝加哥论坛报》

Chicago Tribune

老七地位虽然失守
北部大报仍霸一方

《芝加哥论坛报》，创刊于 1347 年，芝加哥市第一大报，是美国第二大报业集团论坛公司的前身，也是该集团公司旗下大型核心报纸，被认为全国质量最高的报纸之一。该报有地方版，各板块的首末页是彩色，其余都是黑白，是美国大型日报中较少用彩页的报纸之一。2003 年 10 至 2004 年 3 月平日刊平均日发行量为 614,548 份，10 年来首次失去老七的座次，屈居《纽约邮报》之后，为全国第八；同期星期天刊平均发行量为 1,002,398 份，仍居全国第四。

一、“世界最伟大报纸”今昔

2001年8月14日上午9：30，我开车来到芝加哥闹市区的《芝加哥论坛报》(*Chicago Tribune*) 大楼。这是一次任务繁重的采访，日程安排之饱满，超过此前所有报业访问活动。这一切得归功于该报副总裁兼总编辑安·玛丽·里品斯基 (Ann Marie Lipinski) 女士和该报媒体关系经理杰弗里·D. 比厄里格先生。

起初，我给《芝加哥论坛报》有关负责人写信，但短期内全无回音。由于未搞到比厄里格的 E-mail 地址，我没有写信给他，只打过一个电话，却也没找到他。一星期后，最先给我消息的是一位名叫玛格丽特·C. 霍尔特 (Margaret C. Holt) 的女编辑。她在8月2日的一封电子邮件中说，她是编辑部的读者服务编辑，奉总编辑里品斯基女士之命协助我实现对《芝加哥论坛报》的访问，希望我提出具体时间。关于报纸广告、发行等经营方面事宜，她建议我与比厄里格先生联系，说他对这方面的情况很熟悉。我当即按她给的地址发了 E-mail 给比厄里格，并于数天后收到回信。显然，对我的来访，该报总编辑给予了积极的支持，一切都在她的安排之下顺利展开。

8月8日，在我启程离开纽约前两天，比厄里格来信同意我8月14日访问该报，并介绍了他对我当天活动的安排：

上午9：45，参加社论委员会会议；

下午1：00，由他接受采访关于发行、广告及整个报社情况；

2：00，该报多媒体部主任接受我采访并领我参观；

4：00，参加编前会。

我立刻回信，以“great arrangement”来表达我的惊喜和感激之情。我注意到，他的这封信也抄送给了该报总编辑里品斯基女士。第二天，8月9日，他再次回信，给了我一份关于《芝加哥论坛报》的简短资料。后来他接受我采访时又给了一份该报1997年创刊150年的纪念资料，使我对该报的来龙去脉基本知晓。

《芝加哥论坛报》创刊于1847年6月10日，是美国发行量前7名报纸中最古老的报纸。创刊号只发行400份。该报两年后在美国西北部率先建立电讯新闻社。1855年约瑟夫·梅迪尔 (Joseph Medill) 及其5个合伙人收购该报，并于同年购入蒸汽印刷机，使印报效率大为提高。从此，该报开始发展壮大，成为当地主要日报。梅迪尔是共和党人，《芝加哥论坛报》也是林肯总统的早期支持者，对林肯的崛起起了很大作用。梅迪尔也因此成为林肯的好朋友，两人过从甚密。林肯曾经给《论坛报》写信说："我欠了它（指《论坛报》）很多，恐怕我一辈子也还不清了。"[①] 1860 年，该报发表一篇社论，要求公众选举林肯为总统。《论坛报》于 1861 年兼并了芝加哥最早的报纸《民主党人日报》(*Daily Democrat*)，同年 5 月 26 日创办星期天刊。

芝加哥城历史上有过一次震惊全国的"芝加哥大火"，将市区大部分建筑化为灰烬。美国的历史教科书上已有记载。但看了比厄里格提供的资料才惊奇地发现，《芝加哥论坛报》对这次大火竟早有预感。1871 年 9 月 10 日，该报发表社论，认为由于天气长期干燥和市民疏忽大意，市区许多木质建筑有火灾隐患，号召市民提高警惕。此言一个月后不幸言中。10 月 9 日，这场被称作"芝加哥大火"(the Great Chicago Fire) 的灾难降临，将《论坛报》才建了 3 年的四层木质新楼房也被烧个精光。但该报仍顽强出版，两天后，发表历史性社论《芝加哥将重新崛起》。不久后，《论坛报》发行人梅迪尔当选为芝加哥的"灾后重建"市长。

梅迪尔 1899 年 3 月 16 日去世后，报纸由其两个女儿的家庭继承，这两家的姓分别为麦考密克和帕特森。1914 年起，报纸的经营权转到老梅迪尔的两个外孙手中，他们是罗伯特·R. 麦考密克 (Robert R. McCormick) 和约瑟夫·M. 帕特森 (Joseph Medill Patterson)。这俩表兄弟年轻气盛，雄心勃勃，将《论坛报》的发行量和广告量都扩大了一倍。他们后来在第一次世界大战爆发后，于 1917 年都参军到海外服役（该报先后当兵去海外打仗的员工人数多达 268 人），分别获得上校和上尉军衔，所以人们在麦考密克名前习惯加"上校"二字。战后帕特森上尉去纽约创办了《每日新闻》，《芝加哥论坛报》即由麦考密克上校一人负责，并继续担任发行人。1921 年以梅迪尔名字命名的西北大学梅迪尔新闻学院 (The Medill School of Journalism, Northwestern University) 创建。

在 20 世纪长达 66 年的历史中，该报一直伴随着一句著名的口号："世界上最伟大的报纸"。这句话来自 1909 年 2 月 7 日在纪念林肯诞辰 100 周年时该报的一篇文章，原文为"世界最伟大的报纸的最伟大的一期"（指当日该报）[②]。从 1911 年 8 月 29 日开始，该报就将这句口号每

---

① *150 YEARS——A Chronology of Memorable Moments in the History of the Chicago Tribune*，1997 年

② 同上

天印在头版报头下：The World's Greatest Newspaper。1924年7月15日该报收购一家广播电台时，也将这句话的英文缩写WGN代替原电台名称WDAP。

多种资料表明，在麦考密克上校的领导下，《芝加哥论坛报》在梅迪尔时期的保守主义基础上走向极端，成为美国政界右派的主要代言人。上校在报社说一不二，署名“R. R. Mc”（他的名字的英文缩写）的备忘录在报社就是天条，没人敢违背。他在政治上坚持狭隘的民族主义，反对一切外国人，更反对英国；在总统选举上也表现出强烈的爱憎，他反对杜鲁门当选总统，更反对艾森豪威尔当选。他的报纸常常发表言辞激烈的社论，社论也影响到报纸上的新闻，使得该报一度因政治上的偏颇遭到普遍批评。但上校始终以“世界上最伟大的报纸”自居。上世纪30年代，他在报纸上用尽一切方法反对富兰克林·罗斯福总统及其推行的新政，结果在1936年一次民意测验中被评为“最不公正和最不可靠的报纸”。1947年该报被各新闻媒体驻华盛顿的记者评为“一家最明目张胆地带着偏见报道新闻或添油加醋加以渲染的……报纸”。

不过，麦考密克上校运气一直很好。该报尽管言辞激烈、屡遭批评，尽管总是企图证明自己正确别人错误，但仍有广泛读者，并受到很多共和党人的支持，发行量保持较快增长，特别是在广告方面状态一向很好。麦考密克在主政该报期间，创办了收听率颇高的WGN广播电台，建起了36层高的论坛报大厦（该楼很有特色，容笔者后面作适当介绍），还在芝加哥郊区拥有1000英亩的农庄别墅。特别值得骄傲的是，1947年，该报的发行量于创刊100周年时达到历史最高点，平日刊为103万份，星期天刊为154万份。在全国范围内排行第二，超过它的只有该报的姊妹刊——表哥帕特森上尉经营的纽约《每日新闻》。上校因此一直具有强烈的自信心，直至1955年去世。

麦考密克上校去世后，因家族没有直系继承人，《芝加哥论坛报》由高层管理人员接管，编辑方针依旧。1969年，克莱顿·柯克帕特里克（Clayton Kirkpatrick）接任总编辑，开始了一系列大胆改革，诸如放弃了“为美国人办的美国报纸”这一狭隘的民族主义口号，停止了新闻栏社论化的做法，扭转社论的偏激倾向等，同时扩大了编辑部的规模，加强了新闻采编力量。因此，1969年被美国新闻界认为是《芝加哥论坛报》的转折年，报纸的质量也有显著提高。1972～1976年间，《论坛报》因地方调查性报道获得了3项普利策奖和1项国际新闻报道奖，总数相当于该报前50年获得此奖项的总和（普利策奖设立于1917年），报纸的发行量也稳定在75万份左右。**1977年1月1日起，报纸放**

弃了上校那个“世界上最伟大的报纸”的口号，将其从头版撤销。

1981年，《奥兰多前哨报》的总编辑詹姆斯·D. 斯夸尔斯（James D. Squires）接替退休的柯克帕特里克担任总编辑。新任总编辑利用该报新启用的全国最好的印刷中心，于1982年重新设计版面，大胆使用彩色，高度重视图表设计，使报纸面目焕然一新。在1983～1994年的11年内，报纸先后获得两项普利策漫画奖、三项普利策社论奖、一项评论奖、两项解释性报道奖和一项全国报道奖，总共九项普利策奖，令同行刮目相看。《芝加哥论坛报》正以一份高质量的大型开明报纸的面目跻身美国顶尖报纸行列。

1989年，斯夸尔斯总编辑在竞争公司总裁失利后突然辞职，由杰克·富勒（Jack Fuller）接任总编辑一职。富勒曾任该报社论版主编，并获得普利策社论写作奖。他于1993年担任报社总裁，1996年还出了一本书，书名叫做 *News Values: Ideas for an Information Age*。最近发现国内已有该书的中译本，由笔者的校友兼好友展江先生翻译，取名《信息时代的新闻价值观》。富勒于1997年升任论坛出版公司（Tribune Publishing Company）总裁。该公司是当时全国排名第八、如今排名第二的报业集团论坛公司的下属一级公司，掌管公司所有报纸。接替富勒担任《芝加哥论坛报》总编辑的是该报前驻外记者霍华德·A. 泰纳（Howard A. Tyner）。2001年2月接替泰纳担任总编辑的是一位女性，即前述安·玛丽·里品斯基。她同时兼任公司高级副总裁。现任报社发行人、总裁、首席执行官三大高职集于一身，落在斯柯特·C. 史密斯（Scott C. Smith）肩上，他于1997年夏天接替富勒获得上述职务。

至2001年，该报总共22次获得普利策奖。

二、热闹的社论委员会会议

在12日来该报“踏勘”时，我注意到报社的正大门虽开在密歇根大道上，但大楼的底层却在密歇根大道下一条与其垂直交叉的马路上，那里有一个报社自己的停车场，但面积不大。14日上午我开车绕到楼下这个停车场时，却被保安挡在门外，说非本报职工，任何人不得入内。我忙亮出证件，告诉保安自己是采访该报的外国客人。这话等于白说，保安完全不买账。我于是到值班室向值班员解释，也无济于事，只好给比厄里格打电话，谁知他也说不能用报社的停车场，说报社停车场太小，员工本身都不够用，对外来车辆是严格控制的，向我表示歉意。我只好到附近寻找公共停车场，不料附近几个公共停车场虽然价格高达

3小时收费28美元，仍然满位。这使我第一次意识到，《芝加哥论坛报》所在的市中心闹市区的位置，是如何的拥挤。这样折腾一下就过去了10多分钟，一看表，已经快9点40分了，心一横，就在该报停车场旁的一个车辆稀少的角落将车停下，直奔该报大楼。当我按比厄里格的安排到4楼找到柯妮莉亚·格拉曼（Cornelia Gramman）小姐，并在她带领下来到同楼的社论部会议厅时，正好9：45。

这个会议厅很有点书斋味道，四壁都是樱桃木色的木墙或木柜，有一处玻璃门内可看见柜中排满的图书。木墙上挂着两幅白底装裱的绘画作品，分外醒目。椭圆形的会议桌也是樱桃木色。这时与会者都已到齐。我进入会议室并经柯妮莉亚引荐给会议主持人、该报社论版主编R. 布鲁斯·多尔德（R. Bruce Dold）时，多尔德迎上来热情地和我握手并自我介绍，大家也都向我报以友善的微笑。

参加《芝加哥论坛报》社论委员会会议

原来，柯妮莉亚本人就是社论部的编辑兼专栏作者，主要负责处理和编发读者来信。她一边参加会议，一边翻阅手中一叠急需处理的信件。我则一边听，一边向她请教。我数了一下，当天参加社论委员会会议的共有11人。她告诉我，这11人中只有9人是社论委员会委员，她自己就不是委员。

这次会议讨论的议题主要是研究第二天社论文章的选题，没有文字摘要稿，记得共涉及6个选题。第一个是关于移民问题。第二个是巴以冲突，在谈到这个问题时还有些争议，即如何把握对以色列的立场。有人提到美国每年在以色列身上花费30亿美元，建议对以色列也应有所批评，但有人反对。第三个是俄罗斯削减核武器问题。第四个选题是关于第二天（8月15日）日本投降纪念日，大家都同意应当发一篇社论。主编多尔德说，当天《纽约时报》报道了日本首相参拜靖国神社的消息，建议大家考虑这篇社论应该涉及的重要问题。有人建议，文章阐述日本为何迄今不公开就二次大战所犯战争罪行向被侵略国家道歉，有人还建议，要写日本与中国、朝鲜两国目前的关系问题，等等。第五个选题是关于公立大学教育及管理质量普遍下降。这个选题也得到多数人的赞同，而且大家各抒己见，讨论很热烈。与会者分别谈到公立大学基金不能全部到位而被州政府分享、公立大学内部管理上的官僚主义、师资力量有所下降等内容。第六个选题因和柯妮莉亚私下交谈而未记下。

社论委员会会议开得很活跃，大家自由发表意见，不时发出朗朗笑声，有时也会就某个问题产生争议，但依然说话幽默、态度友好，气氛十分融洽。多尔德主编虽是会议主持人，但较少发言，始终面带微笑听取大家的意见，像个忠厚的长者。与会者中的一位最高个子是黑人。他儒雅开朗，快人快语，其发言常引起大家会心一笑。我后来访问西北大学媒体管理中心（Media Management Center，Northwestern University）时，听史密斯主任讲到该报有一位名叫迈克（Mike）的著名专栏作家和评论家，在当地有很大影响，大批读者愿意跟着他走——他到哪家报纸，读者就改订哪家报纸。迈克原来在《芝加哥太阳—时报》工作，《太阳—时报》于1994年被布莱克的美国出版集团收购后，迈克辞职进入《芝加哥论坛报》，带走了一批读者，使得后者的发行量进一步超出《太阳—时报》。相信这位迈克也应是社论委员会成员，可惜当时我有眼不识泰山，否则一定约他攀谈几句。

与《芝加哥论坛报》社论委员会委员合影

总之，这次社论委员会会议的活泼气氛是我在美国参加各种编前会所未曾见过的。会议开到10时结束。会后，应我的要求，全体社论委员会委员和我合影留念，是柯妮莉亚小姐拍的。镜头里大家以多尔德主编为中心，我站在多尔德旁边，个个笑逐颜开。

然后，我跟随柯妮莉亚小姐到她的办公室继续了解情况。社论部和编辑部不一样，这里每个评论委员和编辑都有自己的独立办公室，比新闻部门的编辑记者气派多了。柯妮莉亚介绍说：

“这样的社论委员会会议每天都开，除了星期五和周末，也就是说一周开 4 次，每次都是上午 9～10 时。我是负责读者来信编辑工作的。读者来信其实也是一篇篇小型评论，我们每天选择若干篇刊于社论版的右侧，取名《人民之声》（VOICE OF THE PEOPLE）。我们有一个社论版，还有一个评论版，主要是社外作者写的。评论版设在社论版对面一页，所以也称社论版对页。”

“你们所有社论选题都要经过这个会议吗？而且，这个会议似乎也没有明确决定哪些题目第二天要上啊。”我问，因为我觉得当天的会议似乎就决定了第二天刊发日本投降日纪念和公立大学质量下降的社论，而该报每天刊发 3 篇社论。至于“社论版对页”的说法我是熟悉的，几乎所有美国大报都采取这种方式来安排社论、来信和评论，《纽约时报》是这一风气的始作俑者。

“这个会议的主要目的是，就各类选题产生一个意向性的意见，就一些有意义的选题提些建议，同时大家可沟通信息，讨论未来的选题线索。原则上所有社论都会经过这个会议，会后，主编会根据会上的意见和自己的思考通知大家确定的选题。对一些重大的选题，主编还要请示发行人甚至集团公司。有时即使不开会，如星期五，主编也会与各委员联系，就某些选题随时作出决定。选题一旦确定，评论员或专栏作家即投入紧张的写作阶段，我们要求下午 4 时截稿，社论必须在这之前完成。”

她继续说：“社论委员或评论员，每人都有明确的分工，各管一块领域。他们必须对自己所管的领域负责，保证就某些热门话题及时作出反应。社论是否正确，得看它们是否对社会有益。我们社论部的责任，就是为社会公众的利益表达我们的意见。我们对一些不利于社会公众利益的做法会旗帜鲜明地给予批评，不管它是政府还是大公司。这样做当然会引起不满，有时还被起诉，但我们很少输。”

柯妮莉亚的一番话，从一个侧面证明了《芝加哥论坛报》早已走出麦考密克上校主政时期的阴影，成为一份公众信赖的社会公器。

三、两张罚单

对柯妮莉亚的采访是我临时提出的要求，所以不好过多“纠缠”，何况她手中还有很多来信要处理。另外，我心里惦记着我那辆车呢。

告别柯妮莉亚后，我快步走出大楼，赶到停车的地方。但见车窗上别着两份罚单，每份 50 美元！在美国外出访问，吃住行到处都要花钱，这 100 美元对于我来说可不是个小数。抬眼一看，前面一位戴着墨镜的肥胖警察还在转悠，腰上腿上别着各类警具（美国的警察似乎都那么大腹便便、神气活现），忙跑过去向他说明原委，希望能免去至少一份罚单。他的口气倒是和蔼，但毫不让步，说他从来没有收回过已签出的罚单，何况所有记录都已输入电脑，无法更改。我说，要是你弄错了呢？他说，那就上法庭嘛。他又说："我早就注意到你了，你和传达室保安商量停车的时候我就在旁边。你的车上午在这里已停了两个半小时，若再停下去，可能会得第三张罚单呢！"

我想起来，上午在传达室给比厄里格打电话时，好像是有一个警察在旁边，但我以为是报社的保安。明知我要犯错而不予规劝，尽等着罚款，看来这黑人警察并非善良之辈，再说也是白费口舌。后来我回到旅馆时仔细阅读罚单上的罚款细则，发现违规停车并无时限，只说一次罚款 50 美元。我在同一地点同一时间停车，只能算一次啊，怎么就按钟点收钱呢？我气愤地写了份申诉信，但又一想，我在芝加哥只逗留几天，难道今后为此再千里迢迢地来打官司不成？于是作罢，写了两张各 50 元的支票，塞进罚单上提供的信封里，贴上邮票，按指定地点投入信箱，当然在罚单的附言上也写了几句抱怨的话。如果我不在规定的期限内寄钱过去，将面临更大的处罚。

美国就这厉害。在美国访问的一年中，我虽然常在路口抢黄灯，但开车基本上是遵规守矩的，唯在停车问题上屡吃罚单。大多数罚单都是咪表停车超时，也就超几分钟。常见很多汽车超时，咪表不停地闪烁，却无人受罚，而我一超就吃单，只怪运气不佳。有一次在纽约一政府机构办理医疗保险，等候时间较长，而门口的咪表限定一小时，只好不断出来投币。最后一次晚了 2 分钟，急急赶出来，车窗上已见黄色罚单。见身着制服的女警员还未离开，忙和她协商，希望看在我已赶出补钱的分上，以教育为主，免除处罚。女警员态度很好，笑嘻嘻地告诉我，罚单一旦签出，就无法撤回。她还扬了扬手中的笔记本电脑，表明一切都由此传到数据库，难以更改。她希望我理解她的做法，说换成我也会这样做。我见事情难以挽回，索性和她开开玩笑，说："要是将你换成我，我也会严格执法，但对只超过几分钟而且在我离开前已赶来补交钱的车主，就会通融免罚。"她笑着说："这也有道理，可惜你现在还没资格执法。"

告别芝加哥那黑胖警察，我只好立即寻找公共停车位。马路上的咪表都停满了车，而且限时 1 小时。总算在附近找到一个室内停车场，下午 5 个小时收费 28 美元。停车后赶紧吃午饭，并为下午 1 时整的采访做些准备。

四、广告额很大的报纸

下午1时，我准时在报社大楼里通过电话找到《芝加哥论坛报》媒体关系经理比厄里格先生。比厄里格是一位大约三四十岁的健壮男士，举止稳重，接待我时有点公事公办的味道。他告诉我，他在这家报社已工作多年，我在信中拟向总编辑提的问题，他大多可以解答。

他先介绍报纸当时状况："本报属于论坛公司。那是家集团公司，拥有很多报纸，包括《洛杉矶时报》，我们集团公司去年收购了这家报纸。集团还有22至23个电视台。本报有一个非常大的编辑部。在我们的内部组织体系里，总裁是第一号人物，然后是总编辑、执行总编和两个副总编。第一个副总编负责新闻部分，包括国际新闻、国内新闻、都市新闻、经济新闻和体育新闻等部门；第二个副总编负责副刊部分，包括生活时尚（这里是指Tempo，即'节拍'板块，包括电影、电视节目等，每周五次）、餐饮、星期五、星期天等副刊。'星期五'是周末板块，每周五出版。明天是星期三，我们就有餐饮版。除了Tempo以外，所有这些副刊都是每周一次。星期天刊是一份不同的报纸。这份报纸中，我们有4个新闻板块，包括国际新闻、国内新闻、经济新闻和体育新闻。然后我们有好几个副刊板块，所以星期天刊特别大。"

他看了看桌上一份材料，估计上面写着我事先向老总们提的问题，接着说："我们编辑部有大约700名员工，整个报社员工在3000人左右，包括印刷厂。我们的印刷厂对外不承担业务，只印《纽约时报》。你说白天机器会闲置？不会的。我们白天印那些提前签压的版面和插页广告，这个量很大。

"除了主报，我们还有7种地方版，但在某些板块我们的地方版更多。例如，星期四的Tempo板块就有11个地方版。所有7种地方版都在芝加哥范围，此外我们在威斯康辛和密歇根两州还有两个当地版。我们的报纸还发行到佛罗里达和亚利桑那两州。"

我问起该报广告事宜，特别是最近的年收入情况。他一开始不愿说，因为集团公司有政策。但我告诉他，我只是作为一个外国报人对此感兴趣，一年之内不会向外披露。他这才说：

"我们通常不单独报告某一报社的收入情况，但对你可以例外。我们报纸去年的广告总收入约7亿美元。但今年会下降，甚至可能下降20%。很多报纸今年都遇到广告困难。分类广告是我们最大的广告来源，我们每年有大量分类广告。例如去年，我们星期天刊的招聘分类广告一天就超过 100 页，但今年我们只有 30 页。在分类广告之后是陈列广告（display，指不同于分类广告的较大篇幅的广告，这类广告通常按英寸栏的面积计算，且一般有图片或表格——笔者），然后是插页广告。我们每天都有插页广告，星期天刊的插页广告最多。全国性广告也是一个主要广告来源，诸如银行广告和航空广告。广告价格变化很大，平日刊广告一个整版价格可达 3 万至 3.5 万美元。

“从星期一至星期五，我们报纸的住户投递量约占总销量的 65%，但有时我们的零售量达到 80%，那是因为赶上重大新闻，临时加印的报纸增多。星期天刊的零售和住户投递报纸量是一半对一半。《芝加哥太阳—时报》和《每日先驱报》都是我们的竞争对手，它们一个在市区，一个在郊区（到这时我才明白，为何我住的酒店只能看到《每日先驱报》，那是因为酒店在郊区——笔者）。《太阳—时报》主要在城市市区发行，住户投递量很小。我们有 1 万多个自动售报机，我们在郊区的读者量很大。我们的报纸卖 50 美分一份，有时卖 35 美分，星期天刊卖 1.5 元。”

“我在访问《太阳—时报》时，他们说也有 1 万多个自动售报机，那么你们两家加起来就有 2 万多个售报机了?”我有些好奇。

“是啊，我们街道马路上到处都是售报机。有的街口一下子排了十多个售报机，很好看呢。”他说。

芝加哥街头的联合售报机

他的话不假，在芝加哥街头，的确随处可见售报机，和纽约差不多。我曾经在密歇根大道见过一种统一制作的“联合售报机”（这个名称是我起的）。这个售报机有一人高，深藏青色，有两个腿固定在水泥地上，12 个窗口分两行排列，每个窗口就是一份报纸的售报口，玻璃上印有各报名称，上有把手，投币后即可打开。机器的上方有铁制的招牌，上书“NEWSPA-

PERS”字样。《芝加哥论坛报》排在上层左边第一个窗口，紧接着是《芝加哥太阳—时报》，还有《芝加哥生活》（*Chicago Life*）等报刊，有些是供免费取阅的。

《芝加哥论坛报》不仅是当地最大报纸，也是美国整个内地北方地区的最大报纸。就发行量而言，它长期排行第七，地位稳固。据查阅资料，早在 12 年前，《芝加哥论坛报》的发行量就达 74 万多份，全国排行第七。在它之前依次为《华尔街日报》、《今日美国》、《洛杉矶时报》、纽约《每日新闻》、《纽约时报》和《华盛顿邮报》。那时全国发行量最大的报纸是《华尔街日报》，销量 193 万多份，《纽约时报》才排第五，销量 114 万多份。后来前六名报纸次序不断变化，2001 年的次序为《今日美国》、《华尔街日报》、《纽约时报》、《洛杉矶时报》、《华盛顿邮报》和纽约《每日新闻》，《芝加哥论坛报》仍居第七位。全国范围内，除东部纽约、华盛顿两市和西部的洛杉矶这三个城市的报纸外，《芝加哥论坛报》无人可与攀比。就广告而言，该报的年广告额达 7 亿美元，也大大超过波士顿、底特律、费城等大都市的报纸。该报的星期天刊排名更加靠前，长期处于全国第四的地位。

打开这份报纸，会发现该报的一些特点：一是容量很大，每天的页数仅次于《纽约时报》和《洛杉矶时报》；二是所有板块的首尾页都是彩色，但几乎所有内页都是黑白版，说明其用色还是很谨慎的，尽管该报拥有全国最先进的印刷设备；三是广告多；四是分类广告量大。

以我访问该报的 2001 年 8 月 14 日这天为例，该报的内容大体如下：

总页数：76 页；售价：50 美分。该报的板块不是按 ABCD 字母顺序排列，而是按数字顺序排列，这在我访问的报纸中绝无仅有。

第一叠为新闻板块，共 16 页，含要闻、国际新闻、国内新闻、社论评论。这 16 页中，广告就占近 7 个版。

第二叠是都市新闻板块，共 10 页，含本地及附近城市要闻、本市及地方新闻、讣闻、天气版等，其中广告约占 2.5 个版。该叠按不同地区有不同的地方版，都是 10 页。

第三叠是财经板块，共 16 页，含财经要闻、财经新闻、市场分析及纽约股票行情、纳斯达克行情、共同基金行情、外汇行情、期货行情等，共 4 个版广告。

第四叠是体育板块，共 8 页，含体育要闻、赛事日程、记者席、新面孔、棒球、橄榄球、记分板、白短袜等版面，只有 8 厘米通栏广告。

第五叠是生活节拍板块，共 10 页，含散文、新闻与评论、影视副刊、卡通画和纵横字谜、青少年暑期专版等，不到一个版广告。

第六叠是分类广告，共 16 页，含交易、通告、招聘、房地产、汽车等分类广告。

算了一下，该报平日刊 76 页中，广告就占了 30 页以上。然后再看星期天刊的情况。比厄里格应我的要求帮我找到的最近一期星期天刊是 8 月 5 日的报纸：

总页数：330 页；售价：1.75 美元（这与比厄里格说的价格有些出入）。

第一叠是新闻，同平日刊，共 16 页。

第二叠是视野，共 8 页，含国际事务、一周回顾、新闻综述及专文等，累计 2 个版广告。

第三叠是体育，同平日刊，共 16 页。

第四叠是都市，同平日刊，共 8 页。

第五叠是财经，同平日刊，共 14 页。

第六叠是工作，共 32 页，头版是劳务新闻，其余皆为招聘分类广告。这一叠大概就是比厄里格所说的有去年 100 多个版减至 30 多个版的招聘分类广告。

第七叠是艺术与娱乐，共 16 页，含大量图片和影视广告。

第八叠是旅游，共 16 页，广告占九成。

第九叠是卡通画，共 8 页。

第十叠是《芝加哥论坛报杂志》，小 8 开，32 页，全部彩色铜版纸，内容是时尚、休闲和广告。

第十一叠是一周电视，16 开，共 52 页，刊登当天至下周六的电视节目表和特别推荐节目及广告。

第十二叠是交通，共 28 页，含交通新闻及分析文章，九成广告。

第十三叠是健康与家庭，共 6 页，含健康顾问和家庭顾问，累计 1.5 个版广告。

第十四叠是书评，共 8 页，含重点书作者近况、书评及推介、读者指南及纵横字谜，近 2 个版广告。

第十五叠是家居与园艺，共 8 页，大部分为广告。

第十六叠是房地产，再分为 4 叠，共 48 页，每叠的首尾页为彩色，绝大多数为广告。

第十七叠是“广场”，小 8 开，大多数彩色，内容是时尚和广告。

据估算，星期天的广告量不会少于 180 页，另外有 236 页的插页广告，全部彩色铜版纸印刷。

这个星期天版的分量比起《纽约时报》和《洛杉矶时报》等报业巨头来也差不到哪里，是一份能照顾到各方面兴趣的周末读物，因此该星期天刊的发行量比平日刊高 24 万多份，高出约 40%的发行量。广告收入应是平日刊一天的至少 5 倍。

《芝加哥论坛报》编辑部多年来保持创新精神，很多成功的副刊和评论版都是近年新创办的，包括“健康与家庭”、“家居与园艺”、“汽车”、“工作”、“教育”、“电子商务”以及深度分析报道专版等。这种创新精神使该报长期保持在当地发行量和广告量的龙头老大地位，“全国第七”的位置也得以稳固维持。该报对当地社区给予的支持常存感激之情，经常积极参与主办有良好社会效益的大型活动，并每年向各社区及有关公益组织捐款 700 万美元。

五、 编辑部里的演播厅

谈话结束后，就快到下午 2 点钟了。比厄里格领我去见米切尔·洛辛（Mitchell Locin）。洛辛的头衔是“高级电子新闻主编”，实际上是电视新闻的制片人，过去是该报的记者。我们见到他时，他正在办公室的电脑上查看电视新闻。

他看上去是个活泼快乐的人，和我刚见面就滔滔不绝地讲起他的电子媒体世界，并领我到处转悠。他先领我到一个房间，里面几十部小型监视器闪烁着不同的画面。他说，这是电视节目的控制室，他经常在这里办公。

据他介绍，论坛公司在芝加哥地区设有两个电视台和一个广播电台，其中一个叫做 CLTV 的电视台，是 24 小时滚动播出本地新闻和信息的有线电视台。这两个电视台和广播电台的节目是和《芝加哥论坛报》合作的，其中的新闻节目主要由该报负责，也就是由他负责。这一创意产生于 1990 年，当时论坛公司高层提议《论坛报》与论坛广播公司（Tribune Broadcasting Company）建立非正式合作关系，创建一个 24 小时全天候播出的新闻有线电视台。合作的形式是，让电视新闻节目充分利用《论坛报》所有正在制作的新闻，让《论坛报》的记者成为电视新闻记者的组成部分，可以上镜头。

洛辛说："电视新闻节目与报纸新闻结合起来运作，有很多优势。例如，许多电视新闻，文字记者和摄影记者完全可以合作采访，电视新闻只要将拟见报的新闻稿稍加编辑就可在电视里播出。电视的弱点是对大量的社区新闻难以覆盖，这也是电视台与报纸竞争中的一个弱项。但在我们这里可以弥补这个弱点，电视没抓到的，根据报纸记者的新闻稿去补拍一些镜头就可以了。同样，有时报纸记者不一定非要到现场，可以根据电视新闻记者拍的场景写出新闻。这样两方面的弥补，可以节省很多人力，提高报道效率，较大程度上防止漏稿。"

说着，他向我演示了控制室的操作情况，将各电视画面切换给我看。这些画面都听不到声音。他突然播出了一个监视器上画面的声音，然后介绍说，这就是根据报纸记者的新闻稿件配的解说。画面上是在采访某位官员。

然后，他又领我在编辑部大厅转了几个圈，来到一个宽敞但相对僻静的暗处。扭亮挂在天花板上的很多专业照明器材，原来这里竟是一个电视演播厅。所谓演播厅，与外界并不隔绝，只是用半截矮柜围成一个大约 40 平方米的圆形场地，里面有一个播音台，天花板上吊满了各种照明电灯，"厅"内还有反射灯光用的伞状板，周围摆放着一些播音和摄像器材，另外有一些座椅。两位女编辑正在工作，见我到来，其中一位张开双臂向我做了个欢迎的姿势。这里可以看到不远处编辑部一排排的办公桌和电脑及记者编辑们忙碌的身影。甚至我怀疑他们说话的声音也有可能传到这里，如果嗓音稍大些的话。这种电视节目演播厅真令我大开眼界。

见我好奇，洛辛笑着说，"这里几乎每天都在播出节目，新闻节目的主持人就坐在那里。"他指指那个背向编辑部深处的播音台，"我们邀请的嘉宾或被采访的对象也常在这里完成节目录制。"

我仍觉得奇怪："难道你们不用布景或其他什么遮一下或与编辑部隔开来?"

"不用。就以编辑部日常的工作场面作为背景，这更像一个新闻工作室，更有职业新闻场所的味道。你收看我们的电视新闻时，会隐约看到报纸编辑部的忙碌情景，这不影响观众。其实观众还喜欢这样的方式，他们会有一种参与感。你见过纽约 ABC 公司（美国广播公司——笔者）早上 7 时在曼哈顿街头的公开演播室吗？那里可比这里嘈杂得多。"

洛辛还领我去看了几个地方，其中一个地方不归他管，但引起我很大兴趣，不由在那里停留了一会儿。

《芝加哥论坛报》食品试验室

这是一个较大的房间，一面壁柜下是煤气灶具，另一面是微波炉等灶具，还有一面摆满图书的书柜，书柜下有一个电脑台。电脑台旁边的桌上有一些仪器。而屋子中央是一排大理石桌，上面摆满了餐具及不锈钢锅具。一男一女两名工作人员正忙着，其中的女士揭起一个锅盖，凑近注视着锅里烧着的什么东西。洛辛将我介绍给他们后，他们很热情，停下手中的活，向我介绍情况并回答了我的提问。

一番谈话后方知这里是该报的一个食品烹饪试验厨房（Test Kitchen）。该报早在上世纪 80 年代就创办了“食品指南”（Food Guide）副刊，该副刊于 1995 年被改名为“美食”（Good Eating），每周一叠，彩色印刷，以健康食品为主。为向读者负责，该报在报纸上推荐的食谱，大都事先经专家在该试验厨房进行烹饪检验，合格后方才见报。后来，专家们不仅在该实验室对既有食谱进行检验，还发明了许多新食谱、菜谱。1989 年，该报曾出版一部包含 650 个现代和传统配方的《芝加哥论坛报菜谱》（*The Chicago Tribune Cookbook*），其中一半就是在这个实验厨房配制而成的。

《芝加哥论坛报》的这个实验厨房，令我想起 1995 年 12 月访问《洛杉矶时报》时也见过的一个试验室。当时一位公关人员带我们匆匆走过那个试验室，边走边简单介绍了几句。从他的介绍看，那也是一个用于检验食品配方的“厨房”。当时，美国大型报纸对读者负责的态度给我留下了深刻的印象。这次看了《论坛报》的情况，感触尤深。中国的报纸很多也设有餐饮、美食之类的专版，恐怕谁都没想过要建一个实验室来检验那些菜谱配方吧?

好客的洛辛仍带着我在这一层楼上兜，我几乎被转晕了，若不是他送我到电梯口，简直不知如何走出这个大厅。

这时，我突然想起应当去见一下玛格丽特编辑，正是她最早按里品斯基总编辑的授意和我取得联系的。但下面的日程排得很满，已约好 3

点钟采访论坛公司新闻社的总裁，4 点钟要参加编前会，只好指望在全部日程安排完后能否抽出时间了，何况还不知道她是否在办公室。但记得她在电话中说 14 日她可能不出去的。

六、富有成效的编前会

从论坛公司新闻社总裁办公室出来时已接近下午 4 点钟，我赶紧找到比厄里格。他让一位女秘书陪我到编前会会议室。我们进入会议室时，大多数与会者已经落座，还有一些人陆续到达。主持会议的是副执行总编兰德尔·魏斯曼（Randall Weissman）。该报第一副执行总编乔治·德拉马（George de Lama）坐在他旁边，另外还有几位副执行总编（该报的副执行总编都兼任各主要部门负责人）。女秘书（她在编前会中一直陪着我，可惜我竟忘了她的名字）将我介绍给魏斯曼，后者笑眯眯地和我握手后，让我们找位子坐下。

与《芝加哥论坛报》第一副执行总编乔治·德拉马和副执行总编兰德尔·魏斯曼在编前会上

魏斯曼先生宣布会议开始，说："今天我们的会议很荣幸有一位远道客人来参加，他是来自中国的报纸编辑，我们的同行杰弗里·辛先生。"大家立刻鼓掌，坐在我前面的人还回过头来向我致意，我忙起立表示感谢。魏斯曼又说："由于他对我们大家不熟悉，建议下面各位在发言时先自报家门。"他周到的考虑令我由衷感激。

当天会议的议程是讨论各新闻版特别是头版的次日头条。参加会议的共有 16 人，除了两位副总编，都是各部的负责人。会议开始前，与会者每人面前已有各部推荐的新闻稿摘要。摘要都是打印稿，每篇稿件摘要附有简短标题（通常仅一两个字）、记者名和稿件实际长度（以行数计算）。发言者介绍各自部门推荐的稿件及上一版的建议。他们发言时，女秘书就在旁边小声告诉我发言者的部门，后来她干脆按实际座位画了个示意图，这对我理解各位的发言很有帮助。

当天编前会的发言顺序是：国际版主编，财经版主编，驻华盛顿记者（由桌上一个电子对讲机接入记者打来的电话，记者报告选题和国家首脑机关的一些活动，部分与会者就在自己的位置向他提问，记者对答如流），都市新闻部副主编，体育版主编，分管副刊的副执行总编，互联网主编，广播主编，摄影主编（该主编出示彩色、黑白打印的新闻图片及说明），版面设计部主编。

各部负责人发言之后，即进入讨论阶段。第一副执行总编、分管新闻的副执行总编及其他与会者先后发表意见。然后每人选若干条推荐为头版稿件，并说明理由和注明先后次序。最后，第一副总编德拉马说："那么，明天一版的稿件我建议有以下几条，按先后顺序为……"他"建议"上次日头版的新闻有以下几条（按重要程度为序）：

1. UNFAIR PAY（不公平收入）—TRAN（记者名，下同）—250 行：一项最新职业及薪酬调查发现，确有黑人进入高薪和高尚工作岗位，但他们的平均收入仍然少于其白人同事。14 日公布的这项调查跟踪了 100 多万各类岗位人员，结果表明，即便黑人越来越成功地找到好工作，但他们却只挣相当于同岗位白人 72%的工资。

2. GASOLINE（炼油厂大火导致油价继续回升）—GARZA—正在写：在今夏较长时间的滑坡之后，芝加哥的汽油价格再次上涨，大大超过人们的季节预期。特别是最近 CITGO 炼油厂爆炸起火将导致油价进一步攀升。

3. BISHOP/HUNDLEY/ROME（主教离婚）—美联社稿—220 行：一位赞比亚主教的婚礼惹怒了梵蒂冈。这位在纽约举行婚礼的主教不得不离开新婚妻子回到罗马天主教堂。

4. TETANUS（破伤风）—AHMED ULLAH—200 行：全国性的抗破伤风疫苗短缺，影响了学校一年一度的免疫注射。

5. IRISH/SLY/LONDON（爱尔兰生变）—美联社稿—220 行：爱尔兰共和军 14 日宣布退出上周作出的解除武装的历史性协议，使北爱尔兰的和平进程受到重挫。

根据德拉马的建议，在推荐的稿件中，另有两条备选，其余 7 条被搁置或供其他版采用。会议进行了大约 40 分钟。会后，大多数人离席，剩下第一副总编和分管新闻的副执行总编以及摄影主编、版面设计主编等继续商量第二天头版的详细安排。我继续留下听他们讨论，发现他们对图片的选择和摆放很重视，要求将重要的图片尽量安排在报纸的上半部，以便在报摊上可“吸引读者眼球”。

这个编前会开得紧凑而高效，信息披露全面，个人发言充分。经过讨论后，对哪些新闻可上头版及先后的顺序，大家都有了较为集中的意见，德拉马副执行总编的总结性发言，只是对这些意见的归纳，在头版稿件的顺序方面有他一些个人观点，而这些观点都在讨论中阐述过。

为了核对此次编前会效果在实际出报中的体现，我打算第二天买一份《芝加哥论坛报》看看，谁知那天忙着去西北大学媒体管理中心，就把这茬事给忘了。后来回到纽约写信向比厄里格求援，他很配合，很快寄来了 8 月 15 日《芝加哥论坛报》的第一叠报纸。经对照，15 日的头版基本保持了前日编前会的安排，标题如下：

头条前——爱尔兰收回解除武装承诺（IRA retracts offer to disarm）

头条——高薪岗位黑人收入滞后，含图（Black men's pay in top jobs lags）

第三条——炼油厂大火危及汽油供应，含 4 栏图片（Refinery fire threatens area gas supply）

第四条——疫苗短缺殃及学校（Vaccine shortage pinches schools）

第五条——梵蒂冈：妻子挑战主教忠诚（Vatican, bishop's wife battle for his loyalties）

第六条是一条计划外的临时来稿——艾奥瓦市决心正视自杀现象/政府官员着手制止轻生者（Iowa town resolves to confront suicides/Officials seeking to deter copycats）

七、编前会后访老总

这次编前会后，我提出采访负责新闻的副执行总编魏斯曼的要求，他欣然同意。我们来到他的办公室，这时已经快下午 5 点钟了。

魏斯曼接受采访时简单讲了编辑部的运作。他说：“我们的新闻编前会都是每天下午 4 时举行，出席会议的都是新闻部门的负责人。我们晚上还会开一个新闻编前会，通常在 8 时。这个会主要处理在下午的编前会之后出现的新变化及预告重大的突发事件，因截稿期紧迫，会开得很短，不超过 15 分钟。有时这最后一次编前会会推迟。例如，昨天晚上有以色列进入巴勒斯坦难民营的突发新闻，因为要了解和判断整个事件，我们编前会就推迟至晚上 10 时召开。

“我们的最后截稿期为晚上 11：20。本报编辑部的夜班从晚上 9 点开始，直至报纸付印。我们称这个班为‘超晚班编辑工作’（over night news editing work）。最后的编辑工作于凌晨 3：00 至 3：30 结束。我们用的是先进的高斯印刷机，3 个小时可印完全部报纸。最新的高斯印刷机每台每小时可印 4 万份本报。

“我们每天上午 11 时召开第一个编前会，其实那是个计划会，新闻部门和副刊部门的头都来参加。计划会的目的是查看一些新闻正在制作的情况，以及了解将会发生哪些新闻，并决定哪些稿件必须今天完成和以什么方式来完成。外地分社或记者站不用参加会议，那些记者站通常每天只有一两条稿件。但华盛顿分社是个例外，它的新闻事关全局，每天必须派一位记者通过电话参加我们的编前会。

“下午 4 时的编前会主要讨论 A 叠新闻，即要闻、国内新闻和国际新闻。现在是个短暂的空隙，大约 10 分钟后，也就是 5：30 左右我们将开一个都市新闻版的编前会，讨论本市新闻，也就是本报的第二叠新闻内容。”

与魏斯曼副总编的谈话表明，《芝加哥论坛报》的晚间新闻编辑时间较长，其凌晨 3 时的最后完工时间比大多数我访问过的美国报纸都晚。截稿期的推迟说明该报在不遗漏当天重要消息方面肯下功夫，肯花代价。从中还发现，虽然美国日报编辑部的运作惯例是每天两次编前会（上午一次、下午一次），但各报情况不尽相同，像《芝加哥论坛报》这样的报纸可能开三次、四次甚至更多。

翻看当天的报纸和比厄里格办公室的资料，发现《芝加哥论坛报》与《纽约时报》、《洛杉矶时报》、《华盛顿邮报》等排在它前面的几家对开大报相比，头版较为张扬，表现在喜用通栏大字标题。我至少看到了 34 个有通栏大字标题的头版，例如 1912 年 4 月 12 日的《泰坦尼克号沉没；1300 人淹死，866 人获救》，1918 年 11 月 11 日的《大战结束》（指第一次世界大战结束），1944 年 6 月 6 日的《轴心国入侵法国》，1945 年 4 月 13 日的《罗斯福逝世》，1945 年 8 月 7 日的《原子弹爆炸事件》，1963 年 11 月 23 日的《肯尼迪遇刺身亡》（这一天该报用了半数版面来报道这一突发事件），1968 年 4 月 5 日的《马丁·路德·金被害》，1969 年 7 月 21 日的《美国国旗在月球上飘扬》，1974 年 8 月 9 日的《尼克松辞职》（这一天该报用 44 页的篇幅在全国独家全文刊登水门录音带的内容），1991 年 1 月 17 日的《美国飞机进攻伊拉克》，以及

2001 年的“9・11”事件报道等。阅读这些标题是件很有趣的事，它们其实就是美国及国际重大事件的记录，言简意赅，一目了然，触目惊心。有的通栏标题字号吓人，比报头还大四五倍，如美国人登月、尼克松辞职、世界大战结束等。最有趣的是，第一次世界大战结束和第二次世界大战结束，该报用了完全一样的标题：GREAT WAR ENDS! 标题字占了 15 行；1976 年 7 月 4 日，美国人狂热地庆祝美国独立 200 周年，这天的《芝加哥论坛报》头版用了 4/5 的篇幅刊登一幅将历届总统活动情况组合而成的超大照片，照片下的通栏标题倒显得很小：《这是民族的生日，我们在自由地庆祝》。

另外我了解到，该报在很多国家的首都或大城市建有分社或记者站，包括马尼拉（菲律宾）、约翰内斯堡（南非）、东京、北京、罗马、伦敦、莫斯科、里约热内卢（巴西）、耶路撒冷（以色列）等。在国内有更多的记者站，不一一列举。该报 3000 名员工中，在论坛大厦工作的只有约 1000 人，另有 550 人工作在外地记者站或分社，有大约 1350 名工作在芝加哥市另一个地点：“自由中心”（Freedom Center）。所谓“自由中心”，是一个大型印务中心，也在市区，占地 21 英亩，巨大的纸库可容纳 2.6 万吨新闻纸。中心装备有 10 组大型高斯印刷机生产线，每小时可印 75,000 份 144 页的报纸，每小时进纸速度达 26 英里（相当于 41.6 公里）。该中心还有相关的发行设备。这 1350 名员工包括印刷工人和发行员工。据介绍，这家建成于 1981 年的大型印报中心，是世界上单个厂房面积最大的胶印中心。

论坛公司大厦全景，该大楼为芝加哥标志性建筑之一

第 11 章

论坛公司

Tribune Company

报业兼并气势如虹
论坛公司后来居上

论坛公司，由《芝加哥论坛报》发展而来，2003 年营业总收入 56 亿美元，居全国第二，报纸发行总量居全国第三，2000 年以 83 亿美元兼并美国著名大型报业集团时报一镜报公司，完成了美国报业兼并史上最大的一笔交易，同时积极实施跨媒体经营，大举渗透广电领域，拥有 22 家电视台，电视覆盖面仅次于美国三大广播电视网；其新闻社是美国四大新闻社之一。目前，该公司是美国唯一在纽约、洛杉矶和芝加哥三个最大媒体市场同时拥有主流报纸和电视台的媒体公司。在 2003 年营业总收入中，报刊出版占 40 亿美元，广电娱乐占 16 亿美元。

一、镶有各国名石的论坛大厦

《芝加哥论坛报》所在的办公大楼，就是著名的论坛大厦（Tribune Tower），美国著名报业集团论坛公司总部所在地。论坛公司（Tribune Company）是《论坛报》的母公司，其实也是由《论坛报》衍生而来，其历史可以追溯到《论坛报》创刊的 1847 年。不过真正开始集团化运作，据有关资料显示，还是始于 1861 年收购《民主党人日报》。那是该报早期领导人梅迪尔收购该报后六年内的最大动作。论坛大厦也是《芝加哥论坛报》的早期杰作。如今，《芝加哥论坛报》和论坛公司的关系，如同《纽约时报》与纽约时报集团公司的关系一样，很难明确划分彼此间的历史脉络。

论坛大厦坐落在芝加哥市密歇根大道北 435 号，位于车水马龙的闹市区。这是一幢典型的哥特式建筑，共有 36 层高，还有一个高大的顶部，上面多个塔尖错落有致，顶部四周有狭窄的拱门，通透而精致，每个细微部分都有艺术装饰。一眼看去，很容易联想到欧美那些漂亮的教堂。大厦的外墙用印第安纳石灰石贴砌，感觉有点像我们中国的汉白玉。整幢大楼呈灰白色，高挑瘦削，矗立在繁华闹市，一副卓尔不群的姿态。而大厦的正大门，则是一个很高的凹进去的拱门，凹处用石头雕刻出华丽的图案，极富艺术气息。我第一次到《芝加哥论坛报》“踏勘”，就被这座大楼古老、豪华但又有些含蓄的风格所吸引。

大厦各个楼顶、窗户及一切突出部分，都有动物形状的石质装饰物或小石雕。动物千奇百怪，例如在马路上就可看到第四层一处窗口的外沿一个戴着帽子、手中拿着一件不知何物的猴子；在距它不远处，一条戴着皇冠的狗正把一只爪子伸进一个捕鼠器；再往上看，一只猫头鹰正举着个照相机窥视着外面的一举一动；一头满身长刺的豪猪拿着一把号准备吹奏；一头大象穿着玻璃般透明的衣服，正用鼻子嗅着什么……据说这些装饰物各有象征，且皆与新闻有关，如戴皇冠的狗表明王公贵族不小心被捉到短处，大象正凭灵敏的嗅觉寻找着隐而不见的丑闻，浑身长刺的豪猪则是专门挑刺的记者的化身，等等。在采访《芝加哥论坛报》和论坛公司有关人士时我曾谈到这个建筑，对方都很引以为豪，说这座大楼外的装饰，你盯住他看的时间越长，会发现越多的图像，体验到越多的含义。这话是有一定道理的。但据说这些雕塑或装饰也并不完全是为了好看，还具有排水的功能，是建筑师别具匠心之作。

在大厅里的大理石内墙上，可以看到很多碑文般的石刻警句。例如进入大厅右侧墙上就有长期领导《芝加哥论坛报》的发行人兼总编辑麦考密克上校的一段话，这段话为报纸在社区中的作用下了定义：

“报纸是现代文明发展而来的一个机构，旨在提供新闻，培育工商，引导舆论，监督政府，此乃任何机构所不可为者。”（The newspaper is an institution developed by modern civilization to present the news of the day，to foster commerce and industry，to inform and lead public opinion，and to furnish that check upon government which no constitution has ever been able to provide.）

在对面的墙上有帕特里克·亨利（Patrick Henry）的名言：“给我自由，或让我死！”（Give me liberty，or give me death!）这面墙上还有伏尔泰的广为流传的名句：“我不喜欢你说的每一句话，但我誓死捍卫你说这些话的自由。”（I do not agree with a word you say，but I will defend to the death your right to say it.）其他还有本杰明·弗兰克林关于新闻自由的著名讲话。

1997 年，在纪念《芝加哥论坛报》创刊 150 周年的时候，趁大厅北墙重新装修，报纸要求读者推荐警句名言，结果收到 600 多条，从中选出少量刻入新墙，包括林肯总统、剧作家亚瑟·米勒（Arthur Miller）、前联邦大法官瑟古德·马歇尔（Thurgood Marshall）、芝加哥城早期设计师丹尼尔·伯纳姆（Daniel Burnham）等。

不过这座大厦最为独特的地方，还是那些来自世界各地的“名石”。我在该大厦面向密歇根大道的墙上触手可及的位置，就发现一块长方形的白色石雕，上面是一个全身古装人物，旁边的大理石上刻着“古代庙宇——来自古代中国”（ANCIENT TEMPLE. FROM ANCIENT CHINA）字样。在其右上方不远处，还有一块刻着《连生之墓》中文字的墓碑。在另一面墙，可看到一块长约 2 尺、宽约 1 尺半的石头，上面雕了一个方框，框内有一坐二立共 3 个和尚，中间坐着的像是一个菩萨，正垂眉闭目，双手合十，坐在一个莲花台上。石头下刻的文字称这件古物来自日本东京。日本的佛教文化主要来自中国，特别是唐代江苏扬州的鉴真和尚 6 次东渡日本传授佛学功不可没。因此，日本的这块石雕，实际上体现了中国的古代文化。

据介绍，这座大厦的外墙上总共镶有 140 块从各国精心挑选的石头。游客在这里可以看到林肯原始墓碑上的石块、印度的 Taj Mahal 和中国紫禁城（即故宫）内的石头。还有一些石头来自公元前的各国古代建筑，如埃及大金字塔、中国长城。另外还有华盛顿、拿破仑、马克·吐温等名人收藏过的石头。就美国国内而言，除了阿拉斯加，其他 49

个州都至少有一块天然或人工的“名石”被镶嵌在论坛大厦的墙上。石头镶嵌起来很简单，泥瓦匠在石灰石上切出一块与相关石头大小相仿的窟窿，放入石头再用水泥抹平，再在下方的石灰石上刻下出处即可。但石头的鉴别却很复杂，所有新推荐的石头均需先经专家检验，合格者放入大厦的陈列室陈列10年以上供免费参观，让时间检验其真伪，然后才可镶入大厦外墙。例如，一块1974年捐献的芝加哥早期股票联交所（Union Stock Yards）大门上的石头，到1996年才上墙。

我在访问论坛公司时向接待者索要到一份“名石目录”，上面竟有7块中国石头，且都镶嵌在大厦面向密歇根大道这一面。这些石头有4块来自北京故宫内的宫殿、桥梁等建筑，还有2块分别来自长城的山海关和南口关（音译），第七块来自湖南省的一个“古宫殿”。

另有一块只供陈列而永不上墙的石头。那是1971年7月26日美国载人宇宙飞船首次登月时取下的石头中的一块。石头有人头那么大，呈紫色，外表凹凸不平，置放在一个金字塔形（无顶）的花岗岩底座上。据介绍，这块石头迄今已有33亿年历史，是美国航空和宇宙航行局于1999年7月21日作为奖励而长期无偿租借给论坛公司的。

比厄里格给的资料上讲，石头装饰缘于麦考密克上校的爱好。上校喜欢收藏石头，第一次世界大战在海外当兵时也未忘记从欧洲各国收集名石。1925年论坛大厦落成后，他就将自己那些经鉴定无误的著名石头陆续镶嵌在大厦外墙上。后来，《芝加哥论坛报》海外分社或记者站的记者在各国采访时，也注意收集石头，便越聚越多。如今，论坛大厦的“石头风景”已成为世界著名的户外免费古迹展，每天吸引众多游客驻足欣赏。

说到这里，我不妨交代一下大厦的来历。根据比厄里格给我的《芝加哥论坛报》创刊150周年的资料，这幢大厦的设想最初源自该报创刊75周年，即1922年6月10日。报社当时已在密歇根大道的现址买入一块土地，于当天以10万美元的总奖金向社会征集《论坛报》新大厦设计方案。结果，来自世界各国的建筑设计师提供了263个方案。经专家论证评选，来自纽约的约翰·M. 豪厄尔斯（John Mead Howells）和雷蒙德·M. 胡德（Raymond M. Hood）的作品以头奖入选，获奖金5万美元；第二、第三名分别获得2万美元和1万美元的奖金；其余2万美元用作入围作品的鼓励奖。大厦于1923年开工，1925年竣工，耗资850万美元（这在当时是天文数字，那时一名记者每月收入才数十美元）。1948年，大厦东侧按原有风格加建了12层高的楼房，与主楼贯通，现在主要是《论坛报》员工办公室。

二、历史上最大宗报纸交易

在美国的新闻史上，报纸间的并购、买卖交易多如牛毛，每年都会发生数十起甚至上百起。但在 20 世纪末由论坛公司上演的一出兼并大戏还是令美国报界大吃一惊。关于这次兼并，我从报上略有所知，但详情还是从论坛公司新闻社的老总那里获得的。

在我的计划里，由于《芝加哥论坛报》和论坛公司在同一大楼内办公，就将两家单位的访问结合起来，打算用一整天的时间完成。结果《论坛报》为我安排的活动超出我的设想，只好压缩论坛公司的访问时间。为在有限的时间获得最多的信息，我在选择访问对象上颇动了一番脑筋。

我联系论坛公司董事长兼首席执行官约翰・W. 麦迪根（John W. Madigan)，又联系论坛出版公司总裁富勒，均无回音。我同时又联系论坛通讯社（Tribune Media Services）总裁兼首席执行官戴维・D. 威廉斯及中心市场和营销协调人卡西・海白克（Cathy Haibach）女士。我问的所有问题都是关于论坛公司作为报业集团在管理方面的做法和经验。最后只收到卡西和威廉斯的回信，其中卡西予以婉拒，说我的问题还应由集团老总回答，威廉斯可能不是合适人选，他不一定会接受我的采访；威廉斯却来信表示愿意回答我的问题。经协商，我和他约定 8 月 14 日下午 3 时见面。当我告诉卡西，威廉斯已接受我的请求并约定了采访时间，她很快来信表示祝贺，说威廉斯知识渊博，一定会令我满意，并告诉我威廉斯行政助理的姓名和电话。

这样，留给我采访威廉斯的时间只有一个小时。2001 年 8 月 14 日下午 3 时，在采访完《芝加哥论坛报》电子媒介三编之后，我乘电梯来到位于论坛大厦 15 楼的论坛通讯社。这个机构很庞大，占据了大厦整整 4 层，比《芝加哥论坛报》的编辑部面积还大。在行政助理朱迪小姐的带领下，我来到总裁兼首席执行官威廉斯的办公室。

威廉斯看上去已年届花甲，个头不高，头发白了大半，且已有些谢顶，但仍显得精力旺盛。这位总裁待人亲切和蔼，见我到来立刻起身离开自己宽大的写字台，上前一步和我握手，拉我坐在旁边一个小会议桌边，并在征求我意见后请秘书送上一杯咖啡，我们的谈话就此开始。知道时间不多，我一开始就问起论坛公司收购时报—镜报公司（Times Mirror Company）的情况。

他说："这的确是一宗不同寻常的大交易。论坛公司在收购时报—

镜报公司之前只拥有4家日报。尽管这4家报纸的发行量都较大，但时报—镜报公司是一家历史悠久的大报团，就报业而言，他们的实力超过我们。”

采访论坛集团新闻社总裁戴维·威廉斯

据他介绍，论坛公司是个多媒体公司，在收购时报—镜报公司之前有《芝加哥论坛报》、《太阳前哨报》（*Sun-Sentinel*，位于南佛罗里达州）、《奥兰多前哨报》和《每日快报》（*Daily Breeze*，位于弗吉尼亚州）4家报纸，其中以《芝加哥论坛报》和《奥兰多前哨报》名气最大。时报—镜报公司则拥有以《洛杉矶时报》为首的7家日报，包括长岛《新闻日报》、《巴尔的摩太阳报》（*The Baltimore Sun*）、《哈特福德报》（*Hartford Courant*，是康涅狄格州首府哈特福德市的老牌报纸，创刊于1764年。若按此计算，该报应是美国现在最古老的报纸了。但美国新闻界仍把1801年创刊的《纽约邮报》视为连续出版时间最长的报纸。也许该报中间中断过）、《早报》（*Morning Call*，位于宾夕法尼亚州）、《呼声》（*Advocate*，位于康涅狄格州）和《格林威治时报》（*Greenwich Times*，位于康涅狄格州），总体名气大于论坛公司的报纸，其中前3家都是美国排行前20名的著名报纸，《哈特福德报》作为美国最富有的州首府的最大报纸，发行量也在20多万份，排行在40多名。这两家公司均列入美国10大报业集团，在合并前，就报纸发行总量而言，时报—镜报公司排第四，论坛公司排第八。

两大公司将要兼并的消息是2000年3月13日宣布的，次日各主要传媒都报道了这一惊人消息。我查阅了2000年3月14日的《纽约时报》，报道称：

这场兼并将结束奥蒂斯和钱德勒家族对《洛杉矶时报》长达119年的统治。合并后的新公司将用论坛公司的名字，并将拥有11家日报、22家电视台、4家广播电台，报纸的总发行量将达360万份，仅次于甘尼特和奈特—里德报团（Knight Ridder Newspapers）而列第三。论坛公司的电视台将进入 3840 万个家庭。论坛公司为这次并购将出资 64.5 亿美元（股票和现金），另外还有 18 亿美元的债务。①

根据与威廉斯的谈话和有关报章报道，这次并购是论坛公司主动提出的。在此之前，两家公司的媒体市场已经出现较大面积的重叠，但论坛公司始于 1985 年的连续收购电视台、电台而占据了一定优势，而时报—镜报公司的经济效益近年持续下降。兼并后将有利于市场的整合，对双方的经济利益都有好处。起初对方并不同意论坛公司的提议，因为涉及复杂的资产分割问题。但经数月考虑并请著名银行家咨询后，双方重又坐到谈判桌前，先后在洛杉矶和芝加哥多次会面。论坛公司保证时报—镜报公司的利益不会因兼并而受损，《洛杉矶时报》员工的福利待遇也不会因此降低。论坛公司的老板在一次新闻发布会上还表示，将不会立刻改变原时报—镜报公司旗下报纸的编辑方针和风格。时报—镜报公司的老板威尔斯（Willes）则表示无意在新公司担任职务。

据有关资料，在两家大集团兼并之前的 1999 年，以总营业额排名，前 10 名的报业集团依次为：

甘尼特公司
奈特—里德报团
论坛公司
纽约时报集团
时报—镜报公司
华盛顿邮报集团
道·琼斯公司
斯克里普斯公司（E. W. Scripps Co.）
拜罗公司（Belo）
媒体总公司（Media General）

但若以报纸发行总量排名，则依次为：

甘尼特公司
奈特—里德报团
时报—镜报公司

① Tribune Company Agrees to Buy Times Mirror, *The New York Times*, 2000 年 3 月 14 日

纽约时报集团
道·琼斯公司
斯克里普斯公司
论坛公司
华盛顿邮报集团
拜罗公司
媒体总公司

以论坛公司和时报—镜报公司相比，后者的报业收入比前者高约10亿美元，唯总收入较前者少不到2亿美元（差距在电子媒介这块）。若以总收入和总发行量综合排名，时报—镜报公司应比论坛公司靠前。因此，美国舆论普遍认为，这次并购是“小鱼吃大鱼”，只不过这条小鱼正处于上升时期，而大鱼处于衰落阶段。

最终，论坛公司于2000年完成了总值83亿美元的巨额收购，将时报—镜报公司全部归为已有。这项收购创了美国，也许也是世界新闻史上报纸兼并额的最高纪录。当年美国的报业兼并活动是十分活跃的，总共有135家美国日报易主，兼并总值达142.5亿美元。当年，甘尼特公司收购中部报团花了28亿美元，也一度创造了报纸收购史上的最高纪录。而1993年纽约时报集团收购《波士顿环球报》时以11亿美元创了当时的最高纪录。

三、进军广电不遗余力

威廉斯在谈到论坛公司的发展时，特别强调了公司在广播电视及所谓“新媒体”方面的快速发展。就连他领导的新闻社，也将很大精力放在电子媒介产品的生产上。

论坛公司是办报起家的。从1847年创办《芝加哥论坛报》开始后的70多年时间，公司的精力主要用在这份报纸上。然而，该公司对新兴媒体有着与生俱来的敏感和热情。1924年，就在世界最早的广播诞生之后仅4年，论坛公司就在芝加哥创办了频率为720赫的广播电台，取名WGN（即前述“世界最伟大报纸”的英文缩写）。该广播电台在世界上第一个实现对大型体育赛事的现场直播，并于1925年7月首次运用麦克风对著名的“猴子案例”（Monkey Trial）的审判过程进行全程实况转播，引起轰动。所谓“猴子案例”，其实与猴子无关，是美国20世纪20年代一件很有意思的事件，这里容我简单介绍一下。

事情发生在美国田纳西州的小城代顿（Dayton）。1925 年，该市一位名叫约翰·斯科普斯（John Scopes）的高中生物教师，因在课堂上教授达尔文的进化论而被起诉，因为教师这样做违反了该州的有关反进化论的法律条文。但现代科学的很多价值观在当时正渐渐为美国广大知识分子所接受，这位教师究竟有罪还是无罪在社会上引起热烈争论。当时，曾三次进入总统候选人行列的民主党参议员威廉·詹宁斯·布赖恩（William Jennings Bryan）领导着一股势力，坚决禁止课堂里讲授达尔文的进化论。他的理由是这种进化论与传统观念以及基督教的理论有直接冲突，还会导致人们盲目的优生崇拜。在他的影响下，到 1925 年之前，美国已有 15 个州制订了禁止在课堂上讲授进化论的法律条文。本来，在已有现成法律条文的情况下此案是非清楚，无需公开争辩。但很多知识分子坚持认为斯科普斯无罪。一些市民动员市政当局将此案公开审理，理由是该小城正趋于没落，人口已经从 1890 年代的 3000 人减少至 1925 年的 1800 人。通过这次公开审理和争辩，可以大大提高小城的知名度，吸引更多的移民来居住。于是，在市领导的支持下，案件于 1925 年 7 月 10 日正式公开审理。一些知名人士纷纷加入斯科普斯的辩护团。开庭这一天，代顿像过节一样，街上到处是标语和旗帜，有支持斯科普斯的，也有反对的。近 1000 名市民进入法庭旁听，由于座位有限，其中 300 多人不得不始终站立着。论坛公司的 WGN 广播电台就是在这个时候派出自己的记者和播音员，实现了世界上首次法庭现场实况转播，听众遍及全国。在接下来的几天审理中，由于旁听者越来越多，法官担心法庭楼板被压垮，只好转移到露天继续审理。辩方在法庭上提供了大量材料，包括例举相关的联邦法律、邀请霍普金斯大学动物学家证明从猿到人的进化论的合理性（由于他反复证明美国人不仅起源于美国的猴子，更起源于世界其他地方的猴子，所以这一案例也被简称为“猴子案例”），甚至分析了《圣经》中有利于辩方的内容。经过一周的激烈辩论，年仅 24 岁的生物教师被判无罪。判决结果公布 6 天后，参议员布赖恩在一次晚餐进食大量食物后，于睡眠中去世。这次事件，也大大提高了 WGN 广播电台的知名度。

在电视方面，论坛公司同样迅速介入。尽管上世纪 30 年代前后已出现电视机的雏形，但真正投入商业运作的电子黑白电视系统是 1941 年才最先在美国问世的，彩色电视更是到上世纪 50 年代才出现。然而，1948 年，论坛公司就已作为报业集团的先驱率先进入电视领域，先后创办芝加哥 WGN-TV 电视台和纽约 WPIX-TV 电视台。1981 年，论坛公司正式成立独立的广播公司，从此大举进军广电领域。据统计，从上世纪80年代开始，论坛公司先后在洛杉矶、华盛顿特区、费城、波士顿、亚特兰大、新奥尔良等城市收购了16家电视台，使其拥有电视台的总量达到22家，在全国12个最大电视市场城市中的10个城市拥有自己的电视台。这些交易中最大的一笔是1985年以5.1亿美元收购洛杉矶KTLA-TV电视台，这使论坛公司成为美国三大广播网之外唯一拥有VHF电视台的广播公司。2001年，该集团的广播公司已成为全美仅次于三大广播电视网络公司的第四大广播公司，也是非广播网络公司所有的全国最大的广电集团。如今，仅WGN-TV电视台就通过有线和卫星系统到达6000万户美国家庭。

到上世纪90年代后期，随着互联网的兴起，论坛公司向电子网络进军的速度也十分惊人。至2001年，公司已建有30个新闻服务和特殊服务网站，每月吸引上网人次逾500万。威廉斯说："多媒体战略的实施已使集团在覆盖全国新闻、吸纳全国和地方广告等方面的能力大大增强。"

论坛公司之所以有能力收购实力雄厚的时报—镜报公司，与其在电子媒介领域打下的江山有很大关系。例如论坛公司1985年和1997年先后在洛杉矶、哈特福德和纽约长岛收购KTLA和WTIC两家当地有很大影响的电视台，实际上已侵入时报—镜报公司旗下《洛杉矶时报》和《哈特福德报》两大报纸的领地，在争夺广告和受众方面与其形成竞争态势。论坛公司早年在纽约长岛收购的WPIX电视台，其观众与长岛《新闻日报》的读者几乎完全重叠，对《新闻日报》长期造成压力。论坛公司2000年的经营收入达到60亿美元，仅次于62亿美元的甘尼特集团，一举跃居全国报业集团第二把交椅（按发行总量计排列第三）。这里面电子媒介占据的分量也大于报纸。2000年，电视经营的利润占了公司总利润的42%，比10年前多了两倍。不仅如此，该集团还斥巨资发展数字电视和改进型互联网服务，因而被认为是最具后劲的报业集团。

关于论坛公司的电子媒介战略，美国新闻界大都给予积极评价。《纽约时报》2000年3月14日在披露论坛公司并购时报—镜报公司消息的同一天，发表文章称"论坛公司近年来正悄悄地转向其高层所谓的'新媒体'，即电视、有线电视、广播和互联网"。文章说：

早在这次并购之前，论坛公司就已拥有22个电视台，覆盖全美国1/3的家庭。公司还拥有4个广播电台，1个娱乐项目和1个教育出版项目。论坛公司还是美国在线公司的早期投资者，拥有WB电视网

25%的股份以及有线电视公司餐饮网（Food Network）29%的股份。对时报—镜报公司的兼并，使论坛公司在美国从东岸到西岸最大的三个媒体市场都同时拥有一家主要报纸和一家大型电视台。这三个市场是纽约、芝加哥和洛杉矶（论坛公司在这三个市场的报纸为《新闻日报》、《芝加哥论坛报》和《洛杉矶时报》，在全国排名分别为第八、第七和第四——笔者）。①

该报引用论坛公司董事长兼总裁和首席执行官麦迪根的话说："我们认为我们正在美国创立一种前多媒体公司（premier multimedia company）。我们在美国最大的三个市场占据主要阵地，这些阵地的取得是由一家地方媒体公司实现的，最终将表现为一种全国性媒体的发展趋势。"②

据悉，论坛公司高层正在探讨如何创建一个电子商务平台，使得包括从旅游到信息产品在内的一切物品都可以在这个平台上销售。

受论坛公司的影响，一些特大报业集团（如甘尼特公司、霍林格国际公司）也加速向电子媒介进军，其中，甘尼特公司拥有的电视台数量也于 2001 年达到 22 个。霍林格国际公司为腾出资金发展电子媒介，2000 年夏天一下子卖掉了 28 家加拿大日报。

四、实力雄厚的"辛迪加"

据威廉斯介绍，论坛公司的经营项目主要分三大部分：一是广播电视，包括 22 个电视台和 4 个广播电台，还有 1 家娱乐公司和 1 个棒球队，另外在 4 家电视公司拥有 9%～29%的股份；二是印刷媒介，包括 11 家英文日报、1 家西班牙文日报和 2 家西班牙文周报，1 家媒体服务中心，占 50%股份的 1 家 24 小时播送新闻的有线电视台；三是互联网，包括 11 家日报的网站，25 个电视网站，7 个特殊网站（如"黑人之声"、"芝加哥体育"等），6 个广告网站，6 个媒体服务网站。总数超过 50 个网站的"新媒体"阵营，使论坛公司在全国 30 个主要网站市场占有了 18 个，每月访问人次达 500 万次，论坛公司也因此跻身美国最大 20 家网络公司。

在所有这些机构中，威廉斯领导的论坛通讯社的影响力不可低估。

---

① Company Reeds Content to Diverse Outlets, *The New York Times*, 2000 年 3 月 14 日

② 同上

所谓通讯社，其实是一个独立经营、自负盈亏的庞大实体，类似于特稿辛迪加。在谈到这一方面情况时，他说：

“论坛公司内部有着各种各样的媒体组织，我们是其中之一。论坛通讯社的前身是‘芝加哥论坛报—纽约新闻辛迪加’，创建于 1918 年。这个机构迅速发展壮大并更名为论坛通讯社（TMS），成为包括一个娱乐产品制作集团在内的世界最大的媒体产品供应商之一。我们对外提供 500 种不同的特稿和电视产品，包括顶级评论家的时事评论、最流行的卡通画和最鲜活的电影评论，客户有 5000 个，它们当中有报纸，有无线电视台，也有有线电视节目的经营者。我们的员工大约 850 名。我们制作大量的电视节目，我们还有一个庞大的数据库，客户从我们的数据库获取稿件或节目，然后付钱。

“我们将中心员工划分为三大部分，即副刊制作、客户服务、人事与财务。特稿的制作包括娱乐、休闲和财经等内容，我们还向国外传媒出售一些独立的副刊。我们不仅向集团内报刊、电视和广播公司有偿提供产品，也向其他媒体销售产品，包括我们的竞争对手，如奈特—里德报团。我们将所有采集和制作的信息集中在一个‘池子’里，客户从这‘池子’里选择和获取自己需要的信息和产品。我们出售产品的对象既有报社，也有广播电视公司，还有有线电视书（Cable books，一种与有线电视配合的图书）。我们甚至向纽约的客户出售信息产品，例如我们就定期向《纽约时报》出售电影评论。

“我们在全世界有 13 家分支机构，其中 10 家在国内，2 家在伦敦，1 家在香港。伦敦的 2 家很快将合并为 1 家大型分社。在论坛公司内部，我们属于出版集团，与《芝加哥论坛报》和《洛杉矶时报》等地位相等。我们向集团内和集团外的报纸和电视台提供产品，但绝不向《芝加哥太阳—时报》销售任何信息产品，因为它是我们同市的竞争对手。

“我们在财务上是完全独立的。集团内所有报纸在财务上也是独立的。”

说到这里，我问他：“这么说，你们实际上是一家辛迪加，对吗?”

“你说得对，我们中心就是一个媒体辛迪加（指向各媒体出售稿件的企业），”他看来对我的比喻很满意，“美国有很多辛迪加，但只有 4 家主要的辛迪加，它们是帝王特稿社（King Features），美联社（Associated Press），合众国际社（United Press International）和我们。论坛通讯社是最大的辛迪加之一。各辛迪加的侧重点不同，美联社以文字稿为主，而我们制作大量的电视和有线电视产品。”

我再问：“你们这样向各报销售特稿，会不会造成报纸间的大量重复?”

“是的，会有一些重复，但不多，因为我们提供的特稿种类很多，我们有成千上万种产品供客户选择，而各报的胃口并不一样。而且客户在购买我们的产品时会获得其所在地区的销售情况，因而在一个特定范围内，重叠的可能性很小。”

美国的报纸对新闻社或特稿社的依赖很大，特别是庞大的星期天刊，单靠各报自己的力量根本无法制作出那么多的内容，即便能够制作也需要花费大量的人力成本，因此各报宁愿购买特稿社的稿件。据了解，美国于 20 世纪初出现有一定规模的报业辛迪加，为星期天刊的发展注入了巨大活力，没有特稿社或辛迪加组织，就不会有那么多的星期天刊。从这个意义上说，论坛公司的“辛迪加”也成为该公司一个竞争力很大的宝贵资源。

五、经济不景导致裁员

2000 年上半年是美国很多报业公司的黄金年份，其良好业绩带动报业全年有较大幅度的增长。笔者 2001 年 2 月刚到美国时查阅各大报和报业集团 2000 年的财务状况，可谓一片喜人景象。以全国两个年收入最多的报业集团为例：甘尼特公司的报纸广告在持续 8 年增长的情况下，2000 年较上年再增 22%；论坛公司的报纸经营性收入在连续 4 年增长的情况下，2000 年又大增 70%（当然包含收购时报—镜报公司的因素）。另据《总编辑与发行人》杂志报道，美国排列前 100 名的报纸 2000 年广告收入平均增幅为 6.8%，总额达 64 亿美元。

但到 2000 年第三季度，报纸广告增幅就开始放缓。当年上半年全国报纸广告收入平均增幅为 5.5%，第三季度即降低为 4.3%，第四季度特别是 12 月，不少报纸已出现负增长，如《纽约时报》2000 年 12 月的广告收入较上年同期减少 1000 多万美元，减幅 8.9%。2001 年 1 月，美国报纸广告收入全面下跌，其中零售商广告下跌 21%（均较上年同期，下同），全国报纸广告下跌 12%，分类广告和插页广告下跌 10%。此后的几个月，广告市场持续恶化，其中与经济环境关系最直接、在分类广告中占大头的招聘广告跌幅最剧。《纽约时报》2001 年头 4 个月广告收入就下降 16%。前述《芝加哥论坛报》星期天刊的招聘广告由 2000 年的一天 100 多页降至 2001 年的 30 多页，也从一个侧面反映出报业广告业务之不景气。“9·11”事件虽然刺激一些大城市报纸的发行量上升，但令所有传媒进入近 10 年来广告收入的最困难时期。全年报业经济负增长已成定局。

论坛公司在这种情况下也于2001年出现经济衰退迹象。据公司披露的信息，该公司的经营情况总体上好于全国平均水平，2001年第二季度的经营收入还有2%的增长，但就在当年笔者访问该公司的第三季度，情况开始不妙。公司的经营收入较上年同期减少了7%，由14亿美元降至13亿美元；税前利润更是下降了26%，由上年同期的3.5亿美元降至2.6亿美元。相对而言，论坛公司的广播电视产业情况还算好的，经营收入仅下跌3%，由上年同期的3.65亿美元降至3.54亿美元；税前利润下降了17%，由上年同期的1.29亿美元降至1.07亿美元。报业经营收入下降8%，由上年同期的9.91亿美元降至9.07亿美元；税前利润大幅跳水，降幅达32%，由上年同期的2.45亿美元降至1.66亿美元，净减7900万美元。报业的广告收入下跌13个百分点，由上年同期的7.83亿美元降至6.84亿美元。资料显示，仅一个"9·11"事件，就使论坛公司所属报纸的广告收入被取消了800万美元。电子网络的损失更大，但由于其绝对数量并不很大，所以对公司总收入的影响倒不算大。

受经济不景气的影响，论坛公司在笔者到访之后的一个多月即宣布在全公司范围裁员1400人，数量约占员工总数的6%。公司高层在解释这一决定时称，"9·11"事件令报纸广告大幅减少，而新闻供应量和报纸发行量的大幅增加导致成本显著增加，这是经济效益下降的最直接原因。2001年10月19日出版的《总编辑与发行人》杂志引述论坛公司首席运营官（chief operating officer）丹尼斯·菲茨·西蒙斯（Dennis Fitz Simons）的话说："我们通常把使公众处在危机中的信息置于首要位置，我们的所有报纸都为事件发了号外，并在我们的广播和电视节目中大幅增加了新闻内容，在我们的网站扩大新闻容量，这些都增加了运作成本。"①

尽管如此，西蒙斯在10月4日作的年度报告中还是非常乐观的（笔者从网上获得这一报告的全文）。他说：

"我们卓有成效的经营模式是，严格控制成本，高效开拓资源。这使得多年来我们的广播电视集团和报业集团成为本行业的尖子。即使在最近的困难时期，我们的现金流量仍然保持强势。我们因兼并时报—镜报公司而带来的财务收益自去年开始已经开始显现出来。去年以来我们仅在《洛杉矶时报》一家就降低成本1亿美元。我们也在减少人工方面

① Tribune Warns of Lower Earnings, *Editor & Publisher*, 2001年10月19日

采取了强有力的措施，自去年 6 月收购时报—镜报公司至今年年底，我们将总共裁员约 2000 人，大约占员工总数的 10%。我们要做的远远不止节约成本。我们已经在采取一些有效措施来增加收入。例如，在报业方面，未来几年内我们将因为一些关键技术革新而在芝加哥和洛杉矶之间增加插页广告收入 7500 万美元。在电视方面也有一些增长空间。……总之，我们这个财政年度已经获得可观的利润，各项财务指标令人满意，这些都将使公司保持增长能力，即便在这样一个困难时期。就我们所知，论坛公司会有更好的经济前景和更灿烂的未来。”

从近两年情况看，论坛公司的经济状况的确已从 2001 年的低谷走出来。2002 年公司经营总收入达到 54 亿美元，毛利润 13 亿美元，分别较上年增长 2% 和 23%。2003 年总收入为 56 亿美元，毛利 14 亿美元，分别较上年增长 3.9% 和 6.6%。

西北大学媒体管理中心主楼一角

第 12 章

西北大学媒体管理中心

Media Management Center

媒体管理教研基地
美国报界“黄埔军校”

西北大学媒体管理中心，创办于 1991 年，是美国高校中最早创办的媒体管理研究机构，原名报业管理中心；该中心除招收媒体管理专业的 MBA 研究生外，还大量面向各大型媒体中高层举办高级培训，是美国最著名的媒体管理人才培训基地之一。

一、美国首家高校媒体管理中心

根据《奥兰多前哨报》阿什莉女士的介绍，美国西北大学（Northwestern University）的报纸管理中心（后改为媒体管理中心）是美国高校中专门研究媒体管理的研究和教学机构。我当时问她，就这方面课程而言，这个中心比大名鼎鼎的哥伦比亚大学新闻学院和密苏里新闻学院还强吗？她说，是的，目前该中心是全国最早和最好的媒体管理教研基地。她的话坚定了我设法访问该中心的决心。

中心主任迈克尔·P. 史密斯（Michael P. Smith）教授的 E-mail 地址和电话是我在南方访问回到纽约后向阿什莉要的（她接待我时手头没有这些信息）。可惜我在按她给的地址给史密斯教授发电子邮件时漏了一个字母，被屡屡打回。后来她又给了我该中心另外两位老师的地址，但他们外出度假，不能接待。正发愁间突然发现了自己的低级错误，此刻已是 8 月 8 日，离启程只有两天，我赶紧重新发信，幸好第二天即收到回信。史密斯教授在信中说："我已经收到阿什莉的 E-mail，正等着你的消息呢。我很高兴下周能和你见面。但我这个周末至下周一将外出几天，周二才能回来。你定在 14 日（周二）晚些时候或 15 日（周三）上午来，好吗？"我查了一下自己的日程，立刻告诉他希望 15 日上午去，并附上自己在芝加哥的日程和居住酒店。8 月 9 日已接近周末，所以他也毫不怠慢，当天即发来第二封回信表示同意，并告诉我中心的大致方位，还提供了如何到达的建议：

"如果我没有理解错的话，你住的酒店靠近俄亥俄国际机场。最经济的办法是坐酒店的穿梭巴士先到机场，然后打免费电话 1-888-225-5303，叫机场的 303 出租车，他们会送你到中心，路上需时 45 分钟，只收 23 美元。下面是我的地址和电话……"

显然，他已经根据我的来信在地图上查过酒店方位。我当即再次回信，对他的热心肠表示深切感谢。

我是自己开车，所以没有采纳他的建议。但还是差一点跑错方向。西北大学是美国综合素质排行前 10 名的著名大学，该校的商学院和由《芝加哥论坛报》早期创始人梅迪尔创办的新闻学院都很有名气，商学院曾经跻身全国高校商学院前三名，排名一度超过哈佛商学院。到芝加哥的当天，我就从地图上轻而易举地查到了西北大学的位置——在市区的西北部，我还在地图上标出行车路线。15 日早晨动身前我再次查对地址，才猛然发觉史密斯教授给我的地址和该校的地址不是一码事。原来，该校的媒体管理中心（Media Management Center）在芝加哥北部郊区的一个名叫埃文斯顿（Evanston）的城镇，距西北大学有数十公里之遥。中心所在的路名是教堂街 1007 号，这条很长的马路中间断了两截，找号很困难，问了两次路。但总算赶在上午 9 时整到达中心大楼。

这是一座位于一个十字路口的圆柱形楼房，高约 6 层，看上去很新，表明建造不久。史密斯教授的办公室在 5 楼。秘书领我走进他的房间时，他正弯着身子在电脑前忙着，见我到来便起身和我握手。他一站起来，我才发现他的个子很高，至少 1 米 9，年纪看上去接近 60 岁。

我说明来意后，他即向我介绍这个中心：

“我们中心建立已有 10 多年。我们当初筹建这个中心的想法是，报纸在技术系统和经济环境的作用下变化剧烈，管理趋于复杂，按过去只重视培养编辑记者或广告推销员的路子，满足不了报业管理实际的需要，应当专门进行报业管理方面的研究。在美国，传统上是一名优秀的记者就可能被提拔为编辑。但有时候优秀并不一定会是好的管理者。于是在 11 年前，即 1990 年，我们创建了这个中心，当时的研究对象主要是报纸，所以中心名称叫做‘报纸管理中心’（Newspaper Management Center）。中心的目的是帮助优秀的记者、编辑、广告营销员、发行推销员和印刷工作人员获得报纸内部管理的技能，有助于他们在条件具备时成为某个部门的管理者。我们开设的课程包括报纸各环节的管理，我们为报纸内部各功能组织的代表办班培训，于是一些报纸的编辑、记者、发行员、广告人员、印刷厂技术人员都陆续到这里学习。我们把这些不同岗位的人员编在同一个班里，让他们互相交流，增进对报纸不同部门运作的了解。

“美国报纸的一大问题是新闻和经营两方面相互隔绝，导致不同功能的人员对其他功能所知甚少，这在很大程度上影响了相互合作，也不利于未来高层管理者的知识储备。我们在班上让他们了解对方的工作特点和功能作用，向他们讲授报纸各环节的管理要求。我们为此开设了很多课程。在报纸研究教学方面展开数年后，我们觉得仅仅研究报纸管理已经不够了。我们知道，现代报纸要想获得进一步的成功，必须了解不同媒体受众的情况，必须想办法争取不同媒体的受众，扩大受众范围。一个现实情况是，美国很多大报社或报团都开始购买或参股广播、电视、杂志和互联网服务公司，往多媒体方向发展。一些报业集团突然之间就变成了多媒体集团。于是，我们顺应形势，扩大教研范围，新开设广播、电视、有线电视经营、杂志、B-to-B 网上服务等管理课程，希望能够面对报业公司所面临的一切需要。我们的名称也改为‘媒体管理中心'（Media Management Center），沿用至今。"

应我的要求，他简单介绍了自己的情况："我是媒体管理的教授和媒体管理中心的主任，负责中心的研究项目、教师管理、课程设置及校内与媒体有关的一切培训项目。在到西北大学之前，我干过23年的报纸记者和编辑，也当过主编。我写过一些书，包括《价值·文化·内容》（*Values. Culture. Content*），《编辑部的思想》（*The Newsroom Brain*）和《变化的读者》（*The Changing Reader*）。"

据介绍，该中心共有26名教师，分别来自西北大学商学院和新闻学院。

二、已有国人来此培训

采访西北大学媒体管理中心主任迈克尔·史密斯

和史密斯的谈话很愉快。这位中心一号人物为人诚恳朴实，从他身上看不到大学名教授的派头，倒有几分老农般的质朴。

我问起该校的师资力量，他说："老师分别来自商学院和新闻学院，都是正教授。他们结合起来研究同一个课题，自己也有很大收获。而新闻学院的教授中就有来自新闻界的资深管理人员，如中心创办之初就由来自迈阿密市报纸的总编辑亲自任教。"

关于学员情况，他介绍说："我们这里主要是研究生教学，学员来自新闻单位和在校学生。他们在西北大学的商学院和新闻学院听课，在这里开展研究并参加专题训练。他们最终获得的学位是'媒体管理专业的MBA'，目前这个专业共有60名学生，而普通MBA的研究生有600名。媒体管理专业的研究生学制2年，每年的学费3万美元。这些学生中有一些中国学生，我给他们上过课，但我记不得他们的名字。

"后来我们感到光是学位教育还不够，新闻界很多高层负责人没有时间进行长期的脱产学习，于是我们从 10 年前开始，根据我们掌握的报纸实际情况，开始进行各种类型的中、短期培训，并为此开设了四大基础培训项目，它们是：媒体发展战略，媒体营销，新闻管理，领导与指导。这些培训专门针对报纸、广播、电视公司的管理人员，所有学员都要学这 4 门基础课。这些学员绝大多数都是报社或广播电视台部门以上负责人，他们主要来自美国国内，但也有相当一部分来自南美洲国家，其次是来自澳大利亚和欧洲，来自亚洲的人最少。例如，现在我们正在办的一个培训班有 25 个人，但只有 3 人来自亚洲，其中 1 名新加坡人，1 名台湾人，1 名香港人。”

不过他又说，前两年曾有中国大陆学者来此参加培训。我忙问他们是谁，来自哪家报社。他欲言又止，干脆进到另一个房间找来几张合影照片，指着照片上的人向我介绍：“大陆来这里学习的有 3 人，其中两位来自广州，一位来自北京。这位先生是广州日报的，名叫陈振平（音译）。另一位先生来自广州一家和足球有关系的报纸（我说是《足球》，他说对，是《足球》），名叫梁泉（音译）。第三位是北京来的一名女士，名叫康冰（音译），在什么单位记不得了。”本书第一版出版后，有一次我应邀去上海解放日报报业集团演讲，竟遇见上述三位中国大陆学员中的一位，名字就叫陈振平。他现在是解放日报的副总编，从来没有在广州日报呆过，看来是史密斯教授记错了。

接过照片仔细端详，希望能认出个把或许面熟的人，但这些面孔从未见过。不过这并不妨碍我在此向他们表示敬意。我为有自己的同行先来这里接受如此高级的培训感到高兴，说明中国的新闻工作者是很敏感的，他们中的一部分同行已经注意到美国的最新培训动向，并捷足先登，步伐并不比其他亚洲发达国家和地区慢。我边看边和他继续攀谈，并不时提些问题。他也问我一些问题，例如：

“从中国广州来的学员告诉我，说中国政府禁止报纸收购电视台，这很奇怪。我们美国的政府是鼓励报纸收购电视台的。现在这个政策还在实施吗?”

我回答说：“中国大陆的新闻机构都是国有资产，老板都是一个，即我们国家。所以过去别说报纸收购电视台，就连报纸收购报纸也做不到。但近年来情况有了改变，报纸间的兼并已经在一些大城市进行，所以我们出现了报业集团。你说的广州日报就是中国第一个报业集团，《足球》是该集团下属的一份报纸。我所服务的报社也是一个报业集团，《深圳特区报》是这个集团的旗舰。但报纸收购电视台，目前还没有。个别城市，如上海，似乎在尝试报社与电视台的合并，但尚无结果。”

"据我所知，你们的政府过去不允许外国公司收购媒体，现在可以吗?"

"就报纸、杂志、广播、电视而言，基本上还是不可以。但在个别的媒体，有一些例外，如《中国计算机报》就有外资参加，有些电视娱乐节目也有外国公司涉足。中国有一家大陆背景但总部设在香港的电视台叫做'凤凰卫视'，已经与默多克的公司合资。据最新情况，中国有可能允许报刊、电视的发行或广告等经营部门与外资合作。但目前仍不允许外国公司整体收购大陆的媒体。"

他对这个问题很有兴趣，但也感到困惑："我看主要障碍可能不一定是法律问题，也许文化和意识形态方面的鸿沟大于法律鸿沟。"

我微微点头，表示同意。

我们的话题又回到我感兴趣的培训班上。他说："我们的培训班每期 4 周时间，但也有 1 周的培训班。刚才我提到的中国大陆 3 名学员，都参加了 1 周培训班。我们还有 2 周的培训班，这个班的对象是很高级的管理者，包括报纸发行人、总裁和总编辑。"

"你们怎么收费呢?"我心想，国内同行一定会对此感兴趣。

"4 周班收费 19,000 美元，1 周班收费 7000 美元。"

"哇，还挺贵的。但 1 周班不是太短了吗？能学到什么呢?"

"我会给你一份课程表的。你会发现 1 周的培训也会很有收获。在 4 周班期间，我们会由介绍当前媒体最新的发展趋势开始。这些趋势包括社会及人口的发展趋势，科学技术的发展趋势，经济的发展趋势，以及媒体工业的发展趋势。因此，我们是从相当宏观的方面进入教学，让学员对当前的大势有一个基本认识。然后，我们会切入具体传媒的发展近况，如报纸的最新情况。接着我们会讲到媒体战略。战略是非常重要的东西。报纸收购电视台就是一种战略手段。战略之后是营销，这是任何媒体都需要掌握的技能。再后面是一些具体的管理技能，包括人事管理。为使课程保持新鲜和实用价值，我们一直在进行各类课题研究，但目前我们的研究还局限于美国、加拿大、墨西哥及一些南美国家，还未顾及研究欧洲和亚洲的情况。"

三、 实用的课程设置

史密斯教授让秘书取来了一套课程表，补充说："对于 4 周的基本培训班，我们在中间会休班一段时间，让学员回去处理一些事务，也休息一下。这些学员都是报社或广播电视台中层以上管理干部，他们都很忙，不可能连续 4 周被关在这里。培训班上有些课程会请大媒体的高层人士或研究专家来讲授或开讲座。如我们曾请沃尔特·迪斯尼公司董事长兼首席执行官迈克尔·艾斯纳（Michael Aisner）先生来讲媒体战略。你知道，迪斯尼公司是美国最大的娱乐媒体公司之一，拥有美国广播公司（ABC）等大型传媒公司。”

我回到旅馆后，仔细阅读了该中心培训班的课程设置，觉得还是有相当实用价值的。这里不妨列出 2001 年春季的一个“高级行政管理培训班”（Advanced Executive Program）的课程供国内同行参考：

2 月 25 日（星期天）——下午 2：30，开班仪式，介绍该项目情况，培训要求，获取资料，由史密斯主讲；3：30，学员自我介绍，并介绍各位带来的研究报告或资料；4：00，介绍培训期间生活情况及作息制度；6：00，鸡尾酒会（这种鸡尾酒会每天晚上 6 点举行，供学员互相交流和建立友谊，6：30 晚餐，下略）；晚上 7：30，“我们从领导身上学到什么？”（含案例讨论），史密斯主讲。

2 月 26 日（星期一）——上午 8：30～11：45，“变化的媒体”，“变化的受众格局”，“价值观的更替”，“社会政治的变化及技术的渗透，导致报纸的未来有大变化”；下午 1：00～4：15，“电子商务世界的媒体位置”，“互联网正在重新组合我们的读者和广告客户”，“对电子商务的结构和现状的了解，有助于报业领导提高竞争力”；4：30～5：15，“中心关于标题和编辑部思想的研究”，史密斯主讲；5：15～6：00，“未来的员工队伍，未来的广告客户和未来的读者”；晚上 7：30，自学（每晚如此，下略）。

2 月 27 日（星期二）——上午 8：00～8：45，“媒体战略研究”，对媒体强项、弱点、机会、困难的讨论，史密斯主持；9：00～12：00，“如何在考虑市场营销之前先考虑客户情况”；下午 1：00～6：00，“我们从读者中学到什么？”。

2 月 28 日（星期三）——上午 8：00～下午 5：30，“怎样建立自己的团队和如何发展团队中的交流技巧”；“成功的领导如何进行人际交往？”。

3 月 1 日（星期四）——上午 8：00～8：45，“当你决定与广播电视合作时，你需要知道什么？”“广播电视新闻如何运作？”“优秀的广电作品应达到什么要求？”；9：00～下午 6：00（午餐一小时除外），“媒体战略与媒体营销”。

3 月 2 日（星期五）——上午 8：00～8：45，“基本商业谋略”，史密斯主讲；9：00～12：00，“为何战略策划有时会失败?”；下午1：00～4：15，“为何战略决策的实施会失败?”；4：15～6：00，休息和独立学习。

3月3日（星期六）——上午8：30～11：45，“未来的伟大报纸”，史密斯主讲；下午1：00～2：00，“开眼界讲座——芝加哥丰厚的建筑史”；2：00起，大家自由逛芝加哥，中心提供地图。

3月4日（星期天）——下午2：00～3：45，“新闻基础：多媒体时代的准确、公平和公正”；4：00～6：00，“报业管理中的会计学”。

3月5日（星期一）——上午8：30～11：45，“现金流量的计划与预测”，“财务费率及收支”；下午1：00～4：45，“领导科学的价值观”；4：30～6：00，会计学讨论；晚上7：30，“走向多样化的社区”。

3月6日（星期二）——上午8：30～11：45，“可行性战略：决策支持系统，活跃的基础管理”；下午1：00～4：15，“新闻学链接：高质量的新闻从何而来？新闻可以因不同媒体而实现多样化吗?”，史密斯主讲；5：00，保龄球活动。

3月7日（星期三）——上午8：30～11：45，“员工的忠诚、激励与惩戒”；下午1：00～4：15，同上午内容；4：30～6：00，会计学讨论。

3月8日（星期四）——上午8：30～11：45，“成本核算”，“企业行为评估”，“转让估价”，“高层管理”；下午1：00～5：00，“高效率销售”，“销售评估”；5：15，“正常的评估反馈”。

3月9日（星期五）——上午8：30～11：45，“实施创新：报业领导人如何创建一种有利于员工创新的企业文化，如何令参与管理的员工保持一切从头做起的良好状态”。

这两周课程完成后，放假一个多月，学员回原单位上班或稍事休息，然后从4月16日开始另外两周的课程。

4月16日（星期一）——下午2：30～3：45，欢迎大家归来，回顾上期学习情况，预告下期即将学习的内容，“创新与变革的企业文化”，史密斯主讲；4：00～6：00，“财务基础”。

4月17日（星期二）——上午8：30～11：45，“财务基础”；下午，野外聚会。

4月18日（星期三）——上午8：30～11：45，“财务基础”；下午1：00～4：15，“营造读者文化”；4：15～5：30，讨论。

4月19日（星期四）——上午8：30～下午4：15，“营造读者文化”；4：30～6：00，“广告发展趋势”。

4月20日（星期五）——上午8：30～11：45，“各部门预算”；下午，网上游览。

4月21日（星期六）——上午8：00～9：00，“杂志发展趋势及创新”；9：00～11：45，“新项目设计及创新”；下午至星期天上午，休会。

4月22日（星期日）——下午2：45～6：00，“谈判与决策”；晚上7：30，“谈判与决策”。

4月23日（星期一）——上午8：30～11：45，“谈判与决策”；下午1：00～6：00，集中参观《芝加哥论坛报》。

4月24日（星期二）——上午8：30～下午4：15，“如何使计划付诸实施”；4：30～5：30，特邀嘉宾讲座。

4月25日（星期三）——上午8：30～11：45，“兼并与收购”；下午2：45～6：00，“机构组织”；晚上7：30，特邀嘉宾讲座。

4月26日（星期四）——上午8：30～下午4：15，“建立一个和谐的公司”；晚上6：30，毕业晚餐。

4月27日（星期五）——上午8：30～11：15，“领导科学的最新观点”；11：45，毕业致词，史密斯主讲。

培训班结束。

从以上课程设置可以看出，这样一个为期4周的培训班，安排得还是蛮紧的，白天授课时间都在8个小时左右，晚上的时间也基本利用上了，周末也只有星期天有半天的休息。另外学员还被要求读一些专业书籍。每天都有的鸡尾酒会则为学员提供相互交流的自由空间。据史密斯讲，生活安排也相当不错，吃住行一切都不用操心，连洗衣服的事也由中心包了。为省事，上述讲课教授的名字未一一列举，只提到史密斯，因为他已经是本书这一章里的熟人了。而且，从中可以看出，作为这样大的一个中心主持全面工作的负责人，史密斯教授还担任了很多课，工作量相当大。

在史密斯那里，我还看到该中心2002年春季一个高级行政管理培训班的课程安排，内容与前述2001年春季班大体相同，时间是从2002年2月24日至3月8日，4月15日至26日。我想，国内媒体的管理者，特别是高层管理者，只要英语过关，参加一次这样的培训并与美国报纸电视的上层人物同班交流，一定会有相当大的收获。

四、哪些媒体管理读物最值得一读？

在采访史密斯教授的过程中，他还应我要求推荐了一些他认为较好的媒体管理方面的读物，并介绍了中心使用的一些教材。他说：

“有两本书值得一读。第一本是《追求完美》(*Built to Last*)，作者是詹姆斯·C. 柯林斯 (James C. Collins) 和杰利·I. 普拉斯 (Jerry I. Porras)。1994 年出版，我想可能已经有该书的中译本了，不知你读过没有？(我回答说尚未见过这本书，也许中译名不同，一时对不上号。) 这是关于媒体综合管理的，很有用，我们要求学生和学员都必须阅读它。另一本是杰克·富勒写的，你在《芝加哥论坛报》见到富勒吗？(我说，很遗憾，未能谋面。) 这是他的第三本书，名叫 *News Values* (我回国后发现此书已有中译本，即前述《信息时代的新闻价值观》)，1998 年出版。

“其他还有一些书，是我们自己编的教材，大多数都具体针对报纸或某一种媒体。(他边说边找书给我看) 例如，这本书叫做《变化的读者》(*The Changing Reader*)。现在整个社会都在变化，经济环境在变化，人类环境在变化，变化太多了也太大了，必然对读者造成影响。这本教材谈到美国人怎样看待这变化，特别是与报纸有关的变化。这一本书 (指另一本教材) 主要谈怎样改善媒体的中层管理。还有一些是实习用书。我们的教师大多数第一专业是工商。我们编写教材并设置课程让媒体的新闻部门与经营部门互相了解对方的价值。例如，我们曾对《纽约时报》和《波士顿环球报》进行研究，总结两方面管理的规律。你说得对，从 90 年代开始，美国一些报纸的经营管理人员开始涉足编辑部管理，一些 MBA 也被报社聘用参与日常管理工作。”

最后，他还回答了我关于报纸未来发展前景的问题。他说：“**报纸的发行量是在下降，这在未来一个时期难以改变，报纸很难扭转这种下降趋势。但美国报纸的 90% 建有自己的新闻网站，报纸可以通过这一形式保持自己的读者，并获得收益。**报纸网站目前基本上是免费的，但我相信从明年起，大多数报纸的网站会收费阅读。报纸还会很好地生存下去。”

谈话结束后，史密斯教授领我到该中心的一个图书馆，看中心编的新教材。这些教材除了上面提到的书籍，还包括：《价值·文化·内容》(*Values. Culture. Content*)；《编辑部内部团队》(*Inside Newsroom Teams*)；《抓住中层》(*Caught in the Middle*)；《编辑部员工管理》

(*Managing Newsroom Employees*)；《从根本做起》(*In Their Prime*)；《未来之声》(*Future Voice*)；《新产品成功之路》(*Rx for New Product Success*)；等等。

然后，他又陪我见了媒体管理中心的另一位主任约翰·拉文（John Lavine）教授。这位身穿红色长袖衬衫的学者，天庭饱满，浑圆的秃顶两侧是灰白的短发，满脸的络腮胡茬也是白色，一副典型的西方智者模样，令我猛然联想起电影《侏罗纪公园》里那位生物学教授。他是媒体管理中心的创建者之一，目前是中心的第二号人物，也在该中心及西北大学的商学院和新闻学院任教。他负责管理为北美洲、拉丁美洲及各国重要媒体举办培训班的教师，专攻印刷媒体、电子媒体的战略发展。1985 年，他创建了美国新闻联合会（Inter American Press Association）属下的拉丁美洲日报研究会，并长期领导该研究会开展各项活动。我们握手后交谈片刻。他说他的一本书可能被翻译成了中文，可惜我忘了这本书的书名。本想向他索要这本书，转念想既已有了中译本，也就罢了。

ON GUARD FOR 170 YEARS

Detroit Free Press

35 cents

WWW.FREEP.COM

METRO FINAL

THURSDAY

August 16, 2001

• • •

Chance of showers. High 77. Low 61.

DETAILS, 5E

Tigers	5
Angels	1

CRUISIN' ALL WEEK

Our Dream Cruise coverage revs up for real:

A SPECIAL MOTOR CITY: Lawrence Ulrich writes about teens learning to restore old cars. Detroiters get nostalgic about past cruises. 1D

NEW WRINKLES: The cruise attracts vintage VWs and a squadron of cop cars. 1B

CROWD GROWS: Royal Oak police close Woodward to disperse early-bird joy riders. 6B

SPECIAL PTs: For the cruise, Chrysler unveils a limited edition of its retro vehicle, above. 3F

AND COMING FRIDAY: A complete guide to attending the cruise in the Weekend section.

LAWRENCE ULRICH | AUTO CRITIC

Car companies are hogging the Dream Cruise's road

The Woodward Dream Cruise started as a drive around the block.

Now it's a corporate blockbuster.

The cruise is being used.

It began as a grass-roots affair. A street-level salute to another time, the simple pleasures of driving slow for a date, fast for a race.

But this is the 21st Century. And like everything else in popular culture, the cruise seems unable to hold off the corporate juggernaut that's buying it, selling it and divvying it up from 8 Mile to Pontiac.

This year, here's a sample of how automakers and hangers-on will honor cruising's rebel spirit:

■ Chrysler Group will send more than 500 PT Cruisers and Prowlers from its Auburn Hills headquarters Friday to show its heart is with the cruisers. (Just what we need, more traffic.) The same Chrysler used its money and muscle to boot real cruisers, the Michigan Hot Rod Association, off their prime cruise turf at 13 Mile and Woodward and grab it for itself.

■ General Motors North American President Ron Zarrella will drive a Buick Bengal concept car on Woodward tonight, while CEO Rick Wagoner will serve as pilot and pitchman Friday in the production-ready Chevrolet SSR. The media, naturally, has been

Please see ULRICH, Page 7A

Pointe teen is charged in crash

Life in prison possible in wreck that killed 3

By DAN SHINE
FREE PRESS STAFF WRITER

After visiting several graduation parties, Anthony Pierno steered his 2001 Chevrolet Tahoe down Lochmoor Boulevard and pressed the accelerator in the early morning hours of July 30. The windows were down, the music was up and the street was slick with rain.

His passengers told the 17-year-old driver to slow down. It was too late. The sport-utility vehicle clipped a curb and bounded out of control, hitting several trees.

By the time it came to rest on the front lawn of a Grosse Pointe Woods home, the bodies of three of Pierno's four passengers were on the boulevard's grassy median.

Anthony Pierno posted $7,500 bail to remain out of jail.

The circumstances — the speed, the warning, the road conditions — led Wayne County prosecutors to charge Pierno on Wednesday with three counts of second-degree murder. He also was charged with leaving the scene of an accident because he allegedly fled on foot before police arrived.

If convicted, Pierno — a June graduate of Grosse Pointe North High School whose graduation cap tassel was on the Tahoe's key chain — faces up to life in prison.

"There are a number of factors why we charged him with murder in the second degree," said Ruth Carter, a spokeswoman with the prosecutor's office. "He was going a minimum of 70 m.p.h. He was driving fast on a rain-slick road and was warned by his passengers that he was going too fast."

The posted speed limit is 25 m.p.h.

Neil Fink, Pierno's attorney.

Please see CRASH, Page 5A

BACK TO SCHOOL | CHANGES MEAN CHALLENGE

Hispanic community makes its voice heard

SUSAN TUSA/Detroit Free Press

Edy Garcia, left, and Marta Diaz are students at Western International High School. Sitting in the school's cafeteria, the girls talk about the school, its administration and "African American Literature," one of the books their school uses.

GET READY FOR CLASS

SCHOOL GEAR TRENDS: The Yak shops around and finds a denim Harry Potter Hogwarts bag, below, and more new stuff. Yak's Corner, 10G

MORE BACK-TO-SCHOOL: Look for upcoming coverage as kids return to class.

Growing group wants Detroit schools to serve its kids better

First of two parts

By AMBER ARELLANO
FREE PRESS STAFF WRITER

Nearly three decades ago, black Detroiters picketed, protested and demanded more power over their children's schools in a white-dominated district. Today, they are on the receiving end of demands from another burgeoning minority.

Emboldened by rising numbers, Hispanic parents and community leaders are pushing hard for more resources and a greater say in their children's schools.

They are concerned about possible civil rights violations over bilingual services. They want more Hispanic teachers. They want a curriculum that is more inclusive. And they want the schools to hold onto their kids until they graduate. The Hispanic dropout rate has soared to 77 percent — 20 percentage points higher than the district as a whole.

Similar issues are popping up across the country as Hispanic immigration explodes.

"All we're asking them to do is give us the same things they asked for," said Jane Garcia, vice president of Latin Americans for Social and Economic Development Inc. (LASED), a social service agency in southwest Detroit, where the Hispanic community is centered. "It's not too much to ask. When I go to my African-American brothers and sisters, I say, 'If anyone understands issues of diversity, it should be y'all.'"

Latinos in Detroit have lobbied for more school representation for decades. The difference now is the city's Hispanic population has nearly doubled in 10 years, to 47,000. The number of Hispanic students in the public schools has doubled in the last six years, to 7,000. Nearly a dozen of Detroit's 263 public schools have Hispanic majorities.

Please see HISPANICS, Page 8A

THE WAY WE LIVE

X Games making advertisers jump

But ESPN's extreme hype is distorting the dirt-biking, skateboarding showcase that begins Saturday, says Mike Ardelean, above, a native of Westland who's the only Michigan competitor.

PAGE 1E

AUTO THURSDAY

UNION PUSH: UAW wants a vote at Nissan's Tennessee plant. Business, 1F

GM CUTBACKS: The automaker will slash jobs in Europe. 1F

SPORTS

Wanted: A batkid for the Wings

We're picking a boy or girl to back up the hockey guys in an Aug. 26 charity softball game with retired Tigers. Find out how to enter our drawing.

PAGE 1G

BUSINESS

Grocer Schwan's shows a Net profit

The Midwestern frozen-food deliverer is using the Web to serve its customers better.

PAGE 1F

LOCAL NEWS

Archer holds fast to casino strategy

The mayor insists the MGM Grand should move to the riverfront and he hasn't given up yet.

PAGE 1B

INDEX

Volume 171, Number 104

For home delivery call 313-222-6500

ERIC SHARP | OUTDOORS

No fish tale: Worms get scarce, pricier

How bad is the Great American Worm Shortage?

So bad that North American worms are being replaced by Euro worms. So bad that the price of worms threatens to almost double.

Serious enough that the Wall Street Journal called America's biggest worm supplier, located in Waterford, to ask what would happen if the Canadian worm fields didn't get some rain soon.

"It's bad," said Fred Fry, a partner in Waterford's DMF Bait Co., which sold 108 million night crawlers last year. "Remember the 40 days and 40 nights of rain? Well, we've had 40 days and 40 nights without rain, and just about everybody is out of worms.

"We are the only company I know that still has a few worms in the coolers, and we're scraping the bottom of the barrel."

Dan Chimelak, who owns Lakeside Fishing Shops with Veronica Pinto in St. Clair Shores and Farmington, said their customers are complaining because they raised the price of night crawlers by 20 cents to $1.70 a dozen.

"It's been at $1.50 for about five years," Chimelak said. "The customers are going absolutely nuts, but I ask them, 'Where have you been for the last month? Living in a basement? Have you been outside recently?' But I

Please see SHARP, Page 3A

The shortage is getting bad, really bad. Worms — even the dyed ones — are now worth a lot of green.

KNIGHT RIDDER

INFORMATION FOR LIFE

《底特律自由报》2001 年 8 月 16 日头版

The Detroit News

Thursday, August 16, 2001 www.detnews.com Metro Edition

FOOD

TIPS TO AVOID THE FRESHMAN WEIGHT GAIN

Page 8E

SPORTS

TIGER TEMPERS FLARE IN STORMY MEETING

Page 1F

FEATURES

COURTING KATIE: WILL 'TODAY' STAR BOLT NBC?

Page 1E

READERS CRUISE DOWN MEMORY LANE

Page 1E

THURSDAY'S WEATHER

High 79
Low 62
See Page 10D

INSIDE ••

127th year, No. 359
© The Detroit News
Printed in the USA

35¢ 25¢ daily for home delivery. 50¢ outside 6-county metro area.

For home delivery call: (800) 395-3300

Recycled newsprint is used to print The Detroit News.

6 40788 21000 2

Chippewas kick out dead

The move threatens their descendants with expulsion from tribe, loss of benefits.

AMERICAN INDIAN RULE: SOVEREIGNTY ABUSED

By Melvin Claxton and Mark Puls
The Detroit News

MT. PLEASANT — Saginaw Chippewa Indian tribal leaders Wednesday expelled at least three people — all deceased. Their expulsion clears the way for more than 50 of their relatives to be expelled.

"This is crazy, what this council is doing," said Bill Snowden, whose deceased mother was expelled. "They are expelling people who belong in the tribe, and they don't care if they are dead or alive."

The expulsions are the latest development in an ugly struggle over a plan by tribal leaders to expel more than 10 percent of the tribe's 2,700 members.

At stake in this bitter conflict over tribal membership is billions in casino revenues and control of the tribe.

The expulsions would cement the tribal leadership's control over the tribe and its highly profitable Soaring Eagle Casino & Resort in Mt. Pleasant, the top-grossing Indian casino in Michigan and the fifth-largest in the country.

Please see EXPEL, Page 2A

What The Detroit News reported

A Detroit News Aug. 5-6 report on the Saginaw Chippewa Indian Tribe found that hundreds of tribal members face expulsion, costing them millions of dollars and their heritage. The News also reported that the tribal chief, Phil Peters, who is leading the charge to expel tribe members, had trouble proving he is eligible for membership.

Peters

Druggist charged in drug dilution

FBI hunts patients who received weaker cancer treatments.

By Josh Freed
Associated Press

KANSAS CITY, Mo. — A wealthy pharmacist accused of diluting chemotherapy drugs surrendered to the FBI on Wednesday as investigators studied his records page by page to find patients who may have been given weakened treatments for cancer.

Authorities said some intravenous drug bags contained less than 1 percent of the dosages ordered by doctors.

Robert R. Courtney, 48, is accused of diluting prescriptions for Taxol and Gemzar filled at his Research Medical Tower Pharmacy in Kansas City.

He was charged Tuesday with a single felony count of misbranding and adulteration of a drug and was ordered held without bond by a judge who called him a flight risk. The court order also said Courtney was worth more than $10 million in stock and property.

If convicted, Courtney faces up to three years in prison and a $250,000 fine. He did not speak during the hearing, but defense attorney Jean Paul Bradshaw — a former U.S. attorney in Missouri — said he expected his client would plead innocent.

There was no immediate indication whether any patients have been harmed. An FBI hot line set up to find potential victims had recorded more than 100 calls by early Wednesday.

Taxol is a second-line therapy for advanced ovarian or breast cancer and is used against AIDS-related Kaposi's sarcoma and lung cancer. Gemzar is used to treat pancreatic cancer and some types of lung cancer.

A rare occurrence

Michigan pharmacists say state's patients are safe. Page 6D

U-M rides on NASCAR

John T. Greilick / The Detroit News

U-M, which prides itself on tradition and academic excellence, will have its famous block "M" plastered on Elton Sawyer's Ford Taurus in Saturday's race.

Wolverine image races for revenue

By Angelique S. Chengelis
The Detroit News

ANN ARBOR — Staid University of Michigan, with its candelabra-and-tablecloth tailgate parties, has gone good ol' boy NASCAR crazy — for one race at least.

The school, which prides itself on tradition and academic excellence, will have its famous block "M" logo plastered on Elton Sawyer's Ford Taurus in the NASCAR Busch series race Saturday at Michigan International Speedway.

Michigan officials hope the exposure will generate new fans and T-shirt and hat revenue, but some Michigan alums believe the university and long-held NASCAR stereotype — uneducated, beer-drinkers — don't quite mesh.

"I'm surprised by it," said Jeff Cameron, a 1993 Michigan graduate and football season-ticket holder. "It is kind of bizarre if I turn on the race Saturday and I see this Michigan Wolverine car racing around. It just doesn't fit Michigan's image. It sounds like it should be a Spartan car, not a Wolverine car."

Marketing experts, however, believe it's a perfect match, blending the enthusiasm of college sports fans with the fastest-growing spectator sport in America.

Please see RACES, Page 3A

NASCAR at MIS

What: 23rd stop of the NASCAR Winston Cup series.
When: Friday-Sunday.
Where: Michigan International Speedway, Brooklyn.
Main events: Winston Cup qualifying, 3:05 p.m. Friday; Busch series NAPAonline.com 250, 1 p.m. Saturday; Pepsi 400, 2 p.m. Sunday.
Tickets: General admission available for Friday's and Saturday's events by calling the MIS ticket office at (800) 354-1010 or (517) 592-6672, or online at www.MISpeedway.com. General admission tickets for Sunday's race go on sale that day at 6 a.m. at the tunnel entrance and at 8 a.m. at other MIS ticket offices.

Driver, 17, hit with 3 murder charges

Teen pleads not guilty, faces life in prison in connection with Pointes triple fatality.

By Edward L. Cardenas
The Detroit News

GROSSE POINTE WOODS — A somber Anthony Pierno stood silent Wednesday, as prosecutors leveled three second-degree murder charges against him in the death of three fellow teens killed in a crash last month.

The courtroom was silent, too, as Pierno's lawyer, Neil Fink, and Grosse Pointe Municipal Judge Lynne Pierce waived formal reading of the charges. Pierno, 17, who also is charged with fleeing the scene of a fatal accident, is accused of killing the teens when he crashed his Chevrolet Tahoe not long after midnight on July 30 in Grosse Pointe Woods.

Pierno, standing next to Fink, showed no emotion as a plea of not guilty was entered on his behalf. Half the room was filled with former high school classmates, members of his family and family of the crash victims. The other half was filled with media.

Pierno was released from custody after posting 10 percent of his $75,000 bond. The judge ordered him not to drive, consume alcohol or use drugs while free on bail.

After the five-minute arraignment, Pierno and his lawyer led a parade of people out the courtroom's double doors and into the adjoining hallway. Family and friends of those killed in the crash declined to comment.

"My client is going through torture. This is a tragedy for the family of the defendant and for the community at large," said Fink, who spoke as the teen's family posted bail. "I thought it was an overcharge."

If convicted of second-degree murder, Pierno could spend the rest of his life in prison.

The high-speed crash jolted the Lochmoor Boulevard neighborhood early that Friday morning, and all of the Grosse Pointes. Sounds of gnarling metal, thuds and screams brought residents out of their homes shortly after 1:30 a.m.

Police claim that Pierno, who had been at a Grosse Pointe North High School graduation party with his four passengers, was driving the SUV nearly 70 mph when he lost control and careened down the street.

Please see CRASH, Page 2A

John T. Greilick / The Detroit News

Anthony Pierno was somber as he entered the courtroom where he was arraigned in the SUV crash that killed three of his friends.

Name recognition may lift longshot candidates

Beckham's bribery conviction, Brooks' work under first Bush presidency set them apart.

By Darren A. Nichols and Charlie Cain
The Detroit News

DETROIT — They are among the longshot candidates for mayor, those with no major political endorsements, no big-time money and no fear of failure, hoping to pull off an Election Day miracle.

But businessmen Charlie Beckham and Bill Brooks do have one ingredient that most of the 18 forlorn hopes in the field of 21 don't have: name recognition. That could give them a leg up in the Sept. 11 primary, even though they are barely registering in early voter polling. The two leading candidates in the primary will face each other Nov. 6.

Beckham's name recognition comes partly from his family's prominent role in Detroit politics. But also, in 1984, Beckham was convicted on a felony charge of accepting a bribe while an official in the administration of the late Mayor Coleman A. Young. He has always maintained his innocence.

Brooks established his reputation as an executive of General Motors Corp. and as a senior official in the administration of President Bush's father. However, his ties with the Republican Party could be a handicap in largely Democratic Detroit.

DECISION 2001 DETROIT

Gen X holds key

Beckham sees the daughters, sons of baby boomers, now in the 18-36 age group, as an untapped resource. Page 6A

Helping the needy

Desire to fight for the poor, improve quality of their lives is force driving businessman Brooks' mayoral bid. Page 6A

Read all about it

Weeks: Detroit News details candidates' views on issues affecting Detroit. Page 13A

Beckham: Hampered by few funds, felony conviction.

Brooks: Touts his experience as a corporate manager.

Stories online

Previous articles in series at detnews.com/politics. detnews.com

This week in The News

As the Detroit municipal primary campaign enters the final month before the Sept. 11 vote, The News this week will profile the most prominent candidates for mayor.
Monday: City Council President Gil Hill.
Tuesday: City Councilman Nicholas Hood III.
Wednesday: State Rep. Kwame Kilpatrick.
Today: Businessmen Bill Brooks and Charlie Beckham.

《底特律新闻》2001 年 8 月 16 日头版

第 13 章

底特律报业公司

Detroit Newspapers Agency

两报同城捉对厮杀
新式合作谋求双赢

底特律报业公司，美国报纸合作经营协议的产物，创办于 1989 年，由美国最大报业集团甘尼特公司和美国发行总量居第二位的报业集团奈特—里德报团共同管理，负责底特律两家最重要报纸《底特律自由报》和《底特律新闻》的经营管理。其中，《底特律自由报》创刊于 1831 年，20 世纪中叶加入美国著名报业集团奈特—里德报团，该报长期是底特律发行量最大的报纸。2002 年 4～9 月的平日刊平均日发行量为 368,839 份，居全国第 19。《底特律新闻》创刊于 1873 年，1920 年该报创办世界最早的新闻广播电台，1986 年以 7.17 亿美元被甘尼特公司买下。2002 年 4～9 月的平日刊平均日发行量为 242,391 份，全国排行第 41。两报联合出版周六和星期天刊，后者 2003 年 10 月至 2004 年 3 月平均日发行量为 705,148 份，居全国第 10。两报竞争激烈，后实施 JOA 合作。

一、汽车重镇不欢迎？

2001 年 8 月 15 日中午，我结束了对西北大学媒体管理中心的访问，吃罢午饭，立刻动身前往底特律。著名的《底特律新闻》是我早在大学读书时就听说过的美国报纸。7 月份从南方访问归来，我就开始与这家报纸联系，先后和 4 位有关人员通了信或电话，可是直到我 8 月 10 日启程西进，仍无该报确切消息。在芝加哥的几天，我没有一天晚上不在查阅该报音讯。

回音倒有，该报行政助理凯伦·阿特金森（Karen Atkinson）女士回了信，但只说我希望见的总编辑或执行总编辑暂时都不太可能接待我。这一路，我和 5 家单位都约好了采访时间，底特律是唯一没有搞掂的地方。我不可能因此而放弃其他报社，所以硬着头皮上了路，心想反正还有几天时间，到了芝加哥再说。谁知偏偏没有进展，我急得多次与凯伦通电话，她的态度倒是不错，但就是不松口，也不说为什么。

汽车从芝加哥出来，走一大段回头路，然后北上，就来到与加拿大接壤的内陆城市底特律。1701 年，法国人在此建立底特律市，之后很快发展成美国又一历史悠久的工业重镇，到 20 世纪更成为世界最著名的汽车工业城之一。当晚，住进市郊美洲大道 26000 号的希尔顿酒店（Hilton Inn）。按 priceline 的标准，这家酒店是 2.5 星级，但设施豪华，客房里备有《华尔街日报》，室内泳池温馨洁净，每层楼的制冰机可免费随意取冰（这在夏季出游是十分重要的条件）。这个酒店也是通过 priceline 订到的，比我原来要的 1 星级高出一级半，价格却不到 50 美元一天（正常价格在 120 美元以上）。

上网检查仍无结果，便决定第二天去福特汽车城看看，同时继续与当地报社联系。

第二天下着大雨，我开车赶往市郊的福特汽车城。不知是否因为下雨的缘故，还是刚刚来自整洁现代的芝加哥，底特律这个城市似乎弥漫着一种古旧的气息，城市建筑是灰黑色的，很少看到华丽的街道装饰，很多沥青马路布满了裂纹……仿佛一位衰落的贵族，已无力重拾昔日的荣耀。不过，福特汽车城却有一股现代气息扑面而来。

汽车城其实是一个博物馆，全名是亨利·福特博物馆（Henry Ford Museum）。这个博物馆面积很大，展览内容极其丰富，几乎涵盖了人类从 16～20 世纪的全部机器制造历史。馆中陈列有大量实物，从各种蒸汽机到早期的汽车、火车等，都是硕大的真实物体，特别是从古老到现代的种类繁多的小轿车，让人眼花缭乱，还有披挂着美国国旗的一排福特汽车公司生产的大型林肯轿车，个个都有显赫来历。记得其中一辆林肯轿车的说明是，有 5 位美国总统使用过，他们是肯尼迪、约翰逊、尼克松、福特和卡特。在它前面一辆装有防弹玻璃的较新型的林肯轿车是 1972 年的产物，有 4 位美国总统乘坐过，即尼克松、福特、卡特和里根。在其后面一辆较为古老的林肯轿车则有杜鲁门、艾森豪威尔和肯尼迪乘坐过。

展厅里还有很多供成人和孩子尝试的科普实验器具，如手摇发电机，你花费的力气越大，上面灯柱上的电灯泡亮得就越多；在一个小型塑料压缩机旁，孩子只需投币 1 美元，机器就会自动压缩出一个塑料恐龙给你留作纪念，全部生产过程尽在眼前；还有一个工作台，上面摆满了分类细致的缩微塑料汽车零部件，孩子们可以到里面取出部件按照自己的设想装配一辆小汽车，很多美国中学生在那里“工作”得如痴如醉。

参观完展览，我赶紧再和报社联系。我在电话里告诉凯伦，我已经在底特律坐等一天一夜，如果明天还不能安排采访，我这个东方来的报纸编辑就可能一辈子与贵报失之交臂了。她很同情我，让我下午 2 时左右再给她电话。

下午 2 时整，我用手机打通了凯伦的电话。对方抱歉地告诉我，今天下午和明天的访问都难以安排，问我能否多等几天。我失望地对她说：

“今天已经是星期四，明天是星期五，如果再等，势必要等到下个星期，而我已经和《波士顿环球报》约好下周四访问，中间还有很远的路程，从这里最近的路线是经加拿大，我还想顺便看看加拿大几个城市。真的一点办法也没有了吗?”

“那真是太遗憾了，不过，你可以试试与底特律报业公司的头头直接打电话。我这里有公司副总裁鲍勃·萨瑟兰（Bob Sutherland）的电话，他分管发行，是个很和善的先生。试试吧，祝你好运。”

这番话又燃起我一点希望，我连忙夹着电话，仔细记下萨瑟兰的电话号码和电子邮箱地址。

和凯伦通电话后不敢耽搁，发邮件显然来不及了，我随即给萨瑟兰先生打电话。他的秘书玛里琳（Marilyn）女士说鲍勃不在。我怕她挂断，急忙连珠炮似的把自己的来历、在美国的访问计划、在《底特律新闻》如何碰壁及希望明天上午访问萨瑟兰副总裁的迫切愿望说给她听。过去和各报联系因为有 E-mail 开路，电话中是无需啰嗦这么多的，但这次例外，我必须让这位从无信息来往的"听众"明白，访问底特律报纸对我而言有着多么重要的意义。

我相信她从我那不熟练的口语中已经知道我的处境和急切心情，因为她非常耐心地听我讲话，并问了一些问题。然后她表示，会尽快将我访问的请求转达给鲍勃，让我明天上午一早上班时再打这个电话。

二、古老城市的两家大报

2001 年 8 月 17 日上午 8 时 30 分，我打通了鲍勃·萨瑟兰副总裁的电话。秘书玛里琳一听是我，立刻将电话转给他。副总裁在电话里对我来访表示热烈欢迎，说他上午将其他事务暂搁一边，等侯我来访，并告诉我汽车行驶路线，祝我一路顺利。

经过一番折腾，这次我的心情比后来听到《纽约时报》总编愿意接受采访还要激动。我在电话里大声说："Many many thanks! I'll be at your office as soon as possible."（非常非常感谢！我会以最快速度到达您的办公室。）

细雨霏霏，我开着那辆挂着纽约车牌的红色丰田 Camry 小轿车疾驶在通往底特律的公路上。进入市区后找到拉斐特大街（Lafayette Boulevard)。这种以法国人名字命名的街道在美国和加拿大的大城市并不鲜见，如纽约的曼哈顿和加拿大的蒙特利尔市，都在市中心繁华地段有此路名。到达拉斐特西 615 号时正好上午 9：30，竟发现底特律报业公司和《底特律新闻》在同一幢大楼办公！玛里琳秘书是位热情的中年妇女，她接到我从车内打给她的电话后，赶下楼来指挥我从另一个街道将车开进公司的室内停车场，又将我送进萨瑟兰先生的办公室。

萨瑟兰老朋友似的和我亲切握手。他是底特律报业公司（Detroit Newspapers Agency）分管发行的副总裁，但穿着随便——是我在美国访问中所见到的唯一未佩领带而只穿短袖 T 恤的报业老总。他的面部表情也给人一种幽

采访底特律报业公司发行副总裁鲍勃·萨瑟兰

默感，所以我们的距离一下子拉近了。我将自己的情况尽量多地告诉他，并老实承认自己对底特律市及当地新闻界情况知之甚少，底特律报业公司也是头一回听说。

这样做的效果很好，他耐心地向我讲了底特律报业的发展脉络，并拿出一本新出版的该市建市 300 周年的纪念材料《底特律 300 年纪念手册》（*The Detroit Almanac－300 Years of Life in the Motor City*）供我参考。这本书是《底特律自由报》编印的。

底特律和美国其他工业城市一样，报业起步很早，且先后出现过许多报纸。该市的第一份报纸《密歇根文钞》（*The Michigan Essay*）诞生于 1809 年，但只出了一期就停刊了。此后先后有《密歇根先驱报》（*Michigan Herald*，1825）、《底特律论坛邮报》（*Detroit Tribune Post*，1829）、《底特律时报》（*The Detroit Times*，1842）、《底特律日报》（*The Detroit Daily*，1842）、《底特律每日新闻》（*Daily News*，1845）、《人民自由报》（*People's Free Press*，1860）等报纸问世，但如今都销声匿迹了，其中《底特律时报》是三起三落，命运多舛。该报创刊没几年就停刊了，1883 年复刊，但毁于 1885 年的一场大火；1900 年再度复刊，很快成为底特律的一份重要报纸，到 1951 年发行量达到顶峰的 438,757 份，但随后又走下坡路，1960 年被《底特律新闻》收购，从此一蹶不振。《底特律新闻》买它的目的似乎就为了灭掉它。

目前底特律存在的日报主要有两家，都是诞生于 19 世纪的老牌报纸，实力相当。两家报纸长期并存，竞争激烈，上演了美国新闻史上极富代表意义的报业厮杀战。

一家是《底特律自由报》（*Detroit Free Press*），由谢尔顿·麦克奈特（Sheldon McKnight）创刊于 1831 年 5 月 5 日。该报起初是一份 4 页的周报，1835 年改为日报，是美国早期较著名的日报之一。1881 年，该报出版伦敦版和英格兰版，在伦敦和英格兰每周的销量达 9000 份。该报 1895 年雇佣著名诗人埃德加·格斯特（Edgar Guest），其大众化诗歌每日发表在该报长达 30 年之久，全国有 300 多家报纸转载过他的作品。后来该报几经易手，于 1940 年被约翰·S. 奈特（John S. Knight）领导的报团收购，成为奈特报团的成员。不久，奈特报团与里德报团合并，组成美国历史上最大报团之一——奈特—里德报团。该报团 2000 年拥有的报纸总发行量在全国排行第二，报业收入排行第三，集团总收入排行第六。1967 年，《底特律自由报》第一次获得普利策奖，后来势头很猛，成为底特律发行量最大的报纸。

另一家就是笔者前面提到的《底特律新闻》，由詹姆斯·斯克里普斯（James Scripps）创办于 1873 年 8 月 23 日。当时报纸的名称是《底特律晚新闻》（*Detroit Evening News*），于 1905 年改为《底特律新闻》，但其晚报的性质未变。第二年斯克里普斯去世，报纸由其女婿继承，并一直控制在这个家族手上，直到上世纪 80 年代。该报在历史上较为风光的事情之一，是于 1920 年创办了广播电台。世界上公认最早的商业电台是由美国著名电器发明公司威斯汀豪斯公司（Westinghouse Co.）创办的。该公司于 1920 年获得第一个全商业性的标准广播执照，其 KDKA 电台于当年 11 月 2 日开始运营，播出了哈丁与考克斯竞选总统的结果，当时有数千人收听了这长达 18 个小时的节目。但美国新闻界认为 KDKA 并非第一个播出新闻的电台，有一个电台比它播出新闻的时间还早，那就是《底特律新闻》创办的 WWJ-AM 广播电台。这座实验电台就设在《底特律新闻》报社大厦，于 1920 年 8 月 20 日开始播音，8 月 31 日就播出了本市所在州密歇根州的选举结果。此后，该电台每天用部分时间播出音乐、访谈和新闻。因此，论世界上第一家新闻电台，当推《底特律新闻》的电台。这家电台于 1921 年 10 月领取了全商业性营业执照。尽管如此，《底特律新闻》在 20 世纪上半叶还不是早它 42 年问世的老大哥《底特律自由报》的竞争对手。《底特律新闻》的崛起是在 1960 年收购《底特律时报》之后，它在发行、广告等各方面很快逼近《底特律自由报》。1986 年，《底特律新闻》被斯克里普斯的曾外孙彼特·B. 克拉克（Peter B. Clark）以 7.17 亿美元的高价卖给了甘尼特公司。从此，底特律两家大报统统落入报团的“魔掌”。

三、惨烈竞争导致 JOA 合作

在听萨瑟兰先生介绍情况时，我暗想：如果当初只和《底特律新闻》联系上并获准访问该报，未必能听到如此客观和全面的介绍，毕竟底特律报业公司是两大报团合作的产物，掌管着底特律两大报纸的经营大权。

萨瑟兰先生继续说：“自《底特律新闻》1960 年收购《底特律时报》后，底特律这两大报纸就进行了长达 30 年的竞争，这在美国是罕见的。美国除纽约、芝加哥、洛杉矶等特大城市外，绝大部分城市都实现了一城一个主要报纸，即所谓‘一城一报’。其实底特律这两家报纸也有很大互补性，如《底特律自由报》是日报，而《底特律新闻》是晚报；前者没有星期天刊，而后者有星期天刊——你刚才问为何《底特律新闻》星期天刊的发行量是平日刊发行量的 3 倍，就因为两大日报只有一份星期天刊。

“但竞争越来越激烈，特别是当两报分别属于全国最大和第二大报业集团后，更加势不两立。应当承认，两报的竞争也给双方带来了活力，有段时间双方的发行量都有较大幅度上升（他的这段话使我想起深圳两大日报《深圳特区报》和《深圳商报》之间的竞争）。1989 年两报合作之前，《底特律自由报》与《底特律新闻》平日刊的发行量分别约为 64 万份和 53 万份，列美国日报发行量第 9 和第 12 位（排名均超过 2001 年列第 10 位的《纽约邮报》——笔者）。但这一繁荣是以双方加大成本和发行、广告的低价倾销为代价的，过高的发行量已经不能为报纸带来任何额外收益，反倒增加了亏损。由于有两大报团作坚强后盾，任何一方都不甘心认输，竞争态势无法缓解。”

就在我写这段文字时，我从网上突然发现最近一份发行量统计将这两家报纸合并成一家报纸计算，我以为两报合二为一了。于是，我再次向甘尼特公司报业副总裁福斯特女士核实。她于 2002 年 7 月 4 日美国国庆日发来 E-mail 证实：“两家报纸为争夺广告和发行量，当时处于不可思议的激烈竞争中。到后来，竞争导致的后果是双方都吃亏，而且当地难以继续支撑两家报纸。后来虽然实行了 JOA，但两报并未合并。”

当时查阅萨瑟兰送给我的《底特律 300 年纪念手册》，发现上面对两报的竞争也有寥寥数语的描述，称“每次重要的发行大战，均由《底特律新闻》挑起”（But the News continued to lead the all-important circulation war）。这本由《底特律自由报》编印的资料书，在介绍两家报纸时也明显详略不均：《自由报》的篇幅大约是《新闻》篇幅的 5 倍。

萨瑟兰接着说：“两大报团意识到问题严重，遂开始协商，共同向联邦法院提出申请，将报纸经营部门合并运作，成立属于两大报团共同资产的报业公司来负责这一运作。这类合作与现行的反垄断法有些冲突，所以必须得到联邦法院的授权。这种合作形式就是所谓 JOA（‘合作经营协议’的英文缩写，本书在甘尼特公司那一章已经解释过，这里不再赘述——笔者）。这一合作从 1989 年 11 月起实施，底特律报业公司也于此前正式挂牌。从此，两报的发行、广告、财务、印刷等一切与经营有关的事务统统交由底特律报业公司统一运作，新闻部门仍各自独立，以保持舆论的多元化。在我们公司内部，我们同时销售两家报纸，但将财务分开计算。经营方面所得利润，由两家报纸，实际是由两家报团平均分配。”

福斯特女士在信中也回忆说：“司法部当时仔细考虑了底特律两报的实际情况，认为 JOA 是为底特律社区维持两种‘声音’的最好办法，于是两报同意按 JOA 方式运作，而回避宪法第一修正案有关条款。这样，在 JOA 条件下，两家报纸被允许将某些功能合并管理以期重新获得利润，以保持底特律继续有两家言论独立的报纸存在。”

萨瑟兰又说：“实施 JOA 合作的报纸在美国还有很多家，如辛辛那提、新墨西哥、西弗吉尼亚、亚利桑那、宾夕法尼亚等州的一些报纸，至少有 10 对。”

四、JOA 由来

访问底特律报业公司时，我对 JOA 的情况还不甚了了，后来访问甘尼特公司时，希望将 JOA 的来龙去脉彻底弄清，虽然福斯特女士给了不少帮助，但未完全明白。回国前我再次去纽约图书馆查阅资料，终于从 *History of the Media in the United States* 一书中找到了答案：

原来，美国早在 1970 年就通过了一个可豁免于反垄断法的《报纸保护法》(Newspaper Preservation Act)。这项旨在保护同一市场内两家竞争报纸的法律，经过近 40 年的酝酿，其中最大的障碍是于 1890 年颁布实施的《谢尔曼反垄断法》(Sherman Antitrust Act)。反垄断法禁止两家公司通过合作而对当地市场的价格、销量产生垄断。但实际上，美国正是在这种反垄断的法律环境中，很多城市的主要报纸逐渐变成一家，形成一城一报局面。一个报纸就意味着一个声音，这又与美国的新闻言论自由相抵触。

于是，人们呼吁对报纸实行保护，以确保一个市场有两家主要报纸存在。1933 年 2 月 14 日，美国两大报团在新墨西哥州第一次合作。这一天，斯克里普斯—霍华德(Scripps-Howard)报团所属的《阿尔伯克基论坛报》(*Albuquerque Tribune*)和托马斯·佩珀德(Thomas Pepperday)公司所属的《阿尔伯克基日报》(*Albuquerque Journal*)签订了“合作经营协议”(Joint Operating Agreements，简称 JOA)。该协议同意成立一个共同的公司“阿尔伯克基出版公司”(Albuquerque Publishing Company)来负责两报的经营和印刷事务。两报编辑部共用《阿尔伯克基论坛报》的办公大楼，但划分在不同楼层工作。而出版公司则使用《阿尔伯克基日报》的办公楼，所有发行、广告、印刷事务也在这里处理。

这一史无前例的合作形式给美国人开了眼界，报界纷纷效仿，此后签订 JOA 的城市先后有：得克萨斯州的埃尔帕索(El Paso)，1936 年；田纳西州的纳什维尔(Nashville)，1937 年；印第安纳州的埃文斯维尔

(Evansville)，1938年；亚利桑那州的图森（Tucson），1940年；俄克拉荷马州的塔尔萨（Tulasa），1941年；田纳西州的查塔努加（Chattanooga），1942年；亚拉巴马州的伯明翰（Birmingham），1950年；印第安纳州的韦恩堡（Fort Wayne），1950年；内布拉斯加州的林肯(Lincoln)，1950年；犹他州的盐湖城（Salt Lake City），1952年；路易斯安那州的什里夫波特（Shreveport），1953年；田纳西州的诺克斯维尔（Knoxville），1957年；西弗吉尼亚州的查尔斯顿（Charleston），1958年；密苏里州的圣路易斯（St. Louis），1959年；宾夕法尼亚州的匹兹堡（Pittsburgh），1961年；夏威夷州的檀香山（Honolulu），1962年；加利福尼亚州的旧金山（San Francisco），1965年；俄亥俄州的哥伦布（Columbus），1965年；佛罗里达州的迈阿密（Miami），1966年；等等。这些城市大多数都是各州的首府或当地主要城市。

但就在各报争相实施JOA时，美国司法界出面干涉了。1969年，美国司法部起诉位于亚利桑那州的图森市两家报纸的JOA违反《谢尔曼反垄断法》。这两家报纸分别是《公民出版报》(*Citizen Publishing*)和《合众国报》(*United States*)，于1940年签订JOA。结果司法部的起诉得到联邦最高法院认可，裁决两报违反了垄断法。这一裁决引起美国全国报界的强烈反对，几乎所有报业集团都请求国会制订可以豁免反垄断法的报纸保护条例。而此前，已有15名参议员提出制订《濒危报纸法》(Failing Newspaper Act)的立法建议，但此建议在司法部的反对下未予提交通过。

这时，17个州的参议员坚决反对司法部的做法，再次联名提请国会讨论JOA问题。这17个州都先后实施了JOA，效果良好。最后，在分别进行了3个系列听证会后，国会终于在1970年通过了《报纸保护法》。国会通过的理由是：此项法律“保护了美国各地竞争中的报纸的新闻和评论的独立性，有利于公众利益”。①

这项法律给了报纸有限度的反垄断法豁免。它同意在JOA条件下，两报可以制定统一的价格、统一分配市场以及将利润合并管理等。但该法律要求，各报业公司在采纳该法律时必须得到司法部的批准。一旦批准，JOA的有效期限可以在20～100年，在此期限内，双方利润的分成比例可以由各50%到10%对90%不等。这项法律通过后，经司法部批准，又有一些城市出现JOA合作伙伴，它们是：阿拉斯加州的安克雷奇（Anchorage），1974年；俄亥俄州的辛辛那提（Cincinnati），

① *History of the Mass Media in the United States*, Fitzroy Eearborn Publishers，1998年

1979 年；华盛顿州的西雅图（Seattle），1982 年；密歇根州的底特律（Detroit），1988 年；内华达州的拉斯维加斯（Las Vegas），1990 年；宾夕法尼亚州的约克（York），1990 年。

这项法律也引起报界一些非议，尤其是那些郊区和社区报纸。这些报纸认为该法律保护了城市里竞争的两大报纸，但侵害了小报的利益，使小报面临更大的竞争压力。这也是适用法律时必须由司法部批准的理由之一。

不过，这项法律并未使各地竞争中的报纸都得到成功的保护。有些 JOA 中途停止了，更多的是两家报纸中的一家因故停刊。其中寿命最短的是阿拉斯加州的安克雷奇市的两家报纸，只维持 5 年就宣告终止合作。在其之后，先后终止合约或合作伙伴中一方自动消亡的城市有：俄亥俄州的哥伦布，1985 年；宾夕法尼亚州的富兰克林石油城（Franklin-Oil City），1985 年；密苏里州的圣路易斯，1986 年；佛罗里达州的迈阿密，1988 年；路易斯安那州的什里夫波特，1991 年；田纳西州的诺克斯维尔，1991 年；俄克拉荷马州的塔尔萨，1992 年；宾夕法尼亚州的匹兹堡，1993 年。失败的主要原因是：双方盈利能力减弱、员工罢工、一方对另一方的收购以及合约期满未再更新等。

该项法律于 1987 年修订，对 JOA 覆盖的内容适当放宽，以适应报业在技术更新方面新的需求，同时也对编辑部的合作开了一些口子。例如，我此次访问底特律两报，就发现它们已经开始共同编辑星期天刊。

五、经历 20 世纪最后一次报业大罢工

据萨瑟兰介绍，两家报纸合并经营后，效益大为改观，但发行量有所下降，降幅略高于全国报纸普遍下降的幅度。但有一点萨瑟兰未予透露，就是两报数年前发生了一件惊动全国新闻界的大事。

我是在后来查阅《纽约时报》时了解到这一情况的，后来我访问甘尼特公司时曾就此情况问及两位报业副总裁，但未获令人满意的回答，只说与 JOA 无关。这里不妨采用《纽约时报》的说法。

《纽约时报》2000 年 7 月 17 日以《在底特律，利润上扬但读者离去》为题的报道大意为：

7 月 13 日，底特律车流如常，但有很多大卡车在经过底特律报业印刷厂的马路前时，都鸣号致意，还有一些小汽车的司机也加入鸣号队伍。这些司机们采取了一种非常平和的方式来纪念 5 年前的那场大罢

工。这场被称为“20世纪最后一次报业大罢工”的运动，仍阴魂不散，缠绕着两报员工，但未对城市发展造成任何影响。

1995年7月13日，在当地两报高层不顾工会的反对而统一实施一种新报酬体系一周后，爆发了这场报业工人大罢工，有2000工人卷入，包括印刷工人和记者。工人们烧毁运报卡车，维持秩序的纠察队被汽车撞倒，多人受伤，罢工工人和一些坚持工作的工人发生争吵，一切都是乱哄哄的。在猝不及防的情况下，两报只好共用一个报头联合出报（即两报合为一报，这与当初JOA的原则是背离的，但也是无奈之举——笔者）。但到1995年底，两报还是分开印刷，尽管人工的大量减少使印刷非常困难，尽管广告商和读者都竭力回避这两家报纸。罢工持续了19个月，直到工会同意复工。复工后，广告商也开始回流，但工会和报业公司间未签订协议。

后来参与罢工的人陆续回来上班，截至目前，两报编辑部和印刷厂的回流员工共计1478人，比罢工前少了766人。由甘尼特公司派出的底特律报业公司总裁弗兰克·J. 维加（Frank J. Vega）在接受采访时说，当时工人罢工的理由并不充足。现在人虽然少了，但效率提高了，员工组成也更加多元化，少数民族人士比过去多了。

矛盾的各方面都承认，甘尼特公司和奈特—里德报团在此次罢工中损失了1亿多美元。这两大集团于1989年按JOA方式组建了底特律报业公司。虽然损失很大，但从1996年起，两报的获利状况开始好转。有关财务分析报告表明，底特律报业公司1999年的利润接近7000万美元，超过1994年的水平。去年（指1999年——笔者）报业公司实现广告收入近3.5亿美元，比1996年多8000万美元，分析家说。

然而，两报因罢工事件而导致的发行量大跌情况没有明显好转。1994年，隶属甘尼特公司的《底特律新闻》一篇揭露州政府财务管理混乱的报道获得普利策奖，当年该报的有价发行量为35.9万份，但如今为23.7万份。隶属奈特—里德报团的《底特律自由报》1994年的有价发行量为55.1万份，在全国排名第9，但如今的发行量只有36.1万份，排名跌至全国第22名。

在问及今后5年两报是否会继续生存下去时，维加充满信心地表示一定会生存下去。“不过，我们现在需要一个协议，工会也需要一个协议，但仍有一个困难的过程。他们想让时钟倒转，这不可能。”维加说。维加先生上周建议双方举行一次非正式的协商。

问题是比较复杂的，各种工会考虑的重点各不相同。报业公会反对新分配方案中向管理层倾斜的条款，发行员工则为是否将二级签约者数量列入分配因素而争执不休，卡车司机和一线发行员工则更关注工作能否得到保障。

员工数量的减少是明显的。1995 年，报业公司有 365 名全日制工人和 300 名钟点工人，现在这个数字减到 165 人和 80 人。1995 年，底特律报业公会在两报的成员有 600 名，他们是记者、摄影记者、文字编辑和门卫。但现在只有 235 名。

有人批评当时任《底特律新闻》发行人兼总编辑的罗伯特·贾尔斯(Robert Giles)，说《底特律新闻》对罢工事件的报道有歪曲之嫌。但贾尔斯认为，该报的报道是公正的，有些事实的遗漏是因为工会的发言人未向记者说明真相。贾尔斯曾收到美国报纸总编辑协会负责人的一封信，对他表示支持，称他是充满活力并有道德感的新闻工作者。

贾尔斯认为，底特律报业公司有能力实施现代化的报业管理。从今往后，这种管理将成为使两家报纸良好生存的极其重要的因素。

《底特律新闻》的郊区记者迈克尔（Michael）则认为罢工是失败的，自己被愚弄了。这位 53 岁的记者说："我不知道一切事情是否可以原谅，编辑和记者有时立场不同，但我们毕竟是专业人员，我们必须互相合作。"①

……

上述报道清楚表明，底特律报界发生过的那场大罢工，对两报产生了深刻的影响。

六、"合作"下的两报

在访问底特律报业公司之前，我从未听说过"JOA"。萨瑟兰这么一介绍，倒引起我很大兴趣，如果这是一个成功的办法，对中国某些竞争异常激烈的报纸不是个很好的参考吗？所以我多问了一些公司具体运作情况，如萨瑟兰分管的发行。

他说："报业公司的发行部门有 700 名员工，负责两报的发行，但有些发行工作我们委托给其他公司做。《底特律自由报》是晨报，《底特律新闻》是晚报，属于不同的市场，但很多读者同时订阅这两份报纸，因为两报的编辑方针不同，内容也有很大区别。这种选择性就是通过

---

① In Detroit, Profits Are Up But Readers Have Left, *The New York Times*, 2000 年 7 月 17 日

JOA 让两报共存的好处。如果其中一家关闭，损失最大的是读者。这两份报纸合作编辑星期天刊，其发行量大于两报平日刊的总和。

“我们的发行员工分为五大类，他们分别负责和实施住户投递、零售、读者服务、技术支持和市场推广五方面的工作，其中的读者服务部大量聘用钟点员工。就两报而言，《底特律自由报》的零售和住户投递分别占该报总发行的33%和67%，《底特律新闻》的零售和住户投递则分别占45%和55%。在发行中，我们对两报都尽最大努力争取扩大销量，不会厚此薄彼，因为公司的年收入是以两报共同的收入为依据的，任何一方的损失就是公司的损失。在广告方面也是这样。

“由于两份报纸的出版时间不同，我们的印刷厂可以充分发挥所有机器的作用，以最快速度印刷两报。我们从晚上9点起就开始印刷《自由报》，按先副刊、后新闻的顺序，要求次日凌晨3点钟印完，因此《自由报》的截稿时间为晚上9点整。有时该报出版增刊，印刷时间会稍稍延长。早晨6点前完成住户投递工作。《新闻》的印刷时间从上午11点开始，也是先副刊、后新闻的顺序，以便给新闻版留出抢最后新闻的时间，中午12：30印刷完毕，下午5点以前投递到户。有一点你可能会感到奇怪，两报的零售版都在上午同时上街。也就是说，《新闻》的零售报纸和次日《自由报》的零售报纸一起发行。两报内容上的较大差异，使得这样做不会导致《新闻》的滞销，而投递效率大大提高了，投递成本大大降低了，这是我们长期摸索出的经验。

“我们的发行局限于密歇根州。从最近的情况看，两报平日刊的发行量在增加，而星期六和星期天刊的发行量在减少，减少的原因在于零售量有所减少。零售减少的根源可能是经济不太景气，导致商店顾客减少。不过，今年住户投递的数量增加很快，目前正处于多年来的强势。但广告额有所下降。”

采访《底特律新闻》编辑部

萨瑟兰提到他到过中国的北京和内蒙古，学过几句中国话，但现在只会说一句“你好！”

接着，他陪我参观《底特律新闻》

编辑部和报业公司的发行部。

编辑部在大厦的二楼，也是一大片开放式办公室。办公室的过道上挂着一个巨大的横幅，上面是白底黑字的报纸名称“The Detroit News”几个大字，下面还有一行黑底反白的小字：“Read it. Understand it. Use it.”意思是“读它，理解它，使用它”，但其中每个“it”都用鲜红的大字予以突出。

采访《底特律新闻》经济新闻部主编唐纳德·W. 诺斯

萨瑟兰知道我当时的头衔是深圳特区报业集团助理总编辑兼经济部主任，所以特别领我到《底特律新闻》的经济新闻部看了看，见到该部主编唐纳德·W. 诺斯（Donald W. Nauss）先生。诺斯听说我是报社经济部主任，很高兴地与我交谈，还问这问那。我向他介绍了中国报社经济部的一些情况及运作方式，并说经济部在中国的日报中占有相当重要的地位，以我所在的经济部为例，就是《深圳特区报》编辑部当时最大的部门，工作量也很大，一正两副主任常常忙得不可开交。

诺斯很有兴趣地听着，并表示理解，他说他领导的经济部也是一个很大的部门。他手下没有副主编，但有两名助理主编。由于底特律是以汽车为主的工业城，所以经济部的汽车工业报道分量很重，人员配备也较充足，如在他下面专门配备一名汽车主编，设有三名汽车记者和一名汽车专栏作家。其他的记者分别有电子商务记者、密歇根经济记者、个人理财记者、零售商记者、体育经济记者（这个头衔我在美国还是头一次听说）、航天技术记者、劳务市场记者等，还有 1 名经济社论助理，职责是为社论部撰写经济类社论时提供帮助。与我所在的经济部不同的是，诺斯的经济部不管科技方面的报道，该报另设一个科学部，将环境科学、自然科学等包括了进去。据诺斯自己介绍，他是经济学硕士出身，在《底特律新闻》已干了近 20 年。

参观完《底特律新闻》编辑部，萨瑟兰副总裁领我去看底特律报业公司的发行部。我们来到该部的读者服务部，这里大约四五十名员工正在各自的电脑前，坐在两侧有扶手的靠背转椅上工作。员工们看上去都是30岁以上的中年妇女。若按萨瑟兰先前介绍，她们中的大多数是part time，即钟点员工或临时工。一位妇女停下手中的活告诉我，她和在座的其他姐妹的职责是接听读者投诉电话并向有关发行部门反馈，同时通过电话帮助读者订阅报纸，包括《底特律自由报》和《底特律新闻》。我和她谈话时，其他员工都向我报以友善的微笑。在我对着她们拍了几张照片后，有一位员工干脆站起来邀请我坐到她的椅子上，双手置于电脑键盘上，摆出工作的姿态与大家合影留念。

可惜《底特律自由报》在另一个地方，没有时间再去联系。我对底特律报业知识的缺乏，导致我当初只知道《底特律新闻》而不知道《底特律自由报》，其实后者比前者在美国更有名气，实力也更强。想到这里，我对《底特律新闻》高层对我的态度不禁来气，同时也感激萨瑟兰副总裁给了我这个机会。

七、迟到的邀请

离开底特律报业公司回到汽车上，我没有立即开车，而是翻阅了萨瑟兰向我提供的底特律两家报纸前一天的内容，以加深对两报的印象。由于当天的晚报还没出来，所以我要的是16日的《底特律新闻》，为便于对照，同时要了16日的《底特律自由报》。

《底特律自由报》的头版很花哨，前一天（2001年8月16日）的图片多达8幅，但略显零乱，不像《今日美国》那样有冲击力。当天该报有68页，售价35美分（本地6个市镇以外售价50美分），共7叠：A叠是新闻，共16页，其中第二页为“今日高科技”版；B叠是本地新闻，共8页；C叠是市场版，共10页；D叠是“汽车城”，共10页，其中头版有大半版的大幅汽车修理图片，含大量汽车分类广告；E叠是“生活之路”，包括娱乐、影视、卡通画、天气等内容，共6页；F叠是经济，共8页；G叠是体育，共10页。

《底特律新闻》的头版与《底特律自由报》有异曲同工之处，有一幅和汽车有关的新闻图片，其他图片也较多且文章分割零碎，在上半版就可看到4幅图片和3篇新闻的标题，新闻的内容较为煽情，头条是《印第安人被踢致死》，其他两条分别为《药店老板稀释药品被起诉》和《17岁少年司机肇祸受到3项谋杀指控》。这个内容倒有点像中国的一些晚报，即比较关注当地的社会新闻，与当日《底特律自由报》头版的内容无一相同。

2001 年 8 月 16 日的《底特律新闻》售价也是 35 美分（本地 6 市镇以外地区 50 美分），当天共 64 页，分 6 叠：A 叠是新闻，共 14 页；B 叠是经济，共 8 页；C 叠是分类广告，共 10 页；D 叠是“都市”，包括本市、本州新闻及娱乐活动，共 14 页；E 叠是副刊，共 8 页；F 叠是体育，共 10 页。

《底特律自由报》每周仅出 5 天，周末与《底特律新闻》合编。两报合编的星期六刊为 76 页，星期天刊（2001 年 8 月 12 日）为 144 页，售价 1.50 美元（住户投递 2.00 美元），共有 14 叠。有趣的是，星期天刊虽然由两家合作出版，但在版面上仍分别显示各自承担的内容。例如，A、B、C、D 分别是新闻、都市、经济、体育，报眉上标明《底特律新闻》字样，表明是《新闻》运作，而后面的大多数板块则标明《底特律自由报》，以示区别。其中 E 叠头版是大幅图片引导下的重头文章《用美元制成的唇膏》，文中称美国妇女每年花费 34 亿美元用来追求合适的唇色。其他板块还包括旅游、娱乐、房地产、生活之路等副刊。这种两家报纸分中有合、合中有分的现象，为我在美国所仅见。

浏览一遍 3 份报纸，一看时间不早了，当晚得赶到加拿大多伦多市与尼亚拉加市中间的哈密尔顿市入住，还有几百公里的路要跑。经过连续一周的紧张工作，我想歇一阵，所以关了手机，到旅馆也不再上网，暂时与外界隔绝。

谁知几天后上网查看信箱，竟有两封来自《底特律新闻》凯伦女士的邮件，上面给了我电话，希望我立刻与某某联系，该报老总已同意接受我采访。两封信都是同一内容，口气一封比一封急。再看手机，也记录曾有来电。而我此刻已经到达加拿大美丽的蒙特利尔市，欣赏着这充满法国情调的名城风光。

我当然不可能再返回去，前面的《波士顿环球报》还等着我呢。但我回了一封感谢信，表示希望今后有机会再去访问。

Lansing's three-run homer lifts Sox to win over Orioles, 5-1 — C1

LOTTERY, PAGE A2

Volume 260
Number 50
$2.00

Boston Sunday Globe

AUGUST 19, 2001

PAIR OF LOAFERS

TODAY: *Early sun, then some clouds, 73-78*

TOMORROW: *Sun, chance of showers, 70-77*

FULL REPORT: PAGE B12

Monitoring concerns arise amid outages

NStar reports vary; standard approach ahead, regulators say

By Peter J. Howe
GLOBE STAFF

While Boston homeowners and businesses have suffered more than 80 major power failures in the last five weeks, state regulators have no effective way to monitor where and why blackouts are happening and hold utilities like NStar financially accountable for preventing them.

NStar reports its outages haphazardly through a half-dozen reporting formats plus frequent informal e-mails and in some cases faxed copies of hand-scrawled field reports, according to a Globe review of the notices.

There is no indication that the Department of Telecommunications and Energy, which oversees utilities, sorts through the reports it receives for patterns or regularly pursues problems that recur.

Since July 12, Boston has had over 530,000 customer-hours of outages, the NStar memos show. That is the equivalent of every household in the city losing power for two hours, more down time than the typical Boston Edison customer experienced in an entire average year between 1989 and 1998.

Densely populated suburbs including Brookline, Cambridge, and Somerville have also endured tens of thousands of hours of outages, in many cases linked to overtaxed power lines and transformers failing under record-breaking demand for electricity to run air conditioners and refrigerators.

As long ago as last summer, warning signs were evident. A DTE staffer alerted the agency's electric division chief in July 2000 that NStar had a clear problem of excessive outages in Boston. "We really should call these [NStar] guys in," the staffer wrote in an e-mail obtained by the Globe. "I am afraid if we don't, their apparent bad operation will make the DTE look bad."

Under the state law charging the DTE with safeguarding "the safety and convenience of the public," the agency requires power companies to report

POWER, Page A26

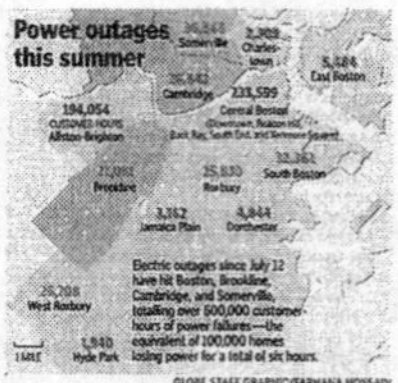

GLOBE STAFF GRAPHIC/FARHANA HOSSAIN

Hezbollah gains clout as political, social force

By Charles A. Radin
GLOBE STAFF

HARET HREIK, Lebanon — At a time when much of the world is focusing on the tit-for-tat violence raging between Israelis and Palestinians, Hezbollah, the Arab group most responsible for driving Israel from Lebanon, is emerging as a major social and political force in the region.

In this shabby, Shi'ite Muslim suburb of Beirut, and many similar neighborhoods, the organization best known in the West for indiscriminately raining rockets on settlements in northern Israel is the primary source of drinking water, high-quality television programming, and a broad range of social services.

These activities, Hezbollah representatives said in interviews, are essential to cultivating the "culture of resistance" that they hope will one day lead to their founding, and still primary, goal: destruction of the state of Israel.

It is a lesson they would like to pass along to their brothers in Hamas and Islamic Jihad, the Palestinian extremist groups responsible for the recent suicide bombings in Israel's major cities.

In addition to providing water and television, Hezbollah — which in Arabic means "the Party of God" — operates schools, hospitals, summer camps, and rehabilitation programs for people disabled in Lebanon's wars. It won nine seats in recent Lebanese parliamentary elections. Three municipalities now are governed by Hezbollah mayors.

HEZBOLLAH, Page A28

IT'S STILL THE PLACE TO CELEBRATE
GAY AND LESBIAN CULTURE,
BUT PROVINCETOWN IS CHANGING.

GLOBE STAFF PHOTO/WENDY MAEDA

Crowds lining Provincetown's Commercial Street for the Carnival Week festivities.

Life is a carnival

By Sam Allis
GLOBE STAFF

PROVINCETOWN — It's Carnival Week in Provincetown. Then again, it's always carnival week in Provincetown.

P-town is a place, after all, where a character named Trinity may give a sermon in drag from the pulpit of the Unitarian Universalist Church. Where cross-dressers draw the same yawn as someone who has locked himself out of his car. The nude-bathing imbroglios, the legal contretemps over the naked male review at the Crown & Anchor — they seem so . . . last decade.

You generalize at your peril about this place. No matter what you say, there will be a group that wants to string you up by your heels like Mussolini in Milan. That said, the shocking here no longer shocks. Gay celebrations, like gay life itself, have become the norm. The local calendar is a social sundial that ticks the litany of events celebrating gay and lesbian culture from spring through Christmas. Consider:

If it's Memorial Day weekend, lesbians are here in profusion. (Their numbers have grown dramatically during the rest of the year as well.) Early July? You've got the invasion of the beautiful boys for the debauched "circuit" parties they chase up and down the East Coast. Come August, there is the Gay and Lesbian Family Week, followed by Carnival in all of its Technicolor camp. October brings Women's Week, November Men's Weekend. New Year's is large. And so forth.

Yet it is Carnival, as superficially silly as a Hasty Pudding kick line, that reminds the rest of Cape Cod that Provincetown has as much in common with it as Myanmar. Beneath the seven-day romp that began with Drag Bingo last Wednesday, the event reaffirms Provincetown's distinction as a haven where gay men and lesbians can act up, act out, or simply act themselves.

It's easy to forget, they remind us, that there are still

PROVINCETOWN, Page A24

On Hill, a rush to fund pet plans

Lobbying heats up as surpluses shrink

By Sue Kirchhoff and Susan Milligan
GLOBE STAFF

WASHINGTON — This week's White House estimates of a shrinking budget surplus are expected to provide fresh impetus for Congress to pass a $300 billion prescription drug benefit under Medicare and $73.5 billion in additional farm subsidies.

The scramble for new spending comes as lobbyists step up their efforts to secure funding now, before the fiscal picture gets even tighter in the coming years.

After the pharmaceutical and farm programs are dealt with, even tougher fights will begin over such pet Democratic programs as education and such GOP favorites as defense. Down the line, the pressure to fund popular programs could even lead to increased taxes.

When the White House estimates are released Wednesday, "that's really going to put the budget in a bind," said Representative John Spratt of South Carolina, the top Democrat on the House Budget Committee.

He forecast "a very tough end game" in September and October, when the budget is to be completed.

In its midsession review of the economy, the White House Office of Management and Budget is expected to forecast a surplus of about $160 billion for fiscal 2001, which ends Sept. 30. Nearly all of that amount results from the surplus in Social Security accounts, which the White House and Congress have declared off-limits. Just months ago, the fiscal 2001 surplus was put at $275 billion.

The projected surplus for 2002 and following years is also expected to shrink, mainly because of Bush's 10-year, $1.35 trillion tax cut and a sluggish economy.

The picture contrasts sharply with the outlook in the spring. Delighted by projections of an enormous, $5.7 trillion surplus over 10 years, Congress approved a nonbinding budget plan that allowed for the tax cut as well as hundreds of billions of

SPENDING, Page A26

Inside Today

Beating the odds
East Boston native Jermaine Wiggins managed to make it to the NFL, and now he's determined to succeed with the New England Patriots. **Magazine**

A painter to remember
Polly Thayer is the only living artist in the Museum of Fine Arts' major new show, "Women Artists in Boston 1870-1940." **ArtsEtc., L1**

Cape rail proposal
A plan to open the Buzzards Bay Railroad Bridge to passenger trains is picking up steam. **City & Region, B1**

■ News guide, index - Page A2

33733
0 947726 1

Scientific maverick on a quest for old age 'cure'

By Raja Mishra
GLOBE STAFF

President Bush's nationally televised address on stem cells last week was prompted, in part, by the handiwork of Michael West. It was West who sponsored the first-ever harvesting of stem cells from an embryo. Now, as head of Advanced Cell Technology in Worcester, he pushes the limits of cloning.

A self-proclaimed scientific provocateur, West these days lectures Congress and debates philosophers on the morality of his work, focusing on the cures it might deliver. But his career has long been driven by a more mythical goal: to help humans live forever.

GLOBE STAFF PHOTO/TOM LANDERS

Michael West, a leading researcher on cloning, is at the center of the new biology.

GLOBE PHOTO/BRETT COOMER

Miller Quarles, a wealthy Texas oilman, helped fund research aimed at extending human life.

There was a time when West was routinely laughed out of meetings for explaining how science would "cure" old age. A decade ago, no one was really listening but Miller Quarles, a rich Texas oilman who wanted desperately to live to 200.

In the 11 years years since West met Quarles, the curious friendship between scientist and investor helped propel West from the fringes of research to his place today at the center of the new biology, which promises miracle cures while roiling society in the process.

And behind West's remarkable trajectory lies an obsession with the seductive notion that humanity can outwit death.

"I figured Mike would find the longevity gene so we could have a lifespan as long as the Galapagos turtles," said Quarles, now 86 and recovering from prostate cancer in Houston. "As far as I'm concerned, he could find the fountain of youth."

WEST, Page A24

《波士顿环球报》2001 年 8 月 19 日头版（星期天刊）

第 14 章

《波士顿环球报》

The Boston Globe

报纸摇篮一枝独秀
立足波城坐拥六州

《波士顿环球报》，创刊于 1872 年，1993 年以 11 亿美元的历史最高价被纽约时报集团收购，是美国新英格兰地区 6 个州发行量最大的日报。2003 年 10 月～2004 年 3 月平日刊平均日发行量为 452,109 份，居全国第 15 位；星期天刊平均发行量为 686,575 份，居全国第 11 位。

一、南下波士顿

2001 年 8 月 22 日早上，我收拾行装，开车离开加拿大蒙特利尔市，朝着正南方向的美国驶去。我在加拿大魁北克省境内绵延起伏而车辆稀少的山区高速公路上全速行驶，一路上风景美不胜收，路边不断出现告示牌，提醒司机："小心！此后 10 英里路段有大鹿。""小心！此后 15 英里路段有黑熊。"……这些告示牌的目的是提醒司机们开车小心，见到动物注意避让。美国和加拿大等国对动物总是关爱备至，任何野生动物都不可以随便伤害，否则将触犯法律。有一天清晨，我在宾州一段车流密集的公路上行驶时，发现一头健壮的雄鹿被汽车撞死在路边，鲜血淋漓。当时我真想停车将这新鲜的鹿肉放到车上。美国人不是最喜欢烧烤吗？这样鲜美的鹿肉到哪里去找？可惜路上汽车很多，一辆接一辆，不容我停车。后来我将此事说给一位在美国的中国朋友听，他连说捡不得捡不得，美国人碰见这种事避之唯恐不及，沾上它谁说得清？

中午，汽车在接近边界的一个小镇停下，我到一个超市买点食品。这是一个民风淳朴的加拿大乡间城镇，人们平静悠闲，所有人见到你都笑着向你问候，耐心接受你的任何提问。在这个令人心情舒畅的小镇，我美美地享用了一顿午餐。然后继续开车，很快到了边境。边境车辆不多，坐在车上取出证件盖个章就可走人，前后不到 1 分钟，不像在底特律出境时要排很长的队，而且加拿大的警察还要收 4 美元手续费。

进入美国境内仍是山区，汽车穿过佛蒙特州，沿着缅因州和新罕布什尔州交界地区行驶，直到波士顿所在的马萨诸塞州，沿途有多处大型风景区或国家公园，到处景色如画，开车一点也不觉得疲劳，甚至是一种享受。傍晚来到早先预订好的波士顿郊区伯灵顿市的"四点巴塞罗酒店"(Four Points Barcelo Hotel)。

和《波士顿环球报》约好的采访时间是 8 月 24 日上午，所以第二天还有空游览一下。上午先去市区，看了被称作美国最早的公园的波士顿公园（Boston Common）和一些历史古迹。波士顿市中心区密集的马路都呈弧形，很容易迷失方向，难怪 AAA 汽车俱乐部的旅行指南上说那些一定要开车去市区的司机必须带一个向导或有一张好地图。而在中心区以外的城区，路上汽车也很多，最要命的是波士顿人既性急又无礼，你在路上车速稍一放慢，或在红绿灯路口起步时多眨一下眼睛，后面的汽车都会大放哀声，然后那辆车的司机会在气急败坏地超过你时再给你一个白眼，或回头将手伸出窗外做一个表示不满的动作。我在美国绝大多数城市开车，人们都会“礼让三先”，纽约市相对较差，没想到波士顿更邪门。后来，我读到一位在加州生活 20 多年的华裔写的一篇文章，竟也讲到波士顿人的无礼，说他在加州循规蹈距惯了，车接近路口时总是“徐向前”，谁知在波士顿却因此处处挨喇叭、吃白眼。

下午去哈佛大学参观。这里是个人口密集的大学城，一切社会服务及衍生出的社区，都与这所世界名校有关。大学城中间有一个“哈佛广场”，各类青铜雕像随处可见。主校园绿茵如毡，树影婆娑，一幢幢五六层高的红色楼房若隐若现。面对正大门的是哈佛大学 1636 年的创始人约翰·哈佛（John Harvard）的铜铸全身雕像，高高地坐在一个一人多高的大理石台上。这个较为“古典”的校园的近邻，是现代化的“科学中心”。中心大门前有一片喷泉，所谓喷泉其实是不到一人高的一片浓浓的雾状水圈，看不出喷水的痕迹。全哈佛城最高的建筑是一个白色尖顶的教堂。这样走马观花地看看，夜幕不知不觉间已悄悄降临。

哈佛大学是波士顿高等教育的代表，在它附近还有麻省理工学院。据查 AAA 资料，波士顿市共有 60 所大学，教育是全市第一大产业，每年秋季有超过 25 万名大学生涌向波士顿，密度之大超过美国任何一座城市。

二、美国新闻史起源于斯

2001 年 8 月 24 日上午，我开车来到波士顿莫利西大道 135 号的《波士顿环球报》（*The Boston Globe*）。这里已是市区的边缘，所以报社有大片停车场。进得报社大厅，只见一面墙上挂着放大了的 1872 年 3 月 4 日该报创刊号的丝绸版，另一面墙上则挂着一幅比报纸创刊号更大的地图，上面标示的该报发行范围，已大大超过马萨诸塞州的版图，北起缅因州，南至康涅狄格州，都在其覆盖范围。该报的原址在市区闹市，后来搬迁至此。虽然创刊于 1872 年，但《波士顿环球报》并不是该市最早的报纸。

美国的史学家把波士顿视作美国历史的起源。早期的殖民者正是在这里建立了美国第一座城市。早在 1722 年就有了相当规模的城市规划，波士顿人以拥有很多“美国第一”而自豪。就个人兴趣而言，我是将波士顿与波士顿交响乐团联系在一起的。这个交响乐团是美国五大交响乐团之一，也是世界一流的交响乐团。中国“文革”结束后第一个来访的美国交响乐团就是波士顿乐团。记得当时在世界著名指挥家小泽征尔的指挥下，该团与中国中央乐团联合演奏美国乐曲《星条旗永不落》，引起很大轰动。而乐队中4位美国女郎身穿曳地黑色长裙起立吹奏其中一段短笛主旋律时的美好形象，更深深嵌入我的记忆之中。此次访美，我专程到纽约市有着100多年历史的卡内基音乐厅欣赏小泽征尔指挥波士顿交响乐团的告别演出，心情十分激动。不过那时有一个感觉：小泽征尔真的老了。

就新闻而言，波士顿也是全国的发源地。

美国有史以来最早的报纸《公共事件》（*Public Occurrence*）于1690年9月25日创刊，地点就在波士顿。这家报纸的老板是美国早期著名印刷商兼新闻工作者本杰明·哈里斯（Benjamin Harris）。哈里斯在英国有一个印刷所，但因“藏匿煽动性图书”的罪名被判坐牢两年，1686年当他的印刷所再次遭当局搜查时，他逃到了美国，落脚在当时整个美洲最大的城市、已有7000人口的波士顿。这份《公共事件》的大小只相当于我们现在的大16开杂志，共4版，其中第四版为空白，以便读者在传阅前将自己获得的最新消息写上去。这份“报纸”却因刊登了得罪当局的新闻仅出了一期就遭查封。在这份准报纸问世12年后，英国第一份英文日报《每日新闻》（*Daily Courant*）诞生。

1704年4月24日出版的《波士顿通讯》（*Boston News-Letter*）是美国第一份真正的连续出版报纸，它仍诞生在波士顿。15年之后，这份报纸遇到问世以来在美洲大陆上的第一个对手《波士顿公报》（*Boston Gazette*）。1721年，美国早期最著名报人本杰明·富兰克林（Benjamin Franklin）的哥哥詹姆斯·富兰克林（James Franklin）创办了《新英格兰新闻报》（*New England Courant*）。这份报纸被称作美国历史上第一份为读者提供喜闻乐见的新闻的市民报纸，其诞生地还是波士顿。波士顿的报业形成一定气候以后，殖民者们才在美国其他城市陆续办报，并很快形成办报热潮，包括本杰明·富兰克林后来在美洲当时第二大城市费城办的《宾夕法尼亚公报》（*Pennsylvania Gazette*）。

过去我对“新英格兰”的概念十分模糊，此次访问《波士顿环球报》屡屡听到这个词，才了解到，所谓“新英格兰地区”，是指美国东北角6个州。早期欧洲移民在给美国一些殖民部落或城镇命名时，喜欢用自己熟悉的本国地名并在前面加上一个“新”字，以示区别。如英国有个城市叫做“York”，就把美国东部大西洋边上那几个岛称作“New York”。新英格兰这6个州从北往南数，依次为缅因州、佛蒙特州、新罕布什尔州、马萨诸塞州、罗德岛州和康涅狄格州。据说早期英国殖民者登陆波士顿后，即把以波士顿为中心的这一大块地区看作第二故乡，以“新英格兰”相称。据美国史料记载，英国探险家约翰·史密斯（John Smith）是在书面上称这一地区为“新英格兰”的第一人。他还曾绘制该地区的海岸图，并在其 1616 年出版的《新英格兰记》（*A Description of New England*）一书中描述其发现。

《波士顿环球报》于 1872 年 3 月 4 日创刊，第二年被查尔斯·H. 泰勒（Charles H. Taylor）将军收购并自任发行人，当时的发行量为 8000 份。后来泰勒又创办了一个晚报版，加强了报纸的可读性。到 1890 年，该报的晨刊和晚刊总发行量高达 15 万份，成为美国十大报纸之一。此后该报长期由泰勒家族经营，直到 1993 年被纽约时报集团公司以 11 亿美元的历史最高价收购。

在 20 世纪初，费城、纽约、芝加哥等大都市报业勃兴，波士顿的报业风光不再，但《波士顿环球报》一直保持较好的生存状态，并于 20 世纪下半叶重新崛起。该报的早、晚报从 60 年代开始在本市报纸中回到龙头老大地位，并于 70 年代起积极干预政治和公共事务，参与美国一流报纸的竞争。在发行人戴维斯·泰勒（Davis Taylor）和总编辑托马斯·温希普（Thomas Winship）的带领下，该报曾与《纽约时报》和《华盛顿邮报》几乎同时刊登“五角大楼文件”，直至法院禁止，因而引起全国注意。该报还于 1967 年 5 月成为美国第二家反对越战的大报以及 1973 年 10 月成为美国第一家要求罢免尼克松总统的大报。1979 年，该报的早、晚刊合并，发行量继续增长，到 1982 年发行量已达 52 万多份，其星期天刊的发行量居全国第七，广告额占去波士顿全市报纸广告的八成。1989 年在很多大报的发行量有所下降的情况下，该报平日刊的发行量升至 522,981 份，居全国第 13 位，其全国性广告量在各报排名中居第六。1993 年，该报以经营和编辑自主权的完全独立为条件被纽约时报集团兼并。

正因为《波士顿环球报》在美国报业中的显赫地位，我此次将该报作为重点采访目标，其在我心目中的地位不亚于《芝加哥论坛报》。至于波士顿其他两家主要报纸，我就未曾联系。这两家报纸，一家是在国内，特别是在国际享有一定名气的《基督教科学箴言报》（*The Christian Science Monitor*），但该报发行量很小，不到 10 万份，依靠教会补贴；另一家是被默多克收购的 4 开报纸《波士顿先驱报》（*Boston Herald*），发行量达 30 多万份。

三、女老总的发行观

在《波士顿环球报》的第一个采访对象是该报分管发行的高级副总裁雅丝曼·娜米尼女士。娜米尼看上去年逾不惑，身材高挑，长相端庄，言行文雅，上着紧身黑T恤，下穿白色休闲裤，棕黑色披肩长发显示其身上有着非欧洲血统。这是我见到的又一个典型的美国职业女报人。她一年前来自《纽约时报》，美国超级大报的工作背景加上在波士顿的探索经历，使她眼界开阔，谈吐不凡。一些涉及美国报业运作中的重要内容，我都是从这次谈话中首次了解到的，如美国报纸的教育工程，美国报刊发行量稽核局的运作等。

采访《波士顿环球报》分管发行的副总裁雅丝曼·娜米尼

我们谈了足足一个多小时。下面是她谈话的主要内容：

"《波士顿环球报》现在的发行量为46.6万份，这是指平日刊报纸；星期天刊的发行量为70.3万份。我们报纸的绝大多数，包括平日刊和星期天刊，都是住户投递，大约占75%。其他报纸则在超市、商店等地点销售，这就是所谓零售报纸。我们还有一部分在校园销售的报纸，这些报纸投递到学校，供教师、学生及其家长们阅读。这些报纸，有的是他们付钱订阅，有的是我们找捐助人付款。所以，看上去有些报纸是免费发给学生的，但其实是由捐助人代为支付了报款，这部分发行量也就得到 ABC 的认可。ABC 是美国报刊发行量稽核局（Audit Bureau of Circulation）的缩写，它负责审核美国所有日报的发行量，你可以从它那里获得美国报纸的很多重要信息。如果我们向校园发行的报纸是真正免费的，没有任何人出钱，则这部分发行量 ABC 不予认可。它认可的都是有价发行报纸，这是 ABC 的规则。

“你问有多少报纸在校园发行？今年大概平均每天有 19,000～20,000 份，其中大部分在中小学，小部分在高等院校。高校都是由学生付费的。我们花费很大精力向学生推介报纸，因为他们被认为是将来的读者，事关报纸前途。为了在今后 10 年或 20 年内保持和扩大读者队伍，我们必须为今天的年轻人培养读报的习惯。这就是我们美国报纸所说的‘NIE 工程’，即报纸教育工程（Newspaper In Education）。在校园发行的报纸主要是周一至周五，星期天刊很少，因为星期天中小学校都关门了。

“由此可见，我们的发行渠道主要有三方面：住户投递，零售，NIE。这是我们的三大销售渠道。很多美国报纸都有 NIE 工程或项目。《纽约时报》在全国范围有一个庞大的 NIE 工程。大多数地方报纸都与学校合作办有 NIE 项目。我们经常与教育委员会合作，除了向学生和老师提供报纸，我们还编印辅导刊物免费送给他们。老师会利用这些辅导刊物帮助学生正确阅读报纸。有些报纸含有面向学生的专版，但我们没有。我们觉得没有必要那样做，我们的辅导刊物会引导学生读报。我们的报纸有时会有和学生相关的内容，但不是专刊。我们在辅导刊物里会努力培养孩子们，甚至是小学生的读报兴趣。对小学生，也许卡通画就是最好的入门读物，我们首先向他们推荐的版面就是卡通画。但卡通画并非专为孩子设计，很多成人也喜欢看。对稍大些的年轻人而言，体育版或体育板块是很有吸引力的。我们报纸有编排很好的天气特刊，我们向教师提供天气特刊的教育辅导指南，教师据此帮助学生正确理解天气信息。总的来说，8 岁、9 岁和 10 岁的孩子都喜欢卡通画，中学生则对体育和天气感兴趣。”

说到这里，我问她：“您作为一名到《波士顿环球报》不久的主管发行的老总，您拓展发行的重点在哪里？”

她说：“**最重要的是开辟新的发行市场。作为一家成功的老报纸，原有的市场不太成问题，关键是要发现和获得新的读者市场，这样才可能使得发行工作有所进展。我的经验是，要发动员工努力寻找人群集中的报纸市场。**在波士顿，我发现零售的潜力很大，特别是大型连锁超市的售报潜力很大。于是我们与超市经营者协商合作，让它们试销我们的报纸，给予最优惠的条件。超市不仅为我们销售报纸，还有很特别的陈列展示作用。报纸放在收银台附近，每天有成百上千的人看到我们的报纸，人们在排队付款时还会拿起报纸阅读，相当于很好的免费广告。另外一个可拓展零售市场的地方你大概听说过，就是咖啡店和 Dunkin' Donuts（美国一种随处可见的出售炸面圈和咖啡等食品的快餐店）。像 Dunkin' Donuts 这类连锁店整天都有人去买咖啡和面圈。前几个月，我们刚刚和 Dunkin' Donuts 签订了一个协议，本报可以在其所有连锁店的店堂里销售报纸。这些连锁店总共有 140 个，仅仅两个月，我们在这些店里每天销售的报纸已有 500 份，星期天销售 2000 份。所以我认为，扩大零售，必须善于发现新的零售点和目标人群。”

访问美国所有报纸的老总，从来没听他们提到公费订阅的发行量。而在中国，任何主流报纸都有相当数量的公费订阅，少则二三成，多则八九成。美国也有政府，也有单位，难道他们不订报纸吗？于是我问：“贵报的订户中有多少是单位公费订阅的？”

“我不太清楚到底有多少是单位公费订阅的，但这个数量一定很少。很多单位是不订报纸的，都是员工订，即便公费订也只有一二份。最多的单位订户是图书馆，我们在图书馆的销量大约 500～1000 份。还有的公司给员工订报作为福利，投递到员工家中，这部分很难鉴定是否公费。”

“酒店、旅馆呢？这些单位的订数也不少吧？”

“是有很多酒店订报纸。《今日美国》从创刊起就在酒店下了大功夫，努力扩大酒店的销量。但在很长一段时间这种销量不被 ABC 计算为有价订阅量，因为这种订到客房的报纸，不论客人愿意不愿意，都可获得一份，形同赠送，尽管酒店老板出了钱。所以这类发行量价值不大，各报都不太重视。而且，这类报纸卖给酒店旅馆，价格上也打了很大的折扣。《今日美国》的酒店发行折扣是很大的。《今日美国》的发行量实际很大，但有时 ABC 公布的发行量却落在《华尔街日报》之后，就是这个原因。但最近 ABC 的规则有了变化，它允许将这部分发行量计入有价发行统计，尽管这部分发行的价值比住户投递和零售低得多。即便如此，我们的报纸，还有《纽约时报》、《华盛顿邮报》等报纸，仍不太重视酒店发行，因为这部分发行的广告效益远不如住户投递和街头零售。对一家报社来说，发行量成为越来越重要的收入来源。住户投递因为能创造较好效益而被认为是最有价值的发行，其次是零售，酒店最少。酒店发行的价值虽较小，但由于可列入统计及仍能创造一定效益，现在越来越多的报纸开始重视向酒店推销报纸。”

娜米尼在谈到发行推销的经验时说："住户发行的价值既然这样大，我们在上面花的功夫也就多。我们向住户推销有很多种方式：我们在报纸上做宣传；我们给新订户一定时期的'入门'优惠；我们推销插页广告；我们实施电话推销；我们还做'直邮广告'（direct mail），做这种广告的目的是为了与更多住户保持接触，努力发展更多新订户。除了这些直接联系客户的推销方式，我们还做报纸内容的广告或形象广告。这些广告既可在本报自己的版面上做，也在电视、广播电台及其他媒体上做。在电视上做促销广告价格昂贵，但我们不得不做。"

"你能不能解释一下插页广告和电话推销在发行中的具体作用和实际效果?"我又问。

"当然可以。插页广告我们称之为 flies 或 preprint 或 insert。它的正式名称是 FSI，即'免费夹送插页广告'（Free Standing Inserts）的简称。插页广告是报纸很大的收入来源，它主要由超市的商品广告页和库邦（前面已经介绍过，即一种折扣优惠券）组成。美国是一个非常'库邦'的国家，很多读者购买报纸的唯一目的就是为了获得库邦或得到找房子、找工作这类分类广告。特别是像《波士顿环球报》这样的地方报纸，这类读者人数更多。如果你看《纽约时报》，就没有那么多的插页广告，《今日美国》更少。例如，在纽约地区发行的《纽约时报》，插页广告就没有《波士顿邮报》多。《华盛顿邮报》、《芝加哥论坛报》及其他地方报纸则是当地广告商推销商品信息的非常重要的渠道。既然插页广告这样受欢迎，既然别的公司可以要我们帮助做插页广告，为什么不利用这一形式推销我们自己的报纸呢? 你看，这就是我们的插页广告。"

说到这里，她给我看一份该报的发行插页广告，共两件。一件是一份开本、大小、纸质都很像大型贺年卡的彩色宣传品，左上角是在"请看今日《波士顿环球报》内容"的标题下的一段文字，内容如下：

深入详尽的及时新闻，目光独到的专栏文章和评论，获奖的调查性报道。这就是您每天可从《环球报》获得的内容。现在您可以享受50%的折扣而获得最便捷的投递到户服务。请打免费电话 1－888－832－6264，或剪出下面这封邮资已付、写明地址的明信片寄给我们。

打开这件卡片，里面有该报的图片和各板块内容简介，并说明新订户最初 4 个星期可享受对折优惠。另一件是一个可反过来粘贴的信封，内里也印了与前一件相似的内容，并让你填写上面的表格，包括订报时间、本人地址、电话等信息。上面还有网址，可上网订阅。这个信封也是免费邮寄的。

这项优惠政策与《纽约时报》的几乎完全一样，看来是娜米尼女士将《纽约时报》的经验带到了《波士顿环球报》。

她又谈到电话促销："在美国，电话推销的作用很大。就报纸的住户发行而言，不论报纸的规模有多大，电话推销都是最为重要的销售手段。从我们过去的发行实践看，居民的电话资料是最大的发行资源，正确利用这些电话资料则是最有效率的联络用户的途径。这种方式对说服新客户有效果，但在保持老客户方面的效果不太显著。"

2002年4月2日，我通过香港国际台收到美国哥伦比亚广播公司一则新闻，称美国2001年全国促销电话达到240亿次。由此可见美国电话促销的普及。

接着，她介绍了该报发行工作的其他方面："我们平日刊的价格是50美分，星期天刊的价格是2美元，但住户投递的价格高一些，每份收2.50美元。《波士顿环球报》的发行范围在波士顿和整个新英格兰地区，包括马萨诸塞、新罕布什尔、佛蒙特、缅因、康涅狄格和罗德岛。我们的住户投递主要在大波士顿地区，零售覆盖到其他州。我们也有竞争对手，如《波士顿先驱报》和一些更地方化的报纸，包括日报和周报。关于住户投递，我们委托独立发行员进行。这些发行员都是成人，没有孩子。我们和他们签订协议，所以他们也被称作'独立签约人'。'独立签约人'不以单位名义出面，都是个人。我们有大约2600名这样的发行员负责投递我们的报纸。我们还有很多钟点员工做电话推销和读者服务工作。但在这个楼里，我们只有20名全职员工做零售工作，他们都是经理，另外有30名钟点员工做零售和读者服务工作。我们的卡车司机都是全职员工，但很抱歉我记不得确切的数字。"

这段话之后，我问了雅丝曼最后一个问题："作为发行老总，您认为在报纸发行全过程中最重要的事务是什么?"

她欣然回答："在报纸发行中，最重要的事情其实只有两件：第一是拥有可信赖的员工。他们应当能够驾驭各类新型发行工作，必须在如何促进销售方面既有经验又有思想。从历史上看，像《波士顿邮报》甚至《纽约时报》这类报纸的发行部门，只是一个实施部门，它们关注的问题只是如何将报纸投递或发送出去，不注重经营和促销。而我努力的是，将营销和促销的观念带入发行部门。这意味着我希望员工们在推销报纸上而不是在发送报纸上下更大功夫。发行部门的中、高层管理者必须具备这个素质和条件。过去我们只需要体力充沛和操作能力强的员工，并且只有这类员工能将工作做好。但现在如何能将报纸的发行量扩大，如何能吸引新订户，如何在促销上有好的策划，已成为对员工能力评判的更重要指标。

“第二条我认为也很重要，即获得足以支持我们促销、营销报纸的财源。过去，发行部的职责主要是送报和收报款，实际上是一个收钱的部门。但现在引入营销概念，发行部也需要投入。我们需要说服报社老板，扩大报纸发行需要增加资金投入。同时我们也努力从其他资源寻找资金。我们需要制订增加资金的预算，需要有一个高效的投入计划，使资金与扩大营销巧妙地结合起来。”

写到这一节的当天，即 2002 年 7 月 17 日下午，我正好应邀参加深圳报业集团发行总公司总经理的竞聘会。根据市委的安排，深圳特区报业集团与深圳商报（包括深圳晚报等子报子刊）的合并工作正在筹备中，很快将正式组建也许是中国最大的报业集团——深圳报业集团。为不影响下半年两家单位报纸的发行征订工作，筹备组决定提前将两家发行公司合并，组成报业发行总公司，并选聘新的总经理。共有 6 名合格的应聘者。在竞聘的答辩阶段，我问其中一位应聘者：

“现在国内一些大都市的报纸都在报纸自办发行中探索和积累了不少成功经验，世界上一些发达国家更在报纸自办发行上有一两百年的经验，而深圳自办发行起步较晚，才有短短几年的经验。我的问题是，您认为，哪些外地或外国的经验值得我们在未来报业总公司的运作中予以借鉴?”

这位应聘者回答：“根据我所了解的做法，外国的发行工作有一套不同的机制，不太适合我们的国情，所以基本上没有借鉴价值。”

这个回答虽然很干脆，但不能令人满意。远的不说，就娜米尼在《波士顿环球报》以及前述《纽约时报》和《斯塔藤岛前进报》在发行上的很多做法，都值得我们学习和为我所用，这与“国情”二字关系不大。例如，庞大的用户数据库的建立（用户数据库资源的实际价值会大大超出人们的预想），电话推销（电话推销的效果前面已经说过，还有一例，即当初华莱士在创办《读者文摘》时，就是在屡试屡败几乎悲观无望的情况下，通过电话号码本信息的地毯式推销取得了简直难以置信的出奇效果），新订户的初期折价促销，与社会其他组织委托签约以精简发行队伍，电脑网络收款，多种订阅方式（破月、破周、选订一周中某些日子）等。发行公司合并后，还面临消化富余员工和增加收入、提高员工待遇以增强凝聚力等问题，《波士顿环球报》利用庞大的住户投递网络，在插页广告和代做直邮广告等到户投递工作方面承接外活获取收益的做法也不无参考意义。尽管目前还有一些政策壁垒，但有些壁垒在一些地区已被打破，如插页广告问题。今后这方面的做法只会进一步向国际惯例靠拢，而不会收紧。

从这个意义上说，我们需要对外界的情况心中有数，否则难以在更高层次上与人竞争。

四、新总编到任才一月

当初与《波士顿环球报》联系时，我写信的主要对象及向公关部门要求采访的主要对象都是该报总编辑马修·V. 斯托林（Matthew V. Storin）。不料这些信都理由充足地被打了回票：斯托林刚刚于 7 月 13 日退休。后来重新联系，才有了这次访问安排。在与娜米尼女士谈话之后，我被秘书领到该报新任总编辑的办公室。

采访《波士顿环球报》总编辑马丁·巴伦

接替斯托林的新总编辑名叫马丁·巴伦（Martin Baron），来自迈阿密。他向我介绍了该报编辑部的情况：

“我是 4 个星期前才从《迈阿密先驱报》（*Miami Herald*）调到这里的。此前我任那家报纸总编辑。我们报社分编辑部门和经营部门两大摊，是典型的美国报纸结构。在发行人的领导下，总编辑负责新闻方面，另外还有社论部主编，负责社论、读者来信和评论。总裁负责经营事务。我的职责是负责编辑部除社论评论版以外的一切事务。

“在我之下，有行政总编（executive editor），这是编辑部的第二号人物；有执行总编，这是编辑部的第三号人物……”

我赶紧插嘴：“在很多报社，如《纽约时报》、《华盛顿邮报》、《洛杉矶时报》，executive editor 是编辑部的一号人物，我们称其为总编辑，你们的报纸看来有所不同？”

“你说得对，很多美国报纸编辑部的一把手是 executive editor。我原先工作的《迈阿密先驱报》也以 executive editor 为首。但《波士顿环球报》不这样做。在我们这里，editor 最大。那些以 executive 为一号人物的报纸，不会再有 editor 这个头衔。这就是我们的区别。”（笑）

他接着介绍道：“我们有一名行政总编，两名执行总编。执行总编中一人负责日常出报，另一名负责编辑部的行政管理，包括招聘员工、薪酬、人事、法律等事务。在他们之下，有 6 名副执行总编。然后就是各部的头了。这些部门有：国际部、国内部、体育部、本地新闻部、副刊部、专刊部、摄影部和设计组版部等。专刊部包括‘科学世界’、‘旅游’、‘餐饮’、‘生活与家庭’、‘房地产’等板块及影视等杂志。我们还有一个调查报道组，专门承担调查性报道项目。此外我们还有一个图书馆。编辑部人员总数为 416 人。”

这是我在美国采访中见到的唯一能精确说出编辑部员工总数的总编辑。看来巴伦新官上任，已经把家底摸得很清了。

在谈到编辑部的运作时，他说：“我们每天上午 10：30 召开第一次编前会。所有采编部门的负责人都要参加这次会议。我们在这个会上讨论各部手里正在采写的新闻内容，特别是汇集可能或正在发生的重要新闻线索和有可能上头版的新闻苗头。这个会开半小时。然后在下午 3：30 我们开第二次编前会。这次会议主要讨论上次日头版的稿件，会议时间也是半小时。到了晚上，各部主编会随时商量当晚最新情况，从而列出最后的一版菜单。所有行政总编和执行总编都被要求参加这两次编前会。我有空时当然也会参加，但一般情况下我不必上晚班，因为我白天有大量工作要做。有一位助理总编辑负责夜班业务，他对每一篇重头稿件都可过目。”

我又问：“在我们国家，报纸总会策划一些选题或制订近期报道计划。不知贵报的报道计划由谁负责制订，又是怎样付诸实施？作为总编辑，你认为日常管理中最重要的事情是什么？”

巴伦说：“**我们也有报道计划。这些计划都由各部门制订，也由各**

部门实施和完成。但作为总编辑以及我手下的行政总编或执行总编，都要监督这些计划的制订和实施。我们也有责任提一些建议。至于临时有些想法，则不属于报道计划。编辑部管理中的最重要事情，是处理好人的问题。我们要选聘优秀人才，并让优秀人才进入合适的工作岗位，还要激励和推动员工努力工作。我们很少解雇员工，但我们仍有机会聘用新员工，原因是有员工自动离开。你问离开的原因？那有很多，如他们可能转去做杂志，可能找到更好的工作，也可能因为家庭搬迁。像我从佛罗里达千里迢迢到这里任职，家属也会跟随搬迁。”

五、广告信息不厌其“详”

在《波士顿环球报》采访的第三人是该报分类广告销售经理约翰·比罗利尼（John Birolini）。由于录音机信号已满，和他谈话只能靠笔记，记录慢使我遗漏了不少信息。已近中午吃饭时间，也容不得我反复询问。好在大体情况记下了。

据比罗利尼介绍，《波士顿环球报》的广告主要分三大部分：第一部分是全国性广告，第二部分是零售商广告，第三部分是分类广告。其中分类广告是第一来源，占整个广告收入的53%。全国广告占第二位，然后是零售商广告，而零售商广告中又有很大一部分是插页广告。大多数插页广告都是由该报设计、制作和印刷的。该报2000年的广告收入为约4亿美元，这几年都稳定在这个数字上。该报广告部共有150名全职员工和50名钟点员工。整个报社共有2500名员工。他说：“无论在广告总额还是发行总量方面，本报都是新英格兰地区第一位的报纸。”

关于广告价格，他说，《波士顿环球报》在国内排行第八、第九或第十，价格最高的是《纽约时报》。然后他给了我一些该报印刷精美的广告文案及价目表。

从这些资料中我发现，该报在广告市场的开拓上工作做得很细，各类信息应有尽有。例如，广告部对报纸各主要广告的读者都有统计数据，供广告商挑选。在厚厚的分类广告资料本里，一打开就可看到该报分类广告读者的构成情况，称该报覆盖了波士顿最有吸引力的读者群：

市区读者包括74%家庭每年总收入75,000美元以上的读者，59%正在考虑购买房子的读者，67%正在考虑卖房子的读者，54%正在考虑买一辆汽车的读者，73%大学毕业生，68%担任管理者职务的读者，

58%的职业妇女。

再如，该报另一份针对“市场”板块广告商的资料中也有类似的调查，称该报市场版的读者数量高达 140 万，“在这里刊登广告您可以到达 60%家庭年收入 75,000 美元以上的读者，可以到达 56%将在一年内买房的读者，可以到达 47%将于一年内购买或租用新车或二手车的读者，可以到达 56%打算在一年内调换工作的读者，可以到达 66%的大学毕业生，可以到达 52%的高级管理人员。”

我相信，这样的读者状况分析，有助于广告客户在选择报纸或报纸的某个版面时作出正确决策。

该资料还附了一份 ABC 统计的该报发行数据，时间是“截至 2000 年 3 月 2 日的 26 个星期平均数”，其中平日刊每日发行量为 470,096 份，星期天刊平均每期发行量为 722,729 份。截至 2001 年 9 月的统计数据与这组数据相比，平日刊下降幅度较大，星期天刊却有所上升。

另外，该报还向广告客户提供一份《波士顿环球报》2000 年在大波士顿地区各地详细的发行资料地图，在地图上 100 多个村、镇的小格子里，都用三种颜色标有不同的发行数据：黑字为这一地区的家庭户数，红字为该报平日刊在这一地区的发行量，蓝字为该报星期天刊在这一地区的发行量。例如在波士顿市区，我们可以看到家庭户数为 217,195 户，平日刊发行量为 69,854 份，星期天刊发行量为 80,559 份。

从广告部出来，我结束了对《波士顿环球报》的采访，匆匆吃过午饭，开车急驶。我改变了在罗德岛这美国最小的州停留的计划，直奔纽约市。这一路要经过罗德岛州、康涅狄格州和纽约州。娜米尼告诉我，周末赶回纽约一定要尽早动身，否则到了下午下班高峰时塞车会很厉害。在 95 号州际高速公路上，我按接近 75 英里/小时（超过限速近 10 英里/小时）的速度疾驶，但还是在康州的纽黑文市（耶鲁大学所在市）、斯坦福市一带遇到大塞车，车速一度降至每小时 15 英里，甚至一动不动，有的司机干脆驶出高速公路去小镇咖啡馆休息去了。这个速度使我到达纽约附近的时间正好 6 时左右，又遇到那里的车流高峰。回到在纽约斯塔藤岛的住处时，已是晚上 8 点多钟，本来 4 个小时可以开到的路程，用了 8 个小时。

2001 年暑假对美国南北两个方向近 10 家新闻单位的访问，到此结束，《波士顿环球报》算是最后一站。这个暑假过得紧张而有意义，不仅成功访问了美国多家著名报社，还沿途饱览了北美风光，可谓不虚此行啊。

第二天醒来，疲劳顿消，又仔细翻阅访问当天（2001 年 8 月 24 日）向对方索要的《波士顿环球报》。当天是星期五，该报多达 100 页，售价 50 美分，共分 5 叠：A 叠是新闻板块，共 34 页，包括要闻、国内新闻、国际新闻、社论等内容，新闻的份量很足；B 叠是本市新闻板块，共 16 页，包括本地及新英格兰新闻和天气版；C 叠是副刊“生活与艺术”（Living / Arts），共 26 页，包括电影（版名为“零点胶片”，有 4 部电影的图片，布局疏朗）、“来吧，星期五!”、“舞台”、音乐、电视广播评论、电视节目及分类广告等版面；D 叠是经济板块，共 8 页，包括国内、国际经济和证券行情；E 叠是体育板块，共 16 页。

再看上周日，即 2001 年 8 月 19 日的星期天刊，共 344 页，售价 2 美元，有 15 叠：

A 叠仍为新闻，30 页，含半版的“波士顿之最”及“波士顿与纽约之比较”等专版文章，另外，将国际新闻排在了国内新闻之前（很多美国报纸都这样，似乎到了周末，读者更喜欢读国际新闻）；

B 叠是本市新闻，12 页；

C 叠是体育，22 页，其中有 3 个版的讣闻报道及讣闻广告；

D 叠是“焦点”（Focus），8 页，含专题新闻、书评、社论与来信、评论等版面；

E 叠是“经济与理财”（Business & Money），12 页；

F 叠是“每周都市”（City Weekly），12 页，内容庞杂，从出海女渔民（首页）、新来邻居、巴西音乐家、一个家庭的历史，到三个男孩运动队、娱乐信息等；

G 叠是房地产，36 页，广告为主，其中前 2/3 是独立房屋，后 1/3 是公寓房；

H 叠是“波士顿就业”（Boston Works），36 页，分 2 叠，广告为主；

I 叠是卡通画，8 页，全部彩色，无广告，其中后一半是趣味版，含谜语和游戏；

J 叠是汽车版，32 页，分 3 叠，每叠封面与封底都是彩色，广告为主；

K 叠是旅游，18 页，分 2 叠；

L 叠是“艺术之类”（Arts Etc.），16 页；

M 叠是“波士顿环球报杂志”（The Boston Globe Magazine），8 开，34 页，全部铜版纸，广告为主；

N 叠是“电视周刊”(TV Week)，16 开，52 页；

O 叠是“星期天波士顿环球报广场”(Boston Sunday Globe PARADE)，8 开，16 页，全部铜版纸。

除了这 344 页，还有各类广告插页 200 页以上。

可以想象，这又是一份沉甸甸的超大报纸。

THE SUN

Tuesday, October 23, 2001 | CARROLL COUNTY | Baltimore, Maryland : 50 cents

Anthrax fears widen

Disease suspected in deaths of 2 D.C. postal workers

AMY DAVIS : SUN STAFF

Advisory: *Postal workers Lloyd Morris and Ann Brown of the Brentwood central mail facility read an anthrax notice handed to them as they awaited nasal swabs and 10-day doses of antibiotics at D.C. General Hospital.*

Investigators try to track source of contamination

Treatment criticized

By FRANK D. ROYLANCE
SUN STAFF

The capital region's bioterrorism crisis deepened yesterday after two employees at Washington's primary mail-handling facility died of suspected inhalation anthrax, and two others were seriously ill with the same illness.

One of the fatalities was a 47-year-old Prince George's County man. Health authorities said they were also awaiting test results on at least nine other people in the Washington area — not necessarily all postal employees — whose illnesses might also prove to be anthrax cases.

In announcing the new cases, Homeland Security Director Tom Ridge said the nation was fighting two fronts in the same war. "There's a battlefield outside this country and there's a ... battlefield inside this country," he said

Investigators remained puzzled yesterday by the trail of contamination — from the letter mailed to Senate Majority Leader Tom Daschle or another still undiscovered — that has infected postal workers from New Jersey to Washington.

Mitchell Cohen of the Centers for Disease Control and Prevention acknowledged that he did not understand how the victims had inhaled anthrax because the letter to Daschle was taped shut. "This phenomenon ... is an evolution," he said. "How it's actually occurring isn't clear."

More than 2,200 employees of the Brentwood Central Mail [See Anthrax, 12A]

Bombings raise tensions along the front lines

REUTERS

Donald H. Rumsfeld: *"We have been ready and are ready to have the [general] alliance forces move."*

Muted celebration, as Taliban weapons fail to reach planes

By DOUGLAS BIRCH
SUN FOREIGN STAFF

CHARIKAR, Afghanistan — American warplanes bombed Taliban troops on the front lines north of Kabul yesterday for the second day in a row, as some of the defenders used every weapon they had, including rifles, in vain efforts to shoot down the high-flying jets.

Aircraft first roared above the mulberry orchards and wheat fields of the Shomali Plain about 4:15 p.m., and people in areas controlled by the Northern Alliance stepped out of their homes or stopped in their tracks on the road to gaze skyward.

Blue sky poked through high clouds. A sliver of moon was rising. The planes made themselves known first as a distant roar, before coming into sight as silver specks. From more than two or three miles away, haze and dust obscured the flash of the explosions.

A second wave of planes arrived after nightfall. Dull red flashes bloomed on the ground near the Bagram Air Base, where the Northern Alliance holds the control tower and Taliban troops wait 200 yards beyond the cratered runway.

Witnesses counted eight bombs, including two that landed near the alliance side of the front line.

Hedayat Ullah, a shaken Northern Alliance officer from the village of Dorahi, west of Bagram, said one of the stray bombs exploded about 100 yards from his outpost, without injuring anyone. Most of the bombs landed in Taliban-controlled areas, included three that exploded in the village of Ghund-e-Shergul.

Alliance soldiers overheard the Taliban commander of Ghund-e-Shergul order his men by radio to fire everything they had at the aircraft. They responded with an anti-aircraft cannon, rockets and assault rifles.

But the aircraft appeared to release their bombs at an altitude far beyond the range of those weapons. No information [See Bombs, 10A]

U.S. cracks door for N. Alliance

Strikes' focus shifts to Taliban front line

By TOM BOWMAN AND MARK MATTHEWS
SUN NATIONAL STAFF

WASHINGTON — The United States has begun to concentrate its air attacks on front-line Taliban troops in northern Afghanistan, an effort that could allow the opposition Northern Alliance to gain further ground, perhaps toward the capital city of Kabul, Pentagon officials said yesterday.

"Our efforts in the air clearly are to assist those forces on the ground in being able to occupy more ground," Defense Secretary Donald H. Rumsfeld said at a Pentagon news conference.

Gen. Richard B. Myers, chairman of the Joint Chiefs of Staff, added, "We're starting to work on some Taliban targets that are arrayed out in the field against folks that we are trying to help."

Their comments signaled that the U.S. bombing is now tilted toward helping the Northern Alliance rout the Taliban regime. Previously, the United States had focused its [See Attacks, 10A]

D.C. postal workers rankled

Employees question why anthrax case did not close office

By ELLEN GAMERMAN
SUN NATIONAL STAFF

WASHINGTON — Postal workers who handled anthrax-tainted mail sent to Congress went untested for exposure to the deadly bacteria even after thousands of Capitol Hill staff members were examined, prompting postal employees to question yesterday whether they were treated with the same care as the city's political elite.

"With Congress, they shut them down, had them tested, didn't let them go back to work," said Vanessa Slaughter, 36, a mail clerk from Forestville. "But they didn't do anything for us. We should have been tested a long time ago. Instead they just said, 'Y'all will be all right.'"

Such complaints filled the air outside D.C. General Hospital, where hundreds of postal workers arrived from the Brentwood central mail facility for anthrax tests and 10-day doses of antibiotics — precautions that took on heightened seriousness after news yesterday that two Washington-area postal workers had died of suspected anthrax infection and another had been diagnosed with the dangerous inhaled form of the disease.

Last week, after an aide in Sen. Tom Daschle's office opened an envelope containing anthrax, federal health officials sealed off a portion of the building where the letter was opened and quickly tested office members for exposure.

But on the advice of the federal Centers for Disease Control and Prevention in Atlanta, postal workers who could have handled the letter were not immediately tested for anthrax exposure or given preventive antibiotics. A CDC official told reporters that earlier testing of postal workers at handling facilities in New York and Florida, where other anthrax-tainted letters were processed, had turned up no evidence of anthrax exposure.

However, on Oct. 15, as testing was beginning on Daschle's staff members, postal authorities in New Jersey announced that two employees were being treated for possible anthrax exposure. The letter to Daschle, and another to NBC News anchor Tom Brokaw, were postmarked in Trenton.

Last Tuesday, officials expanded their testing on Capitol Hill to include hundreds of [See Brentwood, 11A]

More inside

Sun Journal: Afghan spokesman puts a face on the Taliban. [Page 2A]

Mail: Could unopened envelope with anthrax powder leave disease in its wake? [Page 11A]

On the Net: For updates, visit *The Sun*'s Web site at www.sunspot.net

Studying mission ahead

■ **Midshipmen:** *The war on terrorism brings a new sense of urgency to their lessons at the Naval Academy.*

By LAURA SULLIVAN
SUN STAFF

LLOYD FOX : SUN STAFF

Professor: *Barbara Harff leads midshipmen in a discussion on terrorism. "The best thing I can do as an educator is teach them to analyze and think critically," she says.*

Standing in front of a blackboard scrawled with a list titled "Definitions of Terrorism," Naval Academy Professor Barbara Harff searched the room for an answer to a question haunting the country: How do we fight a war in Afghanistan?

One midshipman called out, "I think it would be better to take out bin Laden than to give him a platform."

The class fell silent. On the blackboard, one of the definitions of terrorism was assassination.

"This is why we're here," Harff told the students in her "Middle Eastern Politics" class. "You can talk here."

As college students across the country struggle for ways to define the conflict and comprehend the difference between terrorism and military action, these students, dressed like the Navy officers they will become, have far more at stake in their quest for answers.

These students are learning about a conflict they will likely join, some in less than eight months. This campus in Annapolis is where debates about the rules of war and the right to wage one aren't theoretical, but real issues that these midshipmen will have to reconcile.

The seriousness they bring to these discussions, a daily occurrence across campus since the Sept. 11 attacks, is palpable from the tension in the arguments and the debates that follow.

"We don't want to indoctrinate them, have them speak in one voice," Harff said. "These students are very aware of [See Academy, 5A]

Russia republic, Sudan seek deals on arms, oil

New wealth could tip long African civil war

By WILL ENGLUND
SUN FOREIGN STAFF

MOSCOW — Sudan, long considered a home to international terrorists but now nearly rehabilitated in the eyes of the Bush administration, is looking for deals with oil companies and suppliers of military hardware, and Russia is trying to get to the head of the line.

The African country that once sheltered Osama bin Laden has changed — but maybe not all that much — since his expulsion in 1996, and now it wants to talk business with the ferociously anti-terrorist Russians, who appear to be delighted by the opportunity.

The Russians would like to step in before the Americans get around to dropping their sanctions against Sudan.

The State Department still lists Sudan among the countries that sponsor terrorism. But since Sept. 11, the Bush administration has been praising the government's cooperation in the fight against bin Laden and his al-Qaida organization. Human rights organizations still list Sudan among the few countries that maintain slavery — a byproduct of a civil war that has raged for 18 years between the Arab north and [See Sudan, 13A]

INSIDE

SunSpot

The Sun on the Internet: http://www.sunspot.net

The Sun's 165th Year: Number 296

0 08345 00002 0

《巴尔的摩太阳报》2001 年 10 月 23 日头版

第 15 章

《巴尔的摩太阳报》

The Baltimore Sun

勇于变化适者生存
古城老报永葆青春

《巴尔的摩太阳报》，创刊于 1837 年，是美国历史较久的著名日报，隶属论坛公司，有多个地方版。2002 年 4 月～9 月平日刊平均日发行量为 300,410 份，居全国第 29 位；2003 年 10 月至 2004 年 3 月星期天刊平均发行量为 470,453 份，居全国第 19 位。

一、东部古城里的红太阳

2001年10月23日清晨，在美国东北部一片炭疽病恐慌中，我从宾州驱车前往美国另一个相对古老的城市巴尔的摩。巴尔的摩靠近首都华盛顿特区，是由纽约、费城等地去华盛顿的必经之地。因此，旅行社拉客去华盛顿时，必将巴尔的摩列入游览点，其实也就是顺道看看港口之类，难睹该城真容。

今天访问的对象是该市最大报纸、历史上也较有名气的《巴尔的摩太阳报》。这家现隶属全国第二大报业集团论坛公司的著名报纸坐落在市中心区的卡尔福特大街北501号。卡尔福特是马里兰州早期殖民地领主的姓，巴尔的摩市后来即以该领主家族的世袭男爵的名字命名。到达该报之前，我迷了路，眼望着前面如林的高楼大厦，按雅虎网站提供的路线试走了几次也未找到，只好在一个加油站停下问路，但一问三不知。我再试，按地图逐渐缩小范围，最后总算找到报社。原来这条大街很长，分南北方向，中间又被截成数断，且从两个方向设立单行线，所以有些迷惑人。但这样一转，发现巴尔的摩果然名副其实是个热闹的老城，街道相对狭窄，路边高楼林立，到处车水马龙，新老建筑杂陈，中心区高耸的教堂，与周围新建的高楼相互映衬。

该报也没有地方给来访者停车。好在门口不远处的咪表停车位还有空，我就将车停在了那里。

巴尔的摩位于马里兰州，不是该州的首府，但规模和名气都比首府安纳波利斯（Annapolis）大得多。这在美国较为普遍，大多数州的首府默默无名，而很多著名的大城市都不是首府，如纽约、费城、芝加哥、底特律、洛杉矶、旧金山等。巴尔的摩建市于1729年，1812年美国独立战争中该市挫败英军的猛攻，声名远播。从19世纪初起，该市发展加快，成为仅次于纽约的全国第二大贸易中心，人口数量在全国排第三。巴尔的摩市在美国历史上创造了若干第一，如1827年修建成全国第一条铁路——巴尔的摩至俄亥俄的铁路；1844年在世界上第一个实现电报通信，接收到的第一条电文是“上帝干了什么?”（What hath God wrough? 用的是如今已经废弃了的古字）；其他还有联通全国的首条国家公路（the National Road），建成全国第一个天主教堂，任命全国第一个大主教等。1904年的一场大火迫使城市重建大部分建筑。现为美国十大城市之一，也是全国最大的海港城市之一。上世纪80年代的一系列建设为该市增色不少，成为美国旧城改造的典范。

<u>The Baltimore Sun</u>

就在这样一个既古老又现代的城市中心，我找到了红色的《巴尔的摩太阳报》办公楼。从有关记载看，这家报纸并非该市最早的报纸。在它创办之前，巴尔的摩已经有 3 家日报，日报数量在全国城市中排第三。但只有《巴尔的摩太阳报》这后起之秀存活下来。该报于 1837 年 5 月 17 日创刊，创办者是在纽约创办第一份大众报《纽约太阳报》的本杰明·戴的印刷商朋友威廉·M. 斯温（William M. Swing）。斯温曾与朋友合伙在费城创办《费城大众纪事报》（*Philadelphia Public Ledger*），但不太成功，这份报纸数十年后被著名的《费城问讯报》（*Philadelphia Inquirer*）兼并。后来他受《纽约太阳报》成功的影响，决定到尚无大众化报纸的巴尔的摩创办一份同名报纸。不巧的是，他的《太阳报》创刊时，正逢当地经济萧条、银行纷纷倒闭，很多人为这份新生报纸捏着把汗。但《巴尔的摩太阳报》以便士报纸的价格和大众化的风格吸引读者，并利用本市在电报通信上的领先地位，在全国最先采用电讯新闻，与费城、纽约的报纸交换最新消息，使得该报的独家新闻超过本市任何一家报纸，从而很快站稳了脚跟，创刊的当年底发行量就达到 12,000 份的大数目。该报在创刊的当年还在华盛顿建立分社，迅速准确地报道全国性新闻，引起政府和其他报纸的重视。

《巴尔的摩太阳报》办公大楼

《巴尔的摩太阳报》的楼房大约七八层高，用红砖砌成，但因时代久远，红砖略微发黑，远远看上去呈暗红色，没有任何鲜亮的感觉，在喧嚣的闹市中很不起眼。但走近细看，却发现这座楼房的式样较为独特：临街的这一面竖着三面旗帜（其中一面是国旗），楼房下面是透空的，右面可看见楼房的另一侧；左侧有几级台阶，但台阶与马路并不平行，沿着这“斜梯”走上去，可见若干小门廊，在第一个门廊上端，镶着 THE BALTIMORE SUN（巴尔的摩太阳报）几个金字，上面黑糊糊的一片是老鹰、妇女、火车、轮船及

LIGHT FOR ALL（阳光普照）字样等组成的图案，四周还有辐射的光线（这个图案也是该报报头的组成部分）。楼房前人行道上的地砖也是用红砖铺就，与楼房颜色浑然一体，仿佛是楼房的延伸，与旁边人行道的白色路面反差很大，像是铺了一片红地毯。此刻是上午 9 点多钟，看不见人员进出，透过门廊或架空的楼层往里看，也无人影晃动，于是，这形状怪异的旧楼看上去就像一座无人居住的被遗弃的楼房。但后来进得楼房里面，却发现四处生机盎然，一派忙碌景象。

不过，距首都华盛顿只有 40 英里（合 64 公里）的巴尔的摩市，地位已经衰落。而且交通越是便利，衰落越发明显（这令我联想到天津与北京的关系）。就旅游而言，人们到巴尔的摩只是顺便路过，到华盛顿却是安顿下来、细细品味，人们宁愿住华盛顿郊区而不愿住巴尔的摩。就业也如此，很多巴尔的摩的高级人才跑到华盛顿去上班，早出晚归。更重要的是，这种格局也影响到报纸，增加了巴尔的摩报纸与首都报纸竞争的压力，这一点后面还会涉及到。

二、 晚报兴衰记

接待我的是该报行政管理主编爱德华·休伊特（Edward D. Hewitt）先生。休伊特是受该报总编辑威廉·K. 马里莫（William K. Marimow）的委托与我联系的。当初我的信在公关部经理那里碰了壁——该经理刚调离，新经理是谁他也不告诉我，但马里莫让休伊特写来了第一封回信，此后我们有多次信件来往。

与《巴尔的摩太阳报》总编辑威廉·马里莫（中）及行政管理主编爱德华·休伊特合影

休伊特面色红润，戴着眼镜，满脸白胡子，工作证件挂在裤带上。这位年约五六十岁的老先生不苟言笑，但处处为你设想，让你感觉到他其实是个很热情的人。他是报社的老人，对编辑部和经营部门的情况都很熟悉，我们谈了近两小时，包括他的经历。

他说："我于 1965 年 2 月 10 日开始从事新闻工作，当时在弗吉尼亚州诺福克市（Norfolk）的《弗吉尼亚人导报》（*The Virginian-Pilot*）当记者。在诺福克的老多米尼恩大学（Old Dominion University）学习期间，我利用周末和暑假的时间在《弗吉尼亚人导报》工作，既获得收入又学到知识。我那时还兼任校报的主编，但我没有获得学位。在《导报》我担任过本地新闻部的'任务记者'（general assignment reporter，意指在完成本职采访任务的同时负责向其他记者分配采访任务的记者，类似中国一些报社近年兴起的'首席记者'）、体育专栏作者和新闻编辑部的文字编辑。1968 年 9 月 23 日，我加入《巴尔的摩太阳晚报》，当文字编辑。从 1972 年 3 月至 1976 年 3 月，我担任都市新闻版的助理主编，此后直至 1991 年 4 月，我担任晚报的副刊部主编。然后我被任命为《太阳报》（晨报）的行政管理主编，直接归当时的总编辑兼高级副总裁约翰·卡罗（John Carroll）领导。到 1994 年 4 月，我又被增加了一个督导员（ombudsman）的头衔，督导员也被业界称为'读者代表'，是代表读者监督报纸运作程序的意思。如今我直接向现任总编辑兼高级副总裁比尔·马里莫报告。"

他说到"比尔"，我有些不解，忙问："现任总编辑的名字不是叫'威廉'吗？为什么把'威廉'称作'比尔'？"他终于露出亲切的笑容，说："那是对他的昵称，这里的人都叫他'比尔'。在美国，威廉的昵称就是'比尔'。"这使我恍然大悟，方知为什么一些名字会有出入。例如，《纽约时报》1945 年派出的世界第一个报道原子弹袭击全过程（即广岛原子弹爆炸）的记者，中国新闻界知道他叫"比尔"，因为在美国新闻界人们称他"原子比尔"，其实他的真实名字是"威廉"。

从休伊特的介绍中得知，《巴尔的摩太阳报》的历史比本书前面介绍过的所有报纸都长，而且经历了由晨报到晚报再到晨报的过程，这一发展折射出美国报纸由晚报向日报变迁的大趋势。

他说："我们这份报纸创刊于 1837 年。150 年前，它是一份晨报。但到 1910 年，它又创办了一份同名晚报，也即该报的晚报版。此后晚报版发展壮大，成为主要报纸，晨报倒变成附庸。直到 1995 年，我们同时拥有两份报纸。1995 年之后，我们将晚报关闭，只保留了晨报。这个过程说来也很有意思。我是 1968 年到这家报纸的，迄今 32 年。我来的时候，巴尔的摩有两家晚报，每家发行量都在 20 万份以上，而我们的晨报发行量却越来越小，无法和晚报相比。外地人只知这里有晚报而不知有晨报。

“这是什么原因呢？在整整一代人之前，我的意思是指37年前，这里很多人在工厂、车间里工作，每天早上6点钟就上班。这大批工人来不及读早晨出版的报纸。他们下午四五点钟下班回家后，才有空坐下来看新鲜热辣的下午版报纸。所以，晚报的读者越来越多，晨报的读者越来越少。**近30年来，工厂相继关闭，市区内工人大幅减少，出现了大量白领工作岗位，这些白领员工早上9点钟才上班，因而有时间读早上出版的报纸。他们上班前就在家中获得报纸，然后带在身上，在汽车、火车和轮船上阅读，午餐时还可以继续阅读。他们下午五六点钟下班，急忙往家里赶，无需再读晚报。这样，晚报市场开始萎缩，晚报的发行量开始减少，并且目前还在继续减少。很多晚报因此而关闭或改为晨报。所以说，晚报的消亡，并非晚报办得不好，而是因为现在的人们读晚报的时间少了。**

“与此同时，我们的晨报开始扬眉吐气，发行量节节上升。终于到1995年，我们不得不决定将曾经辉煌了几十年的晚报关闭。但关闭晚报我们没让一个人失业，所有晚报工作人员统统转到晨报工作。我们扩大了晨报的规模，加强了采编力量，扩充了版面，将晚报人员全部消化。很多晚报读者也转到了晨报，使晨报发行量进一步扩大。”

休伊特的这番话，形象地刻画了美国晚报由兴旺到衰败的戏剧性变化，也为晚报消亡原因的“产业调整说”增添了一个很有说服力的例证。我不由得想，美国目前仍然存在的约700家晚报，今后将面临怎样的命运？就在我回国之前不久，《斯塔藤岛前进报》的日子已经不像过去那么好过了，因为纽约市两家发行量很大的报纸纽约《每日新闻》和《纽约邮报》已经“捞过界”，开始出版斯塔藤岛版，向这世外桃源发起了进攻。这是后话。

三、竞争中求变图存

休伊特接着谈到地方报纸如何在与广播电视等新媒体及周边大报的竞争中取得胜利。他说：

“30年前，人们百分之百依靠报纸获得新闻信息。但现在不同了，我们所有人都与电视生活在一起，如CNN、CBS、ABC等电视网，人们从电视、广播还有如今的网络获得新闻。如果我们还想要人们买《巴尔的摩太阳报》的话，报纸就必须从原来的样子上作很大的改变，我们必须给读者一些他们从广播、电视上得不到的东西，一些独特的东西。现在的读者当然对整个世界有兴趣，但他们还是愿意花更多的时间来了解本地、本社区及邻里之间发生了什么。换句话说，他们对本地新闻更感兴趣。电视恰恰在这方面做得不够。电视受记者数量、拍摄条件、制作成本、传输时效等限制，目前无法做到像报纸那样密集覆盖本地和社区新闻，而我们可以给读者更多发生在学校或在你周围的新闻。

“为了以地方新闻同广播电视竞争，我们还开辟了很多地方版，我们在周围几个县都辟有地方版，我一会儿会给你看我们的地方版。在撤销晚报后，我们把大量的人员投入到地方新闻的采编岗位上，从而大大扩充了本报的地方新闻报道。可以说，我们的晚报关闭之日，就是我们的晨报扩张之时。但加强地方内容报道后，又与那些更加地方化的报纸，包括一些周报产生了竞争，他们都是各县自己的报纸，有不少是日报。这样，我们就设法使报纸的内容更全，那是地方小报的弱项，他们没有那么大的实力去涵盖更多的新闻。我们同时加强国际新闻、国内新闻、财经新闻和体育新闻，使读者每天获得一份大而全的报纸。我们称此为‘一站制消费’，即订阅了我们的报纸，便既了解天下事，也了解身边事。读者订阅了我们的报纸，无须再去买财经报纸、地方小报、体育报纸等。事实上，大多数读者也没有时间再去读其他报纸。对这些读者而言，他们正需要一份像我们这样的报纸。

“我们还与《华盛顿邮报》激烈竞争。我们是巴尔的摩唯一的日报，但你在这里可以订到《华盛顿邮报》，而华盛顿离这里只有 64 公里，所以我们与它（指《华盛顿邮报》——笔者）有竞争。我们这里共有 5 个县，它们是巴尔的摩县（Baltimore County）、安尼·阿兰德尔县（Anne Arundel County）、豪沃德县（Howard County）、卡罗县（Carrol County）和哈特福德县（Hartford County）。其中豪沃德县距华盛顿最近，很多住在该县的人可以到华盛顿上班。在一些家庭，丈夫在巴尔的摩上班，而妻子在华盛顿上班。因此这个县的很多居民订阅《华盛顿邮报》，我们与该报竞争最激烈的战场也在该县。该县的读者也面临选择，以决定订阅《巴尔的摩太阳报》还是《华盛顿邮报》。一般来说，要看工作地点，如果你在首都工作，你可能会对华盛顿的新闻感兴趣，因此你会订《邮报》。所以，我们尽最大努力，让包括这些人在内的读者，有理由订阅我们的报纸。

“类似的事情也发生在安尼·阿兰德尔县，那是首府安纳波利斯所在县，而安纳波利斯有一份晚报，每周出五六天。我们在那里与该晚报争夺读者。所以你看，我们除了与广播电视竞争，还要与《华盛顿邮报》竞争，与安纳波利斯的报纸竞争，甚至在卡罗县也有一个不小的竞争对手——《卡罗县时报》（*Carrol County Times*）。有的卡罗县人会说，‘我们可以从《卡罗县时报》获得本地信息，从电视上获得全国和国际信息，为什么还需要《巴尔的摩太阳报》?’所以，本报在该县也遇到强有力的竞争对手，你可以发现为什么我们要办那么多的地方版了。例如，我们在卡罗县，就是要通过那个县的地方版，让当地读者不仅获得国际、国内、体育、财经、副刊等优质内容，也可得到他们想要的卡罗县的地方新闻。在这方面，《卡罗县时报》是难以做到的。”

休伊特关于该报应付竞争的谈话，令我听得津津有味。我们中国一些省报或省会报纸不也面临类似的境况吗？我有兴趣继续这一话题，于是他又说：

“人们也许会说，有了电视就有了一切，无须再看报纸。但这不符合事实。你确实需要一份大型报纸来获得足够的资讯。人们已经意识到这一点，所以我们和电视的竞争已经不太激烈了。在哈特福德和巴尔的摩两县，目前也没有真正的竞争者。那里过去有一些地方周报，但我们已把它们统统买下。《华盛顿邮报》是一份办得很好的报纸。该报的发行量比我们大得多，挣的钱也比我们多得多。这样一份优秀的报纸，逼迫我们格外努力地工作。我们不得不在与其竞争最激烈的豪沃德县布以重兵。我们在每个县都设有记者站，每个站的人数一般都在 10～11 位，但我们把最优秀的记者和编辑放在豪沃德，我们在报纸中专设豪沃德板块，该板块每周一至周五出版，努力向该县读者提供最好的服务。我们在那里的记者必须与《邮报》竞争。但《邮报》员工的收入比我们高，该报会利诱我们的记者。前几年，该报就从我们这里挖去了几位优秀记者。两年前，《太阳报》在全国的排名在第 10 名左右，而《邮报》排名第四。我们努力维持这样的格局，办法就是保持强势地方报纸的实力。我们也很注重华盛顿的新闻，专门在那里设了分社，人数比几个县的记者站稍多。分社的任务是报道国会、联邦法院、五角大楼、白宫等国家机构的新闻，但我们的重点放在覆盖当地新闻。我们在巴尔的摩县的读者比巴尔的摩市的读者还多。”

四、五大地方版提升竞争实力

休伊特反复强调，加强地方新闻的分量，目的就是为了与广播电视、外来大报和地方小报竞争。这使得我对美国报纸纷纷出版地方版有了更深的理解。

在中国大陆，报纸出地方版的现象比较少见。改革开放前的 30 年绝对没有，改革开放的头 10 年也几乎没有，只从上世纪 90 年代以来，出现少量地方版，如《人民日报》的华东版、华南版，《深圳特区报》的华东版。**但在美国，核心报纸出地方版的现象是普遍存在的，特别是那些在当地有较大影响的地方报纸，如《芝加哥论坛报》、《洛杉矶时报》、《底特律自由报》、《波士顿环球报》以及笔者将要访问的《费城问讯报》等。这些报纸的地方版都是新闻、发行、广告三管齐下，增强报纸在小城市的吸引力，最终扩大广告收入。**

美国报纸的这一经验，很值得中国报纸借鉴。一个大城市报纸，经多年发展，在本市的发展潜力会逐步减少，但周边广阔的空间却可以不断开拓。以笔者所在的深圳为例。深圳下辖六个区，《深圳特区报》是当地的龙头报纸。但该报长期以来对这些区，特别是特区检查站关外的两个区（宝安和龙岗）的区内新闻覆盖不够，有限的报道也放在了政务色彩很强的对各区首脑机关的报道。这一做法给各区发展自己的报纸留下了空间。过去较长一段时间，这些区最多只有内部发行的区办报纸，连广告都不能做，完全不成气候。但如今一些区纷纷努力创办公开发行的报纸，在短短两三年内，已先后有《宝安日报》、《龙岗日报》及《南山日报》创刊。如果《深圳特区报》于 5 年前在上述三区，特别是离市区较远的宝安、龙岗区创办地方版，用 1/3 的篇幅刊登当地乡镇、社区的新闻，用较低的价格吸引只在地方版刊登的零售商广告，并以这些地方新闻和广告内容扩大在当地的发行，相信那几份区办报纸就不会诞生，即便诞生也难以和已经扎根的有强大经济实力的《特区报》地方版抗衡。

我曾在给深圳特区报业集团中层以上干部作的一次报告会中举例说，龙岗区大鹏镇是一个距深圳市区较远（两小时车程）的滨海大镇，过去那里完全没有可经常看到当地新闻的报纸，而当地却有若干规模较大的超市。这些超市如想在报上刊登广告，唯一的选择是市区的报纸，如《深圳特区报》或《深圳商报》。在这些报纸上登广告，价格很高自不待言，效果也很差——这些报纸的读者又有多少会去大鹏镇的超市购物呢？所以，大鹏镇人很少到市区报纸登广告，市区报纸的“性价比”对该镇潜在的商品销售广告客户不具备吸引力，当地的报纸广告市场处于待开发状态。如果我们在龙岗有一个地方版，情况就大不一样了，报纸在当地的销量会增加，广告商可以以较低廉的价格在这个只针对龙岗区的地方版上登广告，他们不会关心其他五个区的读者是否能看到这份报纸。

2002 年 6 月，南方日报报业集团社长范以锦先生在与笔者的一次交谈中，也很认同地方版的效应，相信《南方日报》一旦在全省某些市县开辟地方版，报纸的广告状况会大为改观。不过他告诉笔者，为保护一些市县现有报纸不受冲击，省里对省报在各地办报还有一些限制。可见，至少对省报而言，还存在一些政策壁垒，这些壁垒阻碍了大型优秀报纸的扩张。但对一些中心城市报纸，也包括《深圳特区报》这样边缘城市的报纸，并无类似壁垒，是否办地方版还属于观念与决心的问题。

还应注意的是，美国报纸的地方版大都是近距离的，即主要限于周边地区，是报纸覆盖范围的自然延伸，也是对本报资源的充分利用。而对于远距离办地方版，则涉及印刷、采编力量等问题，特别是涉及与当地大报的竞争问题，往往需巨额投资，不可贸然决策。对于冠以地方名称的报纸到外地以同名异地办报，也会在当地读者的认同方面遇到阻力。全国性大报办地方版有其优势，但如果不放下架子努力适应当地读者的需求，也难获成功。

我们还是来看看《巴尔的摩太阳报》的地方版吧。

根据休伊特先生的介绍及后来他领我在编辑部看的不同版本的大样，该报每周一至周五都出至少5个版本的报纸，分别为豪沃德县版、卡罗县版、安尼·阿兰德尔版、哈特福德县版和马里兰版（即巴尔的摩版）。这些报纸的多数内容是相同的，但在头版报头下注明某地方版字样，头版新闻会有所不同，第二叠的都市板块则基本不同，以充分体现地方特色。都市板块是各报仅次于第一板块的重要内容，也是吸引广告的重要版面。各地方版在都市板块的首页都冠以通栏大字报头，以马里兰与某某县的名字命名，其中又以县名为大，占据通栏位置，马里兰以相等于报头1/4大的字号放在上面，形同引题。这个报头表明，该板块的内容除了本州（马里兰）的一些重要新闻外，全部是本县内容，包括天气预报和广告。这一地方板块为18页左右，视广告数量而增减。

下面以笔者访问该报的2001年10月23日这天为例，看看该报的内容分配及地方版情况：

这一天是星期二，报纸共74页或76页，售价50美分。当日头版，巴尔的摩版和其他3个版都以4栏宽的标题《2邮局工人死于炭疽病，另2名患病》（2 mail workers die, 2 ill）置于头条位置，唯卡罗县版用了《炭疽病恐慌蔓延》（Anthrax fears widen）的标题，同样占头版位置，4栏题。头版其余内容相同。

整个报纸分6叠：A叠为新闻，共24页，包括“太阳报专题”和国内新闻摘要，国内新闻，“反恐之战与国际新闻”（WAR ON TERRORISM / THE WORLD），“反恐之战与炭疽病恐慌”（WAR ON

TERRORISM / ANTHRAX SCARE)，社论与来信，评论等。

B 叠为都市板块，分不同地区：

马里兰版（即巴尔的摩版），18 页，包括马里兰新闻，巴尔的摩市和巴尔的摩县新闻，天气预报，分类广告，以及 2 个版的讣闻报道和讣闻广告；

卡罗县版，20 页，包括马里兰新闻，卡罗县和地区新闻，天气预报，广告；

安尼·阿兰德尔县版，20 页，包括马里兰新闻，安尼·阿兰德尔县新闻，天气预报，广告；

豪沃德县版，20 页，包括马里兰新闻，豪沃德县和地区新闻，天气预报，广告；

哈特福德版未收集到。

以上 4 个地方版 B 叠的头版格局基本一样，主图都是一幅天鹅照片和一幅天鹅与科研人员在一起的照片，图片说明是 5 只小天鹅在其父母的看护下，得到科研人员的精心照料，但其他内容多数不同。如豪沃德县版与安尼·阿兰德尔县版的头条、三条、四条和五条及导读都是不同的新闻内容。可以想象，编辑设计了相同的版式，夜班只需填上不同的稿件即成。

C 叠为经济，共 10 页。D 叠为广告特刊，共 6 页。E 叠为体育，共 8 页。F 叠为“今天”（TODAY），共 8 页，含各种副刊、电视节目和卡通画等。

我当时获得的最新的星期天刊是 2001 年 10 月 21 日的报纸，当日共 270 页，售价 1.66 美元，无地方版，分 15 叠。在平日刊基础上增加的板块有：E 叠，“艺术与社会”（ARTS & SOCIETY），16 页，包括电影、流行音乐、美术、婚礼、图书争鸣、书评等；F 叠，“视野”（PERSPECTIVE），6 页，包括时事评论、上周回顾、棋牌游戏等；I 叠，“太阳报广场”（THE SUN PARADE），8 开，24 页，全部彩色铜版纸；N 叠，“家居”（HOME & FAMILY），10 页；O 叠，一周电视，16 开，52 页；R 叠，旅游，10 页。另外还有：H 叠，招聘分类广告，22 页，分 2 叠；汽车分类广告，30 页，分 2 叠；房地产分类广告，24 页，分 3 叠。

除了分有 5 个地方版，该报还按时间划分出版不同版本，设置了几个不同的截稿期，这主要是为了及时印刷和发行。这也是美国报纸的通常做法。《巴尔的摩太阳报》也以“*”的数量标示版本的先后，星越多则报纸出版越迟，也说明稿件更新次数多。一般是巴尔的摩市区及各市零售的版本为最后版本，因为这一部分报纸或者投递距离近，或者上市时间晚（零售报纸上摊时间无需早晨6时到达）。上面列举的星期天版，头版报头下就有4颗星，并注明“FINAL”（最后版）字样。

如此看来，该报夜间印刷工序及发行投递中的版本安排是十分复杂的。

五、主编：我们从不考虑广告

休伊特告诉我，为了实现报纸“一站制消费”的目标，《巴尔的摩太阳报》不仅在扩大地方新闻覆盖面上下了很大功夫，还在获取独家的国际、国内新闻上花了不少本钱。他说：

“我们不仅在华盛顿等地设分社，还在编辑部设有3个全国机动记者，他们随时会赶赴全国任何地方，以报道重大突发事件。这使得每逢大事，总有我们自己的记者在场。此外，我们还建有5个驻外分社或记者站，分别在伦敦、中东、莫斯科、北京和约翰内斯堡（南非）。现在，我们的反恐战争爆发了，所以我们将所有驻外记者都调集到阿富汗附近。例如，我们把驻北京的记者调到巴基斯坦，把驻莫斯科的记者调到阿富汗，把驻伦敦的记者调到美军的一艘军舰上，等等。所有驻外记者现在的报道内容都是中东的反恐战争。在巴尔的摩市，我们有很大的犹太人社区，他们基本上都是我们的读者，并且对中东的新闻很感兴趣，所以，现在我们让驻外记者全力以赴地报道中东新闻。地方报纸很少有像本报这样派这么多记者到反恐现场的。

“过去很多年前，我们还是一家独立报纸时，我们的驻外机构一度多达12个，但那样花费太大了。进入报业集团后，机构撤销了大半，因为我们可以依靠集团内其他报纸获得相应的国际新闻。对于近处国家，我们宁愿临时派人去采访，也不设记者站了。例如15年前，我们在墨西哥设有记者站，现在我们可以派记者飞到墨西哥，如果需要的话。两个月前，布什总统访问墨西哥，我们就派了一位记者到位于墨西哥和我国得克萨斯州的交界处，报道两国对布什总统这次外交活动的反应。这位记者在那里工作了一星期。他不需要采写每天的硬新闻，那些新闻我们可以通过其他来源获得。他主要写特写，这是我们报纸区别其他报纸的办法，也是吸引当地读者的手段，他们打开报纸会读到在其他报纸上看不到的生动报道。我们这样做，比设记者站让记者长期在那里生活便宜得多了。”

"能否谈谈贵报的现状?"谈了一个多小时了,我不想漏掉这些基本情况。

"当然可以,"他说,"我们编辑部有 400 多人,包括编辑、记者、摄影记者、版面设计者、文字编辑及技术服务人员。但这不包括社论部,该部不归比尔总编辑管,他们自己有一个主编,设有 10 多名评论员。社论版主编和比尔都直接向发行人报告。

"比尔是高级副总裁和总编辑。编辑部的二号人物是执行总编,然后有 3 名副执行总编。副执行总编的分工是:一名负责新闻,包括头版新闻编辑、主持编前会、根据新到的新闻调度版面;一名负责都市新闻,包括指挥所有地方记者、五县记者站及有关编辑工作;还有一名负责体育和副刊部分。再下来有 5 名助理执行总编,他们分别负责体育部(55 人)、副刊部(55 人)、摄影部、美术设计部等。他们实际上兼任这些部的主编,管理各部日常事务,向副执行总编报告。还有一些部门,如经济部、都市新闻部等,有自己的主编和助理主编,这些主编向有关助理执行总编报告。"

"你们采编人员的比例如何,例如有多少编辑?"我又问。

"我们大概有 75 名编辑。都市新闻部的主编主要负责巴尔的摩市的新闻,他有若干助理编辑和大约 40 名记者供自己指挥调遣。本报记者和作者总数约为 200 多人。整个报社有 1700 人。经营部门包括广告、发行、营销、印刷、管理等人员。我们收购的五六家周报的员工未包括在这 1700 人之内。它们都是免费发行的周报,其运作相当独立,连我都弄不清楚它们有多少人。

"我们隶属于一个很大的报业集团,即芝加哥的论坛公司。本报原来是一份家族报纸,一直是独立运作的。但到了 1986 年,报纸被出售给洛杉矶的时报—镜报公司。去年,论坛公司买下了整个时报—镜报公司,因此我们也跟着加入了论坛公司。这家公司有 11 份日报和 22 个电视台,还拥有一个棒球俱乐部。论坛公司正向全国各地扩张。但今年对报纸不利,特别是从上个月开始。很多报纸的广告明显下跌,但论坛公司可以从全国广告的联合销售中节省开支。关于本报的发行量,现在平日刊为 32 万份左右,星期天刊为 47.5 万份左右。"

我再次发问:"你们在报道新闻时是否顾忌广告效果?听说你们美国报纸有时也会看大广告商的脸色行事呢。"

他一听连忙摇头摆手:**"我们从不考虑广告。在我们编辑部与他们广告部之间有一堵墙,这堵墙很高。广告部员工和编辑部员工是完全不同的。当我们的记者采访某公司时,他绝不会考虑这家公司是否是广告**

大户。你会看到报纸上有一些广告特刊，它看上去有点像副刊上的内容，但注明是广告。这些特刊都由广告部运作，和我们无关。我们的记者只管写新闻。广告部不愿失去金钱，而编辑部不愿失去读者。也正因为这样，你刚才问到的广告收入，我无法确切回答。但我可以告诉你，我们编辑部每年花费大约 4000 万美元。广告收入应比这个数字多若干倍，我想。”

六、 记者：虽说无定额，未敢松懈之

接下来，休伊特先生谈到了对记者的管理。他说：

“我们的记者都在不同的部门工作。例如，经济部的记者，永远在经济部工作，尽管他们有时写的稿件被安排在一版。当他们为一版写稿时，仍然向经济部主编报告。在这里，记者没有固定的发稿定额。如果你分工报道犯罪新闻，你一天可以写三四篇报道。棒球记者也如此，他们可以写很多报道。但如果你报道环境，不妨举这个例子吧，你一个月可能只写五六篇稿件，因为你需要调查和观察。我们从来不数记者发了多少稿件。

“你刚才问怎样测算他们的工作量？有时比尔会审阅那些很重要的或敏感的稿件。但作为一个记者，你必须关注哪些事情已经发生，而哪些新闻还正在发展。你必须将你的发现报告给编辑，编辑也会主动问你这些情况。你不能向编辑或主编说：‘今天给我什么任务？’那是你的事情。你要做的就是保持与消息源的接触。如果你跑了一圈没有得到新闻，或在你分工的领域有新闻被电视报道了而你没有报道，那我们会认为你干得不好。当我们比较了你和其他记者的工作表现后，你的收入会受到影响。

“我们聘用的记者编辑都有相当多的经验。我们不从大学直接聘用记者。你说得对，我们只从其他报纸挖人。他们可能在其他报纸已经干了 10 年。有时我们从附近一些小的报纸招聘员工。但现在我们的招聘范围扩大到全国，我们从费城或迈阿密招人。我们从外埠聘用了很多人。当然，我们不会从《华盛顿邮报》招人，这做不到（笑）。其实，巴尔的摩是个很适合工作的地方。这里的生活费用不像华盛顿、纽约、波士顿、芝加哥那么高。这里有很多吸引人的理由。《纽约时报》是一份伟大的报纸，但住在纽约市区既花费大又不舒服。如果他们住在郊区，则每天路上要花很多时间。我们这里工作和生活都很舒适，在这里找份像样的工作并不容易，外地很多人想来。所以，这里的员工须努力

工作，不可马虎，要小心对待自己这份工作，很多人在外面等着呢。”

完全出于好奇，我小心地向他打听美国人的敏感问题：“你能否说说你们员工的收入情况？大概数目就行，不要涉及你的工资。”

他再次露出笑容：“没什么不可以的。关于工资，我们有工会。我们必须与工会协商工资标准。在编辑部，工会代表记者、摄影记者等员工的利益。编辑被认为是管理者，所以不在工会维护范围。现在，一位有 5 年以上工作经历的记者，每周可挣 1069 美元，每年收入在 6 万美元以上。这是个基数。我们对一些表现好的记者，或一些《华盛顿邮报》打算挖走的优秀记者，会给得更多。我们一般按周付这部分额外的奖金。对那些完成任务好的记者也如此。《华盛顿邮报》记者的收入比我们的记者高一些，但我们记者的工资水平已在全国平均水平之上。编辑的工资比记者略高。

“炒记者鱿鱼是不容易的，只可以给他减薪，让他觉得不舒服。面对减薪，记者会感到自己在这里已经不受欢迎了，于是自动请辞。不容易辞退记者的原因还是在工会。所以，即使经济不景气时，我们也不辞退员工。我们会给一笔钱，让员工自己辞职。有的员工离开时可以拿到一年的工资。正由于开除员工很困难，所以我们进人也极其谨慎。我们必须发现和聘用真正优秀的员工。10 年前我们编辑部大概有 450 名员工，现在我们的数量不增反减，就是因为我们在进人方面把关更严了。”

七、总编辑两次获普利策奖

和行政管理主编休伊特谈话结束后，他领我参观编辑部。编辑部占了两层楼，地上铺着花格地毯，电脑桌和其他办公家具看上去也很新。休伊特说这里一年前刚装修过，所以很新。

在一个贴报栏前，我指着墙上天气版的设计问休伊特：“这么漂亮的天气版是你们自己的员工设计的吗？”他回答：“不是。我们只是向气象信息部门提出要求，让他们按我们的要求将有关信息灌入事先设计好的图表中。”

参观到摄影部时，我问摄影主编有多少员工。他说，摄影记者有 17 名，另外有摄影编辑、主编及辅助工作人员，共 30 名员工。我注意到，摄影主编办公桌对面的墙上挂着全年 12 个月的日历，共 12 块。其中前 12 个月的日历都画满了人名和符号。他说那表示分配任务及完成情况，记录在案，大家一目了然。

转了一圈后，他领我来到总编辑兼高级副总裁马里莫先生的办公室。马里莫热情地和我握手表示欢迎。我顺便向他表示感谢，称今天的安排非常好，休伊特的介绍客观详尽，信息量很大。他问了我一些情况，包括来美国的打算和今后的计划。我一一相告。休伊特在一旁介绍了马里莫的情况。原来这位比尔是从记者岗位摸爬滚打起来的又一位报纸总编辑，有着辉煌的过去。

马里莫 1970 年就进入费城报界，先在《费城公报》（*Philadelphia Bulletin*，1982 年停刊）工作，1972 年进入著名的《费城问讯报》当跑经济、市政府、警署、法院等领域的记者。在记者岗位上，他打交道最多的是警察局，并因揭露警察滥用职权等事件而两次获得调查报道类的普利策奖。第一次是 1978 年，他与另一位记者共同采写了系列报道，揭露费城警察局刑侦人员暴力侵犯公民权的事件。这组报道导致美国司法部着手调查，最终发现有 6 名凶杀案组侦查人员因暴力逼供而错误地将一位无辜公民定性为凶杀嫌犯。第二次是马里莫独自进行的更加长期的一组系列报道。在累计 40 篇新闻报道中，马里莫揭露费城警察局的警察随意指使警犬侵犯无辜公民。这组报道再次获得调查报道类普利策奖。马里莫因出色的新闻业绩，很快升任为编辑、都市新闻主编、发行人助理等职。1993 年，他接受《巴尔的摩太阳报》邀请，任该报都市新闻主编，继而任助理执行总编、执行总编，直至总编辑。

据休伊特介绍，马里莫的两个孩子也继承了他的职业。他的老大是女儿，现在新罕布什尔州的一家报纸当记者。儿子则在《巴尔的摩太阳报》驻北京记者站工作。我一听说这事，忙问马里莫详细情况。他回答说："儿子叫斯科特（Scott），现在驻北京记者站，刚去不久，马上也要派往中东地区。"我说："等反恐战争结束后，我去北京的话，说不定会见到他。"他笑着说："那当然好啊。"见他电脑里还有稿等着看，我随即告辞。分手前，我和马里莫总编辑和休伊特在总编辑的办公室合影留念。休伊特送我到楼下时，我俩又在大厅挂着十几个普利策奖获得者肖像和简介的镜框的墙边合了影。

后来我见报上有记者采访马里莫时，问这位热爱新闻的总编今后的打算，他的回答是有几个目标，一是"将《巴尔的摩太阳报》变成一份真正能够为我们的读者照亮这座城市、这个州乃至这个国家的权威媒体"，也可能教英语或新闻（他大学毕业于英语专业——笔者），或者去写书。[1] 2003 年，他果然率领其团队获得一项普利策奖和两项普利策奖的最终提名，这在美国地方报纸中是罕见的。出人意料的是，正在这一

---

① Getting It Right in Journalism，*Succeeding*，1998 年 12 月刊

巅峰时刻，他被老板罢免职务。据美国《总编辑与发行人》2004 年 1 月 6 日报道，56 岁的马里莫在毫不知情的情况下，于前一天突然被该报女发行人丹尼斯·帕默（Denise Palmer）解除职务。这一举动令该报编辑部大多数人深感惊讶。帕默于 1 月 5 日和马里莫摊牌，但未做过多解释。该刊访问了报社编辑部一些老员工，都说莫名其妙。大家分析唯一的原因，是马里莫在辞退编辑部员工问题上与老板有分歧。2003 年 12 月，帕默曾要求马里莫辞退 12 名编辑部员工以降低新一年报纸运作成本。但马里莫表示强烈反对，建议以减薪代替炒人，结果他自己被炒了。接替马里莫的人来自论坛公司旗下的另一份报纸《奥兰多前哨报》。来者名叫提姆·弗兰克林（Tim Franklin），此前担任《奥兰多前哨报》总编辑。显然，《巴尔的摩太阳报》发行人早已在考虑换下马里莫。该报一位女发言人在被问及发行人为何这样做时回答说："丹尼斯正在积极地组建自己的领导班子。"①

不过，此地不留人，自有留人处。听说马里莫被辞退，立刻有人伸手要他。据报道，就在宣布离开《巴尔的摩太阳报》后不久，马里莫就被邀请担任美国国内公共无线电台（National Public Radio，简称 NPR）执行总编，并已于 2004 年 5 月 2 日正式上岗。NPR 是美国最大的公共无线电台，属于非盈利组织，在国内外设有 35 个分社或记者站，其中有 13 个在国外。该公司近年来听众人数增长迅速，目前拥有 750 个广播电台，听众人数超过 2200 万。美国媒体称："马里莫将自己 30 多年杰出的新闻工作经验和编辑部领导经验带到了 NPR，将大大加强 NPR 的新闻采访能力。" NPR 副总裁德雷克（Drake）也表示："马里莫的到来，将帮助我们进一步改进和拓宽电台的新闻报道。没有他，我们不可能在这方面做得更好。"② 看来，马里莫改行干广播也是迫不得已。

---

① Baltimore 'Sun' Publisher Was Looking for New Editor，*Editor & Publisher*，2004 年 1 月 6 日

② Former Baltimore Sun Editor Named Managing Editor For NPR News，*NPR*，2004 年 3 月 22 日

In Sports: Paterno ties Bear Bryant's record for victories

The Philadelphia Inquirer

173d Year, No. 143 SUNDAY, OCTOBER 21, 2001 www.philly.com $1.50

U.S. Raids Called Success

"It's sad, even tragic, that as time passes we must leave so many behind, even ones we have loved and always will."

— From the journal of Bob McIlvaine, 26, a victim of the attack on the World Trade Center

Loss, life and love: A tribute

Nick Brandemarti, 21

Johanna Sigmund, 25

Kevin Bowser, 45

LeRoy Homer Jr., 36

Danielle Kousoulis, 29

Tim Betterly, 41

The Ones We Lost

Of the thousands of Americans killed in the terrorist attacks of Sept. 11, dozens had deep roots in the Philadelphia region. Many grew up here. Others commuted to New York or worked for the airlines. All were our neighbors. Today, The Inquirer honors their memory and celebrates their lives in a 16-page tribute section.

Section P.

Special forces inflict casualties on Taliban

By Steven Thomma and Jonathan S. Landay
INQUIRER WASHINGTON BUREAU

WASHINGTON — Pentagon officials said yesterday that the special forces troops who raided a Taliban command compound injured or killed Taliban fighters, seized intelligence material, and destroyed the facility.

The raid, which took place overnight Friday into yesterday morning, was the first confirmed face-to-face ground warfare involving U.S. troops in Afghanistan.

The U.S. special forces also engaged Taliban fighters at an airfield in southern Afghanistan, brushing aside their "light resistance," collecting intelligence, and destroying a small cache of weapons.

"The mission overall was successful," Gen. Richard Myers, chairman of the Joint Chiefs of Staff, said at the Pentagon. "We accomplished our objectives."

The raids were part of a broader U.S. strategy aimed at sowing discord and defections among Taliban commanders who might be unwilling to die to protect accused terrorist leader Osama bin Laden. Myers promised more such operations as the United States wages war more with small and clandestine raids than with the large, highly visible advances of wars past.

"They are now refitting and repositioning for potential future operations against terrorist targets in other areas known to harbor terrorists," Myers said.

The mission came at a cost. Two Americans preparing for a possible search and rescue mission from neighboring Pakistan were killed and three injured when their Black Hawk helicopter was caught in a storm of dust kicked up by its rotor. The pilot lost control, and the chopper crashed.

Two others among the roughly 200 Army Rangers and Special Operations forces involved in the raids were injured during their parachute drops

See ATTACK on A16

Experts say damage more psychological than military

By Mark Bowden
INQUIRER STAFF WRITER

The first known special forces raids on targets in Afghanistan — an airfield and a suspected Taliban command bunker — probably struck more of a psychological blow than a military one, according to military sources.

"If I'm al-Qaeda or the Taliban, I now see that the Americans own the sky, they own the night, and they can come at me anywhere they want to on the ground," one former Delta Force operator said. "If I move, they can see me from the air. So my only alternative is to hunker down and hope to make some trouble for the Americans somewhere else in the world."

The assault forces, which included Army Rangers and probably Delta Force, which ordinarily is the spearhead of such actions, may have been after Taliban leader Mullah Mohammed Omar, who reportedly had been using the bunker recently.

"What's more likely is that they thought there was a chance Omar would be there, but knew he most likely wasn't," a former special forces officer said. "On missions like that, you figure even if the primary target isn't present, whoever is there is probably significant, and might have helpful information."

In addition to possible Taliban officials in the bunker, the force also would be looking for documents, maps, correspondence, or any other

See RAID on A16

U.S. Defense Department

U.S. special forces are visible in a building believed to be near Kandahar, Afghanistan, in a still from a military video taken with an image intensifier.

Postal staff in region get antibiotics

Hundreds received medicine in N.J. as FBI agents questioned residents of West Trenton for clues to an anthrax mystery.

By Tom Avril and Jake Wagman
INQUIRER STAFF WRITERS

TRENTON — More than 200 postal workers were given antibiotics at a hospital yesterday to guard against anthrax, which has stricken two or possibly three other local postal employees in recent weeks.

Some waited more than two hours at the Robert Wood Johnson University Hospital in Hamilton Township to receive the pills and hear advice from a doctor.

In the West Trenton section of Ewing Township, FBI agents went house to house along the postal route of an infected carrier to interview residents.

Later in the day, New York authorities announced that a letter postmarked in Trenton and sent to the New York Post had tested positive for anthrax and was similar to anthrax-tainted letters sent to NBC anchor Tom Brokaw and Senate Majority Leader Tom Daschle.

The letter addressed to the "Editor" at the Post was postmarked Sept. 18 — the same day as the contaminated letter to Brokaw. The letter to Daschle

See ANTHRAX on A18

Inside

It's Quincy Jones time
A talk with the do-everything, been-everywhere musician and producer, who will receive the Marian Anderson Award. *Arts & Entertainment*

A Giant-sized losing streak
Tomorrow night, the Eagles will meet a foe that has beaten them nine straight times. *Sports*

Weather
Sunny today and tomorrow. Highs about 74. *Full report, B7.*

For a detailed index of the Sunday Inquirer, see Page A2.

It's only rock and roll — and a headache

Backstage with a Philadelphia dealmaker, as he puts together a benefit show in Washington.

By Dan DeLuca
INQUIRER STAFF WRITER

WASHINGTON — Michael Jackson needs his own bathroom. Aerosmith refuses to go on after Bette Midler. P. Diddy won't perform unless he can bring his 42-member choir. It would be best to keep a safe distance between archrival boy bands 'N Sync and Backstreet Boys.

And deep in the bowels of Robert F. Kennedy Memorial Stadium, Larry Magid remains calm.

The veteran Philadelphia rock promoter is in town to put on today's sold-out United We Stand: What More Can I Give benefit concert, which is also scheduled to include Destiny's Child, James Brown, Mariah Carey, Usher, Rod Stewart and Al Green, among many others.

"This is organized, controlled chaos," says Magid, the former head of Electric Factory Concerts. As president of the mid-Atlantic division of radio-and-concert behemoth Clear Channel Entertainment, he is executive-producing the event, which will aid the victims of the Sept. 11 terrorist attacks and their families.

Magid (rhymes with "ragged") says the 1 p.m. show will raise $2 million to $3 million for the American Red Cross Liberty Relief Fund, the Salvation Army Relief Fund, and the Pentagon Relief Fund.

See CONCERT on A20

Associated Press

Today's concert — United We Stand: What More Can I Give — has drawn big names, such as Michael Jackson and Beyoncé Knowles of Destiny's Child.

AT WAR WITH TERROR

- U.S. officials are expediting plans for a new Afghan government. **A12.**
- Afghan rebels wonder how long they will receive U.S. support. **A17.**
- For five years the United States courted the Taliban. **A17.**
- Saddam Hussein sends local man a letter of condolence for the Sept. 11 attacks. **A21.**

In Sunday Review

- **Jane Eisner:** Teach values beyond patriotism pledge. **D1.**
- Americans have been through stress many times. **D1.**
- **Trudy Rubin:** Sept. 11 did not reorder the global field. **D5.**
- **Mark Bowden:** Prizing the individual is a blessing. **D3.**
- Reflections on the American flag. **Community Voices, D3.**

In Sunday Business

- A social agency finds itself at the center of relief efforts. **E1.**

KNIGHT RIDDER

《费城问讯报》2001年10月21日头版

第 16 章

《费城问讯报》

The Philadelphia Inquirer

昔日辉煌今朝困顿
临危易帅老总茫然

《费城问讯报》，创刊于1828年，是美国《独立宣言》签署地费城最重要的报纸，曾经也是全国最大的报纸之一，是美国第三大报业集团奈特一里德报团的最大报纸之一，在宾州和新泽西州都有很大影响。2003年10月至2004年3月平日刊平均日发行量为387,692份，居全国第18位；星期天刊平均发行量为769,257份，居全国第7位。2002年后，该报这两项发行量均增长明显，排名也都有所提前。

一、对不起，能否提供证明人？

《费城问讯报》是我出国前即列入访问计划的美国著名报纸之一，但由于它离纽约较近，我的暑假访问计划没有包括它，而将它与10月份华盛顿之行系列访问相“捆绑”，列为此行的最后一站。

我是从一份资料上找到公关部负责人的电话和电子邮箱地址的。所谓公关部，全名为“联络和公共事务部”，规格很高，负责人由一位副总裁兼任。但我后来于10月16日收到该报负责人事的助理执行总编杰弗里·普莱斯（Jeffrey Price）的来信，信中说：

“我代表罗森塔尔先生于一周前给你写过信，但未得到你的回信。我不知道你是否仍对访问本报感兴趣。如果有，请让我知道。”

原来这已经是他的第二封信，这令我感到很不安。第一封信我没见到，很可能是被我误删了。我的电子邮箱每天涌入大量广告信函，这些信函名址有不少以price（价格）开头，而普莱斯的地址开头为jprice，所以，有可能被我当成广告信删除了。信中提到的罗森塔尔，是该报的总编辑。显然是总编辑委托他与我联系并将我的信转给了他。

两次来往后，他已经同意接受我的访问，谁知开始商量行程和活动安排时，他突然来信婉转地表示，希望我给他一个我在大学证明人的姓名地址，说是保安部门需要，必要时可能会打电话向证明人求证。只是例行手续而已，他补充道。

在美国访问那么多报纸，要求我提供证明人的单位仅此一家。我觉得这个要求也合情合理，无非是想证实我的确是美国某大学的访问学者，这是再正常不过的事。

于是我打电话给纽约市立大学（City University of New York）国际服务中心主任安·赫尔姆（Ann Helm）女士。这是位气质高雅而非常友善的美国妇女，到美国后我们接触过几次，我上学期在学校应校方邀请向美国学生作了两次演讲，她也都知道。我们已经互相认识，每次见到我她都说：“任何需要我帮忙的地方，尽管开口。”没想到这回真的要找她帮忙了。本来我还可以找系里的老师，但觉得那些老师很少在办公室，报社联系不太方便。我给她发去一封电子邮件，将我打算访问包括《费城问讯报》在内的一些美国著名报纸的计划和盘托出，希望她给予支持并予以证明。她很快于第二天回了信，对我的计划给予高度赞扬，表示非常乐意为我提供证明。她还说，最近几天她有时会外出，她已嘱咐其他工作人员，接到类似的电话代她表示意见。

显然安的证明起了作用，报社感到非常满意。没几天，就在我动身前往巴尔的摩和华盛顿的前一天（10 月 22 日），我再次接到普莱斯先生的来信，信中将访问的日子、建议我到达的时间以及全天的安排都作了说明，并说还有一二位同事听说我的背景也想和我谈谈，问我意下如何。我立即回信表示同意并致谢意。第二天晚上，在我访问了《巴尔的摩太阳报》和《华盛顿邮报》后，又接到他的电子邮件，上面将 25 日全天的日程全部列出，使我意识到这又将是一次活动丰富、任务艰巨的一天。他在信中说：

辜先生：

这是最后的日程安排，如果觉得没问题，请知会我。日程如下：

上午——9：00 到达，我将在面向布劳德大街的主大厅等候你，然后介绍情况；

10：00 与主管经营的高级副总裁约翰·沃尔什（John Walsh）会谈；

11：00 与本报总编辑兼高级副总裁罗伯特·罗森塔尔（Robert Rosenthal）会谈；

12：00 与国际事务专栏作家兼评论家特鲁迪·鲁宾（Trudy Rubin）会谈；

下午——1：00 午餐；

2：00 与主管市场和发行的高级副总裁托德·布朗洛特（Todd Brownrout）会谈；

3：00 与本报前驻北京记者、都市新闻部记者珍妮弗·林（Jennifer Lin）会谈；

4：00 与周末版编辑罗宾·亨利（Robin Henry）会谈，该编辑曾利用假期到中国教过英语。

我等候你的到来。

杰夫·普莱斯

这样一个饱满的安排，使我倍感兴奋。我当晚回信表示衷心的感谢，同时觉得，自己那点可怜的英语词汇实在难以表达我当时的心情。

二、美国日报发端于此

2001 年 10 月 25 日上午 8：50，我驱车来到费城市中心的布劳德大街北 400 号，把车停在该报与一家医疗服务单位交接处的停车场，迅即走进大楼。但保安人员告诉我，普莱斯早上出去了，可能一会儿会回来，让我稍候。

我便走出去好好看一看这座大楼。大楼位于费城闹市区，宽敞的布劳德大街车流如过江之鲫，右边不远处可看到市中心最高楼的标志性建筑。报社大楼也是古典风格，高约 20 多层，全部白色，呈金字塔形，底座很大，越到顶部越尖，接近顶部有一座大钟，必须到马路对面才能看到这座大钟及楼顶的全部。就在我过马路时，大钟敲了 9 声。从马路对面，我看清楚门厅上浮出的一排金色立体大字：Philadelphia Inquirer. DAILY NEWS（费城问讯报·每日新闻）。这表明早年被《费城问讯报》收购的费城《每日新闻》也在这座大楼内办公。

费城位于美国东部的宾夕法尼亚州北端，与新泽西州距离很近。作为殖民者在美国建立的第二大城市，费城各方面的建设起步很早。该城建立于 1682 年，比美国独立日早了近 100 年。该城全名“费拉德尔非亚”(Philadelphia)，源自希腊语，意为“兄弟情谊之城”(The City of Brotherly Love)。费城在美国历史的关键时刻起过非常重要的作用。1776 年 7 月 9 日的大陆会议在这里通过并宣布了《独立宣言》。1787 年在这里召开的联邦制宪会议起草和通过了美国第一部宪法。我在该城参观时，讲解员说当时 13 个州的代表讨论这部宪法，争论激烈得几乎要打起架来。1790～1800 年期间，费城曾是美国的首都。现在费城是美国第五大城市，拥有美国最大的淡水港，也是美国东部制造业、金融和文化的中心。全市有 30 多所大学，国家历史独立公园（Independence National Historical Park）是来美各国游客的必到之地。当然，还有享誉世界的美国五大交响乐团之一的费城交响乐团，我也有幸在卡内基音乐厅欣赏过该团的演出，在我回国之前，费城为交响乐团建成了美国目前最现代化、最大规模的豪华音乐厅。中国在“文化大革命”10 年间唯一一次邀请美国交响乐团来华演出，请的就是费城交响乐团。

费城的报业起步也很早。就在《波士顿公报》诞生后的第二天，即 1719 年 12 月 22 日，这里出现了《美利坚信使周报》(*American Weekly Mercury*)。其后不久，后来被美国人称为伟大的新闻工作者的本杰明·富兰克林告别在波士顿的哥哥詹姆斯·富兰克林来到费城，并于 1729 年 10 月收购了当时小有名气的《宾夕法尼亚公报》。这份报纸随后成为美国各殖民地的最佳报纸，而本杰明·富兰克林也在 24 岁时就将报纸的其他剩余股份全部吃进，成为这份最佳报纸的独资老板。这位神奇人物后来还出版图书并资助别人创办报刊，后被任命为各殖民地的总邮政局副局长，再后来当上外交家和国务活动家。美国新闻史学家称，这位在费城起家的新闻工作者兼商人对美国新闻事业最大的贡献就是使新闻事业成为受人尊敬的行业。除了出了个富兰克林，费城还于1783年诞生了美国第一份日报《宾夕法尼亚晚邮报》（*Pennsylvania Evening Post*）。该报由本杰明·汤（Benjamin Towne）创办，原来是一份周三刊报纸。该报曾于美国宣布独立后第三天，即1776年7月6日，率先在报纸上出版《独立宣言》。而在7月4日独立日这一天，汤和富兰克林等爱国人士一起合作印刷了《独立宣言》最早的宣传品。1784年，费城著名印刷商约翰·邓拉普（John Dunlap）也将自己创办于1771年的《宾夕法尼亚邮报及综合广告报》（*Pennsylvania Packet of General Advertiser*）改为日报。因此，美国历史上第一份、第二份日报都诞生在费城。这种日报风很快吹到美国各大港口和商业城市，至1800年，日报在费城已有6家，纽约有5家，巴尔的摩有3家，南卡罗莱纳州的早期殖民地查尔斯顿有两家，而美国报纸发源地波士顿却奇怪地未出版日报。可见，在日报的发端和数量上的发展，费城都走在全国前列。

我折回报社大厅又等了一会儿，普莱斯匆匆赶到。他一见到我，忙表示抱歉，说出去处理了一件急事。这位头发很短、个子很高的助理执行总编比我想象的年纪要大，看上去至少50多岁，但为人十分热情，处处考虑周到。他领我到他的办公室刚坐下，就给了我一份新的日程表，说有一些变动：那位曾驻北京的记者有采访任务来不了，减少一个采访，最后采访者的时间提前到下午3点。他还在这份日程表上用圆珠笔注明了每位采访者所在的楼层。

三、擅长调查性报道

先是采访普莱斯。

虽然普莱斯在我这次访问活动中主要是接待和联络人的角色，但他在该报工作时间很久，知识面也很宽，所以我很乐意和他多谈一会。我们的谈话是断断续续的：上午9：50以前是我们的时间；下午1点他陪我到附近一家环境幽雅的西餐厅吃午餐，我们边吃边聊，因无法录音，我不时在菜谱上记下要点；下午有一段采访间隙，我们又谈了一阵。可惜至少一半的谈话时间没有录音，有些东西已记不清了。

谈话中得知，《费城问讯报》创刊于1829年6月1日，原名为《宾夕法尼亚问讯报》（*The Pennsylvania Inquirer*）。这比前述《巴尔的摩太阳报》又早了几年，是我当时所见现存最古老的报纸。在漫长的岁月里，这份家族报纸数易其主，在强手如林的费城渐渐崭露头角，成为当地的主流报纸。1970 年，该报被奈特报团收购。4 年后，奈特报团与里德报团合并，《问讯报》成为这家当时全国排行第二的报业集团的核心报纸。这时，集团将《纽约时报》的国内新闻部主编小尤金·L. 罗伯茨（Eugene L. Roberts jr.）挖来担任执行总编，放手让该报与同城影响很广的《费城公报》竞争，终于压倒对方。1982 年《费城公报》因亏损扩大而被迫停刊。罗伯茨借此机会收留其残部，扩大自己队伍，说服集团高层为《问讯报》新增 90 多名记者编辑以及 5 个海外分社、10 名驻全国和海外记者，并将新闻版面扩大了 20%。当年底，报纸的发行量增加了 30%。

美国很多大报是以独家调查报道而闻名海内外的，如《华盛顿邮报》的水门事件报道，《纽约时报》的五角大楼文件等，《费城问讯报》也不例外。该报从 20 世纪 70 年代中期起就在罗伯茨执行总编（后来当了总编辑）的率领下，大兴调查报道之风，并取得了突出成绩，其对石油危机的报道、政府能源政策失误的报道、北大西洋海难的报道、警察滥用职权的报道等，都取得了相当好的效果。而该报最辉煌的一页就是 80 年代对“三里岛事件”的报道。

1979 年春，宾州的三里岛民用核电站发生一起严重的泄漏事件。在以后的几年里，人们一直怀疑当地仍有核污染。1983 年春，3 名高级工程师出于对安全的担心辞职离开。这一不寻常举动立刻引起《问讯报》记者的注意，随即介入三里岛事件。两位记者先从 4 名不敢吐露真情的工人入手，了解到核泄漏事件发生几年来数千工人在缺乏安全保护措施的条件下持续接触核物质、暴露在核射线之下的惊人事实。在 21 个月的艰苦调查中，记者先后采访 225 个人，阅读了上万份文件，与美国劳工部、能源部的官员据理力争，终于弄清事实真相，于 1985 年 2 月独家连续刊发长篇调查性报道，还配发了大量照片和图表。这些报道在全国引起巨大轰动，各大报纸也纷纷介入，一时在全国兴起三里岛事件报道热潮。报道于第二年获得普利策地方报道奖。

据说，该报的调查报道很注重团队精神的培养，大多数此类报道都是集体合作的产物。例如，三里岛事件的报道先后就有 80 人参与。这与《华盛顿邮报》在调查水门事件时由 2 位记者包干始终的做法完全不同。1986 年 4 月报社获得普利策奖后，总编辑罗伯茨专门将奖状复制 80 份，连同一个写着“罗伯茨致谢”字样的礼盘送给每位参与报道和编辑工作的员工。在罗伯茨主政《问讯报》编辑部的 1972～1990 年的

18 年中，该报获得了 17 项普利策奖的骄人成绩，其中多半是调查性报道，还包括一项普利策奖中含金量最高的“公众服务奖”。这项辉煌战果令全国所有报纸刮目相看。该报也被评论称为全国最优秀的报纸之一，发行量在 80 年代中期达到顶峰居全国前 10 名，平日刊超过 50 万份，星期天刊达到 100 万份。然而罗伯茨却急流勇退，突然于 1990 年辞职到马里兰大学当了教授，4 年后又出人意料地回到《纽约时报》任编辑部主任。

盛名之下，我想了解该报目前的规模和组织结构。普莱斯遂作了如下描述：

“本报有 3000 名员工，其中编辑部有 510 人，《每日新闻》编辑部有 200 人，经营部门有 2300 人，包括经营、发行、广告和印刷。我们的发行在全国排行第十（据查 ABC 数据，他这个说法不太准确，2001 年该报星期天刊排行第 10，平日刊排行第 19——笔者）。由于我们这里接近宾州和新泽西州交界处，所以我们对两州新闻都予以覆盖。

《费城问讯报》用印刷厂改造的编辑部大厅

“各部门的准确人数为：电子系统 10 人，本报网站 6 人，机动记者 3 人，地方新闻部 6 人，都市新闻部 36 人，编辑组版部 26 人（含国内新闻和国际新闻），宾州新闻部 76 人，新泽西新闻部 48 人，健康与科学部 6 人，文字编辑部 60 人，国内新闻部 7 人，国际新闻部 7 人，体育部 31 人，文艺与副刊部 61 人，摄影部 34 人，美术部 11 人，社论部 12 人，编辑部辅助人员（包括秘书、行政助理、图书馆等）45 人。”

不愧为负责人事的助理总编，普莱斯说起人员编制来如数家珍。

但该报目前状况不太理想，我查了一下最近该报的发行情况，似呈连连下跌态势。2001 年平日刊的发行量已跌到 36.5 万多份，比 10 年前减少了 10 多万份，这为后来总编辑的被免职埋下了伏笔。

四、报纸发行横跨两州

上午10点，我走进10楼的该报高级副总裁约翰·G.沃尔什的办公室。这位风趣的老总看上去像是南美后裔，他负责报纸的经营，包括发行和印刷。我重点向他了解报纸发行情况。从他的介绍看，《费城问讯报》在发行方面政策灵活，手段多样，处处为读者着想。他说：

采访《费城问讯报》分管发行的副总裁约翰·沃尔什

"我们这里有3种报纸，一种是平日刊的《问讯报》，第二种是星期天刊的《问讯报》，第三种是费城《每日新闻》（*Philadelphia Daily News*）。所有这三种报纸的发行都归一个部门管。《问讯报》目前的发行量，平日刊37.5万份，其中住户投递占75%；星期天刊75万份，住户投递占50%；其余是零售。

"我们这里的地域较为复杂。这里一共有8个县，分布在宾州和新泽西两个州。我们的发行要努力覆盖这8个县。我们发行部的员工共600人，他们不承担投递工作。投递主要由独立签约人实施，他们都是成人，但我们负责80%的报款回收工作（这一点与一些报纸不同，那些报纸主要靠签约投递员收款——笔者）。我们每天有300辆卡车负责运送报纸，这些卡车也是签约公司的。我们大量零售报纸都由签约公司的卡车运送。

"在零售方面，我们主要依靠售报摊、超市和商店、售报机，通过分销商将报纸发送到这些地点。我们总共有3000多个售报机，6000多个商店代售点，200多个售报摊，因此加起来每天有9000多个售报点。这些点销售报纸的数量从30份到200份不等。最大的销售点是哇哇（Wawa，当地一种标志明显、以食品为主的连锁超市，大都在住宅区附近的马路边，很受居民欢迎。我老父亲有一次去美国探亲，出来溜达时迷了路，不会说英语，就是向警察说“哇哇”而找到我弟弟家的——笔者）。到了星期天，很多售报机都无法使用，因为我们的星期天刊太大了，有厚厚 6 大叠。好在星期天的商店代收点增加到 7000 多个，投递员也有所增加。另外我们组织 180 人的销售队伍，到教堂去卖报。到教堂做礼拜的这些人出了教堂就去餐馆，我们的人这时去推销，成功率很高，可以卖出很多报纸。所以我们的星期天刊零售销量比平日刊大大增加。平日刊零售量不到 10 万份，星期天刊的零售量接近 40 万份。

“我们当然也有 NIE 项目（报纸教育工程——笔者）。我们平日刊和星期天刊每期各有 1 万份发到校园。小学最多，中学其次，高中第三，大学第四。因此，我们的报纸教育发行量占平日刊的 2.5%，占星期天刊的 1.2%。我们向小学印发大量辅导读物和教师指南，帮助他们阅读报纸。我们还有一定数量的旅馆发行，大约 2000 份吧。但我们在旅馆的发行不像《今日美国》那样给很大的折扣，他们打了 75%的折扣，实际价格只有 25%，而我们的实际价格至少 50%。”

谈到订阅方式时，他说：

“我们发行的三种报纸都是晨报，但中间互有交错。例如《每日新闻》是周一至周六，《问讯报》的平日刊都是周一至周五，《问讯报》的星期天刊是周六至周日。所以，到了星期天，我们只发行《问讯报》的星期天刊。我们在订阅上尽量满足读者的需要，提供各种式样供其选择：可以一周订阅 7 天的，这当然是我们最希望的；可以只订周末；可以只订周四、周五和周日；可以订周一至周五；也可以只订星期天刊；等等。你说这样做很复杂？其实没你想象的那样复杂，所有收订数据随时进入电脑，印数和投递都按照电脑自动给出的数据执行。不过，大多数读者只选择两种形式：一是每周 7 天，一是只订周日。

“我们还有大约 25%的外埠发行，即在 8 个县以外的地区发行，包括华盛顿特区、巴尔的摩、纽约及其他一些大城市。在这些大城市我们不搞住户投递，而依靠当地的分销商发行，那里的人们只能从街上买零售的报纸。”

我们又谈到他负责的另一个领域——报纸印刷。他介绍说：

“我们的印刷厂原来在这里，后来搬到郊区去了，离这里大约 5 英里。现在一切都靠电脑传输和联络，编辑部的任何人员都无需去印刷厂。印刷机是 80 年代早期购入的，共 9 台，每天 24 小时工作。这些机器不仅印我们自己的报纸，也印其他报纸，包括附近一些周报及外地在这里发行的报纸，如《洛杉矶时报》。所以我们与外面签了很多合同。周四、周五、周六和周日是最繁忙的日子，因为有大量报纸要印刷。我们每年在为外报印刷中可赚2000万美元，自己报纸的印刷未包括在内。但近来我们失去了一些客户。论坛公司收购了《新闻日报》，该报就不在我们这儿印而转到论坛公司集团内的报纸印刷厂印。报纸印刷市场的竞争是很激烈的。对于插页广告，我们也只承担少部分印刷，大部分由那些大型印刷商承印，特别是那些高质量的插页广告。广告客户将印好的插页广告拿来给我们发行。”

最后，他承认该报的竞争对手很多。他说：“我们面临巨大的竞争对手。例如，甘尼特公司的《今日美国》在我们这一地区发行量达10万份。《巴尔的摩太阳报》也向这里积极渗透，是我们不可小看的对手。还有一些地方性的报纸，也对我们构成一定威胁。所以我们一刻也不能松懈。”（笑）

五、总编辑谈发行量下降原因

2001年10月25日上午11点，按照普莱斯的安排，我准时来到位于二楼编辑部的总编辑兼高级副总裁罗伯特·罗森塔尔的办公室。

二楼编辑部实际上是一圈宽阔的“走廊”，现在主要是副刊部和图书资料部门的办公室。从这个“走廊”往下看，可见到一楼编辑部，那是一个立有很多柱子的巨大的空间，密密麻麻地摆放着无数电脑台。要不是柱子旁垂直挂着的写有各部门名称的红旗，简直无法辨认各部门的确切位置。这是我迄今见到的最壮观的编辑部。普莱斯介绍说，这个编辑部大厅原来是印刷厂，工厂搬迁后，就改作编辑部的办公室，所以看上去很大。原来编辑部的办公室就让给《每日新闻》用了。

总编辑的办公室就在二楼走廊的墙内。普莱斯陪我到来时，罗森塔尔正在门外和别人谈话，我们打了个招呼就先进去了。房间里很有情趣，墙上挂着古旧的照片和地图，小台桌和礼品架上放着来自非洲的野牛头颅和一些异国文物，还有一些珍稀植物，给人生机勃勃的感觉。

刚坐下，罗森塔尔就夹着一份报纸进来了，一面表示歉意一面上来握手。罗森塔尔面庞白皙，胡须剃得干干净净，戴着深度近视眼镜，身穿灰色长袖衬衫和灰色裤子，扎着黑白相间的深色领带，衬衣袖口扣得紧紧的。看到他，我不由联想起过去在电影中见到的美国早期报人的形象。这同样质地和颜色的服装看来是件套装，至少说明这位老总平时衣着较为讲究。

罗森塔尔说话爽快，见我对屋内的摆设产生兴趣，就说他曾在非洲当了几年驻外记者。寒暄几句后，他随即清晰地介绍了该报的地理位置

采访《费城问讯报》总编辑罗伯特·罗森塔尔

及市场演变情况，并解释了报纸发行量逐年下降的原因。他说：

“《费城问讯报》是美国最大报纸之一，我们的市场也很大，费城及其 30 英里半径的周边县城都是我们覆盖的范围，大约有五六百万人口。费城市区的人口为 150 万。

“费城市区的人口在 30～40 年前比现在多多了。1950 年，这里有 220 万人口。人口减少的原因是，费城过去是一座巨大的工业城市，大量人口在市区工作和居住。直到 1980 年代，我们报纸的主要销售都是在费城市区，例如，1985 年本报发行量的 85%在费城。但后来居民渐渐往郊外搬迁，市区人口明显减少，所以我们这 15 年或 16 年来报纸的发行量一直在减少。**大量搬到郊外各县的居民开始订阅当地更加地方化的报纸。所以说，我们报纸的主要竞争对手不是《纽约时报》，也不是《华尔街日报》，而是那些地方报纸。**费城周围的所有 8 个县都办有自己的日报，有的县有两三份日报。所以，我们是在很多报纸的包围中生存的。

“总的来说，这里有两大区域：一个区域在宾州，另一个在新泽西州。本报努力覆盖的 8 个县横跨这两个州。因此，我们每天出版两种不同的版本来满足这两州的需要，另外我们还有一个专供费城的版本，所以我们每天至少出版 3 种不同内容的版本，以适应这三地读者的需求。由于各县分布范围广，为争夺从城市迁往郊区各县的读者，我们过去出版的版本更多。例如在今年 3 月以前，我们共有 5 个版本，用以覆盖某些人口多的大县。但今年经济开始不景气，公司为省钱，砍掉了两个版本，只留下现在的 3 个。

“人口的迁移是一方面，新媒体的增多是另一个方面。这些都导致报纸发行量下降。事实上所有大城市报纸的发行量都从 80 年代中期后开始下跌，包括纽约、芝加哥、波士顿、洛杉矶的报纸。我们报纸的发行量在 1985 或 1986 年到达顶峰，平日刊超过 50 万份，星期天刊达到

100万份。随后的十五六年，伴随着人口外流和各种新媒体大量涌现，如电视新闻、有线电视网新闻、网络新闻等，读者的情况也有很大变化，他们一代比一代不同，大量新移民受语言障碍影响，并不读我们的报纸，而宁愿读他们本国语言的报纸。所以，现在本报的发行量已减少到平日刊的37万多份和星期天刊的75万多份。

"还有一些读者转向我们的网络版，这多数是年轻人。现在每天经常从互联网上阅读本报的读者大约5万～7万人。这也是读者减少的一个原因。你说得对，美国一些报纸打算向上网读者收费。也许我们也会这样做，但只有我们的老板——奈特—里德报团——才可以作这样的决定。这样的决定一旦做出，将覆盖集团内所有报纸，并将成为集团的一个统一的新政策。

"现在经济不景气，覆盖地方新闻花费巨大，所以我们的机构被砍掉了很多。我们不得不在更加地方化或更大覆盖面之间做出选择。今年3月以前，我们有一个切斯特（Chester，是宾州一个县，县城在费城西南侧50英里处——笔者）版，但后来被砍掉了。现在我们在华盛顿只有3名记者，在外地只有一个记者站，在海外只有3个分社。另外，我们在新泽西和宾州各有3个记者站。要想扩大各县的发行，必须投资覆盖当地的新闻，而现在又必须省钱，这很矛盾。"

罗森塔尔的这番话，说清楚了《问讯报》下跌的原因。这10多年来，尽管美国报纸的发行总量变化不大，但各大城市主要报纸的发行量的确在下降，且下降的份数主要流到郊外新办的报纸中。据查资料，2001年《华尔街日报》、《纽约时报》、《洛杉矶时报》、《芝加哥论坛报》、《华盛顿邮报》、纽约《每日新闻》等发行量排在前10名之列的报纸，销量都比12年前减少4万～40多万份不等，其中《纽约时报》减少不明显，只降了约4万份，但《华尔街日报》减少了15万份，《洛杉矶时报》减少了26万份，纽约《每日新闻》跌得最惨，减少了44万份。唯一只升不降的是《今日美国》，升了70多万份。这份报纸的特殊性在于不以某个大城市为集中销售的对象，而是遍撒全国，东方不亮西方亮，所以未受罗森塔尔讲述的大趋势的影响。

六、总编辑想办教育报

罗森塔尔总编辑接着介绍了该报一些基本情况。他说：

"我们包括社论版在内共有535人在编辑部工作。但一年多前，我们的人数更多，有620人。去年下半年起，经济形势不好，很快反映到报业，每家大型报纸都走下坡路。所以我们开始裁人。我们不开除员工，只采取我们称作‘买断’（buy out）的政策，即付费让你离开。被‘买断’的人可以获得一年的工资，外加 2 万美元安置费，再加上医疗保险。这些员工有的已经 60 岁了，有的 40 岁左右。他们拿着这些钱去找别的工作，这是我们公司非常慷慨的做法。

“我们的新闻和社论没有彻底分开，新闻部门和社论部门都向我报告。在我之下有一名执行总编，是编辑部的二号人物，编辑部所有人向他报告，然后他向我报告。在他之下，有两名副执行总编（我们谈话过程中，不断有人进来向他请示工作或让他签字。说到这里时，又进来一人，他指着这位先生说），这一位就是其中一名副执行总编，他负责都市新闻、地方新闻、经济新闻、国际新闻、国内新闻和体育新闻，向执行总编报告。另一位副执行总编负责新闻出版，包括新闻组合编辑、文字编辑、版面设计及一切最后体现在报纸版面上的工作及与印刷方面的协调，他经常上夜班。

“我们还有五六名助理执行总编，负责人事、编辑部管理、各部协调等事务。然后就是各部的头了，如国际新闻部主编，国内新闻部主编，经济新闻部主编，副刊主编，都市新闻部主编，宾州新闻版主编，新泽西新闻版主编，体育主编等。我们还有一个大部门叫专刊部，里面分为若干小组，如科学组、环境组、健康组、人口组等，这些小组负责编辑出版每周一期的专版，每个小组有个头，称作‘专家’（specialists）。我们还有一个部门将所有新闻文字编辑管起来，称作文字编辑部（copy desk）。我们还有组合编辑部（news desk），负责组版和版面安排。这两个部的员工下午 4 点才开始上班，直到深夜。他们也各有一名主编。

“至于截稿期，我们也有不同时间。对于两州范围的报纸，它们可能发行到 60、70、80 或 100 英里以外的地方，我们称之为‘州版’（State edition），要求晚上 9 点就开印。第二个截稿版本是我们的所谓‘C 版’（C edition），是发往附近地区的，要求 12：10 开印。最后一个截稿版本即我们说的‘体育终版’（Sports final），要求凌晨 1：30 至 2：00 开机印刷。这个版最晚，是因为我们要等晚上比赛的最后消息、照片和评论。这个版的印数为 3.5 万份左右，不算多。”

谈到对记者的管理，罗森塔尔介绍说：

“所有编辑，包括文字编辑和组版编辑，共有 130～140 人。另外有记者 190 人和大约 40 名摄影记者。但我们没有记者部，没有一个部门将所有记者放在里面。你们国家有？那太有意思了。在我们这里，经济记者就在经济部工作，新泽西记者就在新泽西版新闻部工作，体育记者就在体育部工作。每个部门都有自己的专职记者，他们不可能集中在一个部门工作。

“对记者，我们不给定额，例如我们不会要求一个记者每月要写10篇稿件。有的记者可能一年只写一篇稿件——我是指调查性报道。你说得不错，有的记者写得多，有的记者写得少。他们的能力和技术不同。如果所有记者都很努力而且能力很强，我的工作就很轻松了。但报纸不是工厂。报纸需要有创造力的工作者。人们到这里来不是为了挣很多钱。如果抱着这个目的，他们就不会来这里，就不会当记者。他们可能去当医生，当律师，当商人，当炒股家，或干脆在华尔街找份工作。应聘到我们这里工作的人想到的不是利润或收入，而是因为他们喜欢写作，喜欢设计，喜欢替人鸣不平。这是完全不同的价值体系。所以我们无需制订报道定额。”

最后，他应我的要求谈到报纸教育和报纸的未来。出乎意料的是，他在介绍完该报的NIE工程后，突然就教育问题发表了以下看法。他说：

“我们一直在努力培养年轻人读我们的报纸，我们也设法让报纸进入课堂，但我觉得这一切都很不够。如果让我负责，我会在网上办一份全国最好的面向儿童的报纸。如果这个报纸创刊，每天早上你在教室就能看到它。教师会引导10岁、11岁或12岁的孩子在电脑上阅读这份儿童报纸。我一旦有权，我会立刻实施这个计划。如果我是奈特—里德报团的头号人物，我相信我会这样干的。现在我们在报纸的副刊里开辟了一个‘Kids’（孩子）版，但不是每天出，也就每周出版二三期。你看（他递给我一份‘Kids’版），这不是今天的。这样做我认为是不够的，儿童教育方面的报纸可做很多工作，但现在我们没有。”

他流露出对办教育报纸的强烈愿望，但又屡屡说出“如果我负责”、“如果我有这个权力”等，似乎已经有了一点怨气。后来他被突然解雇，不知此刻是否已经嗅出一点味道？当然这只是我妄加猜测罢了。

关于报纸未来的观点，我想放在访问《洛杉矶时报》那一章里集中谈，这里暂搁置不表。

七、女评论家说见过李鹏乔石

和总编辑谈话已超时，结果影响了下一个采访。中午12：30，我比约定的时间晚半小时来到女评论家特鲁迪·鲁宾的办公室。特鲁迪女士是该报的评论委员会委员和国际事务专栏作家。《问讯报》与美国很多报纸一样，社论部的评论委员会成员地位很高，每人拥有自己的独立办公室，收入也比同资历的编辑记者高。

特鲁迪一见到我，就表示出既惋惜又着急的样子。她说她很想与我好好交谈一番，但现在她要赶一篇稿子并且参加 1 点钟的评论委员会会议。她只能和我谈十来分钟。我只好为自己的迟到表示歉意并对不能充分交流而表示遗憾。

这样说着，我们的谈话也就开始了，一切都很自然。她的语速很快，恨不能将一切压缩在这十几分钟内。她应我要求先介绍了评论委员会的运作：

"我们评论委员会每周举行三次会议。在无会议的那些日子，社论版主编会到我们办公室溜达，和每位评论员谈话，了解选题情况。我们参加会议之前，必须准备好打算撰写的社论选题及相关背景材料。我们现在有电脑，所以我们可以将一些选题线索和思想随时记录在电脑里，临开会时再打印出来。

"我过去包干了所有国际事务方面的社论，现在不这样干了。现在我要写我自己的专栏文章，那是一个国际事务专栏，每周两次。这个专栏是游动的，有时会出现在头版（我这才明白，社论部的成员并不只完成社论版或评论版的稿件，新闻版很多时评专栏也出自他们之手——笔者)，有时出现在评论版。这个专栏也进入我们的电信库（wire service）。我们在《芝加哥论坛报》有一个电信库，名叫'奈特—里德论坛电讯服务库'（这大概应当归属论坛公司通讯社——笔者）。通过这个电讯库，这个专栏可进入很多报社。包括奈特—里德报团和论坛公司的报纸在内的全国 300 多家报纸都可以采用我这个专栏的稿件。当然他们可以随便选择。

"我给自己的专栏写稿，也给评论版写其他文章或社论。我的专栏名叫'世界情愫'（World Beau）。凡是装入这个专栏的文章，都是我的作品。现在我每周写 3～4 篇文章，因为现在是非常时期，反恐战争在进行，国际大事很多。所以我很忙，你看（指指案头成堆的打印稿），简直疯了（笑）。"

我们的谈话转眼就超过了 10 分钟。但她尽量多谈些，这我看得出来。这是一个热情似火的中年女性，套用中国一个词，就是"快人快语"。她不时看看表，但从不间断与我的谈话。接下来，她谈到她访问中国的经历：

"我经常出国。今年 6 月，我在巴西；7 月在俄罗斯待了 3 个星期。

我原计划11月份去中国的，但发生了‘9·11’事件，只好改变计划。我的写作从来没停过，不论我在哪里。不久我可能要去埃及、巴基斯坦、以色列和约旦河西岸的加沙。（看表）你看，我要去开会了。再谈几分钟吧。这些地方都在中东和南亚。这使得我的中国之行不得不推后了。也许我明年会去中国。

“我1986年到过深圳，当时由香港入境经过那里。我在边境遇见我的翻译。那是个非常漂亮的女人。她受中国记协的委托当我的翻译，而中国记协是我那次访华的组织和接待单位。我和这位翻译成了很要好的朋友。她家住在广州，她在广州一家日报工作，好像是《南方日报》。她后来获得一项助学金到美国一家报纸工作了9个月。再后来，她居然转到波士顿郊区我家乡的一家报纸工作，并与一位美国人相识、相爱直至结婚。婚后他们搬到新罕布什尔，我在那里和他们见过面。这是我们始于中国边境的一段很有传奇色彩的友谊。

“那一次后来就去了北京，与已经到达北京的另外几个外国资深编辑组成一个小组。我们采访了李鹏先生。那是很久以前的事了。我最近一次访问中国，是在1996年。这次我独自一人前往，活动仍是中国记协组织的。这次我在采访中央一个会议时，在会间休息的时候偶遇中共中央政治局常委乔石先生并采访了他。乔石是个很有趣的人，那时他还没有退休。我们的谈话很随便，当时传闻他将退休，所以我就向他求证：‘乔先生，您最近会退休吗?’他回答说：‘你说什么？我没有退休的打算。’（笑）这是很有意思的。我当时访问中国的目的是了解中国法制改革情况。然后我去了陕西，那里比我想象的还要好。总之，我真的很渴望再次访问中国。”

我们的谈话已持续将近半小时，手表的指针已经指向1点钟。但我还希望了解更多关于社论写作的情况，她则尽量满足我的要求。她的介绍使我意识到美国报纸的评论工作有时也会受到地方的干预。她说：

“好的，我们再谈谈社论部的运作。正如我前面说的，我们每周开三次社论委员会会议。我们没有时间每天碰头，但我们必须经常向主编报告选题。我们的大多数社论都是本地选题。但当你写关于本地情况的社论时，你有时会受到很大妨碍。例如，在费城现在引起很大争议的问题是学校管理体制。这就是：是否应允许私人公司经营学校？私人公司经营学校是否有利于提高教学质量？现有学校是否因为其官僚作风而导致效率下降？我们的观点是应当允许一试，但我们遭到当地机构的反对。你知道，《问讯报》是一份在当地有很大影响的报纸，所有议及当地事项的社论一发表，都会在读者中引起很大反响。后来我们改写了社论，主要是给读者一些参考观点，并加上公众对此问题讨论的意见。这种状况使得我们的社论委员会会议愈显重要。在会上我们会讨论、争论。如果主编认为选题很重要而意见不一致，大家就会投票表决。尽管有时主编的意见占的分量重一些，但一般情况下委员会会按照表决结果决定最后选题。我们的社论一经写出就代表了报纸的声音，但总编辑几乎从不参加我们的会议。只有一个例外，就是在政府选举期间，发行人和总编辑都会参加我们的会议，因为这时我们的社论对候选人会有选择地予以支持。这时我们的社论也往往偏长。我们评论员个人分工不同领域的社论，就像我是专门写国际事务的。我们经常与社论主编讨论业务。”

说完这话，她一看表，伸伸舌头，说已经迟到了。她匆忙拿起桌上几页纸，起身和我握手道别，一面说着对不起，一面快速往门外走，比我离开的速度还快。

八、员工待遇仅次于《纽约时报》

我一回头，普莱斯正笑眯眯地站在走廊上看着我，说：“你工作真努力。怎么样，该吃饭了吧?”我说我自己解决，他连忙说：“不不，我们一起吃饭，我请客。你不是还有问题要问我吗?”在美国像这样热情的接待者，真不多。

于是我将采访用具放在他的办公室，跟随他走出报社大楼，过了一条街，进入一家里面光线较暗、每张桌上点着小蜡烛的西餐馆。餐馆人很多，服务员领我们走到最里面一张空台坐下，看来这是他预先订好的座位。我们各自点了菜，就继续交谈起来。我的问题还是关于他主管的人事运作。我手边没有任何采访用品，就向服务员借了一枝笔，在菜单上做些记录。

据他介绍，《问讯报》和我访问过的其他著名大报一样，不从高等院校直接招收毕业生，而只招聘具有 3 年以上同业工作经历的员工。为了满足大学毕业生的实习要求，他们办了一个两年制的培训班，学员经选拔可以到报社参加采编工作，但报社只付一半工资。两年后报社择优录用，但大多数不会留下来。记者正式被雇用后，起薪每周 1200 美元。编辑略高。他说绝大多数记者比这个标准高多了。此外员工退休时还可拿到一大笔养老金，大约相当于 40 周的薪水，一般在 6 万美元左右，同时还可从本公司获得每月 3000 美元的退休补助。这还不包括他们从社会安全体系里获得的按过去交税情况规定的退休金。

如此看来，《费城问讯报》员工的收入是相当高的，大大超出我过去听说过的美国记者的收入。此前该报总编辑罗森塔尔在接受笔者采访时也证实了这一点。当时他说：“关于收入，我们在全国不是最高的，但肯定居前十名。我们记者的平均收入是年薪7万美元。我们是加入工会的公司，收入水准都是与工会协商后确定的。记者具有5年工作经验才可到我们这里工作（这与普莱斯的说法略有不同——笔者），第一年可拿到6万美元。我们的收入比《巴尔的摩太阳报》高。这里的员工绝大多数还是双职工家庭，所以很多职工家庭可获得10万美元以上的年收入，这是相当可观的家庭收入了。此外员工还有其他福利，如医疗保险和工作保障等。”

比较我后来采访的其他报纸，《问讯报》的员工待遇大概仅次于《纽约时报》。

普莱斯在饭桌上继续回答我的问题。我问：“中国一些报纸现在在争论收入平衡问题，例如，采编和经营方面应该向哪一块倾斜？在贵报，同样教育背景、同样级别岗位的员工，是经营部门收入高还是新闻部门收入高？”他毫不犹豫地回答：“新闻部门收入高。”

我又问：“你刚才说除了工资以外，还有其他一些收入，你只提到退休后的待遇，平时还有哪些福利？”

“有医疗保险。有养老金。有‘401K’投资项目（401K是美国普遍实行的一种员工福利，即由公司和员工各出一部分资金购买本公司或其他公司的股票等证券，从中获得红利——笔者）。每年有5周以上假期。每年6天的有薪假日（指圣诞节、国庆节等公众假日——笔者）。每年最多不超过40周的病假工资，等等。我们不设年终奖金。员工完成某项任务特别出色时，可在任务结束后获得50～500美元的奖金。这些任务包括好稿件、好标题、好策划等。”

“记者外出差旅费有何规定？”

“没有规定指标。报社负责工作用餐、差旅交通等费用。出差的员工届时需填写一份表格，将费用数目如实申报，这也是我们控制出差费用的一种方式。”

我们边吃边聊，吃完饭快到下午2点钟了，下一个采访正等着我呢。

九、 插页广告的地区化

回到报社，我直奔12楼，来到该报主管市场和广告的高级副总裁

采访《费城问讯报》分管营销的副总裁托德·布朗洛特

托德·布朗洛特的办公室。布朗洛特头发朝后梳着，戴一副银边眼镜，鼻下留一撮灰黄而修饰齐整的胡子，着白衬衣，扎红领带，肚腩鼓鼓，看上去像个商界大老板。我们的谈话刚开始不到一分钟，我的录音机就停止运作了。我知道那是容量饱和的缘故。所以这里只能借助笔记本上的简单记录。

他介绍了该报广告方面的情况，使我感到这家报纸的广告分量很重。虽然是集团内的报纸，他倒并不回避透露年收入。他说：

"本报去年的广告收入大约 4 亿美元。其中 25%来自招聘分类广告。去年我们每个星期天刊有 40～50 页的招聘广告，但现在少了，只有 20～30 页。招聘广告每页 6000 美元。我们陈列广告（display，区别于分类广告和插页广告，是在正报上刊登的较大篇幅的设计广告——笔者）的平均价格是每页 2.5 万美元。星期天刊的广告比平日刊高 33%。

"本报的广告客户大约有 1 万家，其中一些大客户每年在这里做 1000 万美元以上。像 Strawbridge's（大型服装连锁店——笔者）和 Home Depot（大型家庭装修用品连锁店——笔者）这类客户，每年广告额大约 1500 万美元。这类大客户，可以享受全年套餐和按月付款（不必立即支付——笔者）的优惠服务。

"根据去年的情况，我们广告来源主要有三个方面，按比例大小依次为：分类广告，约占 50%；零售商广告，约占 30%；全国性广告，约占 20%。分类广告中招聘广告的价格最高，每行 30 美元，而最便宜的分类广告为汽车广告，每行只有 3 美元。尽管这样我们也做，从不拒绝，而且多多益善，因为汽车广告的读者很多。

"星期天刊的广告既多又贵，是因为美国人喜欢在星期天外出购物，他们在星期天也有较多时间阅读。这使得星期天刊越办越大，重得都提不动（笑）。

"星期天刊报纸的插页广告很多。这些插页广告都是机器自动夹进去的，然后由机器自动捆扎。插页广告的投递有着严格的地区分别。发行到不同地区的报纸，有着不同的插页广告，因此这些广告非常地方化，也很受当地读者欢迎。插页广告基本上都是零售商做，但服装广告一般不做插页广告。你看 Macy's（总部在纽约曼哈顿的美国最大的服装零售连锁公司，该公司在美国很多大城市的报纸几乎天天刊登多幅整版广告，内容都是打折或新款优惠等信息，其广告投放量之大，常让我惊诧莫名——笔者）几乎每天在我们的报纸上做若干版的广告，都是在正刊上的，从不做插页。”

“插页广告既然投递数量和地区各不相同，你们怎么测算价格呢？”我问。

“我们按实际发行份数收钱，印费另计，如果在我们这里印刷的话。例如，Staple's（美国著名办公及电子器材连锁公司——笔者）总是在我们这里做插页广告，收费标准是每发行 1000 份收费 50 美元。去年我们从插页广告方面获得 4500 万美元的收入。一般说来，服装零售企业喜欢在正报上做广告，而超市等其他零售商则喜欢买我们的插页广告。这些插页广告不仅通过报纸发行，零售商往往还加印许多，放在商场内供消费者免费取阅。我们所有插页广告都来自零售商。”

谈话后，这位副老总还给了我一套该报的广告价目表，共 5 本。在美国访问各报，广告运作是我了解的重点之一。但说实话，各报的广告价格体系都很复杂，听起来令人头痛。这次访问《费城问讯报》，我向他请教了不少问题，硬着头皮总算基本弄懂了这些价格规律。由于过分专业，我打算在本人计划撰写的关于美国报业管理近窥的专著中详细介绍，这里限于篇幅，恕不赘述。

十、女编辑再也不想吃茄子

下午 3 点，我按约来到 3 楼见周末版编辑罗宾·亨利小姐。这是一位黑人，但皮肤带点褐色。这也是我在美国各报访问的五六十人中见到的唯一有色人种报人。

亨利小姐大约 30 岁左右的年纪，未说先笑，而且一定笑出声来。她领我来到一间小会客室，我们就坐着闲聊起来，因为这次采访是她主动要求的，我并无特别需要了解的内容。我本来想，既然谈，就听听这些副刊编辑的工作特点。但话题一开始就被引入她在中国的经历。

原来，她对古老的中国很有兴趣，曾请过一年的长假去过中国。她告诉我，她在中国沈阳的辽宁大学教过一年的英语，就住在学校提供的宿舍里。暑假期间，她就周游中国，到过北京、西安、天津、南京等地，但就是没去过南方，特别是广东。

她说，辽大给的工资是每月 3000 元人民币，住房免费。薪水虽然不高，但她不图这个，只是为了体验中国的生活。她认为一年的中国之行是难得的人生经历，她为此放弃了报社一年丰厚的薪水，一点也不后悔。今后有机会，还想去。

当问到是否习惯中国的生活，特别是大学里每天的中国饭菜时，她说还可以，就是天天吃茄子，时间长了受不了。她说，食堂里每天都卖茄子，虽然中国的茄子有各种做法（美国也有茄子，品种有大有小，美国人称其为 eggplant——笔者），但说到底还是茄子。后来到北京，有一次有朋友请客，饭桌上又点了茄子，真让她倒胃口。回到美国后，她一见到茄子就怕。说到这里，她又咯咯地大笑起来。

我当时邀请她下次到深圳去，她说“好啊”。谁知真的就有这么个机会。

2002 年我回深圳不久，被任命为英文《深圳日报》总编辑，当时原来两位外籍编辑聘用期满先后回国，亟需补充新人。招聘广告发出去后，应聘者倒很踊跃，前后有 10 多位英语国家人士上门或通过朋友报名。但是这些人中有报纸采编经验的专业人士很少。这时我突然想起亨利小姐，赶紧发电子邮件，告诉她有这么个岗位，且待遇不错。她果然表示很高兴有这个机会，并积极地问这问那，还向老板请示。老板虽未明确表示同意，但她仍继续和我联系。后来听我说要求在一个月内报到，她就说不行了，因为老板迄今未允许，她自己也不可能在一二个月内将一切安排妥当。但希望我下次继续给她机会，并提前两三个月告诉她。

我们谈话之后，见还有时间，便向普莱斯要求参加编前会，他欣然同意，并领我到了会议室。会议室也在二楼。会议室门外两边墙上贴满了近期报纸漂亮的版面，大部分与“9·11”事件有关。这时参加会议的人还未到齐，总编辑罗森塔尔正站着和人说话。会议桌一头的墙上挂着卷帘式银幕，电脑通过挂在天花板上的投影仪将一些图片打在银幕上，供与会者讨论和挑选。

这个编前会与我们前面介绍过的编前会大致相同，只是从银幕上可看到放大了的彩色新闻图片。另外，会上讨论的头版和 B 叠首页稿件主要分别由宾州新闻部、新泽西新闻部、都市新闻部和特别新闻部（指“9·11”事件后组成的反恐专刊组）推荐，所以与会者收到好几套头版和 B 叠首页稿。会议由坐在正中央的一位副总编主持，总编辑罗森塔尔坐在一侧。会议的程序及讨论方式与其他报纸无异，这里不再赘述。

会议结束后，我也圆满完成了此次对3家著名报纸（《巴尔的摩太阳报》、《华盛顿邮报》和《费城问讯报》）的访问，来回5天时间。其中要数对《费城问讯报》的访问最累，从早晨7时开车到晚上8时回到纽约，中间谈话六七小时，开会一小时，一直处于高度紧张状态，头皮都发麻了。

十一、10天后，总编辑被炒

回到纽约后继续参加学校的课程，神经也松弛下来。第三天即周末，跑到学校巨大的草场上与成群的大雁耍了一会儿，脚上踩满了大雁的粪便。转眼也就到了10月底。但11月7日《纽约时报》的一条消息又令我大吃一惊：《费城问讯报》的总编辑罗森塔尔被免职！虽然在报上常见到美国报纸高层人事变动的消息，但这样一家大报的编辑部一把手突然被“摘帽”，在美国这一年中还是头一回听说。

为何遭贬？从这篇题为《费城问讯报总编辑被逼出局》的消息中可略知端倪。消息全文如下：

罗伯特·罗森塔尔，《费城问讯报》的总编辑，昨天在经历了几个月的与母公司奈特—里德报团高层的意见分歧之后被突然解职。他们争论的焦点是关于这家报纸的新闻和战略发展问题。

这一变动是在该报持续18个月的减员、“买断”和发行量下降之后发生的。罗森塔尔先生反对在上面的压力下将报道重点从地区、国际和国内新闻转向更小的地方新闻。

《问讯报》的发行人鲍勃·霍尔（Bob Hall）在昨天的编辑部全体采编人员的一个严肃的会议上宣布，罗森塔尔先生的职务由沃克·伦迪（Walker Lundy）取代。他说，伦迪先生是一位在奈特—里德报团长期工作的受尊敬的员工，在过去的11年里曾在《圣保罗先驱报》（*St. Paul Pioneer Press*）组织强有力的新闻报道和深受读者欢迎的副刊稿件。

伦迪先生领导发行量在19.5万份的《先驱报》获得了2000年的普利策奖。获奖作品是一篇揭露明尼苏达大学篮球队欺诈行为的报道。该报道导致4名运动员在一次重要比赛前被取消比赛资格，从而激怒了很多读者。

The Philadelphia Inquirer

这次总编辑的突然变故是今年以来奈特—里德报团第二次高层人事变化。第一次是报团另一家报纸的最高领导因在预算开支方面与上级产生争议而辞职。这一变动也标志着这家报纸 30 年来报道方针的首次转移。该报 30 年前立志要在都市、地区（指州的范围）、全国、世界这四大报道领域的深度和广度上赶上全国任何一家报纸（当时的编辑方针没有考虑到地方新闻的重要性——笔者）。

最近几年来，该报纠缠于财务取向，而其母公司越来越热衷于满足投资者的意愿和维持股票价格。当初小尤金·L. 罗伯茨开创的庞大而耗费巨大的新闻运作体系成为该报近年来产生摩擦的永恒源泉（如前所述，20 世纪 70 年代罗伯茨到该报后的最大动作就是扩大编辑部，加强采编力量，增强竞争力，得到当时奈特报团领导的大力支持，效果显著——笔者）。类似的摩擦已导致报团内的《圣何塞信使新闻》（*The San Jose Mercury News*）发行人杰伊·T. 哈里斯（Jay T. Harris）今年早些时候的辞职。

近 10 多年来，费城地区的人口和就业增长停滞不前，而郊区的竞争对手（指郊区的报纸——笔者）却将该报的发行和广告市场不断分割，赚足了钞票。

在截至 9 月 30 日的前 6 个月中，《问讯报》平日刊和星期天刊的发行量比去年同期下降了 8%以上。在过去的 5 年内，该报平日刊和星期天刊下降了近 15%，而郊区两家报纸的发行量却几乎没有下降。

问及究竟是什么分歧导致罗森塔尔先生离开，发行人霍尔先生昨天说，“概括地说，报纸应该早就将重点转向覆盖郊区地方。”他又说，“这事关报纸发展。我不能过分强调说罗西（罗森塔尔的昵称——笔者）不是一个值得信赖的报人，但我想现在是换人的时候。”

《问讯报》的记者和编辑昨天说，罗森塔尔曾经拒绝由全国、本州和本市的新闻覆盖转向郊区地方新闻的覆盖。

伦迪昨天上午被介绍给编辑部同仁后，在一次采访中说，在确定优先覆盖何地新闻之前，他需要了解更多的当地情况及员工想法。但是，他说，“我们的目标是继续吉恩（前总编辑罗伯茨的昵称——笔者）时代创立的新闻风格。同时我们要考虑扩大发行和如何使读者更爱读《问讯报》。两者不可偏废。”

伦迪先生将是该报自 1972 年罗伯茨主政编辑部以来首次从《问讯报》以外的地方调来任总编辑的。该报在罗伯茨先生任职 18 年期间获得了 17 项普利策奖。

昨天上午 10 点发行人向各部主编宣布总编辑将离开的消息后，罗森塔尔利用上午剩余的时间给全体记者和编辑写了个便条，并受到同事们的拥抱告别。当他在午餐时间走出办公室时，所有编辑部人员起立并鼓掌向他致敬。

昨天在接受采访时，罗森塔尔先生谈到他的同事："我对大家一视同仁，我总是努力推动大家开展工作，我们一道经受了各类巨大的变化。我对所有留下来的员工感到无比的骄傲。"

问及昨天编辑部的气氛，该报的电视评论家盖尔·希斯特（Gail Shister）说，"这就像爆炸之后的德累斯顿（二战期间德国一个大城市）。从某个方面来说，罗西代表了《问讯报》最杰出的品质，因为他真正是一个搞新闻的人。"

今年年初，当该报按照母公司要求完成了10%的裁员任务后，执行总编辑威廉·沃德（William Ward）突然宣布辞职，在编辑部引起震动。到2001年9月，编辑部员工只有514人，比网络经济热潮时的2000年1月减少了100人。①

除了《纽约时报》的上述报道，各报也纷纷披露这一美国报业的重要新闻，且不少报刊对罗森塔尔寄予同情。当月第二周出版的《总编辑与发行人》周刊报道说：

"罗森塔尔在搞调查性报道、全国报道和国际报道方面不遗余力，但对郊区地方报道没有给予其老板希望的优先地位。在全国和国际新闻报道方面《问讯报》已经和《纽约时报》形成一定的竞争关系，该报在《纽约时报》的市场销售报纸3万份。他在接受本刊采访时说，'鲍勃·霍尔（该报发行人——笔者）的确提议要加快这个转变，但这个转变如何进行，快到什么程度，这要看我们在这方面的条件如何。'

"事实上，罗森塔尔在这4年任期中一直面临强大的财务压力。根据大费城地区报业公会提供的数据，在过去的2年里，一系列裁员措施使编辑部新闻人员减少了23%，降至485人，其中负责报道郊区广大地方新闻的年轻记者被减少了34%，只剩71人。发行部门的电话促销及市场营销人员的减少，也影响了该报去年的发行量。

"曾参与组建该报郊区记者站的该报记者亨利·J. 霍尔库姆（Henry J. Holcomb）说，在报纸是否可以更好地扩大郊区报道这个问题上，罗森塔尔不应负全部责任。'我认为罗西对扩大本报市场覆盖上是有着很大兴趣的，不论设计全国报道还是地方报道。他有他的全盘考虑。'

---

① Philadelphia Inquirer Editor Is Forced Out, *The New York Times*, 2001年11月7日

“伦迪将于 11 月 26 日正式上任。他 4 年前扩大了《圣保罗先驱报》的郊区覆盖。他说，‘你不可能既这样做而又少花钱。’

“很多《问讯报》员工问他有何改进报纸的良策，他说，‘最好的裁判是《问讯报》的读者，而不是普利策奖评选委员会。如果要我在 1 万名读者和普利策奖之间作出选择，我要读者而不要普利策奖。’”①

看来，罗森塔尔总编辑被解职的根源在是否将重点转移至覆盖郊区地方新闻上。这里所谓郊区地方新闻，是指费城以外 8 个县的地方新闻。该报对费城新闻的报道是充分的。他在接受笔者采访时已经透露出他的难处：一方面覆盖这些郊区新闻需要更大的投入，一方面报社老板却在减少投入和裁员。而他的骨子里可能还是希望报纸保持地区大报的声誉，不太愿意完全降格以至用琐碎的郊区地方新闻来与各地小报竞争。

这次事件和去年初该报执行总编的辞职以及奈特—里德报团另一家报纸发行人的辞职，暴露出一些著名报纸与报团之间的分歧。它表明，美国报业集团对经济收益方面的追求往往大于对报纸品格的保护。前述《圣彼得斯堡时报》坚决保持独立以维护报纸风格和社区利益，其实也是出于对报团类似做法的畏惧。

54 岁的罗森塔尔被炒后不久，即被哥伦比亚大学新闻学院聘去担任教授。2002 年 9 月，他又被《旧金山纪事报》(*San Francisco Chronicle*) 聘请担任执行总编。《旧金山纪事报》是美国西部仅次于《洛杉矶时报》的大型报纸，2003 年 10 月～2004 年 3 月平日刊平均发行量达 501,135 份，居全国第 12 位；星期天刊平均发行量为 553,983 份，居全国第 17 位。该报隶属于著名的赫斯特报团，目前的排名及编辑人数均超过《费城问讯报》。罗森塔尔在《费城问讯报》长达 20 多年的新闻生涯中，先后担任过驻外记者、国际新闻主编、城市新闻主编、助理执行总编、执行总编及总编辑等职位。据报道，赫斯特报团请罗森塔尔出山的目的，就是想利用他在这样一份注重调查性报道的报社所积累下的丰富经验，来加强《旧金山纪事报》在硬新闻和深度报道方面的指导力量，提高报纸的新闻水平。我想，这正是罗森塔尔的兴趣所在。

---

① Philadelphia Inquirer Changes Direction-New Editor To Focus On Suburbs, *Editor & Publisher*, 2001 年 11 月 13 日

Rudy Inc. open for business
EXCLUSIVE PAGE 5

Hockey-slay dad tells his story
MIKE LUPICA-PAGE 7

SPORTS BROOKLYN FINAL

DAILY NEWS

50¢ www.nydailynews.com NEW YORK'S HOMETOWN NEWSPAPER Thursday, January 10, 2002

U.S. REFUELING PLANE LOST IN PAKISTAN — 7 MARINES DEAD

TANKER CRASH

SEE PAGES 2-3

AP

纽约《每日新闻》2002 年 1 月 10 日头版

第 17 章

纽约《每日新闻》

Daily News

上尉创办首份小报
巨额发行数度称最

纽约《每日新闻》，创刊于1920年，是美国第一份小报，发行量在20世纪曾长期居全国第一，目前纽约市的发行量第一，新闻部分喜按专题编排，重点十分突出。曾隶属论坛公司，后被《美国新闻与世界报道》所在的集团公司收购。2003年10月至2004年3月平日刊平均日发行量为747,053份，居全国第六，居全国小报第一；星期天刊发行量为802,103份，居全国第五。

一、公关拒绝　老总答应

窝边草总是留在最后吃。2001年我对纽约的几家著名报纸的采访，从11月才开始，直至2002年1月才结束。除了时间安排上的“先远后近”策略，我还想多积累一些经验，以最多的背景材料和最流利的口语来对付这几家排在全国前几名的报业巨头。

不过有时聪明反被聪明误。例如世贸大厦，1995年访美时因天气原因未上去参观（当时大雾弥漫，细雨蒙蒙，上去什么也看不见）。这次在美国，妻子女儿都希望暑假上去看看，我却总是说等忙过这一阵，等到秋天天高气爽时再看不迟。结果就再也看不到了。更重要的是，“9·11”事件后联系采访也变得更困难了，一些中国朋友访问政府的计划纷纷告吹，我这外国佬深入知名媒体重地，难度之大是可想而知的。早知如此，何必当初。所谓百鸟在林，不如一鸟在手是也。

还好，虽几经周折，终于如愿。对《纽约时报》、道·琼斯集团和《华尔街日报》的采访逐一完成，前面已经说过。下面要介绍的是纽约《每日新闻》、《纽约邮报》和长岛《新闻日报》这三家在纽约及附近地区的报纸，再加上远在西部的《洛杉矶时报》——此次访美采访的最后一家报社。

请允许我再絮叨几句关于联系各报时的一个体会。美国各报都有一个负责对外联络的公共关系部门，尽管其名称千差万异，功能大体相同。所以按情理，联系采访首先应找这些部门，再通过他们求得采访安排。1995年我随团访问《洛杉矶时报》时，就是公关部一位负责人陪同参观的。我们那时也算是一个新闻代表团呢，但在该报没有机会和任何人说话，面对的只有这位公关先生。中外大概都是这个理吧，我起初也是照这个思路做的。但很快就发现在不少情况下，此路难以走通。

在我访问的美国20多家报纸或报业集团中，多半公关部门不予配合。不配合主要表现在：一是拒不回信，信件或E-mail发出去如石沉大海，杳无音讯，但这种情况比较少；二是人员变动，大约5个单位的公关经理在我发信前已经离开所在报社，我在根据最近获得的资料与其联系后，往往得到一个自动回复的E-mail，说明此人已经离职，有的会给一个私人联系信箱，但你若循此去了解其继任者的信息，不会再有回音；三是婉言拒绝，尽量把你挡在门外，对纽约《每日新闻》的访问就是一例。

有鉴于此，我与公关经理联系的同时也直接同我要访问的对象联系，主要是总编辑。结果往往总编辑的态度比公关经理的态度积极，回复也比他们快。没有这些热情的总编辑的大力支持，好几家重要报纸的访问将完全泡汤。在这里，我向那些总编辑，如《今日美国》、《芝加哥论坛报》、《费城问讯报》、《巴尔的摩太阳报》、《华盛顿邮报》等报纸的总编辑鞠躬致谢。当然，也有相当热情负责的公关经理，如道·琼斯公司负责对外联络的副总裁史蒂文·戈尔茨坦先生，《纽约时报》公关部主任托比·乌斯尼克先生等。

2001 年我在 10 月份结束对《华盛顿邮报》、《巴尔的摩太阳报》和《费城问讯报》的访问之后，只休整两天，即开始与纽约的报纸联系，其中最先发信的对象就是纽约《每日新闻》的对外联络部主任。该报似乎比较重视这个职位，由报社副总裁兼任此职，他同时也是报纸的新闻发言人。但隔了好几天不见回音，我便给总编辑爱德华·科斯纳（Edward Kosner）去信。之后，接到对外联络部主任的回信说，这个时期不适宜来访，并无多话。我赶紧再去信相求，强调该报在我的系列访问中的重要性。信刚发出，已收到老总的回信，表示欢迎我来访，还问什么时间对我合适。后来我又和他的秘书丹尼丝·豪斯曼（Denise Housman）小姐通了两次信，商定了 11 月 14 日的访问日程。但就在我访问该报前几天，突然接到对外联络部主任的电话，婉转表示最近总编辑暂时不能接待，要过一阵子再说。过多长时间？他说不知道。我先是以为总编辑变卦，后来发现他并不知道总编辑与我直接沟通过。于是我告诉他，我已经和总编辑多次联系，并约定了下周三（即 11 月 14 日）去贵报采访。他在电话里听了一愣，然后马上表示祝贺和欢迎。

后来我在与老总谈话之后，老总打电话请一位先生来陪同我参观。来人名叫肯·弗莱德曼（Ken Frydman），正是这位副总裁兼对外联络部主任。他似乎有些尴尬，但很快就友好地与我握手并领我去参观，一路上还说："你真的打算写一本书吗？写出来能寄一本给我吗？"语气似乎还有些不相信，我说"当然可以"。不过，他陪我参观时步子很快，几乎不容我多停留。我想，一定还有很多事情在等着他。

二、美国小报鼻祖

2001 年 11 月 14 日下午 4 点，我先后乘坐公共汽车、渡船、地铁，来到位于曼哈顿 33 大街西 450 号的纽约《每日新闻》（*The Daily News*）办公楼。这里靠近曼哈顿西侧的哈德逊河，与纽约目前的最高楼帝国大厦差不多在同一条大街上，与纽约古老的火车站和纽约最大的中心邮局为邻。

采访《每日新闻》总编辑爱德华·科斯纳

在楼下保安人员那里与丹尼丝小姐通电话后，她即下楼将我领到二楼爱德华·科斯纳总编辑的办公室。柯斯纳身着白色衬衣，系一条黑白相间的斜纹领带，看上去很醒目。这位热情爽朗的总编辑一开口就表示愿意回答我任何问题。当发现我的目光越过他那堆满书本的写字台，落到他身后墙上挂着的很多照片镜框时，他很自豪地向我逐一解释那些照片中的人物。原来，这些与他合影的人物都是有来头的，大都是总统、国务卿之类的国家领导人，其中有一幅是他和尼克松总统在华盛顿一间办公室里的合影。

我们的谈话从他对《每日新闻》的简单介绍开始。他说：**“我们的报纸是美国第一份 4 开报纸，也就是第一份小型报纸。它诞生于 1920 年代，其式样引起美国人浓厚的兴趣，全国很多地方都向我们学，很快这种式样就蔓延到各地。”**

说到这里，我要补充介绍一下这份报纸。据查美国报业发展史料，纽约历史上曾有过一份《每日新闻》。那是 1855 年，伴随着大众化报纸的乍然兴起，这份《每日新闻》诞生在纽约。这份对开版的晚报，比《纽约时报》晚出世 4 年。当时的《每日新闻》（*Daily News*）是真正的便士报，每份只卖一美分，内容也以低俗、煽情为特色，在移民集中的廉租公寓区有很大的销量，发行量在 19 世纪 70 年代居纽约第一，对比它早诞生的《纽约太阳报》和《纽约先驱报》构成很大威胁。

但这份与《纽约太阳报》等早期纽约报纸一起消亡于 19 世纪至 20 世纪初的《每日新闻》，并非现在我正在访问的《每日新闻》，两家报纸并无任何历史渊源。现在的纽约《每日新闻》是笔者曾在《芝加哥论坛报》一章中提到的那份由军人创办的报纸，其原名为纽约《每日新闻画报》(*Illustrated Daily News*)。而这份小报的创办灵感，又来自英国。

英国作为世界英文报纸的发源地，于 20 世纪初正式出现成功的 4 开小报。1903 年，一位在报界已小有名气的年轻人艾尔弗雷德·C. 哈姆斯沃斯（Alfred C. Harmsworth）创办了英国《每日镜报》（*Daily Mirror*）。这份报纸很快就改为 4 开小报，价格也砍了一半，由原来的 1 分变为半分。这份报纸大量刊登煽情报道和插图，深受普通读者欢迎，创办 6 年就创下发行量 100 万份的当时报纸最高纪录。这是世界新闻界公认的世界第一份成功的小报。在这一业绩的鼓舞下，其他报纸也开始效仿，英国先后出现《每日简报》（*Daily Sketch*）和《每日写真报》(*Daily Graphic*）等小报。第一次世界大战期间，哈姆斯沃斯当上诺斯克利夫勋爵和英国新闻界的领袖人物。他觉得小报在美国也可以获得成功，便在遇到赴海外参战的来自美国芝加哥的一位军官时，告诉他办小报可赚大钱。

这位军官就是《芝加哥论坛报》当时的发行人麦考密克上校的表哥帕特森上尉。两兄弟战后回到芝加哥一商量，就决定到纽约办一份小报试试。两人合股，由表弟留守芝加哥办《论坛报》，表哥去纽约开创局面。于是，1919 年 6 月 26 日纽约街头出现了一份只有普通报纸一半大小的报纸《每日新闻画报》。这份报纸一问世即以大幅图片招徕读者，创刊号头版刊出即将访美的英国威尔士亲王的大幅照片，引起翘首以待这位亲王访美的部分妇女的喜爱。后来该报又以主办选美比赛吸引读者，并在《纽约时报》刊登整版广告，标题为：“每天早晨请在《每日新闻画报》上看纽约最漂亮的妞”。①

数月后该报改名为《每日新闻》。1924 年，该报销量达 75 万份，居全国第一。5 年后，这个数字翻了近一番，达到 132 万份。这一期间，美国开始盛行小报之风。首先是赫斯特在波士顿创办《每日镜报》(*Daily Mirror*)，然后纽约有《每日写真报》（*Daily Graphic*)，各大城市相继涌现煽情的小报，使小报之间的竞争于 1926 年达到高潮。有一个例子说明小报的煽情作风如何达到极致：1927 年春，一位卖妇女胸衣的推销员和情人合伙杀死了情人的丈夫，法院判处这位情人以坐电椅的死刑。在监狱执行时，因趣味低级而声誉不佳的《每日写真报》提前在当天的报纸上宣布：“不要错过看明天的每日写真报。惊心动魄，刺穿人心！揭开鲁思·斯奈德（指这位情人——笔者）在人世最后时刻

① 《美国新闻史》，展江、殷文主译，新华出版社，2001 年

的想法，使人读后脉搏加快。请想一想！就在她被带到要把人烙干烧焦的电刑刑具之前，一个女人的最后想法！她的临终遗言！请看明天《每日写真报》的独家新闻。”① 但这次还是重视图片的《每日新闻》占了上风。《每日写真报》刊登了这位女人的忏悔录，但《每日新闻》竟登出了行刑时的照片。本来，死刑室不准拍照，但记者将照相机绑在脚上带了进去，赶在通电之后拍下照片。报纸当天即卖出25万份号外，次日又将刊有这幅照片的头版加印了75万份。

这场竞争以一些小报的停刊而烟消云散。《写真报》在亏损数百万美元后于1932年停刊。赫斯特的《每日镜报》勉强支撑几十年后，也于1963年关闭。闹哄哄的小报时代暂告结束，唯独《每日新闻》由于调整了煽情倾向、更加关注社会政治大事而一直发展良好。该报于1927年达到平日刊240万份、星期天刊450万份的巨额发行量，继续独占全国报纸发行量之鳌头。帕特森于1946年去世后，《每日新闻》由麦考密克上校负责，但仍依靠原班人马运作。该报于1947年达到该报历史上的最高峰：晨报和晚报共发行470万份。

三、几番坎坷最终易主

纽约《每日新闻》从上世纪50年代起盛极而衰，到1980年平日刊的发行量下降了100多万份，首次输给《华尔街日报》而居全国第二。1990年代该报的发行量跌破100万份，一度排在全国第七位，目前稳定在80万份左右，居全国第六位。

从上世纪80年代开始，《每日新闻》不仅面对《纽约时报》、《华尔街日报》等报业巨头的竞争压力，更要穷于应付与纽约另两份小报的竞争。1940年创刊于近郊长岛的《新闻日报》（*Newsday*），从80年代起大举向纽约市区渗透，于1985年创办了纽约版。而由大报改成小报的《纽约邮报》（*New York Post*）当时是纽约市区唯一的下午版报纸，其咄咄逼人的架势惹得《每日新闻》创办了一份知识性的晚报《今晚报》（*Tonight*）来与之抗衡，但宣告失败。这一期间，其业主论坛公司向该报投资1.1亿美元，希望扶持它走出低谷。但80年代末的经济不景气，使得纽约几家规模很大的大众化商业公司关闭或破产，《每日新闻》和《纽约邮报》的广告大受影响。《邮报》被默多克转手出卖，《每日新闻》则在工会的让步下适当降低薪酬，但还是在1990年引起一场激烈的

① 展江、殷文主译：《美国新闻史》、新华出版社、2001年

罢工。

1990 年底的盘点，表明《每日新闻》当年亏损 1.15 亿美元。芝加哥的老板对此感到震惊，决定不要这个“孩子”了。他们宣布，如果没有买主出现，将于 1991 年 3 月关闭纽约《每日新闻》。这时，英国《每日镜报》的发行人罗伯特·马克斯韦尔（Robert Maxwell）表示愿意购买该报。这正有点因果相报的味道——当初帕特森正是在英国《每日镜报》老板的启发下回国创办这份美国第一小报的，如今报纸竟回到了《每日镜报》后代的手中！在论坛公司倒贴他 6000 万美元以接管报纸的债务和养老金义务后，马克斯韦尔正式入主该报，并很快和工会达成了当初工会怎么也不愿意签署的协议，将该报 2600 名工会会员减少 800 名。该报从此与芝加哥的论坛公司断绝一切关系。

有趣的是，后来证明这位马克斯韦尔是 20 世纪新闻界的最大骗子。他于 1991 年 10 月在加那利群岛驾游艇出游意外死亡后才真相大白。调查人员说他侵吞了公司 30 亿美元的资产，包括养老金。这一新闻轰动新闻界，其死因也引起长时间的猜测和议论，很多人认为他是自杀身亡，这迄今还是个谜。新老板接手才一年多就出现如此变故，使得《每日新闻》陷入一片混乱。几经周折，报纸被美国《大西洋月刊》（*Atlantic Monthly*）和《美国新闻与世界报道》（*U.S. News & World Report*）的发行人莫蒂默·朱克曼（Mortimer Zuckman）收购。朱克曼的《美国新闻与世界报道》是海内外享有盛名的新闻期刊，发行量达 220 万份，仅次于《时代》周刊（*Times*）和《新闻周刊》。

此后，该报渐渐稳定下来，发行量有所上升，经济状况明显好转。严格意义上说，在美国排行前 10 名的报纸中，纽约《每日新闻》是唯一脱离报团控制的报纸。但朱克曼拥有多家报刊，特别是加上这份发行量排全国第六的著名报纸，也可视为一家准报业集团。

四、悄悄扩大地盘

我们再来看该报的最新情况。科斯纳总编辑的介绍表明该报正以积极进取的姿态回应各列强的竞争。他说：

“《每日新闻》目前在全国排行第六，是纽约市和纽约州内发行量最大的报纸。这是指在纽约发行的报纸，《纽约时报》和《华尔街日报》的总销量虽然大于本报，但在纽约的发行量不如我们。我们最近的发行量大约在 73.5 万份，星期天刊的发行量大约在 80.5 万份。”

我问他：“根据我在芝加哥看到的情况，城市小报平日刊和星期天刊的发行量区别不大，甚至有的报纸星期天刊还不如平日刊多，是这样吗?”

“有些小报的星期天刊发行量大，如《芝加哥太阳—时报》和《波士顿先驱报》就属于此类；但有的小报星期天刊发行量小，如《纽约邮报》。差别不大甚至倒挂的原因，主要是我们这样的城市小报主要靠零售扩大发行，我们报纸的零售量占了80%，住户投递量只占20%。星期天上班的人少了，街上行人也相应减少，所以发行量反倒有所减少。不过纽约市是个例外，这里即便到了星期天街上也有大量的人群，尽管他们不是在工作。所以我们在星期天也可卖出很多报纸。”

他继续说：“我们有两个时间版本和若干地方版。这些地方版我们称为区域版（ZONE EDITIONS)。我们有一个布鲁克林区版，有一个皇后区版，有一个曼哈顿版，还有一个布朗克斯区版（上述名称都是纽约市的区名——笔者)。但这些版只有很少的部分是各区的内容，大多数的内容是一样的。这些地区版还包含有关地区的广告——地区广告。例如，你在布鲁克林工作生活或有生意在那里，你就只对那个区的广告感兴趣，那么你就到布鲁克林买报纸。”

我去年在纽约时就知道，增加地方版以扩大发行和广告销量，是《每日新闻》近年来的重大策略。这一策略已经使它的竞争对手，例如《纽约邮报》感到了不安，不得不采取大幅降价的策略与之抗衡。去年底，《每日新闻》甚至将手开始伸向“世外桃源”斯塔藤岛区。我在该区居住时曾接到该报的促销电话，当时我说：“你们的报纸办得不错，可惜没有我们需要的岛上新闻和广告。”对方连忙说：“不不不，我们新出了斯塔藤岛版，你们从《斯塔藤岛前进报》上可获得的新闻和广告，我们都能提供。不信你试试看?”

科斯纳对此予以承认。他说：“斯塔藤岛版只是试刊，还没有正式出版，在那里还没有记者站。但我们在其他4个区都有记者站。我们的报纸虽然也报道国内、国际新闻，但我们更注重地方新闻。我们拿出80%的篇幅报道地方新闻，这是判断一份报纸地方性色彩的重要标志。《纽约时报》报道地方新闻只占50%，另50%用来报道全国和国际新闻。”

关于两个时间版，他说：“我们的两个时间版按星号标记，一个是四星版，第二个是体育最后版。后者有晚间体育赛事的最后结果。因此，编辑部的第一个版在晚上10点结束，第二个版在12点至凌晨1点结束，视体育赛事结束时间而定。第一个版一般投递到住户，第二个版上街零售。第一个版我们一直发行到康州和巴尔的摩等地，我们并不覆盖那里的新闻，只在那里卖报。我们目前在纽约 4 个区都发行这两套时间版。”

“9 月 11 日世贸大厦悲剧之后，我们取消了所有区域版，”他补充说，“因为我们需要腾出版面报道这个大事件。但我们已经决定，从下周二开始恢复各区域版，但主要是布鲁克林区。皇后区的报纸内容暂时变化不大，只是在头版贴了个地区标签而已，与曼哈顿的报纸没有什么差别。”

我后来查阅了当天的《每日新闻》，发现该报平日刊的分量很足。以这一天（2001 年 11 月 14 日，星期三，体育最后版）的报纸为例：

共 120 页，售价 50 美分，按页排列，不分板块。

新闻：第一页为彩色头版；2～5 页，26～33 页，46～47 页——新闻专题，第 587 航班失事坠落（THE CRASH OF FLIGHT 587）的后续报道；6～9 页——反塔利班之战（WAR ON TALIBAN）；10 页——综合；11～13 页，15～25 页，34～41 页，44～45 页，55～59 页，61～64 页——广告；14 页——新市长（THE NEW MAYOR）专题；42～43 页——综合新闻；48 页——保卫美国（PROTECTING AMERICA）专题；49 页——生物恐怖攻击（BIOTERROR ATTACKS），指炭疽病袭击；50～51 页——世贸中心底层（GROUND ZERO），指清除废墟行动；52～53 页——告别（SAYING GOODBYE），“9·11”事件中死亡的警察和消防员的丧事活动报道；54 页——本市其他新闻（CITY SIDE）；60～61 页——综合新闻。

言论及副刊：62～63 页——思想和意见（IDEAS & OPINION），其中 62 页左上角为本报负责人名单，依次为董事长兼联合发行人，首席执行官（CEO）兼联合发行人，总裁兼首席运营官（COO），总编辑（Editor in Chief），行政总编（Executive Editor），高级执行总编（Senior Managing Editor），执行总编（4 人），社论版主编，设计主管（Design Director）；64～65 页，67，85～87 页——广告；66 页——讣闻；68～70 页——现在/娱乐（NOW / Entertainment）；71～75 页——现在/消遣（NOW / playing），含电影预告；76 页——今日天气（TODAY'S WEATHER）；77 页——你的明星（YOUR STARS），明星们的活动安排表；78～81 页——卡通画及纵横字谜；82～84 页——经济新闻（BIZ NEWS）；88～113 页，120 页——体育（SPORTS），其中 120 页为彩色封底，类同头版，含若干版广告；114～119 页——电视（TELEVISION）。

另有餐饮专刊和分类广告各12页。

该报星期天刊与平日刊内容类同，页数也差不多，故不再介绍。

五、“我干了40年报纸”

科斯纳总编辑接着介绍了该报编辑部的情况及报纸结构：

“我们编辑部有400人。他们被分割成许多部门，如新闻、体育、副刊等。我们有30名摄影记者。我们的经济板块较小。但我们的体育部很大，有50人，有一位体育主编和若干副主编。我们还专门有一个星期天体育主编。我们还有一个电视部，专门报道电视节目。经营方面有发行、广告、市场拓展等部门。报社有一个总裁，负责经营方面。我是总编辑，负责编辑部工作。我的老板是发行人，我向他报告。

“我们全年的广告收入超过3亿美元。我们的发行量也在上升。从历史上看，我们报纸的发行量是下降的，但从去年起开始增长。‘9·11’事件后，我们报纸的销量增长幅度超过任何一家报纸，因为人们喜欢看我们的报道。”

说到对“9·11”事件的报道，《每日新闻》的确是纽约诸多报纸中表现较为出色的一家。该报在事件发生的当天就发动全部采编人员投入紧张工作，总编辑科斯纳果断决定，暂时撤销包括国际新闻、国内新闻、副刊、体育在内的一切日常版面，并请示发行人同意将广告也基本撤销，只保留少量分类广告。撤销的版面全部用来开辟“恐怖之日”(DAY OF TERROR)专版。于是第二天笔者买到的该报，一眼望去便气势逼人：

头版是整版的彩色图片，图片是在昏暗的天空，世贸中心一幢大楼正冒着滚滚浓烟，而一架飞机正撞向另一幢大楼，压在这幅图片上的是两个超大字体红色标题——“这是战争”(IT'S WAR)；封

纽约《每日新闻》头版陈列室

底也是整版的彩色图片，图片显示，在燃着烟火的世贸废墟中的一棵被爆炸物削去半截的树桩上，正飘扬着一面被烧毁 1/3 的美国国旗；从第 2 页到最后一页——第 80 页，除了中间 15 页的黑白分类广告（彩色广告一律撤除），全部是“恐怖之日”专题新闻。这些新闻版用了大量照片，一些照片横跨两版，气势磅礴。新闻内容也照顾到方方面面，包括事发当天纽约新闻界的出色表现，如同一幅全景扫描，使这份报纸具有史料珍藏价值。9 月 11 日当天，该报一位中年摄影记者在现场受伤，当晚各电视台都播出了医生为这位大腿遭重创的新闻记者治疗的镜头。在接下来的日子，该报保持这股气势，每天都用多版面、大图片报道事件的进展。

科斯纳继续他的介绍。当我说到《每日新闻》和很多小报一样，可能以年轻读者为主要对象时，他予以否认：

“不对。我们的读者主要不是小青年。所有读者都是有工作的居民。他们当中的部分属于高收入和高学历者，在中产阶层以上。在我们美国，现在已经没有劳动阶层（指低收入工人阶层——笔者）了，所有人都认为他们自己是中产阶级（大笑）。总之，我们的读者的品位和层次都较高。”

在谈到竞争对手时，他说：

“《纽约邮报》是我们的主要竞争者。最近他们将价格砍了一半。我们的报纸卖 50 美分，他们的卖 25 美分。他们的发行量上升了，但丢了金钱。我们的策略是扩大地区版，加强地方报道。相比之下，我们有更多新闻，内容更丰富，因此我们的报纸更有可读性。纽约人阅读报纸基本上是家庭化的，人们大都伴随着某份报纸成长起来。很多人是读着《纽约时报》长大的，他们成为《纽约时报》的忠实读者（他说到这里，我不由想起美国报纸的教育工程的目的正是在于培养自己忠实的读者——笔者）。也有很多人是读着《每日新闻》长大的，因而成为我们的忠实读者。所以，我们实际上从我们过去读者中继承了他们的后代，这个读者基础是很坚实的。体育是最具吸引力的部分之一，因此我们在体育上投了很多人。不管怎么说，我们比《邮报》有更多的新闻版、更丰富的内容。读者从我们这里会获得更多的信息。我们也开展了很有成效的报纸教育工程，这方面情况弗莱德曼（即前面提到的该报副总裁兼公关部经理——笔者）先生会向你介绍的。”

最后，他应我要求谈了自己的经历：

“我已经干了 40 年新闻工作了。我 20 岁毕业于纽约市立大学，然后就到《纽约邮报》工作。在那里干了 5 年的记者和编辑，我又去了

《新闻周刊》（*News Week*），并在该刊干了 16 年。我自 1975 年至 1979 年任《新闻周刊》的主编。此后我到《纽约杂志》（*New York Magazine*）担任总编辑和发行人。你误解了，这个《纽约杂志》不是《纽约客》（*New Yorker*）。《纽约客》是纽约市的杂志。在《纽约杂志》干了 13 年总编辑和发行人后，我又被聘请到《绅士》杂志（*Esquire*）担任总编辑，这是一份办给男人看的月刊。1998 年，我成为《每日新闻》星期天刊的主编。2000 年初，我被任命为整个报纸的总编辑，直到现在，整整干了两年了。”

没想到，这位老总竟是从对手报纸《纽约邮报》起家的，如今成了它的最大冤家。我对他说：“你的经历这么丰富，完全可以把它们写下来，我相信会有很多人愿意拜读。”

“你说得对，我会写一本关于我自己的书，那会很有意思。”说完，他哈哈大笑起来。他站起来再次指着身后墙上的照片说：“这些照片反映了我的职业生涯。这是在《新闻周刊》工作，这是与福特总统在一起，这是和尼克松总统在一起，这是在《纽约杂志》工作……”

我起身告辞，临走时送他一盒出口精装中国十大民乐代表作品 CD，并向他介绍了乐曲的内容。他显得特别高兴，说他很喜欢音乐，这个礼品太珍贵了。

说到礼品，我也真动了番脑筋。出国前，除备了报社给的十几个领带纪念品，还自己买了不少中国剪纸、真丝围巾、苏州双面绣、南京雨花石等中国特色的工艺品。但到美国不久后就发现，这些礼品远远不够用，而且有些过去听说受欢迎的东西，实际并不太受人喜爱。如中国剪纸，唐人街随处可见，价格也不太贵，所以我的剪纸大部分带回来了。倒是有一次应邀给美国大学生演讲时受到启发。

那是我第一次在美国大学的讲台上讲课。根据学校的建议，我的题目是中国传统音乐（我更希望讲中国的新闻情况，但校方说学生们对中国传统文化更有兴趣）。好在我平时对此有所了解，就讲了中国音乐的起源、目前流传下来的代表作品、中国主要乐器及五声音阶的曲调特色等，还借来竹笛、箫等中国乐器作了现场演示，引起学生们很大的兴趣。课后他们提了很多问题，还希望我推荐适合午餐和晚上睡眠前欣赏的中国音乐。有的学生要下我的电话，希望我帮助选购最好的中国音乐。后来我到曼哈顿的唐人街采购，这才发现这里的中国乐曲竟然如此稀少，能见到的 CD 都是中国包括港台的流行歌曲，而且价格不菲，包装稍微像样点的要 16 美元一张。我向学生介绍的著名乐曲竟一首也没有。那几位学生却还三天两头打电话询问，说他们太喜欢我那天播放的中国乐曲了。

恰好这时有人回国，我就写下曲目，请他帮我买了许多有英文的出口 CD。回来后连卖带送满足了学生的要求，剩下的全部作为礼品。后来的事实证明，这些礼品深受美国人欢迎，不论男女老少。

2004 年 3 月，66 岁的科斯纳辞去总编辑职务。后来我从美国报章上获悉，早在一年多前，他就向发行人朱克曼表示将于 2004 年合约期满时辞职。他说："朱克曼去年 12 月对我说，我可以继续当这个报纸的总编辑，愿意当多久就当多久。但如果我一定要离开，最好多提前一些时间告诉他。"他还表示说，"辞职的决定是在与家人及好朋友认真讨论后做出的。一旦做出决定，我就告知了朱克曼先生。应他的要求，我同意帮助他物色新的总编辑，并在接班人到任之前，继续履行好自己的职责。"老板朱克曼后来对外界说："我对失去爱德华（科斯纳的名字——笔者）深感遗憾。他在任总编辑期间，把《每日新闻》的新闻素质提高到了非常高的水平。我对他的贡献充满了感激之情，也很高兴他能够帮助这份报纸过渡到新总编辑到来之际。"①

看得出来，科斯纳与老板的关系非常好。自从科斯纳 2000 年担任纽约《每日新闻》总编辑后，该报的发行量即止跌回升，几年来增加了 3 万多份。这在美国报纸总体上发行量持续下降、纽约报纸竞争异常激烈的情况下，算是不错的业绩了。特别是这位老总编在"9·11"事件中的表现，得到业界普遍好评。

六、批评超市惹风波

纽约《每日新闻》2001 年还发生了一桩不大不小的事件，是在我访问该报之前 5 个月。尽管我在访问美国所有报纸时，对方都坚决否认新闻与广告的关系，但这件事却从一个侧面给出了相反的证据，也多少印证了中国新闻理论对西方国家传媒受广告影响的判断。

2001 年 5 月，《每日新闻》发表了对纽约一些超市的系列批评报道，结果惹恼了超市，个别大型超市带头撤销在该报的广告，其他一些超市也开始响应。报纸不得不采取应对措施，老板也出面平息，说服超市继续刊登广告。请看《纽约时报》6 月 14 日的报道：

① Kosner retiring in March 2004，*New York Daily News*，2003 年 7 月 22 日

《每日新闻》屈膝挽救超市广告

《每日新闻》已难受了7个星期。自从它发表了一个系列报道称很多超市过于肮脏而达不到州卫生标准后，这里几乎所有连锁超市都拒绝在该报刊登广告。

昨天，为挽回这些大宗广告，该报发表了4个版的非同寻常的广告增刊，热情洋溢地赞扬了全市超市行业的业绩。这篇由自由撰稿人写的稿件完全按照新闻的样式，据超市管理者们说。

这篇评论式广告是在该报经营方面高层的最新强烈建议下出台的，旨在修复与重要广告客户的关系。

《每日新闻》的那组调查性报道，是在州政府的检查报告的基础上于3月份开始的，主标题为“腐恶肮脏，羞于见人”（Dirty Rotten Shame）。这组报道不但使连锁超市停止在该报刊登广告，一些商店甚至拒绝代销该报。超市行业的负责人们估计，该报每周损失5万～10万美元的广告收入，这个数字使《每日新闻》的头头难以承受。

系列报道刊出的第一天，超市的负责人就表示抗议，说报道根据的是过时的检查报告，而未在文章中提到最新的报告。这几份最新的报告称很多超市比过去清洁了。

昨天的广告增刊的口吻，与前面那组系列报道完全不同。

这篇文章这样开头：“当街区联谊会筹备其将在138～139街之间举行的一年一度的邻里聚会活动时，他们知道他们可以依赖附近的Met Food和C-Town（均为超市名——笔者）等超市采购果汁、苏打和肉类。在感恩节期间，这些超市向社区的无家可归者和老人赠送火鸡（吃火鸡是美国感恩节的普遍习俗，据说早期欧洲移民刚来美洲大陆时，于艰难困苦中正是在当地人的指点下靠大量捕食火鸡而生存下来的，所以他们将此视为上帝的恩赐，要感恩——笔者）。”文章继续说：“全市上下，这类慷慨大方的独立超市随处可见。”

问及该报是否免费刊登这篇广告文章时，该报发言人肯·弗莱德曼（Ken Frydman，即前述该报副总裁兼公关部经理——笔者）说：“这篇文章属于评论式广告的一部分，占用的是广告增刊和有价市场版，由报社出资。这样做是希望将超市请回报纸方面来。”

超市负责人昨天说，当他们被要求接受采访时，还以为那位女自由撰稿人是报社专职记者呢。城市食品理事会是独立超市的行业组织。该组织理事长霍华德· 蒂施（Howard Tisch）说，他问那位自由撰稿人是否又要写批评报道时，她说报道将是正面的。

问到对这篇评论式广告的看法时，《每日新闻》的执行总编迈克尔·古德温（Michael Goodwin）回答说："我不想就此发表评论。这篇文章不干我的事，也不是我们的产品。"

他又加了一句："这是报纸经营方面的产品。"

位于佛罗里达的圣彼得斯堡波因特新闻学院院长詹姆斯·诺顿（James Naughton）昨天说："我还未曾见过这样一篇与报纸的系列调查报道如此对立的广告文章。"

整个事件暴露出在某些时候报纸与广告商之间异常紧张的关系。对于《每日新闻》来说，像多数其他报纸一样，面对广告的流失而顾此失彼。

《每日新闻》的系列调查报道说，"超过半数以上的城市超市未通过州政府的卫生检查，因为它们出售不洁、带菌和变质的食品。"但报道没有从州的农业与市场部 2000～2001 年数以百计的检查分析报告中引用最近的正面内容。

对《每日新闻》这篇报道产生争议的双方，都认为对方是在给优秀而诚实的工作抹黑。蒂施先生在接受采访时问道，为什么仅仅凭一小撮动物咬过的碎块或肉片机上的一点干肉末——它们并无引起任何病患，就诋毁整个行业的声誉？而《新闻日报》的一位主编则反问，为何仅仅疏于引用一些正面的检查数据就对一篇对数百份报告作艰苦分析、没有任何事实错误的报道如此打击？

在该报编辑部也能听到两种反应。一种是对大众消费者而言，对揭露性的新闻报道应予坚持。不能因为经济不景，对新闻的容忍度就降低。弗莱德曼先生也说："我们站在报道这一边。"

另一种反应是较低层次记者、编辑在谈话中流露出来的。他们质疑是否揭露性报道只是经济宽松条件下的一种奢侈。"如果我们真的写了错误的报道，我们就该接受如此沉重的负担吗？难道我们要把报纸关闭？"

眼下，该报的经营负责人只希望超市广告回流。一位不愿透露姓名的负责人说："整个情况是令人遗憾的。这是一组过于严厉的系列报道，特别是第一篇。"

他继续说："我们是做销售的，我们辛辛苦苦建立包括超市在内的广告商基础。但是，突然我们双方的关系不得不重新开始。"

拒绝在该报做广告的连锁超市是那些在报道中担负了类似罪名的企业，如 Associated Supermarkets，C-Town 和 Pioneer。Key Food 则继续在该报刊登广告。

系列报道最初由圣地亚哥先生提议。他说他根据自由信息法(Freedom of Information Act) 向州政府索要了 2000 年和 2001 年的检查报告，并和一组记者访问了一些主要超市，以核实和跟踪检查的结果。这组报道在采访过程中还受到 WCBS 和第二频道电视台新闻部的竞争压力。

《每日新闻》的老板莫蒂默·B. 朱克曼在报道出来的第一天还赞扬文章的热辣。该报总编辑爱德华·科斯纳也在见报的当天上午对报道表示满意。但这篇报道使 Red Apple Group 的首席执行官约翰·卡西麦特迪斯 (John Catsimatidis) 大为光火，后者立即让公司取消在该报的广告，并要求本公司所有连锁店停止销售该报。Red Apple Group (美国东部著名大型连锁超市——笔者) 的一家商店在报道中被指责是全市 10 家最肮脏的超市之一。

很多超市在媒体刊登分类告示性广告，公开那些对他们有利的检查报告。直到 5 月中旬，唯一在该报保留广告的大型超市企业是 Key Food。该公司劝说其他公司冷静处理此事，但遭到冷遇。卡西麦特迪斯先生上周晚些时候说："如果他们将有关记者开除，我会回来做广告。"

古德温先生昨天说："这是绝对不可能的事 (指开除记者——笔者)。我站在所有有关记者这一边。"

卷入这场纷争的超市负责人们认为，评论式广告的发表是应该的。拥有 C-Town 和 Bravo Supermarkets 两大连锁超市的 Krasdale Foods 公司首席执行官罗伯特·格韦尔伯 (Robert Gewelb) 觉得，这篇评论式广告有助于平衡这件事。"我注意到，《每日新闻》在获悉超市老板们的反应后，决心听取另一方面的意见。"他说。

但他说，他还不知道何时会恢复购买该报的广告。

如果说该报广告部目前的重点工作是设法让超市老板回心转意的话，则编辑部现在仍坚持要进行大胆的报道。科斯纳上周说，两位主要参与这篇调查报道的记者仍在自己的岗位上。①

我在这里不惜占用篇幅几乎全文转载《纽约时报》的这篇报道，是因为这样的例子实在难得。后来我和美国一些新闻界朋友谈起此事，他

① Daily News Tries Flattery to Woo Back Grocery Ads, *The New York Times*, 2001 年 6 月 14 日

们无不认为这是一件非常罕见的事情，说也只有当前经济恶化和在报纸竞争激烈的纽约才可能出现如此事端。

我认为，这件事情透露出了这样几个信息：一是尽管事实无误，但有关记者只报忧不报喜的做法有失偏颇，给了被批评的企业以口实；二是超市广告是城市报纸广告来源的大头，一些报纸这类零售商的广告占了 50%，当他们联合抵制报纸时，即便是标榜公平、公正的美国的报纸也不得不低下高贵的头，他们不得不想办法平抑广告商的怒气；三是即便在这样令人难受的时候，编辑部的独立性依然得到体现和尊重，表现在所有当事记者和编辑都未受到处分，而且编辑部的负责人依然敢于发表自己的不同见解，连报社发言人也未敢公开批评有关记者；四是报社采取了一种不违反新闻原则的方式来平息矛盾，即由自由撰稿人在增发的版面刊登评论式广告，既未占用新闻版面（美国各报对新闻版面的数量有一定规定，那是读者的权利），又未以新闻形式，而是用了只要花钱即可发表任何言论的评论广告形式；五是当经济不景气导致报纸和企业生存都困难的时候，批评报道会得不到宽容；六是对这样的事件，同处一城的《纽约时报》尽管未免惺惺相惜，也是小心翼翼，在所有相关文章上未置一字评论，更未表示出任何倾向性，可见广告商之威力。

后来在双方上层的多次沟通下事态得到圆满解决，所有上述超市都恢复在该报的广告。到我访问该报的时候，一切早已平息，当事的编辑记者也毫发无损。

CELEBRATING 200 YEARS

NEW YORK POST

HOME DELIVERY 1-800-552-7678 CALL TODAY!

LATE CITY FINAL

WEDNESDAY, DECEMBER 5, 2001 / Mostly sunny, 70 / Weather: Page 34 ★★ www.nypost.com 50¢

'Poor fellow' or traitor?

Looks like a rat
Talks like a rat
Smells like a rat
Hides like a rat

IT IS A RAT

Terry Richards/ The Sun

Turncoat John Walker in custody after being involved in a prison uprising with Taliban soldiers in Afghanistan.

By JOHN LEHMANN and VINCENT MORRIS

President Bush described the American turncoat who fought for the Taliban as a "poor fellow" yesterday — but former U.S. military chiefs and war veterans want him tried for treason.

As the fate of John Walker hung in the balance and debate raged, the president took pity, saying the 20-year-old Islamic convert may have been misled.

"He thought he was going to fight for a great cause and, in fact, he was going to support a government that was one of the most repressive governments in the history of mankind," Bush said.

But there was no room for remorse in the minds of U.S.

See TRAITOR Page 2

《纽约邮报》2001 年 12 月 5 日头版

第 18 章

《纽约邮报》

New York Post

默氏上演捉曹放曹
最老报纸绝处逢生

《纽约邮报》，创刊于 1801 年，是美国连续出版时间最久的报纸，2001 年 11 月度过 200 岁生日；报纸原来为对开大报，后改为 4 开报纸。现隶属默多克的新闻集团，是默多克在美国的最大报纸。该报言论犀利，不取中庸路线。2000 年以来报纸发行量增长迅猛，排名已由原来的第十名提前至第七名，取代占据“老七”位置长达十多年的《芝加哥论坛报》。2003 年 10 月至 2004 年 3 月平日刊平均日发行量为 678,012 份，居全国第七；星期天刊平均发行量为 382,000 份（这是 2001 年的数据，因排名较后，暂无最新数据）。

一、 新老总上任立斩五大将

联系《纽约邮报》(*New York Post*)时已近 2001 年岁末。开始不太顺利，总编辑和执行总编都未能约到。这也在预料之中，因为该报编辑部最高层刚刚经历过一次剧烈振荡。倒是执行总编出了个好主意，让其秘书建议我直接联系发行人试试。根据秘书提供的发行人秘书的 E-mail 地址和电话，我一经联系即获准采访该报发行人肯·钱德勒(Ken Chandler)先生，真让我喜出望外。发行人是一报之最高首脑，所以这也是我此番访问中采访到的最高报纸负责人。

虽然迟至 2001 年 12 月 5 日才访问该报，但当年有关这家报纸的新闻却是不绝于耳。

先是 4 月份各报传出《纽约邮报》总编辑易人的消息。新总编辑竟来自澳大利亚，是悉尼的《每日电讯报》(*Daily Telegraph*)的总编辑科尔·阿伦(Col Allan)。被替代的原总编辑夏娜·安童斯(Xana Antunes)曾为《邮报》创办了经济和娱乐板块，但与公司老板交往很少。纽约各报对这位澳大利亚人议论纷纷。有的说，他将给纽约市本已纷繁复杂的政治和媒体市场带来新的难以控制的冲击。有的说，他是个典型的无拘无束的澳大利亚总编辑，不会顾及任何人的面子和尊严。有的说，他与新闻集团(News Corporation)老板鲁珀特·默多克(Rupert Murdoch)的儿子和接班人拉克兰·默多克(Lachlan Murdoch)有密切的工作关系。《纽约邮报》现在是新闻集团的子报。

《纽约邮报》在发布这一消息的同时，也将阿伦的简历传给了各新闻单位。人们由此知道，阿伦出生于澳大利亚一个乡村小镇，执掌《每日电讯报》编辑部帅印后，他将该报办得锋芒毕露，既煽情又积极干预政治，大大加强了报纸的可读性，使这份小报的发行量和影响力显著扩大。人们预测，这位总编辑的到位，将使《纽约邮报》在风格上更加咄咄逼人(后来几年的发展事实，证明这位总编辑果然魄力惊人，该报发行量在短短 4 年内就增长 20%)。

果然不出所料，就在 2001 年 6 月 14 日正式履新的当天，新总编辑阿伦就宣布原来 3 位执行总编中的两位下岗，同时免去都市新闻部两位主编职务并辞退一位颇具声望的评论家。这一举动就连措辞一向沉稳的《纽约时报》也忍不住略带讥讽。该报在 15 日的一篇报道中用了如下导语：“《纽约邮报》来自澳大利亚的新总编辑昨天带着大柴刀登上宝座，一举将两名执行总编和都市新闻部两名主编炒了鱿鱼，另将纽约最有风格的自由主义评论家杰克·纽费尔德（Jack Newfield）革职。”①

据报道，所有免职都突如其来。当天，几位在《邮报》干了多年的老将被逐个叫到阿伦总编辑的办公室。其理由很简单：他想把《邮报》扭转到一个新的方向，而阿伦认为，他们不能适应这新的变化，不利于新方案的执行。一位都市新闻主编更是在家中被电话通知自己遭免职的。这位女主编后来接受采访时说，她只和新老总见过 3 次面，相互并不了解，但对方突然打电话告诉她：“我已被任命为报纸总编辑并被要求开拓新的领域，我觉得你不能继续适应这一变化。”②

报道说，虽然这位老总已经来了 6 个星期，但《邮报》编辑部 280 位员工很少有人和他有过接触。而两位被炒的执行总编被认为是非常出色的新闻工作者，其中一位负责日常新闻报道，责任心很强，另一位负责副刊，曾帮助报纸度过 1993 年最艰苦的阶段，“那时报纸几乎每月都要换一个老板”。③ 评论家纽费尔德则于 1991 年进入《邮报》，30 年来在纽约先后服务于《乡村之声》（*The Village Voice*）、《每日新闻》和《纽约邮报》，其言论激烈而富有战斗性，从政界到娱乐圈很多人都对他有所敬畏。

据了解，都市新闻部是《邮报》最大的新闻部门，共有正副主编和助理主编 5 名。此次被炒掉 2 名，正主编升任助理执行总编，经济部的主编调任都市新闻部主编。所以高层一系列的人事变动是去年该报下半年最显著的特点。

11 月 16 日，又逢该报创刊 200 周年。作为美国目前连续出版时间最长的报纸，《纽约邮报》自然少不了庆祝一番，举办了很多活动，连市长也来助兴。

二、跌宕历史两百年

《纽约邮报》位于曼哈顿 47～48 大街之间的美洲大道 1211 号。这是一座大约有近百层高的大楼，默多克在美国的新闻集团及集团下属福克斯广播公司的总部就设在这座大楼内。楼外树立一堵不到一人高的大理石横墙，上面贴着“News Corporation”两个金色立体大字。通过楼

---

① Post's New Editor Dismisses Key Members of the Staff, *The New York Times*, 2001 年 6 月 15 日

② 同上

③ 同上

下的橱窗，过往行人可以看到对外播放的大屏幕电视，上面正播送福克斯公司采集的新闻。这座大楼的斜对面，是著名的美国广播公司（ABC）总部的大楼。去年纽约第一宗炭疽病病例就发生在该公司。由于媒体成为炭疽病散发者的首要攻击目标，所以附近的传媒机构都戒备森严。直到我访问《纽约邮报》时，仍要排队经过楼下保安的检查并由被访问者带领，方可入内。

采访《纽约邮报》发行人肯·钱德勒

我是在2001年12月5日的下午3点多钟到达的。和发行人钱德勒先生谈话期间，他送了我一本书，书名叫做《邮报中的纽约》（*The Post's New York*），是为纪念该报创刊200周年而编撰出版的。该书从《纽约邮报》的历史，折射出纽约200年的发展史，图文并茂，精彩可读，很有史料价值。我本打算回国前买一本，不意获赠，当然很高兴。我正是从这本书中读到《邮报》跌宕起伏、富有传奇色彩的历史。不仅如此，我还从中读到很多过去未曾听说过的美国重大历史事件，例如，纽约历史上一次13小时停电造成的灾难，美国独立200周年前后发生的骇人听闻的连串大谋杀，教皇保罗二世于1979年被人开枪击成重伤（所以他的脖子至今歪着——笔者）等等，这些事件都发生在纽约。

《纽约邮报》创刊于1801年11月16日，是美国目前最古老的报纸，也是美国历史上连续出版时间最久的报纸。该报创办人就是美国历史上赫赫有名的政治人物亚历山大·汉密尔顿（Alexander Hamilton）。

美国独立后不久，于1783年在费城通过了第一部宪法《联邦条例》（Articles of Confederation）。但这部条例在执行中遇到挑战，各州一盘散沙，修订条例的呼声不断。这时，坚持维护《联邦条例》的政治势力被称作保守派，保守派的代表组织就是所谓“联邦党”。在保守派的让步下，修订宪法时制订了著名的《权利法案》（Bill of Rights），其中10项条款组成了宪法第一修正案，第一条就确定了意义深远的新闻出版自由。联邦党当时在报上发表了总共 85 篇文章，这些文章类似后来报纸上的社论，它们不仅是启迪心智的政治读物，也是优秀的文学作品，有些迄今被美国人传诵。这些文章当时被结集出版，书名为《联邦党人》（*The Federalist*），其中多数作品就出自汉密尔顿之手。汉密尔顿后来成了联邦党人的领袖。他的对手，即《独立宣言》的签署人、反联邦党人的代表、后来在 1800 年选举中胜出当上总统的托马斯·杰斐逊（Thomas Jefferson）。

就是这位汉密尔顿，落选后于 1801 年创办了《纽约晚邮报》（*New-York Evening Post*）——《纽约邮报》的前身。这里说明一下，在很长时间内，“纽约”二字之间一直有一连字符，后来才逐渐取消，所以早期的《邮报》都用 New-York 字样。这份《晚邮报》旨在为失败了的联邦党声张，因而政党倾向十分强烈。汉密尔顿挑选的第一任总编辑是文学素养很高的威廉·科尔曼（William Coleman）。

我在纽约时订阅了《纽约邮报》，因而有幸在 2001 年 11 月 16 日这一天收到了一份随报附送的该报创刊号的重印本。这是一份对开 4 版的报纸，有些地方字迹斑驳，较难辨认。头版报头下有一行长格，格子左边是报纸序号，中间是日期和星期，右边是地址，写着“派恩街 40 号”。全版文章分为 5 栏，全部垂直排列。左起第一栏为《创刊词》（PROSPECTUS OF THE NEW-YORK EVENING POST），创刊词的标题和其他新闻标题一样，都只比正文大一号，而且不是粗体，下面是总编辑威廉·科尔曼的署名；第二、第三栏是船讯等各类商业信息，实际上就是广告，每一条都很简短，文前都有一幅商船的小图案，标题都是“FOR SALE”之类广告题；第四、第五栏是各类消息，但也以商业新闻居多。正如《邮报中的纽约》指出的那样，《邮报》不仅创刊号上广告多，就是后来相当长一段时间，广告的数量也都超过了新闻的数量，其实是一份商业味道重于政治情趣的报纸。

《邮报》在 19 世纪的历史中，有一个人不可不提，那就是威廉·卡伦·布赖恩（William Cullen Bryant）。布赖恩在科尔曼的提携下于 1826 年接任总编辑，但他并未坚持汉密尔顿和科尔曼亲联邦党人的编辑方针，而是将该报改造成一份亲劳工的大众化报纸，并在该报执掌编辑部长达 52 年之久，对报纸的发展方向产生了长远的影响。在布赖恩的领导下，该报对编辑部进行了诸多改革，包括大量使用通俗易懂的词汇。布赖恩还于 19 世纪中期在报上首倡在纽约建立中央公园和警察穿制服。这两大建议在很多有识之士的拥护下都付诸实施。所以纽约人也称布赖恩是纽约中央公园之父。不过，在很多美国人的心目中，布赖恩首先是个诗人，他被认为是第一个美国诗人，其《致水鸟》（*To a Waterfowl*）和《死亡》（*Thanatopsis*）等作品最为著名。布赖恩因头部摔伤于 1878 年 6 月 12 日去世。

该报获得的第一个普利策奖是 1918 年，是该奖项设立的第二年，与《纽约时报》的第一个普利策奖同年。获奖作品是发表于 1917 年 1 月的关于新泽西州一家监狱糟糕状况的系列报道。在头版连续刊登的这组报道引起很大反响，最后导致新泽西州监狱制度的改革。

1922 年，《邮报》被出售给一个由该报总编辑埃德温·F. 盖伊（Edwin F. Gay）领导的著名财团。盖伊是前哈佛商学院院长，在他手下 34 名财团成员中，有后来成为美国总统的富兰克林·D. 罗斯福（Franklin D. Roosevelt）、《芝加哥太阳报》的发行人马歇尔·菲尔德（Marshall Field）、前司法部长乔治·威克沙姆（George Wickersham）和通用电气公司董事长欧文·扬（Owen Young）。但由于缺乏领导报纸的核心管理层，财团第二年又将报纸转卖给《星期六晚邮报》（*Saturday Evening Post*）的发行人赛勒斯·柯蒂兹（Cyrus Curtis）。

1934 年，该报由《纽约晚邮报》更名为《纽约邮报》。

1942 年，一个女人的出现使《邮报》变为煽情的小报。这位女人名叫多萝西·希夫（Dorothy Schiff）。她于 3 年前买下濒于破产的《邮报》，又于 1942 年将该报改成 4 开小报。这时候美国的小报热潮已经过去，但长岛的《新闻日报》（*Newsday*）刚创刊不久。《邮报》变成小报后，纽约开始形成 3 家小报鼎立局面，尽管这时《邮报》和《新闻日报》远不是《每日新闻》的对手。希夫买下《邮报》后任命其丈夫乔治·巴克尔（George Backer）担任该报的发行人和总裁。丈夫退休后，她接过丈夫的职务，从而成为纽约新闻史上第一个女报纸发行人。我从《邮报中的纽约》一书中看到，这一时期该报有两个醒目面孔：一是 1945 年 5 月 7 日的号外，头版没有图片，只在“美联社报道”的引题下有两个字的特大标题：《纳粹撤退！》（NAZIS QUIT!）；二是第二天该报头版，同样没有图片，同样用了最大号字体，同样只有一个标题：《杜鲁门宣布胜利》（TRUMAN PROCLAIMS VICTORY），下面是一行小字——“告诫日本快投降”。在后来的向日本投掷原子弹等事件中，该报都用了这种夸张的头版。这就是在巴克尔领导下的《邮报》的小报式样，这种风格保持长久，直到 20 世纪 70 年代初。

1965 年 11 月 9 日下午 5 点多钟，纽约市经历了有史以来第一次停电事故，长达 13 个小时。这次由安大略电厂事故导致的危机，使近 60 万人滞留在地铁里，数千人被关在 200 多部电梯内（帝国大厦的保安人员不得不炸开墙壁救出 3 位女士），数百手术病人遭到危险的延误……《邮报》却未停止出报，第二天该报头版是漆黑一片，上面只有一个词的特大反白标题置于左下角：《为什么?》（WHY?），一语道破读者心声。

20 世纪 70 年代就开始了默多克的故事，这段故事最好从发行人钱德勒先生口中讲出，留待下节再叙。总之，《纽约邮报》在漫长的 200 年中经历了风风雨雨，换了无数个老板，能生存下来确属不易。要知道，与它同时代的一些报纸，如《纽约太阳报》、《纽约先驱论坛报》等，当初比《纽约晚邮报》的名气大得多，都先后凋零，唯《纽约邮报》硕果仅存。

所以，当该报庆贺创刊 200 周年时，很多名人政要都出席相关活动。不同寻常的是，纽约市长鲁迪·朱利安尼（Rudy Jiuliani）还手持《纽约邮报》笑容满面地让摄影记者拍照，为该报做了个免费大广告，上了当天报纸的头版。连任三届纽约市长的朱利安尼为纽约做了两件大好事：一是使恶劣的社会治安得到根本的好转，例如过去令人触目惊心的地铁抢劫谋杀，我 2001 年在纽约一例也未听说过，我自己多次夜晚乘坐地铁，在四周无人的车厢里仍有安全感；二是扭转了纽约财政下滑的局面，使得财政收入盆盈钵满，因而有人说，律师出身的朱利安尼像个企业家。“9·11”事件发生后，作为一市之长，他每天带队到现场察看，每天亲口向新闻界发布事件的最新进展，有时一日数次，忙得焦头烂额，引起市民极大好感，连“9·11”事件前人们对他遗弃前妻重娶新人的议论也得以止息。年底纽约大选时，不顾很多人的劝进，他放弃选举，全力支持媒体企业家布隆伯格参选市长，终于如愿。

这样一位日理万机的市长，不仅拨冗参加《邮报》的庆祝活动，而且提前一天为报纸作秀拍照，真正难得。查《邮报中的纽约》，还可看到一幅这位市长头戴扬基棒球队帽，两手抓住刊有扬基队获胜消息的《纽约邮报》号外的大幅照片，脸上笑容可掬。照片说明文字：“纽约市长鲁迪·朱利安尼作为世界最大的扬基队拥趸，在 2000 年系列赛事后手拿《邮报》。”（扬基队是美国一流职业棒球队，总部设在纽约市，纽约男子差不多半数是该队的球迷——笔者）。当然，《邮报》也投桃报李，在 2001 年底选举前连续推出专版，刊登朱利安尼担任市长以来的趣闻与赫赫业绩。

我后来在与钱德勒先生谈话时曾对他说：“可以看出，贵报与政府的关系相当好。你看，朱利安尼市长还为你们作宣传，而你们也正在刊登对他的传记式报道。”

他说："不错，我们和朱利安尼的关系很好，我们比较喜欢他，这点我们从不在报纸上隐讳。但这并不等于说我们过于注意与政府的关系。这要看是谁执政。对朱利安尼的前任我们就不喜欢，很多市民也不喜欢。不喜欢不是因为他是纽约历史上第一任黑人市长，而是因为他任职期间的管理过于松懈。在他任期内，纽约黑人犯罪率急剧上升，社会治安是近几十年最糟糕的，晚上没人敢坐地铁，没人敢独自上街，而且政府的财政状况也出现危机，交给朱利安尼的是一个烂摊子。我们对他不断予以批评和抨击。你若是那时来，就会得出我们与政府关系很坏的印象（笑）。至于连续报道朱利安尼的事迹，我们在选举前都会总结前任市长的履职情况，只不过对朱利安尼情有独钟而已。"

三、默多克在美国报业的最大斩获

现在要见见发行人钱德勒先生了。钱德勒身材高大，约有 1.9 米，年龄应在 60 岁左右，两鬓及络腮胡茬子都已灰白，但红润的面孔很少皱纹。钱德勒待人十分热情，说话嗓音洪亮，谈吐也很风趣，不时发出呵呵的笑声，没有任何发行人的架子。所以，我对他的采访既轻松又愉快。

我们的谈话就从默多克对《邮报》的拥有开始，这也是该报现代史上最重要的一环。他说：

"我们报纸的老板是鲁珀特·默多克，他的公司叫做新闻集团。他是澳大利亚人。新闻集团同时拥有福克斯电视台（Fox Television），福克斯广播公司（Fox Broadcasting），那是个广播网络公司，和一个电影公司，叫做 20 世纪福克斯（20 Century Fox）。集团还拥有《电视指南》杂志（TV Guide，美国最大期刊之一，2001 年的发行量超过《读者文摘》［*The Reader's Digest*］——笔者）和《邮报》。所以，默多克的新闻集团在美国是一个拥有电视、广播、电影、杂志、报纸的大型多媒体公司。

"默多克第一次购买《邮报》是在 1976 年，并拥有这份报纸长达 11 年之久。但到 1987 年，他在政府的压力下被迫将报纸卖出去，原因是他在纽约拥有电视台。政府说：你不能在同一个城市既拥有电视台又拥有报纸，这是我们的政策。所以他是被迫出售报纸的（我在美国还看到一个材料说当时纽约的报纸都不景气，《邮报》日子也很难过，所以默多克不要它了。但我相信政策是主要原因——笔者）。他将报纸卖给了纽约一位商人，这位商人维持了 6 年，就破产了。由于当时除了默多克，买主中没有任何人具备足够的资金去经营这份亏损报纸，政府同意默多克于 1993 年将《邮报》又买了回来。州政府为促成这桩买卖，专门向联邦法院申请豁免，允许默多克破例在同城经营电视台和报纸。在他第二次收购这家报纸后，他任命我为报纸的总编辑，而当时报纸的发行量为 38 万份。如今我们平均每天销售 53 万份，这是 ABC 上月公布的近 6 个月平均发行量。"

鲁珀特·默多克发迹于澳大利亚，其澳大利亚新闻集团公司是目前澳大利亚最大的新闻媒体集团。从上世纪 60 年代末至 70 年代，他进军英国，先后控股或收购了英国发行量达 600 万份的最大星期日刊《世界新闻报》（*The World News*）、英国发行量最大的日报《太阳报》（*The Sun*）和闻名世界的伦敦《泰晤士报》（*The Times*）。在英国成功后，他又进军美国，在 80 年代美国媒体大兼并的过程中大举渗透，先后以 5.75 亿美元购进 20 世纪福克斯电影公司，以 15.5 亿美元购进 7 家主要电视台，以 3 亿美元购进哈泼—柯林斯出版公司（HarperCollins），以 30 亿美元购进包括《电视指南》在内的三角出版公司（Triangle Publications），并用福克斯的资产和收购的其他电视台组成了美国第四大电视网络公司——福克斯广播网络公司（Fox Broadcast Company）。1993 年，默多克成功收购香港首富李嘉诚之子李泽楷的香港卫视（Star TV），将其规模大为扩张，还投资 5.25 亿美元建了两个电视卫星，一个对准中国和太平洋盆地，另一个覆盖印度和中东。

此后，默多克致力于开拓中国媒体和娱乐市场，于 1996 年以香港卫视与刘长乐的今日亚洲公司等合作成立凤凰卫视有限公司，并终于在 2001 年底与中国中央电视台、中国国际电视总公司和广东有线电视网络公司达成协议，使香港卫视的一个 24 小时文娱节目"华娱"在广东有线电视系统落地，而作为交换条件，允许中央电视台的英语时事频道在福克斯有线电视网播出。在我 2002 年 2 月回国后，关于默多克在中国渗透的新闻不断，诸如投资网通、网易等中国一些著名网络公司，在北京成立了一个独资科技公司投资数字有线电视等。

其实，默多克进军美国是从 70 年代由报纸入手的。他在美国的子公司美国新闻集团先选择得克萨斯州的圣安东尼奥市，在那里收购了《圣安东尼奥新闻快报》（*San Antonio Express-News*）等三家报纸，但在美国办报所需要的高投入、高成本和高技巧使他遭遇挫折，首次投资就出现亏损。后来他又到美国报纸的发源地波士顿购买了《波士顿先驱报》（*Boston Herald*）。但他在美国办一家全国大报的梦想始终未能实现，甚至也没有买到一份影响大的报纸，直到 1976 年发现《纽约邮报》

有机可乘。

当时《邮报》在希夫女士的掌管下遇到经济困难，她不想继续持有这份报纸。默多克看中了这个机会，于是在11月份只花3250万美元就将这份美国最古老的报纸买下。这是迄今为止默多克在美国报业获得的最大成功。他接管报纸后，《邮报》渐渐变得煽情，犯罪和色情新闻增多，体育报道也扩大了，以劳工阶层为主要读者，报纸的发行量节节上升，一度达到90多万份的最高纪录，发行量曾列全国第四位。但由于忽略了广告经营和80年代的经济衰退，报纸发行量的扩大并未带来利润，亏损依旧。据说10年共亏了1.5亿美元。所以，当1987年默多克被迫将报纸转卖时，《邮报》的确处于不佳状态。收购《邮报》的是纽约亿万富翁彼得·卡利科（Peter Kalikow）。

但默多克始终没有忘记这块曾经到嘴的肥肉。1993年机会来了。《邮报中的纽约》一书记述了1993年1月起《邮报》所处的困境和默多克重新掌管该报的过程，读来颇有趣味：

1月

20日，控制《邮报》财务收支的银行托拉斯冻结了《邮报》发行人卡利科的账户，理由是该报未能向政府支付330万美元的税金；

23日，卡利科会见工会领导人，工会同意将员工工资降低20%；

24日，在银行不愿解冻的情况下，卡利科准备停刊，但讨债公司巨头史蒂文·霍芬伯格（Steven Hoffenberg）突然出面挽救，买下《邮报》；

27日，安全交易委员会着手调查霍芬伯格的讨债公司 Towers Financial Corp 的情况。

2月

1日，《每日新闻》的老板朱克曼“乘人之危”，挖走《邮报》几位主要主编和专栏作家，被霍芬伯格指责是想消灭竞争对手；

10日，霍芬伯格任命专栏作家彼得·哈米尔（Pete Hamill）为新的总编辑；

11日，联邦法官暂时停止霍芬伯格将公司资金转入《邮报》；

17日，霍芬伯格同意由法院指定的金融人员监视 Towers 公司的经营，直至联邦起诉他的官司解决；

19日，联邦破产法官证明霍芬伯格收购《邮报》有效；

21日，霍芬伯格任命怪僻的停车场主阿贝·赫希菲尔德（Abe Hirschfeld）为《邮报》公司董事长，后者带资300万美元入股。

3 月

11 日，霍芬伯格与赫希菲尔德闹翻，联邦破产法官终止了霍芬伯格对《邮报》的控制，允许小丑赫希菲尔德经营并购买《邮报》；

12 日，赫希菲尔德入主《邮报》后立即炒掉总编辑哈米尔，任命杰拉德·布雷（Gerard Bray）为临时总编辑；

14 日，赫希菲尔德聘请《阿姆斯特丹新闻》（*Amsterdam News*）的发行人威尔伯特·塔特姆（Wilbert Tatum）为联合发行人和总编辑，同时列出一个有 272 名员工的名单，打算将他们统统辞退，布雷辞职表示抗议；

15 日，赫希菲尔德引起的混乱加上周末遇到本世纪最大的周末风暴，使《邮报》未能出版星期一的报纸，工会加入了高层管理人员对赫氏的反抗；

16 日（星期二），报纸头版突然以怀旧的古典风格刊出亚历山大·汉密尔顿正在为他 1801 年创立的报纸而哭泣的大幅照片（我后来查到这份报纸的影印件，只见头版照片上，一大滴眼泪正从汉密尔顿的右眼滴落，围绕着照片弧形排列着“由亚历山大·汉密尔顿创刊于 1801 年”字样——笔者），内页各版充斥了对赫希菲尔德和塔特姆的指责，员工完全控制了报纸，无视赫希菲尔德的存在；

17 日，哈米尔被请回到编辑部，继续领导员工的反抗活动；

18 日，赫希菲尔德说他已经辞退塔特姆，希望哈米尔回到总编辑岗位；

19 日，康拉德（Conrad）法官出面调停，要求赫希菲尔德向员工开出支票，作为哈米尔管理编辑部的条件；

22 日，赫希菲尔德禁止 4 名《邮报》高层主编进入报社大楼；

26 日，康拉德法官被要求终止赫希菲尔德对《邮报》管理的协议，因为他未能支付支票，同日澳大利亚出生的传媒巨子鲁珀特·默多克提出购买《邮报》申请；

28 日，康拉德法官同意默多克控制《邮报》，新老板走近大楼时受到员工们的热烈欢迎。①

这段经历堪称美国报纸历史中的一个经典片段。若非钱德勒先生给我的书中有如此精彩的描述，我们怎么能想象 20 世纪 90 年代，在美国的纽约也发生过如此剧烈的反抗，而且发生在如此著名的报纸机构内？

---

① *The Post's New York*，HarperCollins Publishers，2001 年

编辑部的采编人员居然在老板还掌权的时候停止出报，第二天又自行出版了一期咒骂自己老板而怀念报纸创始人的报纸。但员工离开老板也不行啊，谁发工资呢？争一口气容易，报纸停刊的结果只能是大家散伙——这一天似乎不远了。而就在这千钧一发之际，默多克仿佛英雄救美般出现在员工们面前。这位财大气粗、一掷千金的昔日老板，显然给员工带来了希望。《邮报》在1993年3月30日信心十足地发表题为《一个崭新的开端》（A New Beginning）的社论，文中说：

今天表明《纽约邮报》进入了新的一天——一个阳光灿烂的崭新日子。……《邮报》将一如继往地成为这座城市与众不同的报纸。我们将关注并在报道中突出纽约劳动阶层和中产阶层感兴趣的任何问题。①

对于美国同一座城市的电视公司不能拥有报纸的说法，我一直无法理解。因为同一家公司如果拥有报纸，是可以收购电视台的，这在《芝加哥论坛报》和《华盛顿邮报》等公司早有先例，为什么电视公司就不能拥有报纸呢？去年我在纽约时留心观察，发现果然大电视公司在当地都不拥有报纸，如总部设在纽约的美国广播公司（ABC）和哥伦比亚广播公司（CBS）以及总部设在亚特兰大的美国有线广播网（CNN），在当地都没有报纸。

面对我的疑惑，钱德勒这样回答："以前美国没有这样的规定，是上世纪80年代美国国会出台了一个新法案才这样的。不过，电视公司收购报纸，我们不是唯一一家，最近两年已开始增多。所以从技术上看，我相信有关法律很快会改变。"

四、两百司机负责市内送报

钱德勒开始介绍《邮报》目前的情况。作为总编辑出身的发行人，他对报纸采编和经营两方面的情况都了如指掌，是最理想的采访对象。我甚至暗自庆幸当初总编辑们拒绝了我的采访。他说：

"我们这家报社共有800名员工，包括印刷工人和运报司机。在新闻这边，我们有250人。另有200名卡车司机负责运送报纸，他们都是我们的正式员工。我们还有印刷、广告、发行等部门。我们的部门不太多。我们的发行量很大，大部分报纸在纽约市50英里的范围内发行。

① *The Post's New York*, HarperCollins Publishers，2001年

也就是说，60%的报纸在纽约市 5 个行政区内发行，40%销售本市以外的地区。我们的司机负责所有市内报纸的发送。他们每天将报纸送到全市 5500 个零售点，这些零售点包括商店、报摊、快餐店以及一切人们可以买到报纸的地方。对，你说得对，这些都属于零售报纸。对于市外地区，我们委托独立分销商投递，他们既销售我们的报纸，也销售《纽约时报》等报纸。我们的住户投递量很小，大约只占整个发行量的 10%。

“关于你问到的管理结构，我们有 1 名总编辑，2 名副总编，然后是都市新闻部主编，副刊部主编，经济新闻部主编，体育新闻部主编（体育部有 40 人），社论版主编，以及星期天刊主编。社论版主编一般来说应该向我报告，但由于那是个很小的部门，所以他也向总编辑报告，有时总编辑就可做出决定。我们在这方面不完全分开，不像有的报纸社论版主编和总编辑相互独立。

“我们有 20 个摄影记者。他们越来越多地使用数码相机，但我们仍然使用一些胶片相机，因为我们认为有些场合数码相机并非最好的选择。摄影记者们觉得数码相机仍有缺陷，有时非用胶片相机不可。例如远距离拍摄篮球赛，由于光线不太理想，数码相机的效果就较差，我们曾经拍到非常糟糕的数码相片。但我相信数码相机正在改进中，它们会越来越好。

“60 年前，我们是大报。我们大约在 1940 年改成小报。你问为什么？我想也许那时的负责人想使报纸更加与众不同吧。我了解得不多，因为那是 60 年前的事。如今我们是集团内的报纸。我们集团在美国不再拥有其他报纸（现在看来有些疑问，新闻集团至少拥有《波士顿先驱报》吧？难道被卖掉了？可惜当时没注意到这个问题——笔者），但在英国拥有报纸，包括伦敦的《星期天泰晤士报》（*Sunday Times*）和《太阳报》。集团当然在澳大利亚拥有更多报纸，占全国日报的 60%以上。在亚洲，我们拥有一个卫星电视，总部在香港。我想，我们正在与中国的凤凰卫视公司合作，但我们可能只拥有一小部分频道。

“我们是晨报。但我们有三个不同时间的版本。第一个版本称为早版，发行至 50 英里以外地区；第二个版本发行至 25 英里以上范围；第三个版本出版最迟，仅仅发往本市。这三个版本的截稿期不同，但时间也不很固定，有很多变数，因为这里晚间有很多体育赛事。在第一个版本开始付印时，大量比赛也相继结束。所以我们不得不修改某些版面以跟踪最新的比赛结果。我们晚上 10 点开始印刷第一个版本，12 点印刷第二个版本，次日凌晨 2 点印刷第三个版本。第三版发行到全市所有 5

个区。我们大约凌晨 4：30～5：00 印完全部报纸。任何重大突发事件，都会改变我们的截稿时间。

“我们正在建设一个新的印刷厂，要花 2.5 亿美元，包括机器和建筑，是今年夏天开始动工的。我们现在有 3 台印报机，另外一台正在安装。所以我们将会有 4 台印刷机，今后可以印更多的彩页（我刚到纽约时，该报头版基本是套红的，最近开始彩色化。该报内页的彩色版也不多，多少影响了广告收益。这大概是受到印刷设备的制约——笔者）。我们还在佛罗里达印刷《纽约邮报》，因为那里住着很多纽约人，特别是退休老人。我们全年都在那里印刷，但冬天最多。我们在佛罗里达的发行量为 8000 份。这都包含在我们的总发行量内。

“我们有一个网站，非常受欢迎，是美国最大的地方报纸网站。你问网站内容是否与报纸不同？基本相同，但对于美联社的来稿，我们会及时更新。”

我向他请教编辑部的具体工作，其中提出的一个问题是：“在中国的报社，有时编辑也出去写稿，这在一些报社是受到鼓励的。贵报人手不多，是否也允许或鼓励编辑写稿？”

他回答：**“我们的编辑工作量太大了，他们很忙，每个人都必须手脚十分麻利才能完成任务。他们没有时间去写稿。**副刊编辑有时会写一些，但很少。通常他们利用业余时间写些稿件，挣些额外的稿费。我们共有 40 名编辑。”

“那你们编辑的工作量有多大？能描述一下吗？”

“编辑各有分工。文字编辑是最低层次的编辑，他们负责与记者联系和修改稿件。还有组版设计编辑，他们在新闻部工作。新闻部的头是新闻主编，新闻部组版和编辑是分开的。副刊的编辑就包括一切编辑工作，从编稿、制作标题到在电脑上组版出样。要说工作量，也是有变化的。例如，今天有 4 个副刊，但只有 2 名副刊编辑，他们每人要做 2 个版。但如果到了星期五或星期天，副刊数量大为增加，就需要较多副刊编辑。例如，星期天的副刊就有 8 页。”

我想知道的是平均 1 名编辑每月要编辑多少个版，但他似乎并不太了解，我也就不再问下去。我将话题转到该报的教育工程。他说：

“对，我们也有 NIE 工程。我们每周向纽约市的学校发行 5 万份报纸。很多老师使用我们的报纸进行辅助课堂教学。我们通常在报纸中为他们辟一个整版，即《课堂版》（CLASSROOM），每周三出版，但我们不再另外编印辅导教材。我们今后有可能为学校设计一个特刊，但现在还没有做。我们有专门人员与学校联系，听取教师们的意见。这是一本书（指桌上一本资料），是我们报纸上文章的精选，在学生们中间非常受欢迎。它是新闻集团下的一个出版社出版的，教师们经常选用其中的文章。我们的网站上有一个叫做‘学习中心’的目录，打开它就可以获得我们提供的课程计划。我们的课堂版主要向中学生提供。

“学校里也有其他报纸。大家这样做，是因为这有利于学校，有利于学生，也有利于报纸，因为这 5 万份报纸可以算入我们的发行量。我们请广告商购买这些报纸，我们给予折扣优惠，学校免费获取。有些报纸，如《每日新闻》，在学校的发行量比我们大。ABC 每 6 个月统计一次报纸平均发行量，每到这 6 个月的月尾，他们的发行量就会增长，这就和学校的发行有关。当然，NIE 也是使青少年对报纸产生兴趣的好办法。”

五、最大特色是冲击力强

钱德勒说话坦率，也很有耐心。我接着问他：“你们的主要竞争对手是谁？你们在竞争中有什么制胜法宝？或你们怎样使自己的报纸与众不同？”这其实也是我事先给过他的问题。

“我们有两个竞争对手。《每日新闻》在发行方面是我们的最大对手。他们发行量比我们大。《纽约时报》是最强的对手，因为他们吸引了那么多广告。它几乎垄断了广告市场，原因是它的读者层次很高，决定购买和自身的购买能力都很强。所以我们面临两大对手的竞争。我们与他们双方竞争。就读者层次而言，《邮报》的读者接近《时报》的读者，而《每日新闻》的读者收入要低一些。我们的读者在教育背景和收入方面处于中等以上水平。实际上，很多人早上买《纽约时报》或《华尔街日报》，下午买《纽约邮报》（这些话倒也不虚，我后来在采访《新闻日报》总编辑时，对方也说《纽约邮报》与《纽约时报》及《华尔街日报》的读者有很大部分是相重叠的——笔者）。

“至于怎样竞争，我们还是一句话，使自己与众不同。我认为，对《邮报》来说这也是最重要的事情。《邮报》的最大特点是具有很强的个性色彩，或者说是具有很强的纽约人的个性色彩。纽约人是什么样的呢？直率、大胆、进取、爱憎分明和无所顾忌。纽约人甚至有些粗鲁。他们雄心勃勃，说话大声。我们的报纸具有与之相同的个性。打开我们的报纸，直奔主题，冲击力强，在表达意见时大胆而粗犷。我们的言论力求有力量，就像纽约人在表达自己观点时的态度一样。我们在表达意见时旗帜鲜明，不走中庸。我们常在报道中有所侧重，而不是站在中间立场听双方意见。

“另外与其他报纸不同的是，我们在政治上取保守态度。我们也许是纽约唯一的保守派报纸。我的意思是，《纽约时报》非常自由，《每日新闻》也比较自由，唯独我们保守。前面讲到我们与朱利安尼市长关系较好，还因为他是共和党人。我们对共和党人比对民主党人说话亲切，尽管在纽约这个地方绝大多数人都是民主党党员。这是一个巨大的民主党城市。我们是这个民主党城市中的共和党报纸。但我们不怕，真的。人们读报纸时并不喜欢模棱两可、中庸平淡的文章，而爱好那些言辞激烈的评论，尽管他们未必同意评论中的观点。他们无需同意我们的观点，他们宁愿受到挑战，他们乐意看到别人在想什么。这也是我们表达意见大胆、粗犷而读者很多的一个原因，也是我们的重要特色。”

《纽约邮报》的风格正如钱德勒所说，很泼辣直率。其头版标题经常让人有一种痛快淋漓的感觉，而在第二版等要闻版面，则经常发表本报评论家的专栏文章，对时事给予直截了当的点评。这和许多美国报纸将评论局限于社论评论版的做法大不相同。就在这次访问该报前几天，美国的情报人员从阿富汗前线抓到了一位从美国跑到阿富汗自愿参加基地组织帮助他们打击美国人的美国青年，名叫约翰·沃克（John Walker）。沃克甚至在基地组织的监狱里见到美国的被捕特工也不予以协助，最后眼睁睁看着他被塔利班成员杀死。这个消息引起轰动，电视台反复播放那位特工临死前的摄像片段。正当各报还在讨论如何处理这位美国公民、是否应送军事法庭时，《纽约邮报》的评论已发出“杀了他”的大声疾呼。12 月 5 日，在我访问该报这天，该报头版再次刊出沃克长发长须、浑身肮脏的半身像，并用黑底反白字列出如下标题：

“可怜的同类”抑或叛徒？（‘Poor fellow’ or traitor?）

接着是 4 个排比引题：

看着像只老鼠（Looks like a rat）
说话像只老鼠（Talks like a rat）
闻着像只老鼠（Smells like a rat）
隐藏像只老鼠（Hides like a rat）

最后是巨大的主标题：

它就是一只老鼠（IT IS A RAT）

当天该报第二版头条，刊出一位女评论家的专栏文章，题为《干脆叫他最合适的名字：叛徒》（Just call him by his rightful name: traitor)。第二条是一篇关于总统布什想刀下留人、以教育为主的消息，但仍用了评论式标题：《甚至布什也同情恶魔》（Even Bush has sympathy for the devil）。

他显然对该报的评论感到满意。他说："是的，我们发表很多评论，我们只有 4 个专栏作家，他们非常努力，每天写个不停。"

据我观察，该报的另一个特色是体育报道力度很大。虽然重视体育报道是美国小报共有的特点，但《纽约邮报》的体育报道量经常占了一半篇幅，且将封底做成头版模样，每天一幅体育大照片，吸引爱好体育的人从反面翻阅厚厚的体育版面。封底的版头标题每天堂而皇之写着"全市最佳体育报道"（The Best Sports In Town）。

下面看看我访问该报这一天《邮报》的版面安排情况：

2001 年 12 月 5 日，星期三，共 80 页，标价 50 美分（实售 25 美分），不分板块，按页编排。

头版彩色，内容如上。

2～5 页——新闻专题"美国进入战争"（AMERICA AT WAR）；

6～7 页——新闻专题"以色列遭受攻击"（ISRAEL UNDER SIEGE）；

8～9 页——综合新闻；

10～12 及 14 页——饶舌（GOSSIP），以"第六页"（Page Six，实际为第 10 页）为代表，是该报著名专版，介于中国街谈巷议和随笔之间的一种文体，多数版面由专栏作家主持，成为颇受读者欢迎的大众幽默言论版，有大幅漫画；

13，15，16，18，19，21，22，27——广告，其余综合；

30——教育，本期列出优秀教师肖像及名单（Meet some of N. Y.'s outstanding teachers）；

31～33——邮报言论（POST OPINION）；

34——天气预报（Post Weather Report），含纵横字谜；

35～36——经济（Business）；

37——媒体城（MEDIA CITY），报道全国媒体动态；

38～40——商用房地产（COMMERCIAL REAL ESTATE）；

41～43——股市行情（Market Watch）；

44——课堂特刊（Classroom Extra），是配合该报 NIE 项目的专版，无广告；

45～52——纽约节拍（New York PULSE），版头下注有"邮报生

活和娱乐指南”（THE POST'S GUIDE TO LIVING AND ENTERTAINMENT）小字，其中 46～47 为餐饮（Food），48～50，52 为电影（Movie Clock），51 为剧院（Theater）；

53～57——分类广告（POST Classifieds）；

58～80——体育（The Best Sports In Town），含广告若干。

该报 2001 年 12 月 2 日的星期天刊，共 120 页，售价也是 50 美分，除了增加彩色版的影视指南以外，与平日刊大同小异。

六、发行人来自英国

钱德勒谈到广告问题时，坦率承认《邮报》的广告还不算很多，去年的广告收入不到 1 亿美元，比《每日新闻》低。他说：

“事实上，以发行量计，我们在纽约市内是排行第三的报纸。《每日新闻》排第一，《纽约时报》第二，我们第三。这使得我们在广告上居于不利地位，我们总是挣扎着努力吸引更多广告。纽约市的广告竞争非常激烈，除了有《每日新闻》和《纽约时报》，还有电视台、广播电台等。人人都在为广告美钞而竞争。刚刚过去的一年，我们的发行量增长了 25%，我相信，这大幅增长的发行量，加上即将启用的新印刷机可以印刷更多的彩色版，我们的广告将会有很大改观。印了彩色广告后，我们可以向广告商多收 25%至 30%的广告费。我们可以吸引更多的广告插页。总之，明年我们的广告会增加。”

采访中获知，发行人钱德勒原来是英国人，在老板默多克手下干了很多年。下面是他自己谈到的经历：

“我出生在英国伦敦，最初在伦敦舰队街一家报纸干，于 1974 年来到纽约，继续为默多克工作。当时我在《纽约邮报》当文字编辑，从最底层干起。后来一直干到执行总编，是编辑部的第二号人物。1986 年起，我被调往波士顿，被任命为《波士顿先驱报》的总编辑，那也是一份 4 开报纸。我在那里一直干到 1993 年。老板收回《纽约邮报》之后，让我去当总编辑，于是我又回到纽约。两年前，我被任命为发行人。我来纽约前两年，就开始为默多克工作了，而此前我在很多报纸干过，甚至于 1970 年在新加坡一家报纸干了一年。”

显然，他是默多克的爱将，危难之际，老默总是想到他。

关于《邮报》的工资待遇，钱德勒坦陈为纽约最低。他说：

“工资待遇方面，我不能给你平均数，但可以给你起薪数。我们新来的记者每年可得 35,000 美元。那是比较低的。特别是在纽约，这着实不算多，因为纽约生活开销很大。资深的记者可以拿到 8 万至 9 万美元。记者没有分红，但有免费的医疗保险及养老金。然后他们可享受‘401 计划’。你知道这个‘401 计划’吗（即笔者前述‘401K’）？那是一个分开来的投资计划。政府让你拿出年薪的 6%，公司支付另外的 6%（同等数额），这两笔钱共同投资到股票上。所以说，工资虽然不算高，但福利是一点也不少的。我们这里每一个人，从新来的到我这个发行人，福利都一样，是一整套福利。你若离开，你必须将股票出售。”

我们的谈话进行了一个半小时。结束后，他让秘书领我到行政主编安妮·阿奎利纳（Anne Aquilina）女士的办公室。安妮告诉我，她负责整个编辑部的预算和办公用品的供应，包括差旅报销等审批，所以很忙。她领我参观编辑部，一路上耐心介绍各部门的功能和人员配置。在新闻部，我遇见一位华裔老编辑，正在电脑上设计版面。我们攀谈了两句，他说他是广东人，但从小就在美国，在这家报纸干了几十年了。在一个报栏前，我对上面放着的各类任务单和其他编辑部管理文件产生了兴趣，征得安妮同意，我每样取了一张。可惜在我写这部分内容时，死活找不着这些文件。

参观完毕，我便告辞。走出新闻集团的大楼，天色已晚，外面华灯初上。街道两旁的树上点缀着无数灯珠，仿佛繁星落自九天；路边霓虹闪烁，有如幻境。最显眼的是楼下大堂橱窗里摆满了各色硕大的礼盒，楼外新修建的绿色格架上放着一堆巨型铜铃，被灯光映照得熠熠生辉，而大楼的石柱上捆满了系着红布带的灯饰，看上去喜气洋洋。马路上已经有人上街看灯。这座大楼的斜对面就是洛克菲勒中心，从新泽西运来的全市最高的圣诞树已经在那里竖立起来，上面坠满了数万只彩灯。据纽约人介绍，每年圣诞节前，洛克菲勒中心都要到新泽西的园林选择最高的杉树，砍下运来烘托气氛。2001 年我于圣诞节到该中心看夜景，那人挤人的场面丝毫不亚于中国最热闹的庙会。

这一切告诉我：一年一度的圣诞节又快到了。

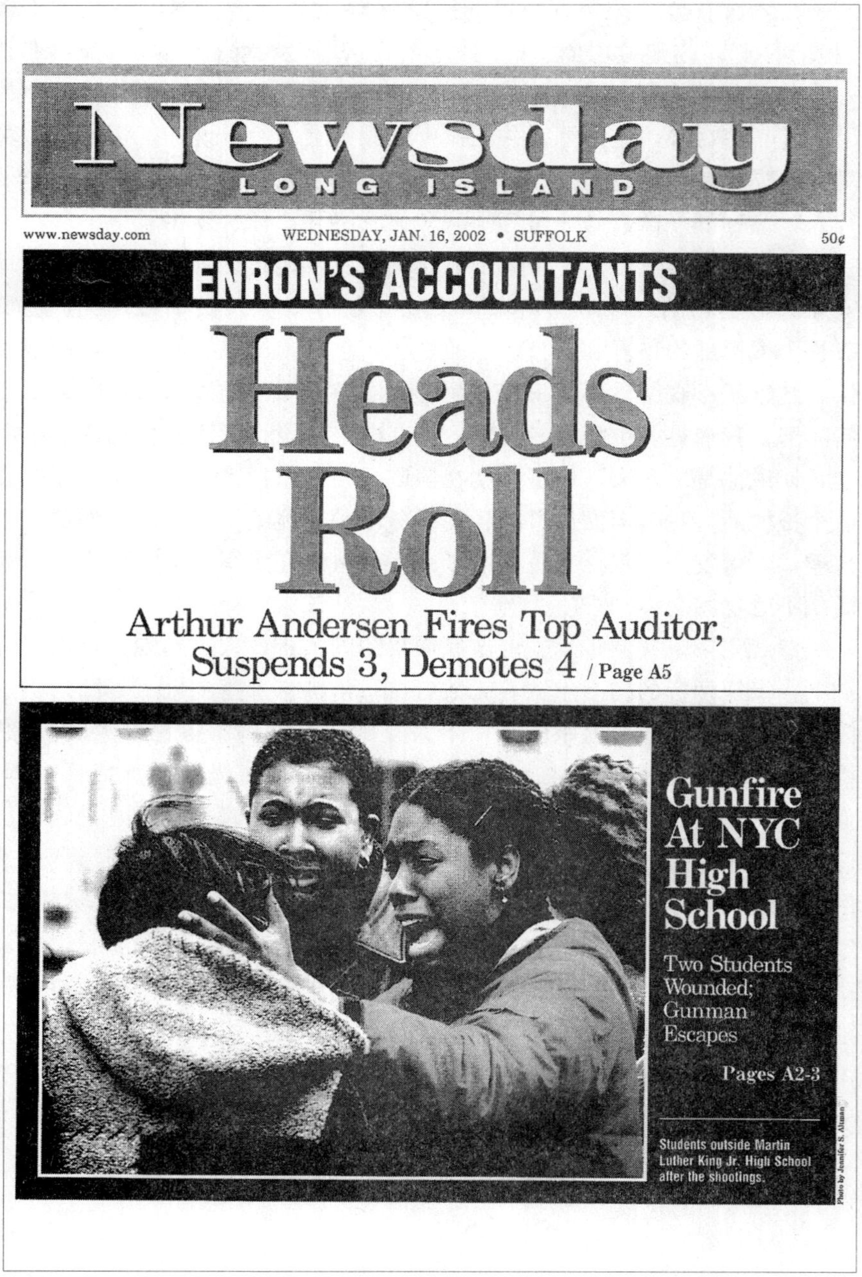

Newsday
LONG ISLAND

www.newsday.com WEDNESDAY, JAN. 16, 2002 • SUFFOLK 50¢

ENRON'S ACCOUNTANTS

Heads Roll

Arthur Andersen Fires Top Auditor, Suspends 3, Demotes 4 / Page A5

Gunfire At NYC High School

Two Students Wounded; Gunman Escapes

Pages A2-3

Students outside Martin Luther King Jr. High School after the shootings.

Photo by Jennifer S. Altman

纽约《新闻日报》2002 年 1 月 6 日头版

第 19 章

《新闻日报》

Newsday

小报模样大报内涵
长岛媒体远近闻名

《新闻日报》，1940 年 9 月 3 日创刊，原隶属时报一镜报集团，现隶属论坛公司。该报自称是“小报尺寸，大报内涵”，是美国为数不多的“严肃小报”之一，内容较一般小报丰富，有各种副刊，家庭订户占八成以上。2003 年 10 月至 2004 年 3 月平日刊平均日发行量为 580,346 份，居全国第 9 位；星期天刊平均发行量为 662,317 份，居全国第 13 位。

一、与国家公墓比邻

长岛的名气很大，不少中国人知道它就在纽约市旁边，还知道那是富人住的地方，很多影艺界名人乃至前总统克林顿卸任后都住在长岛。但说实话，刚到纽约时，我还真不知长岛在哪里。

打开纽约市地图，四下寻找，发现狭长的岛屿只有两个，一个是曼哈顿——那显然不是；一个是布鲁克林南部的一个细细长长的岛屿，上面住着很多居民，附近还标有“长滩”（Long Beach）字样。起初我就把它当作长岛了，因为在纽约周边怎么也找不到另外一个狭长的岛屿。后来我在一个资料上看到美国独立战争时期著名的长岛战役地点，就在纽约市的布鲁克林，就更把那细长岛屿当作长岛了。那场发生在1776年8月的战役，是美国抗击英军的第一场大规模战争，华盛顿将军投入1/3军队，坚决保卫纽约市和下哈德逊河谷，最后以大陆军伤亡1000多人、英军损失400多人、华盛顿部队撤入曼哈顿岛而暂告结束。

但不久我就发现自己犯了望文生义的错误。这个被当地人称作“小长岛”的地方并非真正的长岛，但这里2001年也因一桩悲剧事件而闻名于世。

“小长岛”离纽约肯尼迪国际机场很近。2001年10月中旬，就在人们因“9·11”事件而惊魂未定之际，一架从肯尼迪机场起飞的客机坠毁在这个小岛的正中间，机上100多人无一幸免。失事飞机又是波音767，而且还是那倒霉的美国航空公司。“9·11”事件中被恐怖分子劫持的4架飞机中就有两架是美国航空公司的波音767飞机。开始，所有人都以为是本·拉登的又一次“杰作”，刚刚喘上一口气的华尔街股市再次跳水。但后来查明与恐怖事件无关，是金属疲劳导致的机械故障引起的。飞机上天后一个引擎居然掉下来，正好落在一个加油站旁边，险些引起加油站爆炸。这次飞机坠入居民区，造成多人死亡，其中2人竟是在世贸大厦现场抢险中死里逃生的消防队员。

当时纽约的报纸，特别是《纽约邮报》，深入到所有死难者家庭了解情况，连篇累牍地刊登大量煽情报道。给我留下印象最深的，就是一位60多岁的刚退休老人的悲惨故事。在“9·11”事件发生的当天上午，这位老人和妻子女儿已经坐在肯尼迪机场一架飞往南美旅游胜地多米尼加的客机上，准备了却一桩携家远游的夙愿。恐怖事件发生后，美国紧急命令所有起飞和未起飞的飞机全部停止飞行。惊恐之余的老人一面暗自庆幸自己乘坐的飞机未被劫持，一面决定一个月内不再乘飞机。

过了一个月，看看风平浪静，他决定启程了，但仍心有余悸，特意让一家 3 口分乘两架飞机赴多米尼加，以免灭门之灾，可见老人是多么谨慎。但人算不如天算，他还是没逃脱一场空难。这次失事的正是他自己乘坐的飞机，他太太和女儿乘坐的飞机已先期安全抵达。事后有人说这是命里注定。

那么真正的长岛在哪里呢？原来长岛是纽约市东部的一大片地区，长约 190 公里，宽为 19～32 公里，与新英格兰地区的康涅狄格州隔海相望。纽约市的面积本已不小，长岛的面积至少是纽约市的两倍！加上长岛上布鲁克林（原名皇帝县）和皇后两县已先后归入纽约市成为两大行政区，使得纽约市与长岛陆路相连。至于所谓富人区，纽约人并无此说，只是有些名人及银行家分散居住在岛内若干小镇上罢了。大片的长岛地区，住房并不比纽约其他地方贵，穷人富人都可以居住。我和另外两名中国人曾傻乎乎地想去长岛看看富人居住区，请当地朋友指路，但朋友说："哪里有个'富人区'？我在这里住了几十年也未听说过。"但我后来接合访问《新闻日报》在岛内走了一些地方，发现与纽约闹市相比，长岛地广人稀，风景优美，交通顺畅，空气清新，的确是适合居住的地方。

我在美国实地访问的最后一站，就是位于长岛的《新闻日报》。这也是我访问的美国报纸中最年轻的报纸。访问的日子已经到了公元 2002 年。经与该报总编辑安东尼·马罗（Anthony Marro）及其秘书多次沟通，我的访问日期定在马罗先生从芝加哥集团总部开会回来之后，即 2002 年 1 月 16 日上午。

这天天气晴朗，我一早驱车沿 278 号高速公路，经过著名的维纳扎诺跨海大型吊桥（Verrazano Narrows Bridge）到达布鲁克林，再转 495 号高速公路经皇后区直插长岛中心区域，最后来到位于长岛中心地带的梅尔维尔（Melville）镇，路上用了约 1 个半小时。《新闻日报》社址就在这里的派恩罗路 235 号。

作者在《新闻日报》楼前

《新闻日报》的办公楼只有 4 层高，但占地面积很大。楼房外墙由绿色玻璃幕墙和银色格状贴砖组成，看上去很有现代气息。蓝色的"Newsday"立体大字贴在大楼正面偏右的墙上，十分醒目。围绕着这座大楼的，是一大片草地和多个圆形花园。这家报社占用面积之大，在这次访问的美国报社中，也就仅次于《今日美国》了。

报社大院对面仅隔一条四车道马路的，是更大面积的国家公墓和与之融为一体的公园，里面整齐而密集地排列着成千上万个墓碑。这个公墓我沿着马路开行几公里都能看到，可见公墓之大。美国人对墓地从不忌讳，公共墓地常建于风景秀美之地。在纽约常可见到与墓地比邻而居的漂亮小洋楼。

二、与《每日新闻》由亲家变冤家

在马罗先生的行政助理多萝西·埃德蒙兹（Dorothy Edmonds）的引荐下，我见到了这位满脸络腮胡子、长得有点像马克思的总编辑。马罗个头不算很高，但身材魁梧，年龄在 60 岁上下。说话语速较快，还带点我说不出的地方口音，所以，我有时听起来还有些困难。好在我的录音机很管用，我们长达近两个小时的谈话一字一句都被记录下来。

采访《新闻日报》总编辑安东尼·马罗

我们的谈话一开始就从《新闻日报》的郊区特色谈起，快结束时才涉及该报的早期历史。令我吃惊的是，该报的创始人竟是帕特森上尉的女儿，而这一点我在《芝加哥论坛报》和纽约《每日新闻》访问时从未听人说起过。他说：

"《新闻日报》创刊于 1940 年 9 月 3 日。创办人是一位名叫理查德·帕特森（Richard Patterson）的女士。该女士的父亲就是纽约《每日新闻》的创始人帕特森上尉。帕特森来自一个著名的出版业家庭，这个家庭拥有《芝加哥论坛报》，而帕特森和麦考密克是这个家族的主要成员。当帕特森在第一次世界大战期间参加美国军队时，他对英国的一种小报产生很大兴趣，而那时美国所有报纸都是对开大报。帕特森相信这类小报在纽约这样的城市会有市场，因为这类城市有地铁。人们坐在拥挤的地铁里读报纸时，小报比大报方便翻阅。还有一个因素导致小报受欢迎，就是像纽约这样的大城市，每年有大量移民涌入，这些移民中有很多人的母语不是英语，因而读报很吃力。而英国的小报都是大标题、大图片、短新闻，很适合这类移民阅读。所以，帕特森在战争一结束，就跑到纽约来创办了《每日新闻》。所以说，他是在战争时期拷贝了英国的小报，将小报样式带到了美国。”

长岛虽然地方很大，小城镇遍布全岛，但没有中心城市。过去是 4 个县，如今是两个县，但也没有明显的中心县城。过去很长一段时间，长岛人是靠在纽约打工生存的。所以长岛西部越靠近纽约，人口越密集，东部仍是广阔的乡村。正因为这个缘故，包括长岛人自己在内的美国人，长期以来都将长岛视为纽约的郊区。于是马罗的话为我们勾勒出一幅有趣的图画：在纽约这样一个大城市里，父女两人各办了一份报纸，一份在市区，一份在郊区；两份报纸都是 4 开小报，在皇后区这个城乡接合部划出各自范围，分头发展，共存共荣。

事实上，两份报纸都办得不错。前面提到，《每日新闻》曾长期占据全国发行量第一的宝座。《新闻日报》作为年轻后生，面对纽约各大强手，也积极进取，创出了不同于《每日新闻》和《纽约邮报》的办报风格，开辟并巩固了自己的市场，发行量超过《纽约邮报》而跻身全国八强，广告收入也大大高于《纽约邮报》。用马罗总编辑的话说，就是“我们赚很多钱”。该报的发行量到 2003 年才有所下降，而这时《纽约邮报》的发行量已经上去，所以该报退居全国第 9 位。

但据有关史料，这两份报纸都未能被创办者的后人守住，先后成为别人的资产。纽约《每日新闻》是在 70 年后于 1991 年被卖掉的，这我们在前面已经说过。长岛《新闻日报》则仅在帕特森家族手里保持了 30 年，于 1970 年被西部大报团时报—镜报公司吞并。所以说，这两家报纸的亲戚关系只保留到 1970 年。此后，随着《新闻日报》渐渐向市区渗透，两家报纸的竞争关系开始形成，并在皇后区等一些地方变得越来越激烈。昔日的亲戚，终于像美国很多报纸一样，变成了对头冤家。

不过分久必合，1999 年论坛公司兼并了时报—镜报公司，《新闻日报》这个西去近 30 年的浪子，又跟随后者回到了《论坛报》的怀抱。在报团势力不断扩大、吞并之风愈演愈烈的今天，谁能保证《每日新闻》有朝一日不被某个大报团购并呢？谁又能保证这个报团不会是目前蒸蒸日上、藐视群雄的论坛公司？世事总是难料的。

三、“我们是长岛的核心力量”

马罗在接受采访时，花了不少时间谈《新闻日报》由郊区报纸向城市报纸的转换。他说：

“你如果看其他报纸，你一定会听说这里有一份郊区报纸。不错，我们报纸从创办开始就是一份郊区报纸，而且是一份典型的郊区报纸，因为这里的人们在这里睡觉而在纽约市工作。我们的报纸曾是家庭妇女的报纸，读者中有一大部分是家庭主妇。她们中不少人也工作，但把报纸带回家看。这一特色始于第二次世界大战期间。那时男人们乘火车到市区上班，他们喜欢读市区的报纸，读默多克之前的《邮报》，读《时报》，等等。而他们的女人们则喜欢读《新闻日报》，因为我们的报纸是一份地方报纸，她们关心本地及邻里间的信息。

“《新闻日报》是非常本地化的报纸。我们报道本地高中学校的活动，报道本地的体育赛事，报道各县镇日常的新闻。从对本地社区新闻的覆盖上看，我们确实是一份家庭妇女报纸，她们的丈夫更爱读纽约市的报纸。你说得对，我讲的本地，是指整个长岛。

“但是，时过境迁，我们现在不再是郊区报纸了。85%的长岛居民就在长岛本地工作。我们不再像40年前那样与纽约关系那么密切了。我们长岛有270万居民，目前只有10万人继续每天乘火车或地铁到纽约市上班。但长岛与纽约市有着千丝万缕的关系，这里仍有很多人关注纽约的新闻。对这些人来说，来自纽约的消息，仿佛来自家乡的信件。所以我们的报纸越来越多地覆盖纽约新闻。既然有至少82%～85%的人生活和工作在这里，那么长岛现在也不再是纽约的郊区了。典型的郊区是人们在城市工作而在城外睡觉，这时的城外就是郊区。在纳索县西部靠近纽约市的部分，目前仍然有很多人将其文化生活、社会生活、政治生活和经济生活放在纽约市内，因此，这一小块地区仍具有郊区的性质，但长岛大部分地区不是这样。

“我们长岛是一个100多英里长的大岛屿，但我们没有一个中心城市，没有一个核心政府，没有一个统一的警察局。相反地，我们非常分散，我们有13个城镇，2个县。基本的政府机构是各学区（school district）。我们有126个学区。在这样的情况下，《新闻日报》就成了一个核心。这是一个可以凝聚各方面力量的核心。正因为这里没有中心政府，没有核心城市，所以，《新闻日报》的作用有点像胶水，将各方面凝聚起来。

“正如你所知道的那样，长岛是一个较为传统的地区，长岛人大多不爱标新立异。但纳索县（Nassau County）很像纽约市的郊区，而萨福克县（Suffolk County）的西部就与纳索县完全不同，其东部则更像新英格兰地区，与纽约没有任何相似之处。长岛的开发是从建房开始的。大规模的建房始于第二次世界大战，目前 80%的房子是在二战后建成的。这些房子都是郊区化的房子，千篇一律，居民的收入也相差无几。长岛有与新英格兰地区相似的海岸，这里的港口有 300 年的历史，但海滩不多。”

谈到报纸自身状况时，马罗先生充满自豪感。他说：

“我们是全国第五大城市报纸。就所有报纸而言，我们排第八，但有 3 家报纸属于全国性报纸。《纽约时报》是全国性报纸，它大部分销售量在纽约市五个区之外。《华尔街日报》也是全国性报纸。《今日美国》更是全国性报纸。所以就城市报纸而言，我们排第五。在我们前面的 4 家报纸是《芝加哥论坛报》、《华盛顿邮报》、《每日新闻》和《洛杉矶时报》。

“我们编辑部有 550 名全职员工，另外有一些钟点员工。这个人数对编辑部来说是恰当的。报社总共有 3200 人。在编辑部里面，我们分成若干部门，这和大多数城市报纸差不多，有都市新闻部，有副刊部，有经济部，有国内部，有国际部（这个部人数较少），有体育部。体育部很大。对所有纽约报纸而言，体育都是极其重要的内容。大约 40%的纽约男人每天阅读报纸的体育版。在报摊或地铁，你会发现很多男人在读报纸的封底，因为很多报纸的体育头版从封底开始，对体育内容来说，那就是头版。在纽约，有两项非常重要的全国性职业体育比赛，它们是橄榄球赛和棒球赛。我们每天报道这两项赛事。纽约还有重要的曲棍球比赛。上述比赛有时在纽约市，有时在长岛。这也是《每日新闻》在长岛销售的重要原因。”

四、暂做“大型”小报

在谈到《新闻日报》与纽约其他两家小报的区别时，马罗先生旗帜鲜明地称自己的报纸是“大型小报”，即虽然是小报面孔，但版面设置和内容安排都体现了大报风格。而且，他们正不遗余力地将这份报纸办成当地的主流报纸。他说：

“在美国，长岛是唯一将一份小报作为标准主流报纸的地区。所有地方都以一份对开大报为主流报纸，而所有城市的小报都不是人们的第一信息源。但在长岛，所有居民和单位，不论他们是否来自纽约市，都主要阅读《新闻日报》。而纽约市的居民，只在火车、地铁、渡船和咖啡馆阅读小报，即《纽约邮报》和《每日新闻》。他们这个时候读小报会觉得很舒服，但在办公室和家中，仍主要阅读《纽约时报》等大报。

但在这里，我们这份小报被视为标准报纸（美国人所谓‘标准报纸’即对开大报——笔者）。人们在家中阅读本报。我们 2/3 的发行量是住户投递。大多数美国的小报住户投递量都很少甚至没有，只在大城市的报摊或商店里销售。我们每天发行 57 万份报纸，其中，47 万份在长岛，有 10 万份在纽约市发行。这 10 万份主要在皇后区销售。皇后区介于曼哈顿与长岛之间，是最接近长岛的纽约市区。但这个区人口拥挤，地皮昂贵，没有超大商场（即所谓 shopping mall，这样的商场面积巨大，知名连锁超市和商店集中开店，外面有大量停车位，消费者开车到这里可一站制买到任何物品而不用出楼，中国目前还没听说有这样的超大商场——笔者），而长岛有很多超大商场。长岛超大商场中 40%的消费者来自皇后区。所以，我们的广告商希望我们在皇后区扩大发行量。皇后区的读者也希望获得这些商场的信息。”

小报式样按大报要求来做，这是我事先未曾注意到的，因此在预先的书面问题中没有提到。于是我问：“既然按大型小报来要求，内容上有什么特别安排呢?”

马罗这样回答：“我们试图让报纸的内容更加全面，这恰是大报的特点。小报往往集中在突发事件、犯罪新闻、体育、影视等内容，我们不这样。例如，我们有充分的国际新闻。我们有 5 个驻外分社，这是任何小报做不到的。我们在北京、莫斯科、墨西哥、以色列和南非设有分社，另外还在联合国设有记者站。我们有很多自己的国际报道。对全国新闻我们也很重视，我们在华盛顿的分社拥有 14 名记者，有 3 名记者负责报道州政府和州的议会，在新泽西设有记者站，我们在曼哈顿有专人报道华尔街股市和电影、百老汇音乐剧、林肯中心音乐活动等纽约娱乐活动，在皇后区也有 14 名记者从事当地报道。这样的阵容使得我们对全国、全州、纽约市及本地的新闻都有较为全面的覆盖。当然，我们的国际新闻不如《纽约时报》多，全国新闻不如《华盛顿邮报》多，但我们基本上可以满足读者对这类新闻的需求。

“另外，我们还在副刊和专刊上下很大功夫。副刊和专刊的多少，也是小报与大报的一个重要区别。例如，我们有较强大的经济新闻部，该部有 40 人，我们的经济、证券、市场分析等版面就比其他小报齐备。我们在娱乐和副刊上有 70 名员工。在每周不同的日期，我们向读者提供不同的副刊板块，如星期一有本地经济板块，星期二有健康与科学板块，星期三有餐饮板块，星期四有家庭板块，星期五有房地产板块。由于我们的住户投递率很高，我们就设计了很多适合读者在家中阅读的内容，以满足他们的需要。过去我们属于《洛杉矶时报》公司，我们可以免费从该报获得很多特稿及任何国际国内信息（《洛杉矶时报》有强大的驻外分社和驻国内各地的记者站——笔者）。如今我们归属论坛公司，获得信息的余地更大。例如我们可以从论坛公司新闻社的‘家庭电讯网’获得我们读者需要的家庭信息。总之我们试图通过这些内容的设置，使自己的报纸成为真正的‘标准报纸’。

“所以说，我们虽然看上去是小报，但我们的态度是在办一份严肃大报。美国有一位曾在媒体工作过的知名作家杰克·斯托克斯（Jack Stokes）曾说过这样一句话：‘《新闻日报》是美国第一份转型的报纸，因为它在小报的外衣下有着真正大报的内涵。’我们是很严肃的报纸，我们更像一份每日出版的杂志而非传统意义上的小报。但为什么我们不干脆把它改成大报呢？我们认为读者喜欢现在的这种样式。很多人站着读报，很多人在地铁里读报，小报的式样使人读起来感到舒服。但很多小报热衷于报道丑闻、犯罪，我们不这样。我们不同于美国任何一份小报。例如《每日新闻》和《纽约邮报》就不去设外国记者站，不在国内新闻上投入很多人力，也不去设科技、健康等专刊，和我们的做法很不一样。”

为了验证马罗所言，我要来了整整一周的该报，发现其内容果然丰富，页数也多，而且分若干叠（美国小报一般不分叠），有庞大的星期天刊，甚至广告插页也很多。这一切表明它确实像一份大报。

下面以笔者访问该报的这一天及最近的星期天报纸内容为例，请读者看看其版面情况。

2002 年 1 月 16 日的《新闻日报》，星期三，共 144 页，售价 50 美分。

A 叠——新闻，共 64 页，其中：

A1—A2——要闻，左侧为天气简况、本期要目、更正、六合彩等信息；A3——评论，要闻；A4—A5——封面标题正文，彩色，为当天最重要新闻；A6—A11——要闻及广告；A12—A13——本市新闻（CITY），彩色；A14—A15——国际新闻（WORLD）和国内新闻（NATION），其中 A14 国际新闻，A15 左侧为国际国内简讯；A9，A16，A17，A18，A20，A38，A45，A46，A47，A49，A56，A57——广告；A19——皇后区新闻（QUEENS NEIGHBORHOODS）；A21——学生版新闻（Student Briefing Page on the News），彩色；A22—A23——转文；A24—A25——逝者如斯（The Lost），彩色，关于 9·11 事件中死难者的故事；A26——讣闻广告；A27——城市简讯（CITY BRIEFS）；A28——社论（EDITORIALS），含大幅漫画；A29—A32——论点（VIEWPOINTS），其中 A29 彩色；A33——天气

预报（THE WEATHER），彩色；A34—A44——经济与技术（BUSINESS & TECHNOLOGY），含股票行情等信息；A46—A62——体育（Sports），多数为彩页，其中A62（封底）类同头版，有大幅图片和体育要闻提示及大字标题，无正文。

B叠——副刊，共24页，其中：

B1——彩色，无广告，大幅图片，有大标题及提示，无正文；B2——左侧目录及导读，彩色，其余综合；B3——彩色，综合；B4—B5——电影预告；B6—B8——宠物（The Power of a Pet）；B9——艺术与娱乐（ARTS & ENTERTAINMENT）；B10—B13——儿童天地（Kidsday），彩色，含棋牌、纵横字谜、卡通画等；B14—B19——饮食（FOOD），彩色，含广告；B20—B24——电视广播（TV & RADIO），含广告。

C叠——分类广告，共56页。

本星期其他版（不含星期天）不同版面——

2002年1月15日，星期二：

D叠，健康与科学发现（HEALTH & DISCOVERY），共12页。

B叠中含：家庭关系（FAMILY & RELATIONSHIP），共3页。

2002年1月11日，星期五：

A叠共84页。

B叠，周末（Weekend）：分电影（MOVIES）、餐饮（FOOD DAY）、舞蹈和音乐（DANCE / MUSIC）、剧院（THEATER）、博物馆与艺术（MUSEUMS / ART）、儿童日（KIDSDAY）、电视等若干部分，共48页。

C叠，房地产广告，共24页。

D叠，汽车分类广告，共72页。

2002年1月6日的《新闻日报》，星期天刊（纳索县版），共316页，售价1.50美元。

A叠，新闻，共40页，同平日刊。

B叠，思潮（CURRENTS），共8页，各类社论、评论。

C叠，体育（SPORTS），共60页，同平日刊。

D叠，娱乐（FAN FARE），共32页，同平日刊。

E叠，旅游（TRAVEL），共16页，首页底部5厘米通栏导读。

F叠，金钱与职业（MONEY & CAREERS），含财经、投资、股票行情、招聘广告等内容，共 52 页。

G 叠，生活（LIFE）（HEMPSTEAD EDITION），共 32 页。

H 叠，卡通，对开，全部彩色，共 10 页，含 6 页卡通、2 页儿童天地（KIDSDAY）和 2 页广告，首页注明此叠系用再生纸印刷(COMICS PRINTED ON RECYCLED PAPER)。

I 叠，电视特刊（TV PLUS），大 16 开，一周电视节目预告，共 36 页。

J 叠，Newsday 广场（Newsday PARADE），8 开，共 20 页。

另含 Office Max，Smart Source 等若干零售商的广告插页约 100 页。

这样分成 10 叠并含有大量广告插页的星期天刊小报，我在纽约、芝加哥和波士顿的确没有看到。马罗所言不虚。也正是这样一种较为严肃的办报方向，使得该报的新闻品格一直保持较高的水准。该报创刊数十年来，共获得 17 次普利策奖，居所有 4 开报纸之首。

五、发挥优势力争胜出

“既然是小报模样大报内涵，而且主要在本地销售，那你们与纽约市的另外两家小报竞争激烈吗？与其他报纸有无竞争？”我问。

“有竞争，有时还比较激烈，主要是与两家小报，因为我们之间各有优势。”马罗回答说，“就拿纽约市的其他两家小报来说，它们在体育方面得心应手，在报道丑闻和犯罪新闻方面也轻车熟路。《邮报》在华尔街的销售量很大，所以他们有非常好的纽约经济报道。但《邮报》有大量的双重读者。该报很多读者同时阅读《纽约时报》和《华尔街日报》。这些大报的读者到了下午或傍晚，就会买《邮报》，读里面的娱乐和体育报道。这就带来一个大问题：广告商只在两家大报上登广告而不在《邮报》上登广告，因为大报和《邮报》的读者重叠。

“我 1967 年来纽约时，《每日新闻》的发行量高达 150 万份。但这 15 年来它一直在下降。原因之一是它的核心读者群流到郊区或附近地区去了。它的读者被我们吸引过去了，被韦斯切斯特（West Chester，纽约市附近一个县——笔者）的报纸和新泽西的报纸吸引过去了，我也不知道为什么。四五十年前，对第一代和第二代欧洲移民来说，《每日新闻》在加强报纸的实用性和参考性方面做得非常成功。但该报从来不重视对第一代和第二代非欧洲移民的服务，这些移民包括亚洲和南美洲国家的移民。如今，这些非欧洲移民中的很多人已融入过去以意大利人和爱尔兰人为主的纽约中产阶层，但《每日新闻》依然忽视他们。

“以上就是这两家报纸的优劣所在。我们努力取长补短，例如，我们在体育方面也下很大功夫，尽量不落后于他们。我们与《每日新闻》的竞争主要在皇后区。前面已经说过，皇后区对我们有很大的商业价值，我们的广告商需要那里的读者。但那里同时也是《每日新闻》的重要发行地区。《每日新闻》不仅在皇后区发行，还在长岛发行。而要扩大在长岛的发行，它必须先巩固皇后区的发行。所以我们两家在皇后区竞争较为激烈。《纽约邮报》对我们构成最大的竞争压力是它的价格，他们去年降价一半，只售 25 美分，是我们的半价。有些读者为此而购买《邮报》。

“长岛还有其他报纸。可以说，所有纽约市的报纸都在长岛发行，人们有很多选择。他们可以每天读《纽约时报》，每天读《每日新闻》，每天读《纽约邮报》，也可以每天读《华尔街日报》。但除了上述两家小报外，我们没有特别的竞争对手。长岛还有 19 份本地报纸。它们都是免费发行的周报，规模很小。也许它们就是同样的报纸而变换了 19 次名称（大笑）。它们集中精力报道地方政治新闻、地方学校新闻、地方治安新闻和地方社区新闻，也从我们手里争夺一些读者，但我们将它们大部分都收购了，所以现在不构成竞争了。当然，电视也是竞争对手。此外还有很多专业杂志。

“我们的对策是，努力成为长岛居民的实用报纸。我们的家庭读者的比例在全国的大型报纸中是最高的，这是我们的优势。我们周末家庭投递量的比例占 60%，国内没有一家大型报纸星期天刊的家庭投递量比例能超过我们。但有些小城市的报纸能超过我们，我是指只有 2000 人口的小城镇的报纸。所以我们充分利用这一优势，深入家庭，挖掘他们最喜欢的内容。长岛绝大多数家庭订我们的报纸，大多数长岛人每周多次阅读本报，如果不是每天阅读的话。我们必须把握好这一点，因为报纸的竞争在继续。《每日新闻》有很多非常忠实的读者，该报在长岛每天有 4.5 万份的发行量。《纽约邮报》在这里发行 1.8 万份。《纽约时报》在这里销售 8.5 万份，星期天刊更多，达 12 万份。所以你看，竞争不会停止。”

六、在位时间最长的日报总编

最后，马罗总编辑介绍了该报的其他情况和自己的身世。他说：

“我们每天出两个不同时间的版本。第二个版本是最后版，但发行量不大。两个版本的唯一区别是第二版有最后的体育比赛结果。第一版的截稿期为 12：20；第二版的最后 12 页于凌晨 1：30 结束编辑工作，但有时拖延至 3：30。我们这里没有什么市中心，住户投递距离长达 100 多英里，所以我们的发行路线既长又复杂。我们的印刷时间一般是 3 个小时，因此我们的投递时间很长。我们有几百名卡车司机，那些都是我们的员工，但投递到户的工作由独立签约人做。

“我们也有‘报纸教育工程’，即 NIE。我们专门设了个部门做这件事。该部门员工负责学生特刊的编辑，并与学校联系。我们还有专人做‘历史中的长岛’专栏，这也是有教育功能的内容。一些个人或公司资助我们的教育工程，他们购买报纸，由我们送往学校。所以发行到学校的报纸属于有价发行。我们的 NIE 工程主要面向中学和高中，数量大约在 1.2 万份。我们的学生专版每周出版 3 次，即星期二、星期四和星期五。我们希望将世界与学生联系起来。我们国家很多城市只有一份报纸，纽约市却有很多报纸，但只有少数几份报纸的 NIE 比较理想，如《纽约时报》和《新闻日报》。”

谈及报纸的广告情况，马罗再次露出得意的神情。他说：

“和很多报纸一样，我们报纸收入的 85%来自广告。我们的广告包括零售商广告和分类广告。分类广告占全部广告收入的 40%。我们在说服广告商，特别是零售商来做广告方面取得了很大成功。这里的零售商很分散，因为没有一个中心城市。但这里的高速公路十分发达，宽阔的马路纵横交错，人们常常开 45 分钟的车跑到很远的某个地方去吃顿午饭。这就为我们说服广告商创造了条件。我们通过不断培育，让广告商渐渐明白我们是将客户吸引到商店、超市、餐馆的唯一最佳途径，不论这些商店距离读者有多远。《新闻日报》在广告收入和财务方面是国内最成功的报纸之一，这是毫无疑问的。我们的报纸赚很多钱。”

但当我问他究竟报纸一年的广告收入有多少时，他回答说不太清楚，那要问经营部门的负责人。也许，作为集团内的报纸，他不愿或不敢单独披露报纸的财务数据。

然后，他应我要求介绍了自己的经历：

“上高中时，我就为一家地方报纸报道体育新闻，因为我喜欢很多项体育运动。大学毕业后，我到《波士顿先驱报》工作。自从我妻子搬到纽约市，我也就跟着她来到这里。我在哥伦比亚大学学习了一年。1967 年或 1968 年我在《波士顿环球报》工作。1971～1974 年我在华盛顿工作。我先是在《新闻日报》的华盛顿分社干，后来到《纽约时报》

的华盛顿分社干。接着，《新闻日报》邀请我当该报驻华盛顿分社的头。1981 年我回到纽约担任该报的执行总编。1986 年，我被任命为总编辑，而这时老的总编辑即将退休，但还在岗。1987 年我正式履行总编辑职责。我想，我在总编辑岗位上的时间，超过国内任何大型报纸总编辑的任职时间。在我出任总编辑期间，《波士顿环球报》换了 4 任总编辑，《纽约时报》也换了 4 任总编辑，《每日新闻》则换了 8 任总编辑。极少有人在这个位置干 20 年的。”

最后我问他：“作为一名总编辑，你日常最操心什么？”

他回答：**“我没有什么特别大的事情要操心。我操心的是无数小问题，诸如解雇职工、聘用职工、公平收入、鼓励员工努力工作、维持员工的工作热情等等。”**

我不满足这样的回答，于是告诉他《纽约时报》总编辑最操心的事是如何安排报纸的头版和头版中的头条。对此，他是这样看的：

“《纽约时报》是一份非常特殊的报纸。眼下有过多的人将过多的注意力放在那份报纸上，人们过于关注《纽约时报》一版在说什么。这就是该报总编辑花很大精力在头版的原因。但我们与它不同。我们的头版只有一条新闻，我无需将过多精力放在挑选这一条新闻上。经过长期的训练和磨合，我手下的人基本上知道怎样的新闻应当放在头版，不用我说三道四。头版新闻的选择大概只占我 5%的时间。”

我们的谈话到此结束。多萝西女士领我参观。然后我驱车上了沿海的 27 号高速公路，从长岛的另外一侧返回纽约市的斯塔藤岛区。虽是严冬季节，但这一路古树参天、海色山光，仿佛在一个巨大的公园里穿行。难怪这里被公认为纽约附近最适于居住的地方。

2003 年 8 月，马罗这位美国著名报纸中在位时间最久的总编辑，正式退休。接替他的是他的副手，原执行总编辑霍华德·施奈德（Howard Schneider）。而马罗的另一位副手，在马罗提议下由执行总编辑升任《新闻日报》分管计划的副总裁的夏洛特· H. 霍尔（Charlotte H. Hall）女士，于 2004 年 3 月调任《奥兰多前哨报》总编辑。

七、虚报发行量造成惨重损失

本书第 1 版出版之后，《新闻日报》在两件事情上再次引起世人注意。

第一次是 2003 年伊拉克战争期间，该报两位记者在伊失踪。据路透社 2003 年 3 月 29 日报道，《新闻日报》两位记者于数天前在巴格达酒店失踪，很可能是被伊拉克政府当局拘留了。该报总编辑安东尼·马罗在一份声明中说，两位记者一位是 33 岁的文字记者马休·麦卡利斯特（Matthew McAllester），另一位是 29 岁的摄影记者莫伊西斯·萨曼（Moises Saman）。两人曾参与报道 2001 年的阿富汗反恐战争。两人到巴格达的唯一任务就是报道正在进行的伊拉克战争，却从下榻的旅馆突然失踪。他们失踪后，曾有伊拉克安全部门的官员向酒店内的其他记者了解两人过去的表现，因而很可能他们是被伊政府官员带走的。该报已分别向伊驻美国大使馆和联合国有关部门提出要求，尽快释放两位记者。

我获悉此事后正欲与马罗联系表示慰问与关切，却又听到两人安全到达约旦的消息。据《新闻日报》报道，两人是 3 月 24 日夜里被伊拉克安全人员带走的，当时其中一位记者正在写稿。被带走的还有另外三个人。他们全部被戴上手铐投进监狱，每个人独立关押。关押期间，这几个人被分别审问多次，但没有遭到拷打和虐待。8 天后，两位记者及其他被捕外国记者被送往通往约旦的边界。据称，两人到达约旦时既脏且累，还饥肠辘辘。但不管怎么说，这是个好消息。我立即发了一封电子邮件给马罗，对两位记者的获释表示祝贺。马罗很快回信表示感谢，说一切总算过去了。

第二件事就是 2004 年初开始暴露的虚报发行数的丑闻。当时，美国报刊发行量稽核局（ABC）就《新闻日报》及其姊妹刊西班牙语的《嘿!》（*Hoy*!）等报纸 2003 年 4～9 月自报的平均发行量提出质疑，认为有虚报可能。此事立即在广告商中引起反响。2004 年 2 月，当时在全国排行第八的《新闻日报》遭到三位广告商的起诉。广告商们在向联邦法院递交的起诉状中认为，《新闻日报》广告价格以发行量为依据，该报虚报的发行量使广告商的利益受损，必须赔偿。此事惊动了《新闻日报》的母公司论坛公司。公司随即派出由集团发行管理部门组成的调查小组，对近两年《新闻日报》和《嘿!》两家报纸的实际发行情况进行彻底调查。

经过详细认真的调查，论坛公司掌握了两报虚报发行量的全部情况，并于 2004 年 6 月 17 日正式向外宣布调查结果。根据 2004 年 6 月 18 日的《新闻日报》报道，论坛公司调查的范围远远超出 ABC 及广告商提出质疑的 2003 年 4～9 月这半年的报纸发行期，而是扩大至 2002 年和 2004 年第一季度。调查发现，在截至 2003 年 9 月的整整 12 个月中，《新闻日报》将平日刊的有价发行量平均多报了约 4 万份，约占实际发行量的 7%；星期天刊的平均有价发行量多报了约 6 万份，约占实际发行量的 9%。而该报向 ABC 报告的 2003 年 4～9 月的平均发行量，分别为 579,729 份和

671,819份。《嘿!》是《新闻日报》创办的西班牙语报纸，每日出版，发行量近10万份，在纽约、芝加哥和洛杉矶三大城市发行，目前是美国规模最大的西班牙语报纸。《新闻日报》随时报—镜报公司被论坛公司吞并后，《嘿!》归公司直接领导，成为《新闻日报》的姊妹报纸。调查也揭露了《嘿!》在同一时期的虚报行为，其中平日刊平均虚报1.5万份，星期天刊平均虚报4000份。两报同时对截至2004年3月份的为期6个月的报纸平均发行量作了“小幅调整”。

那么，这些所谓虚报的报纸发行量是否无中生有？倒也不是。实际上，两报报告的发行量从未超出其实际印刷或实际送到读者手中的数量，但这些数量中有一些是免费赠送的。根据调查，在被调查的这段时期里，有些未收费的住户投递报纸被当成正常的有价发行量而统计上去了。同时，零售报纸也有将无偿赠送代替实际销售的情况。更有甚者，有员工向调查人员揭露说，有的订户已经去世了，不可能再订报纸了，但其住房仍每天收到报纸。还有投递人员揭露说，他们曾被要求向从未订报的客户投递报纸，这类免费报纸最多时一天达到1000多份。根据美国报刊发行量稽核局的规定，报刊向外公布并接受核查的发行量，一律为有价发行量，赠送的报刊不在统计范围。过去稽核局连在旅店发行的报纸都不列为统计数据，就是因为这些发行在价格上常常打了过多的折扣，而且旅客在客房获得报刊是无偿的。近年来稽核局做了改变，将旅店的发行列入有价发行范畴。

论坛公司在宣布上述调查结果的同时，承认报纸的发行量直接影响到广告价格的制定，因此决定先拿出3500万美元对两报的广告商给予赔偿。两报还将拿出免费版面给广告商以补偿。论坛公司在公布的材料中表示，尽管公司和报纸在事情发生后立即采取有效措施并积极配合调查，但这一行为已经给报纸的声誉带来了严重的负面影响。作为事件的直接责任者，《新闻日报》负责发行的副总裁罗伯特·布伦南（Robert Brennan）已被免职。同时，报纸的代表也正加紧与广告商们协商，寻求大家满意的解决方案。一些广告商表示，尽管他们对事件的发生感到十分遗憾，但论坛公司和《新闻日报》迅速的反应及随后采取的一系列善后行动，让他们感到欣慰。

一位老资格的报业分析家约翰·莫顿（John Morton）认为，近十多年来，报业处于强大的竞争压力之下。为应付电子媒体及各类新媒体以及同行的竞争，报纸的发行量即使不增加也要竭力维持稳定。论坛公司负责调查的人员也表示，《新闻日报》在上世纪90年代末设定了过高的发行目标，因数字订得太高，完成任务无望的管理人员在重压之下只能造假，这才导致如此严重的错误。据报道，美国近年来发生多起虚报发行量的事件，引起社会高度重视。1999 年，艾拉梅达报业集团（Alameda Newspaper Group）属下的《奥克兰论坛报》（*Oakland Tribune*）等 5 份报纸，因虚报发行量而遭到广告商起诉，最后这些报纸向 28 家广告商赔偿了 225 万美元。1997 年，ABC 还查出并公布过《丹佛邮报》（*Denver Post*）和《洛基山新闻》（*Rocky Mountain News*）夸大发行量的丑闻。就在论坛公司公布调查结果的同时，美国另一家大型报业集团霍林格国际公司属下的旗舰报纸《芝加哥太阳一时报》，也被查出有虚报行为，ABC 正在作进一步调查。莫顿说：**“夸大发行量的做法与偷窃是一样的，因为你向广告商收钱的价格标准以发行量为依据。”**①

在公布调查报告的当天，论坛公司的股票下跌了 1.12 美元，跌去 2.6%，到达 42 美元的低谷。如果从 2 月份此事披露前的最高股价 53 元算起，论坛公司的股票价值为此丑闻已经累计损失了 11 美元，跌幅逾两成，这在论坛公司近年来是前所未有的。2004 年 7 月 19 日，论坛公司作出惊人决定：继一个月前免除《新闻日报》分管发行的副总裁职务之后，又将《新闻日报》和《嘿!》两报的发行人统统免职。《新闻日报》的发行人是雷蒙德·詹森（Raymond Jansen），在这一岗位已干了 10 年之久，已经 65 岁，原定年底退休的，现在提前被解职。他在给《新闻日报》全体员工的一封信中说：“我原本打算年底退休的，但我意识到，为修复因发行问题而对报社造成的损害，显然我应当提前离开。”②《嘿!》的发行人是路易斯·西多（Louis Sito），从 1998 年起担任此职，60 岁。

两报的最高领导人双双被免职，显示了论坛公司挽回发行量丑闻影响的决心，也引起社会更广泛的关注，美国媒体普遍报道了这一新闻。论坛公司的出版总裁杰克·富勒（Jack Fuller）说：“我们将采取行动对集团内任何单位严加约束，杜绝类似劣迹的产生，同时还要在《新闻日报》和《嘿!》这两家报社建立防止发行量虚报的防范机制。”他还表示说，“我们的调查从 2 月份就开始了，现在虽然已有结果，但我们还将继续相关的工作，直至报纸的发行工作成为一种随时可以核实、检验的程序。因为，实事求是的发行数据是报业诚信的基石，也是论坛公司始终严肃对待的基本工作。”③

---

① Numbers overstated, *Newsday*, 2004 年 6 月 18 日

② ‘Newsday,’ ‘Hoy’ Publishers Replaced, *Editor & Publisher*, 2004 年 7 月 19 日

③ Numbers overstated, *Newsday*, 2004 年 6 月 18 日

Los Angeles Times

On The Internet: WWW.LATIMES.COM | THURSDAY, JANUARY 17, 2002 | Copyright 2002/CC/170 Pages | 50¢ Designated Areas Higher

COLUMN ONE

Stalking the Web Predator

■ A Colorado homemaker has won praise—and arrests—for her efforts against kiddie porn. But critics of such online crusaders call it a form of vigilantism.

By JACK LEONARD and MONTE MORIN
TIMES STAFF WRITERS

GOLDEN, Colo.—By day, Julie Posey is a 37-year-old homemaker, tidying the family's trailer at the foot of the Rocky Mountains and home-schooling her daughter. But at night, Posey logs on to the Internet as Kendra—a gum-snapping 14-year-old looking for trouble.

This evening, she finds it in the form of an ad soliciting young girls for sex. Sipping a cherry Coke in the blue glare of her computer screen, Posey e-mails the man who posted the ad and awaits a reply. It doesn't take long.

"Do you like older men?" the stranger asks. "An older man is more experienced, and let's face it, we've got the bucks."

The exchange marks the start of another night's work for Posey, a self-styled online crusader who scrolls through chat rooms and news groups in search of sexual predators.

Masquerading as Kendra, Posey spent two weeks exchanging graphic e-mails with the stranger. Eventually, they arranged a rendezvous at a local fast-food joint. When a 36-year-old computer consultant arrived looking for Kendra, an undercover detective greeted him with handcuffs.

His arrest on suspicion of attempted sexual assault on a child was one of nearly two dozen busts Posey has helped arrange over five years.

As well as posing as an underage girl, Posey collects e-mail tips on child pornography that she passes on to local police. Most recently, she sent Irvine detectives a tip that led federal prosecutors to charge an Orange County judge with felony possession of child pornography.

As the reach of the Internet grows, Posey counts herself among a handful of private citizens who have assumed the role of online crime fighters, hoping to smoke out sexual predators and traders in kiddie porn. They say they fill the gap that many local police departments leave because of meager resources.

Some, like Posey, work solo. Others belong to larger volunteer bands with bellicose names such as Predator-Hunter, Soc-Um and Cyberarmy Pedophilia Fighters. Another group, Cyberangels, an offshoot of the vigilante Guardian Angels in New York, claims 10,000 members who send tips to police.

Critics, however, describe their work as cyber-vigilantism that threatens Internet privacy. The medium's promise of anonymity encourages users to confess their secret fantasies. And privacy rights advocates worry that crusaders en-

Please see PORN, A19

Associated Press

In 1976—Emily and William Harris leave the L.A. County Hall of Justice en route to state prison.

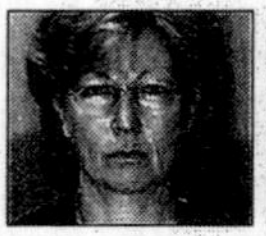

Associated Press

Now—Emily Harris, William Harris and Michael Bortin after their arrests on Wednesday. Murder charges were also filed against another suspect, James Kilgore, who vanished years ago.

4 SLA Figures Arrested in '75 Bank Slaying

Crime: Sara Jane Olson, the Harrises and two others are accused of a murder described in a book by Patty Hearst.

By ANNA GORMAN, NANCY VOGEL and MITCHELL LANDSBERG
TIMES STAFF WRITERS

A full generation after their alleged crime, William and Emily Harris and Sara Jane Olson, co-survivors of the weird and violent revolutionary movement known as the Symbionese Liberation Army, were arrested Wednesday and charged with murdering a Sacramento-area church volunteer during a 1975 bank robbery.

A fourth person, Michael Bortin, was arrested on similar charges. The case was notorious in part because kidnapped newspaper heiress Patricia Hearst admitted taking part and described in a book how the robbery and killing took place.

Hearst, who said she was brainwashed by the cult-like terrorist group, was long ago granted immunity from prosecution for her role. She told her story to at least one grand jury, but her testimony was not enough to bring charges.

The arrests came two days before Olson, who changed her name from Kathleen Soliah and spent years as a fugitive, was scheduled to be sentenced in Los Angeles County Superior Court for her role in an SLA bomb plot. Prosecutors said they acted now because they had collected enough evidence in the bombing case to file charges in the bank murder.

Olson, who pleaded guilty in the attempted bombing, has denied taking part in the robbery at a Crocker National Bank branch in Carmichael, a Sacramento suburb.

After a tearful goodbye to her husband and three daughters, she surrendered to authorities Wednesday afternoon at her lawyer's office in Beverly Hills. The other three suspects had been arrested in quick succession Wednesday morning. Emily Harris near her home in Altadena, William Harris while driving his sons to school in Oakland, and Bortin at his home in Portland, Ore. All four were being held without bail.

Murder charges were also filed, against a fifth suspect, James Kilgore, who vanished years ago and remains at large.

The arrests were a bittersweet requital for the family of Myrna Opsahl, who was making a deposit on behalf of the Carmichael Seventh-day Adventist Church when she was shot at close range on April 21,

Please see ARRESTS, A20

RELATED STORY

Dark past: William Harris and ex-wife Emily Harris share a bitter view of their radical past. A22

Victim's Son Wouldn't Let the Case Die

By GEOFFREY MOHAN and NANCY VOGEL
TIMES STAFF WRITERS

Over the years, the sight of Sara Jane Olson's face was enough to fill Dr. Jon Opsahl with anger.

It was the way she seemed to proffer a Norman Rockwell-like lifestyle as a defense to charges that, more than a quarter of a century ago when she was known as Kathleen Soliah, she allegedly helped a band of self-styled revolutionaries who gunned down Opsahl's mother as she deposited church offering receipts in a small-town bank branch.

"She was a wonderful mother and helped us out in every way, and it was kind of the parallel life that Kathleen Soliah assumed that was disturbing, how she participated in a crime that took a life and then kind of assumed [that lifestyle]—and to actually use that in her defense in some ways," said Opsahl, who was 15 when his mother, Myrna Lee Opsahl, 42, was hit by a shotgun blast at a Carmichael bank branch.

The hunt for the members of the Symbionese Liberation Army—the ragtag leftist group that had kidnapped newspaper heiress Patty

Please see SON, A20

Enron Exec Warned Auditors on Practices

Probe: Watkins alerted Andersen last summer about accounting policies now at center of an investigation.

By RICHARD SIMON and EDMUND SANDERS
TIMES STAFF WRITERS

WASHINGTON—Enron Vice President Sherron S. Watkins warned the company's auditors, Andersen, about a series of questionable accounting practices that now are the focus of investigations of the energy company's collapse, congressional investigators said Wednesday.

Watkins alerted the company in an Aug. 20 phone call with an unidentified Andersen employee, who in turn relayed the concerns to senior Andersen management on the Enron account and in Andersen's Houston office, officials said.

Investigators said Watkins' warning cast further doubt on claims by Enron and Andersen officials that they were unaware of the company's dire financial straits last summer. The disclosure followed release of a letter this week showing that Watkins had given a similar warning to Enron Chairman Kenneth L. Lay in August.

"It's clear now to us that key players at Andersen as well as Enron knew of the growing problem

Please see ENRON, A16

IRS Plans Intensive Auditing

Taxes: Compliance program will examine 49,000 taxpayers at random to ferret out cheating.

By KATHY M. KRISTOF
TIMES STAFF WRITER

The Internal Revenue Service, worried that tax cheating is on the rise, wants to bring back a version of the "super audits" that were so dreaded and controversial that they were all but eliminated by the agency.

The IRS said Wednesday that it plans to audit 49,000 taxpayers selected at random under its revamped taxpayer compliance program—dubbed the National Research Program—beginning this fall.

However, the agency said the program will not be as wide-ranging as its proposed 1995 plan to subject 153,000 Americans to detailed, line-by-line audits.

Only 2,000 taxpayers will be targeted for line-by-line audits, the IRS said. About 47,000 returns examined under the proposed project will be checked by a combination of computerized data matching, taxpayer correspondence and more directed audits that focus on only a few select issues, the IRS said.

"The process is substantially less intrusive on taxpayers, but it will help us catch tax cheating and improve tax administration," said IRS Commissioner Charles Rossotti. "We have found new ways to use existing information to measure tax compliance."

IRS critics were quick to de-

Please see IRS, A15

Ex-Enron Employees Suggest Andersen Helped Veil Deals

By MICHAEL A. HILTZIK and DAVID STREITFELD
TIMES STAFF WRITERS

HOUSTON—The conference room on the 48th floor of Enron Corp.'s Houston headquarters—the nerve center of the energy trader's convoluted and risky deals—was at the opposite end of the hall from the company's outside accounting firm, Andersen.

The room was entirely paneled in whiteboards and furnished with a full supply of colored markers. There Enron executives were briefed on the dizzyingly complex structures that Andersen consultants had layered onto deals that often had started out as straightforward. The experience often left some at Enron dumbfounded.

"You'd see things involving 30 or 40 different entities," said Clayton Vernon, a former research analyst and trading manager at Enron. "They would clear a whiteboard and draw a flowchart that would be absolutely incomprehensible."

Another former executive familiar with the conference room recalled: "They'd be drawing boxes and arrows going in every direction." The drawings would describe shell companies and offshore entities with intricate interrelationships, all headed by mysterious figures designated on the whiteboards as "Mr. X" or "Mr. Y."

When pressed, accountants would identify the mystery figures

Please see DEALS, A17

Sept. 11 Fund's Fine Print Angers Many Relatives

By GERALDINE BAUM
TIMES STAFF WRITER

NEW YORK—When a federal fund to compensate relatives of the Sept. 11 dead was announced shortly before Christmas, the average award size—$1.6 million—seemed generous enough to take care of the people left behind.

But now that they've read the fine print and done the math, many families—and the lawyers, financial advisors and politicians who serve them—are considerably less satisfied.

They say the fund is stingy, it penalizes people who have other death benefits and lawyers say it makes it impractical for them to sue.

This week, they are making a desperate last pitch to modify the federal Victims' Compensation Fund.

Kenneth Feinberg, the special master appointed by the U.S. attorney general to oversee the compensation program, has until Tuesday to hear comments about the rules he established to dispense the money. Then, he will draw up a final set of guidelines and start accepting claims.

But the complexities of the program and limitations created by Congress are likely to continue to stoke dissatisfaction. Only 107 people have filed claims for emergency money from the federal fund. Many families, overwhelmed by sorrow, are now also angry over the fund.

"It's a last hurrah for us to urge reform," said Michael Cartier of Give Your Voice, a group of about 400 victims' families agitating for change. "But I'm not sure this will end here. I suspect people will keep fighting."

Tonight, about 1,000 relatives of the dead are expected to rally on Manhattan's East Side to complain about the rules. Earlier this week, a Boston-based group held a news conference demanding changes. Interested parties ranging from the trial lawyers' association to congressional delegations are filing

Please see FUND, A10

INSIDE

7 85944 00050 6

Russian Scientist, U.S. Poles Apart Over Rescue

Antarctica: Charging his team for evacuation effort is coldhearted, explorer says.

By MAURA REYNOLDS
TIMES STAFF WRITER

MOSCOW—An explorer flies all the way to the South Pole but has to ask someone else to fly him out. Question: What is it called? a) A triumph of aviation? b) An embarrassment? c) A diplomatic snafu?

Answer: All three.

On Jan. 8, Artur Chilingarov, a deputy speaker of Russia's parliament and a polar scientist, flew with some adventurous buddies to the South Pole. He claimed that their An-3 biplane, which flew about 750 miles over the Antarctic landscape before landing at the Earth's southernmost point, was the first single-engine aircraft to make the trip. Their derring-do earned them a congratulatory phone call at the South Pole from Russian President Vladimir V. Putin.

But for some reason—some say that the engine wouldn't restart, others simply that the weather was bad—the plane couldn't make the trip out. So Chilingarov had to ask the United States, which has a research base at the South Pole, to rescue him.

But the biggest indignity was yet to come—the U.S. Antarctic Program is billing the Russian government $80,000 for his rescue.

"We by law are not permitted to provide assistance to private

Please see SOUTH POLE, A5

Reuters

Artur Chilingarov, center, a deputy speaker of Russia's parliament and a scientist, needed assistance at the South Pole.

《洛杉矶时报》2002年1月17日头版

第 20 章

《洛杉矶时报》

Los Angeles Times

加州报业巨擘无双
西部英雄独霸一方

《洛杉矶时报》，创刊于 1882 年，美国西部影响广泛的一份大型报纸，曾经是时报一镜报集团的主要报纸，2000 年，该集团被论坛公司兼并后，该报成为后者的核心报纸之一。该报有庞大的编辑部，版面数量堪比《纽约时报》，甚至有过之无不及。2003 年 10 月至 2004 年 3 月平日刊平均日发行量为 983,727 份，居全国第四；星期天刊平均发行量为 1,392,672 份，居全国第二。

一、跨越东西部的电话采访

完成对《新闻日报》的访问后，我在美国的时间已经不多了。实际上在最后一次采访完《纽约时报》总编辑雷恩斯先生后，我就开始与美国西部两家重要报纸联系。这两家报纸分别为《洛杉矶时报》（*Los Angeles Times*）和《旧金山纪事报》（*San Francisco Chronicle*）。在 2001 年的报纸发行量排名中，《洛杉矶时报》排在《华盛顿邮报》之前而居第 4 位，《旧金山纪事报》仅次于《纽约邮报》而列第 11。完成这两家报纸的访问，我此番美国之行就算完美了，因为几乎所有最著名的报纸我都拜访过了。在这两家报纸中，又以《洛杉矶时报》最为重要。该报规模之大可与《纽约时报》比肩，在西部影响之大则无一能与之争锋。10 年前，该报的发行量甚至超过《纽约时报》。在美国报纸的星期天刊中，《洛杉矶时报》发行量排第二，仅次于《纽约时报》。可以说，美国东西部的这两份《时报》，是美国现代化报业的杰出代表，要了解美国报业，《洛杉矶时报》是绝对不能遗漏的。还有很多美国人认为，《洛杉矶时报》的诞生与发展，对洛杉矶城的兴旺与崛起发挥了关键作用。

但在联系过程中，《旧金山纪事报》回应不积极，情景如同当初联系《底特律新闻》。想到时间无多，我也就未再坚持，但《洛杉矶时报》是不能放弃的。该报的反馈也比《旧金山纪事报》及时，并对我的访问表示欢迎。唯该报总编辑约翰·S. 卡罗尔（John S. Carroll）先生在年初公务繁忙、行踪不定，我也就迟迟不敢启程。

我只能坚持到 2002 年 1 月底，因为我必须于 2 月 4 日前回国。

在分别与该报总编辑约翰· 卡罗尔及其行政助理梅雷迪斯·古德曼（Meredith Goodman）和秘书琳达·库厄德拉（Linda Cuadra）联系后，我于 2002 年 1 月 7 日接到梅雷迪斯女士的来信，信中说："约翰·卡罗尔 1 月份会经常外出，且大部分时间不在市内，但他将很高兴和你交谈。目前所知，他至少于 1 月 8 日星期二至 1 月 11 日星期五，1 月 16 日星期三至 1 月 21 日星期一，1 月 23 日星期三至 1 月 25 日星期五这些日子不在洛杉矶。而且我也要跟随外出。这对安排访问时间会有点困难。建议你与琳达联系，她会和你商量一个适当的时间。"

这的确让人为难，因为除了上述时间，还有好几个周末，周末进行工作访问在美国是难以接受的。于是我见缝插针地提了一些时间建议。1 月 11 日，琳达在给我的回信中说："你建议的 1 月 14 日是卡罗尔回来后的第一天，然后他又将于 16 日外出，其间有不少事情需要处理，所以这个时间较难安排。或许我们可以通过电话来作进一步的磋商？如果你有其他好建议，也请告诉我。谢谢。”后来我们在电话里反复商量，最后确定的采访时间是 1 月 22 日下午 2：30，也就是东部时间的中午 11：30。鉴于时间窘迫，加之我在回国前还有很多事情要做，我决定不飞洛杉矶，而改为电话采访。琳达欣然接受了我的提议。也就是在此之后，我才与《新闻日报》的马罗总编辑确定了 1 月 16 日的访问时间。

2002 年 1 月 22 日东部时间上午 11：30，我拨通了卡罗尔总编辑办公室的电话。为确保通话质量，我没敢用省钱的电话卡。此前，我反复试验电话录音的效果，将录音机和另一部联机电话包在两个枕头里，以减少噪音。我很后悔没将跟随录音机的一个电话录音装置带到美国去，只能这样凑合。11：20 之前一切就已准备就绪。

电话那头传来琳达女士的欢快话语，她道了声“下午好”就将电话转给了卡罗尔先生。卡罗尔的声音清脆响亮，我向他表示感谢并简单介绍了我此次美国之行的任务，还稍稍回顾了我 6 年前访问该报时的印象。然后便切入正题——电话采访给人时间更加紧迫的感觉。

从他的自我介绍中，我了解到目前领导《洛杉矶时报》编辑部的是一位很有资历的重量级人物。他 1963 年毕业于哈佛大学文学院，1971～1972 年享受尼尔曼奖学金（Nieman Fellow）再赴哈佛深造，1988 年享受伊丽莎白女王新闻奖学金（Journalist Fellow，Queen Elizabeth House）赴英国牛津大学深造。哈佛大学毕业后，他于 1963 年在罗德岛州首府的《普罗维登斯公报》（*Providence Journal-Bulletin*）当驻州政府记者；1964～1966 年参军服役；1966～1971 年在《巴尔的摩太阳报》先后任记者、越战记者、驻中东记者和驻白宫记者；1972 年到《费城问讯报》当夜班编辑，1973～1979 年先后任该报驻市主编和都市新闻部主编；1979～1988 年先后任《列克星敦先驱导报》（*Lexington Herald Leader*）总编辑、副总裁和总编辑兼执行副总裁；1991～2000 年任《巴尔的摩太阳报》高级副总裁；1998～2000 年任时报—镜报公司副总裁；2000 年至今，任《洛杉矶时报》总编辑兼执行副总裁。

在美国访问了那么多位报业老总，还未见到经历这样辉煌的总编辑。也正因为这个资历，他从 1994 年起即被推举为普利策奖评选委员会委员及评审员，2002 年 3 月，被选举为普利策奖评选委员会主席。同时他还曾担任美国报纸编辑学会（American Society of Newspaper Editors）的会长，马里兰大学新闻学院的访问校董，以及《美国编辑》（*The American Editor*）杂志的合作总编辑。

能有机会与这样一位资深老总交谈，深感荣幸，尽管只是通过电话。

二、西部大报勃然崛起

当我动笔写《洛杉矶时报》这一章时，突然发现该报的具体创刊日期语焉不详。1998年出版的《美国大众媒体史》（*History of the Mass Media in the United States*）中的有关章节这样写道：

“当哈里森·格雷·奥蒂斯（Harrison Gray Otis）于1882年成为办了才一年的《洛杉矶时报》总编辑的时候，这个5000人的小镇还只是旧金山的一个穷姊妹。正由于奥蒂斯所创立的报纸时代和《时报》家族对南加利福尼亚州的鼓吹宣传，这座城市和这份报纸才得以双双繁荣。”①

2001年翻译出版的《美国新闻史》，称“1881年，当本地的印刷商在一个只有12，000人口的小城洛杉矶创办《洛杉矶时报》同《先驱报》（*Herald*）和《快报》（*Express*）竞争时，没有人预见到一个世纪以后，这个小城和《时报》一起走在美国的最前沿”②。

这两部美国权威工具书，都直接或间接地告诉读者该报创刊于1881年，唯缺具体日期。

于是，我又查阅胡舒立女士11年前写的《美国报海见闻录》，上面说：“我第一次访问《洛杉矶时报》时，好客的主人送给我们记者团成员每人两件礼物：一份该报在1882年12月4日的创刊号，一件印有《洛杉矶时报》字样的淡蓝色短袖汗衫。”③

我倾向于该报创刊于1881年的说法，但人家报纸自己印的创刊号总不会错吧。我曾发E-mail向古德曼女士索要该报的大事年表，可惜至今未有回音。

根据美国有关史料，奥蒂斯的出现是《时报》的第一个根本转折点，其作用甚至比1896年奥克斯收购《纽约时报》还要大。两份《时报》，两个关键人物的姓也很相似，真是巧合。

奥蒂斯也是一位上校。他参加过南北战争，1882年加盟《洛杉矶时报》时已经45岁。而这时的洛杉矶，虽然已建镇111周年，但其中

---

① *History of the Mass Media in the United States*, Fitzroy Dearnorn Publishers，1998年
② 《美国新闻史》，展江、殷文主译，新华出版社，2001年
③ 胡舒立：《美国报海见闻录》，中国广播电视出版社，1991年

一大半时间属于墨西哥，1846年才被美国人夺得，长期没有得到开发，只是美国西部一个不起眼的边陲小镇。奥蒂斯合伙办报后，趁1883年南太平洋公司铁路竣工和后来发现大油田之时机，在《时报》上大造舆论，鼓励青年人到西部去创业，竟吸引大批人到来。1886年，当他成为该报的独立老板，完全控制发行量达7000份的《时报》及其姊妹报纸《镜报》（*Mirror*）时，洛杉矶城的人口已比当初增加了10多倍，迅速扩展到约10万人。这一年，一位名叫哈里·钱德勒（Harry Chandler）的年轻小伙子因健康原因来到加利福尼亚，也加盟《时报》。这位小伙子后来娶了奥蒂斯的女儿，并成为《时报》强有力的接班人。

奥蒂斯不仅办报有方，经营也很成功。到1900年，《时报》发行量为26,000份，而这时东部比它长整整30岁的《纽约时报》发行量已经猛增至75,000份。但这并不妨碍《洛杉矶时报》在商业上的成功。这时《时报》自诩广告行数全国第一，同时奥蒂斯开始在加州和墨西哥购买土地，总面积不久就达到100万英亩。奥蒂斯大搞房地产，房地产交易中的广告又成为报纸的主要收入，所以他成为当时商界的大赢家。1906年4月18日发生旧金山大地震时，《时报》第二天头版在头条位置以通栏图片和几乎通栏的标题予以报道，并在内页刊登很多特稿，引起读者强烈关注，成为这一时期该报较为经典的版面。

但这时由于奥蒂斯常利用报纸攻击竞争对手并与工会发生冲突，该报四面受敌，著名的赫斯特报团（Hearst Corporation）老板威廉·伦道夫·赫斯特（William Randolph Hearst）也以自己的报纸与《时报》竞争，最后竟酿成一场灾祸：1910年10月1日，几位工会激进分子将《时报》漂亮的5层大楼炸毁，奥蒂斯和女婿钱德勒因当时不在现场而幸免于难，但20名印刷工人却在爆炸中丧生。这次事件在全国引起很大轰动。奥蒂斯后来重建了印刷厂，《时报》的出版未受影响。

奥蒂斯的女婿哈里·钱德勒比岳丈大人更善经营，不仅成为南加州的主要大地主，还积极帮助将欧文斯河水引入缺水的洛杉矶地区，自己从中赚钱，使自己的财富超过了奥蒂斯。1914年，奥蒂斯将《时报》传给女儿马里恩·钱德勒（Marion Chandler）和女婿哈里·钱德勒。3年后，奥蒂斯去世。1944年，诺曼·钱德勒（Norman Chandler）接替父亲哈里·钱德勒担任《时报》发行人。诺曼和他的父亲及外公一样保守，并在政治上有明显的偏向，一度被新闻界列为仅次于麦考密克上校时期的论坛公司和赫斯特报团的最不公正报纸。但该报在他负责期间，曾于1942年发表社论评论法庭而以藐视法庭的罪名遭到起诉，最后官司打到最高法院，终判无罪，报纸因此获得首个普利策奖。

1960年诺曼退休后，报纸由儿子奥蒂斯·钱德勒（Otis Chandler）接替，从此进入该报的又一个兴旺时期。从这一年起，32岁的发行人奥蒂斯在母亲多萝西（Dorothy）的支持下，与时任《时报》总编辑的尼克·B. 威廉斯（Nick B. Williams）一起，毅然摒弃坚持了80年的保守风格，开始了大刀阔斧的改革。

他们改革的重点是：扩大新闻版，大大增强国内新闻和国际新闻的份量，努力树立站得高看得远的全国大报形象；扩大星期天刊，增出两叠新内容和增办两份星期天杂志；改变编辑部的风气，让大量新人担纲采访工作，鼓励记者多写有深度的和调查性的报道；改变社论写作作风，使评论大胆而公正。为有利于实现这些改革措施，奥蒂斯还于1962年与《华盛顿邮报》合作创办了“洛杉矶时报—华盛顿邮报新闻社”（Los Angeles Times-Washington Post News Service），并在国内和国外大量建立分社或记者站，驻外分社的数量曾达到26个，而1960年前该报只有1名驻外记者。

奥蒂斯的目标是使《时报》即使不发展成全国第一的报纸，也要成为仅次于《纽约时报》的优秀报纸。这个愿望后来基本实现了。

作者在《洛杉矶时报》大厦前

随着这些改革举措的出台，加上后来一系列高层人事变动，《时报》在新闻和经营两方面均有明显的进步。该报的内容在庞大的编辑部的支撑下变得丰厚了许多，社论在维护新闻自由和揭露政府丑闻方面表现卓越，各类副刊丰富多彩，其中仅政治漫画就3度获得普利策奖。到20世纪70年代，《时报》的发行量就突破了100万份大关。《时报》在奥蒂斯执政的20多年中，共获得14次普利策奖，而在哈里和诺曼掌权的46年中，只获得2次普利策奖。《时报》从1960年起至90年代末，广告收入一直居全国各报之首。其中1993年的广告总量达687万英寸，比居第二名的《纽约时报》多出227万英寸。

《洛杉矶时报》终于崛起，成为全国举足轻重的一份超级大报，在美国西部 30 多个州的几百份日报中鹤立鸡群。伴随着《洛杉矶时报》的崛起，洛杉矶市也后来居上成为美国的超级大城市。该市于 20 世纪 80 年代超过芝加哥而成为美国仅次于纽约的第二大城市，市区人口也于 1990 年接近 350 万人。该市的大都会地区包括长滩（Long Beach）、帕萨迪纳（Pasadena）、圣莫尼卡（Santa Monica）、圣费尔南多（San Fernando）和比华利山庄（Beverly Hills）等约 100 座自治城镇。如果把这些地方的人口加起来，则 1990 年已达到 870 万人。我记得 1995 年去洛杉矶时，从飞机上往下看，该市不仅面积巨大，而且规划整齐，城市如同一个硕大的棋盘，无数方格排列其间。到了地面便可发觉，这无数方格就是无数个街区，将方格区分开来的无数条互相垂直的纵横交叉线，就是那笔直、宽阔的道路——洛杉矶不像纽约那样拥挤。

在报纸崛起的同时，奥蒂斯还于 1970 年以 1.25 亿美元买下长岛《新闻日报》和《达拉斯先驱时报》（*Dallas Times Herald*），并组建时报—镜报公司。1977 年，奥蒂斯放弃《时报》发行人的职务，出任组建不久的时报—镜报公司总裁。《时报》发行人首次由非家族成员的汤姆·约翰逊（Tom Johnson）担任。约翰逊过去是《达拉斯先驱时报》的发行人。后来公司又先后收购位于康涅狄格州的《哈特福德报》等 3 家日报，以及著名的《丹佛邮报》（*Denver Post*）等报纸。公司将达拉斯和丹佛的报纸卖出后，如前所述，又于 1986 年花 4 亿美元买下老牌著名报纸《巴尔的摩太阳报》，实现了公司历史上最大宗报纸交易。到 1993 年，时报—镜报公司已成为美国报纸发行总量排行第 4 的报业集团。

三、1100 人的庞大编辑部

我和卡罗尔总编辑交谈的重点是，被论坛公司兼并后的《洛杉矶时报》现在情况如何？编辑方针是否受到影响？下面是他介绍的情况：

"《时报》现在的发行人是约翰·P. 普尔纳（John P. Puerner）。和其他报纸一样，《时报》的管理分为两大部分，即新闻部分和经营部分。我负责新闻部分，向发行人报告。然后我下面有两个人向我报告，一个是执行总编，他负责日常新闻管理；另一个是社论版主编，他负责所有评论版，包括星期天刊中扩大了的社论和评论版。再往下，有 3 个副执行总编以及 6 个助理执行总编。我们还有 1 名'协调副总编'（associate editor，这个名称与《纽约时报》等报纸的 associate managing editor

相类似，最不好翻译。按中国人的翻译习惯，从字面可译作‘副总编’，但实际上各报这一职位往往比助理执行总编还低，主要帮助总编辑协调和处理一些编辑部其他事务，有的也兼管编务、图书资料、研究等部门。因此，这里不妨与前述《纽约时报》的相关职务统一起来，试译为‘协调副总编’——笔者)，名叫弗兰克·德尔·奥默（Frank Del Omer)。协调副总编的职务低于助理执行总编。

“在高层编辑之下，是各部门负责人。我们有国内新闻部、国际新闻部、本州新闻部、经济部和体育部。这些都是新闻部门，其中经济新闻部很大，约 70 人。我们还有副刊部，副刊包括好几个部分，如星期天杂志，每天 2 个副刊板块，周五板块，书评板块，星期三的餐饮板块，星期天的房地产板块，星期一的健康板块，等等。副刊内容很庞杂。另外我们还有一个大都市新闻部，这是一个庞大的部门，负责报道所有本市和地方新闻。我们编辑部总共有 1100 多员工。我们整个《时报》公司有大约 5000 人。公司还有若干地方报纸，他们直接向发行人报告，不归我管。

“关于星期天刊，我们没有一个专门部门来运作。有些专版或副刊每周只出版一次，都由副刊部负责。星期天刊的新闻部分与平时没有什么区别，仍由各新闻部负责。社论评论版仍由社论部负责。所以我们的星期天刊虽然十分厚实，目前的发行量居全国第二，但并没有一个‘星期天刊部’。有的报纸有，但我们没有。通常我负责所有报纸版面（广告除外)，当然也就包括星期天刊，但我们还设了一位星期天刊主编(Sunday editor)，他实际负责星期五、星期六和星期天的报纸，主要是新闻方面。”

卡罗尔这段话给我的新鲜信息主要有三个。一是该报新闻和社论版没有完全分开，社论版主编听命于总编辑，这与《纽约时报》、《华盛顿邮报》、《芝加哥论坛报》等多数知名大报不同。二是该报在被兼并之后仍保持着庞大的编辑部阵容，其人数至少与《纽约时报》编辑部的人数相当。美国所有报纸中，超过千人的编辑部，仅为这两家大报。《洛杉矶时报》的编辑部曾于上世纪 80 年代末首次达到 1000 人规模，当时堪称全国之最。但到 1990 年代初，报社通过以优厚待遇劝员工提前退休等方式，将编辑部人员削减 25%。如今该报经过合并，编辑部毫发无损，依然保持强势，人数还突破了历史最高纪录，这是值得美国新闻界高兴的事。三是即使像该报这样大的星期天刊，也是分解到各部负责的，并不需要成立一个部门来管理。那位星期天刊主编，其实还是负责各新闻部门，大概是轮班吧，我想。

这时，我向他提了一个有点敏感的问题：“《时报》或以《时报》为基础的时报—镜报公司一直给人实力雄厚的印象，怎么就突然拱手转卖了呢?”

对此，他只是简略地回答说：“没错，这几年《时报》情况不太好，随着经济开始滑坡，《时报》的收入也下降了，时报—镜报公司的利润从 90 年代中期就开始下降。我想是过去的所有制（ownership，指原家族领导管理体系——笔者）出了问题。过去的所有制曾在 40 年中发挥得非常出色，但最后几年产生了不少问题。现在我觉得一切都好了，我认为这份报纸目前很出色，没有什么需要担心的。”

作为总编辑兼执行副总裁，他大概只能作这样的回答。

接着我提了事先给过他的一个问题：“你们的报纸地位显赫，在全国有很大影响，但你们又主要是一家地方报纸。你们如何在地方新闻与国际、国内新闻中保持平衡并让主要读者感到满意?”

他回答说：“这并非易事。特别是我们这样一家在国际、国内新闻中投入强大力量的报纸，要同时投入力量将地方新闻照顾周全，这是有困难的。但好在我们的财务实力比较雄厚，我们对本市及附近所有县、镇的重要新闻都努力覆盖，我们试图成为这一地区最好的地方报纸。同时，我们作为一家不同于小型地方报纸的大都市报纸，我们在国际、国内新闻的覆盖上不亚于全国任何一家报纸。我们有 24 个海外分社，共有 29 名驻外记者，此外我们还经常派出临时记者采访海外新闻，如现在我们就派了几位记者去阿富汗，因为那里目前是世界关注的地方。这些力量使得我们的国际新闻源源不断，且经常有自己的独家新闻。我们还在国内设有 10 个分社。我们有多达 50 人的华盛顿特区分社，那个分社仅记者就有 37 人。其他国内分社分别设在纽约、波士顿、亚特兰大、芝加哥、丹佛、休斯敦、旧金山、西雅图和拉斯维加斯。另外我们在周围各县及本州其他地方如圣地亚哥、萨克拉门托（加利福尼亚州首府——笔者）等地也设有记者站。这样就可以较好地将国际、国内的大新闻和本市、本地方的重要新闻都覆盖到。我相信，读者对我们提供的如此丰富的内容，应该感到满意。”

关于该报的教育工程，他说：“我们有一个非常实用的 NIE 项目。我们每月单独出版面向学校师生的教育专刊，同时我们每天在报纸上开辟一个小学生专版，除了周末。我不太清楚在校园的发行量有多少，但我确实知道有 4 万名教师每天使用我们的报纸参与教学。对了，让我想想，我们每周六次，每天向校园发行 35,000 份报纸。这意味着我们的教育工程为我们带来了至少 35,000 份的额外发行量。”

我突然想起《纽约时报》有一个较大的图书资料室，便问卡罗尔，《洛杉矶时报》是否也有这样大的图书馆。

他回答说："我们也有一个较大的图书馆，不比《纽约时报》的小，大约有 40 位工作人员。他们的主要职责是向编辑部提供有用的资料。他们要收集和保留 3 年内广大范围的相关新闻和图片。他们还从事研究工作，并将一些新闻转换成可供其他媒体采用的形式，如我们的网站。他们中不少人拥有图书馆学的硕士学位。在图书馆工作的人都很努力。"

四、老总最关注两件事：高标准和创新

从谈话中获知，《洛杉矶时报》也有若干不同的版本，包括国内版和本地各地方版。卡罗尔介绍说：

"我们有一个全国版，那是发往全国的。我们还有一个奥兰治版（Orange County Edition，奥兰治县是加州的大县，靠近洛杉矶，以下均为县名——笔者），有一个文图拉版（Ventura County Edition），有一个覆盖大部分洛杉矶县（美国的行政区划有一点与中国不同，即县比市大。闻名全球的洛杉矶市，实际上是默默无名的洛杉矶县的首府——笔者），还有一个圣费尔南多河谷版（San Fernando Valley Edition），这个版覆盖洛杉矶北部一些地区。这些版的截稿期有所不同。其中，全国版晚上 9 点就截稿了，因为有时差，晚上 9 点就相当于东部时间夜里 12 点。全国版不在这里印刷，我们和国内 3 家报纸签订协议，由他们代印，这样就能照顾到各地时间，保证及时出报。全国版是我们最早的版本。其他版本的截稿时间都一样，大约在晚上 11 点。如果发生重要突发新闻，我们会打破这个规律。我们平时必须在早晨 6 点钟之前将报纸投递到户，星期六和星期天的报纸也必须在上午 8 点钟以前送到。我们正在考虑将周末版的投递时间适当提前，以满足那些周末一早要外出游玩的订户读报的需要。"

关于具体的印刷和投递工作，他说："我们自己有 3 个印刷厂，它们分别在洛杉矶市、奥兰治县和北洛杉矶县。我们需要更多的印刷厂，因为我们的发行量实在太大，而且这里是地震多发地带，所以我们需要更多的印刷点。我们的发行虽然全国都有，但重点在加利福尼亚州，在南加州的 5 个县。这里的县无论从人口还是地理面积看都非常大，它们是洛杉矶县、文图拉县、奥兰治县、圣费尔南多县和里弗赛德县（Riverside County）。你问我们的住户投递数量？我不知道确切的数字，但肯定很大，可能占总数的 80%。至于全国方面，你在纽约一些大的报

摊可以买到我们的报纸，那就是《时报》的全国版，它比我们这里的报纸小得多。”

说起该报印刷厂，我眼前突然浮现出 6 年多前参观该报时的情景。当时这家著名报纸的办公大楼不像我想象的那样高，主楼只有 5 层，后面最高的部分也仅 9 层，比我后来见到的《纽约时报》、《华盛顿邮报》、《今日美国》、《芝加哥论坛报》、《费城问讯报》等发行量排在它前后的著名报社的办公楼都矮。但办公楼占地面积却很大，连同院落差不多占了整整一个街区。因此，这一大片建筑虽然不高，却威严气派，让游客肃然起敬。主楼大厅也很宽敞，厅内四周有几组一人多高的人物青铜雕塑，这些人物都是劳工模样，摆着各种姿态，多数在读报。大厅主墙上镶着《时报》的社徽，上面有一只怒眼圆睁的老鹰，有点像我在西点军校看到的那只鹰。就是那次访问，该报一位公关先生领我们参观了附近巨大的“奥林匹克印刷厂”。该厂就是卡罗尔刚才讲到的该报洛杉矶印刷厂。这个印刷厂 1990 年才建成，占地 26 英亩（相当于约 10.5 万平方米），投资 2.3 亿美元，有 10 台现代化的高速轮转印刷机，每台都有 4 层楼房那么高，参观者需要登上铁架才能看得真切。这个印刷厂还备有巨大的纸库，当时我们看到工人开着高大的铲车将每筒一吨重的新闻纸往印刷车间运送，只觉得自己在这庞大机器面前是多么地渺小。这些印刷机比当时深圳特区报社正在安装的花 1 亿多元人民币买来的美国新型的“高斯”机还要大许多，而且 10 架机器一字排开，其宏伟气势可想而知。

《洛杉矶时报》大厅里的人物雕像

说到印刷厂，我还想起论坛公司总裁兼首席营运官丹尼斯·菲茨·西蒙斯 2001 年 10 月份作的年度报告。他在报告中对未来该集团报纸插页广告的大幅增长充满信心，理由之一就是《洛杉矶时报》的印刷中心刚刚设计启用一种新的自动插页设备，其自动化程度和运行速度超过了现有任何插页装置。他说："在《洛杉矶时报》，我们只占了插页广告市场的1/3，发展潜力很大。在我们兼并该报之前，该报插页广告的分插方式主要依赖手工作业。如今我们发明了新的插页设备，这将使我们的覆盖能力大大加强，广告截稿期大大推后，投递速度进一步加快。这正是广告商们所盼望的，这些新设备的启用无疑将扩大我们在西海岸的插页广告市场覆盖率。……芝加哥的报纸也将受惠于这项改进，今后数年内，芝加哥和洛杉矶的报纸将可能增加7500万美元的插页广告。"①

于是我问卡罗尔："听说你们发明了一种新的自动化插页设备，能介绍一下吗？"

他回答："作为总编辑，我不太清楚印刷设备方面的事，但我的确听说过这种机器，我们这里的人称它们为插页机（inserters）。我们到目前为止已有6台这种新式插页机，它们还有一个较正式的名字，叫做Graphic Management Associates（我试译为'图形管理工作机'——笔者）。这些机器每小时可完成2000份插页，适用于任何形状的广告插页。"

接着，我提出一个业已问过多位老总的问题："作为一家大报的总编辑，您认为在日常编辑部管理工作中，最重要的事情是什么？"

"我想在编辑部的日常管理中，首要的工作是建立一个非常高的工作标准，一个非常高的新闻方面的标准，"他说，"有了这一标准并且得到员工们的认同，大家就会自觉地朝这个标准努力，整个新闻水准就会提高。另外一件非常重要的事情，是在编辑部创造一种鼓励尝试新观点的气氛，让人们在这种气氛中能够心情愉悦地创新，使创新得到尊重，使创新者感到自豪。这两点是我每天都在思考的最重要的问题。其他日常工作中需要考虑的是选择高素质的人才，让人才进入最适合的岗位等。"

卡罗尔总编辑将鼓励创新作为自己每天着重考虑的问题，这引起我深思。根据我20年的报纸工作经验，创新的确是一份报纸走向成熟、在竞争中立于不败之地的最迫切需求。中国很多报纸之所以长期在一种很差的状态下自我满足，就是因为长期缺乏创新精神。而缺乏创新精神的根子，恰源于缺乏勇于创新和积极鼓励员工创新的报社主要领导。我想，面对卡罗尔，那些因循守旧或惧怕创新或口头上说要创新而骨子里反对创新的老总们，应当汗颜。实事上，在中国不少报社，创新者总是

---

① Speech by Dennis Fitz Simons, President and Chief Operating Officer, 2001年10月4日

孤独的或倒霉的。江泽民同志关于创新是一个民族的灵魂的断语，不知何时才能真正深入基层、深入人心、深入我们这最需要创新的媒体产业？

五、报纸版数全国第一

第一次阅读《洛杉矶时报》，是在 1995 年访美时。我在洛杉矶一下飞机，就花 50 美分买了一份。我当时被这份报纸的分量惊呆了。后来我在回国前花 1.5 美元买了分量更重的星期天刊（1995 年 12 月 3 日），当天该星期天刊的发行量为 1,457,583 份。在访问《洛杉矶时报》时，该报公关部一位亚裔经理告诉我，该报平日刊的页数在 120 页左右，星期天刊的页数在 600 页左右，平均每日用新闻纸 80 多吨，均为全国第一。该报的平均页数、平日刊发行量、星期天刊发行量和广告收入，在全国分别排第一、第四、第二和第一。该报一个整版的广告额在 2.5 万美元以上。我将这两份报纸原封不动地带回国，包括星期天刊里面的全部插页广告。

由于洛杉矶是那次访美的第一站，这两份报纸成为我到美国其他地方旅行时的沉重负担。回国后把星期天刊拿来一数，730 页；一称，重 3.5 公斤。当时《深圳特区报》刚刚扩大为 16～20 个版，版数超过全国绝大多数对开报纸，仅次于当时全国版数第一的《广州日报》。但这样的《深圳特区报》放在《洛杉矶时报》旁边，简直轻薄得不值一提。难怪当时美国同行不相信，中国大多数日报，包括几乎所有“中央级”大报，还处于每天只出 4 版的“原始状态”，与美国 200 年前出的报纸一样。我后来在报上写了篇文章，比较了中美报纸的厚薄，不出所料，引起很多同行的兴趣。

此次访美，虽然来不及去洛杉矶，但我仍托朋友从西部带来最新的原汁原味的该报平日刊和星期天刊各一份，它们的出版日期分别是 2002 年 1 月 13 日（星期天）和 2002 年 1 月 17 日（星期四）。如今的《洛杉矶时报》和美国很多主要报纸一样，发行量大大低于 1995 年时的水平，星期天刊的分量也不如我上次带回国的那份重（那次可能是较多的一次，高于平均数），但内容依然丰富庞杂，翻阅起来真是目不暇给。

在仔细阅读过程中，我还发现一个特点，即《洛杉矶时报》在版式设计、内容分类甚至标题字号等方面很像《纽约时报》。例如，A 叠第二版上半部，它和《纽约时报》一样用大块篇幅刊登新闻提要，而且也是按国际新闻、国内新闻、本地新闻及副刊等顺序排列；社论版的版式更与《纽约时报》如出一辙，左上角为报社负责人名单，左2栏为社论，一般安排3篇，右3栏是来信，底部是历任发行人名单；其他一些新闻版的设计也很像《纽约时报》。也许在美国人的心目中，超级大报的面目就该如此?

下面容我将该报的版面安排略作介绍。

2002年1月17日（星期四），报头下注明为170页，但我数的结果却是158页；售价50美分。共8叠：

A叠，新闻，共26页：A2——今日新闻要目（Today's News），按国际、反恐、国内、加州、评论、社论、经济、体育、生活、高科技等依次划分，附一图，另有提示若干条（FOR THE RECORD），半版广告；A3—A6——国际新闻（The World），含约2版广告；A7，A21，A24—A26——广告，其中A21和A26彩色；A8—A13——反击恐怖（Response to Terror），含约3.5个版广告；A14—A19——国内新闻（The Nation），含约2个版广告；A20，A22，A23——专题，本期关于一家三代人犯法被捕事件（SLA ARRESTS），含1.5版广告。

B叠，加州新闻（CALIFORNIA），共18页：B1——加州要闻，彩色，无广告，右下角2栏10厘米导读（INSIDE）；B2——周边新闻（SURROUNDINGS），彩色，半版广告；B3—B4——洛杉矶新闻（Los Angeles）；B5，B8，B9，B13——广告；B6——地方新闻（The Region），无广告；B7，B10——本州新闻（The State），无广告；B11—B12——B1转文；B14—B15——讣闻（新闻）（Obituaries），其中B15 2/3版讣告分类广告；B16——社论来信版，无广告，左3栏（破二）为社论（三则），左上方为本报负责人名单（类同《纽约时报》），依次为发行人兼总裁和首席执行官、总编、执行总编、社论版主编、副执行总编（3人）、助理执行总编（4人）、协调副总编（Associate Editor 1人），左侧底部为历任发行人名单，右侧3栏为来信（LETTERS TO THE TIMES）；B17——评论（Commentary），含大幅漫画，无广告；B18——天气预报（The Weather），彩色，仅8厘米通栏广告，有海滨、峡谷、山区和沙漠地带的5天预报，有今日加州各地天气描绘，有西部沿海天气图，有加州75个城市昨、今、明天气预告表，有全国99个城市及世界82个城市昨日和今日天气，有北美洲气象图。

C叠，经济（BUSINESS），共10页：C1——彩色，无广告，经济要闻，右下角2栏10厘米导读；C2——综合，左侧2栏为分类简讯（IN BRIEF），按零售（RETAILING）、药品（PHARMACEUTI-

CALS)、食品（FOOD）、航天及飞机制造（AEROSPACE）、证券（SECURITIES）、保险（INSURANCE）和其他（ALSO）分类，右侧分别有加州简讯和娱乐企业简讯；C3——综合，下端有技术简讯；C4——综合；C5—C10——股票、期货、基金行情。

D叠，体育（SPORTS），共12页：D1——彩色，无广告，底部8厘米通栏导读及要闻提示；D2——体育内幕（The Inside Track），彩色；D3——高尔夫；D4——大学篮球；D5——综合；D6——奥林匹克新闻（OLYMPIC SCENE）；D7——职业曲棍球（Pro Hockey）；D8—D9——职业篮球（Pro Basketball），无广告；D10——各类运动信息（The Day in Sports）；D11——高中体育（High Schools）；D12——其他运动（含赛马、网球等）。

E叠，南加州生活（Southern California Living），共8页：E1——彩色，无广告，左下角1栏13厘米导读；E2——City of Angeles，彩色，无广告；E3——综合；E4—E6——卡通画、笑话及纵横字谜，无广告；E7——儿童阅读室（The Kids' Reading Room），彩色，下半部为加州教室（California Classroom），另有8厘米通栏广告；E8——广告及转文，彩色。

F叠，周末（Calendar Weekend），8开，72页：含电影、音乐、舞蹈、戏剧、电视等娱乐信息，自周四至周日。

T叠，技术时代（Tech Times），共8页：T1——彩色，无广告，左下角1栏15厘米导读；T2——网络生活（e-Briefing）；T3——游戏天地（Game Reviews ）及（Game Design），无广告；T4—T5——电脑聚焦（Tech 101）；T6——电子邮件（@ Home）；T7——分类广告；T8——综合，彩色。

最后一叠，彩色广告，共4页。

2002年1月13日（星期天），报头下注明当日640页，但我数的页数却为448页；售价1.50美元，共分17叠：

A叠，新闻，共36页，与平日刊基本相同，但广告量大增，共含约42.5个版广告，其中彩色广告约7个版。

B叠，加州新闻，共18页，首页底部3厘米通栏导读，基本同，含约9个版广告。

C叠，经济，共14页，首页底部3厘米导读，基本同，含约2.5个版广告。

D叠，体育，共16页，首页底部3厘米导读，基本同，含约2.5

个版广告。

E 叠，南加州生活，共 6 页，基本同，第六页为儿童阅读室，本叠含约 2/3 版广告。

F 叠，书评（Book Review），8 开，共 12 页，含约 2 个版广告：F1——彩色封面，目录；F2——书中电影（FILM ON PAPER）；F3——封面故事（COVER REVIEW）；F4—F9——各类书评；F10——读书活动安排日期（BOOK CALENDAR）和处女小说(FIRST FICTION)；F11——最畅销书（Los Angeles Times Bestsellers)，按小说、非小说及精装和简装分类，精装各有 15 种，简装各有 10 种，均注明上周排名及上榜次数；F12——广告。

G 叠，汽车分类广告，共 22 页，分 3 叠，封面均彩色。

H 叠，卡通画，彩色，共 6 页，无广告。

I 叠，洛杉矶时报杂志（Los Angeles Times Magazine），小 8 开，全部铜版纸，共 48 页。

J 叠，居家广告（HOMES），共 20 页，首页彩色，所有销售房屋均附图片。

K 叠，房地产—新闻、趋势及消费指导（Real Estate—NEWS, TRENDS AND CONSUMER ADVICE），共 16 页：K1——彩色，无广告，底部 3 厘米通栏导读，图片多；K2——房地产问答（Real Estate Q&A）；K3——全国购房（Nation's Housing）；K4——南方房价(SOUTHLAND HOME PRICES)；K5—K7——购房助手（Assistance）；其余略，多为广告。

L 叠，旅游（Travel），共 18 页，含约 10 版广告：L1——彩色，无广告，底部 3 厘米通栏导读，大幅图片；L2——综合；L3——新闻，小费和交易（News, Tips & Bargains）；L4——周末出游，彩色；L5——综合；L6—L7——明尼苏达版（Minnesota），其中 L6 彩色；L8，L13，L14，L16——广告；L9——法国版（France），彩色；L10——旅游指南（Tours & Cruises），其中有一条中国信息（China: Art History）；L11——旅馆房间（Rooms）；L12——健康旅行家(Healthy Traveler)；L15——旅行中的电子器件（Electronic Explorer）；L17——旅行统计（Travel Statistics），指与旅行有关的数字，本期为各地最低航空票价（LOWEST AIR FARES）；L18——读者之页(The Reader's Page)，分别有来信（Letters）及我的最佳照片（My Best Shot）等专栏，彩色。

M 叠，言论（OPINION），共 6 页，无广告：M1—彩色，大幅漫画，底部 2 厘米通栏导读；M2——评论及大幅漫画；M3——墨西哥（MEXICO）；M4——社论与来信；M5——评论；M6——中东（MIDDLE EAST）。

N 叠，一周电视（TV Times），大 16 开，共 44 页。

O 叠，星期娱乐（SUNDAY Calendar），8 开，共 96 页：O1——彩色封面及要目；O2——导读及目录，其中导读按电影（Movies）、流行音乐（Pop Music）、剧院（Theater）、艺术（Art）、舞蹈（Dance）、音乐（Music）、爵士（Jazz）分类；其余略。此叠内容十分丰富，有可读性。

W 叠，就业与招聘（Career Builder），共 18 页，招聘分类广告为主。

Y 叠，广告增页，12 页，彩色。

另有 Office Max，Smart Source，Radio Shack，Rite Aid，TARGET，Office DEPOT，BEST BUY，Sav. on drugs，Mervyns，Walgreens 等零售商广告插页及一本折扣广告，共约 300 页。

六、关于报纸的未来

眼看约定的 40 分钟电话采访时间所剩无几，我抓紧问卡罗尔关于竞争对手的情况。他认为本地的竞争对手不可小觑。他说："关于竞争，那要看哪一个层次的竞争。就本地而言，我们有大约 20 家地方报纸，分布在洛杉矶和南方各县。最大的竞争对手是《奥兰治县纪事报》（*Orange County Register*），该报的发行量在 30 万至 40 万份。还有洛杉矶《每日新闻》（*Daily News*），发行量也有 20 多万分。这两家报纸是我们的最大对手。就经营方面，我们还有很多广告竞争者，如广播、电视、电话黄页、街头户外广告等。同时我感到《时报》在全国报道范围与一些最大的报纸产生竞争关系，如与《纽约时报》和《华盛顿邮报》。"

这里我要简单介绍一下《奥兰治县纪事报》。这家报纸我过去从未听说过，但这次到了美国，才发现加州是美国日报最多的一个州，共有 94 家日报，而洛杉矶附近更是群雄蜂起，市场绝非一个《洛杉矶时报》这样的巨无霸能够垄断的。论坛公司老总说《洛杉矶时报》只获得当地报纸插页广告的 1/3，应属实情。在全国仅 1500 家日报中，《奥兰治县纪事报》的发行量连续多年排在前 20 多名。更重要的是，该报在吸引广告方面能量很大，在笔者前面说到的《洛杉矶时报》比《纽约时报》广告量多227万英寸的1993年，《奥兰治县纪事报》的广告居全国第10名，数量居然超过《华尔街日报》、《今日美国》、纽约《每日新闻》、长岛《新闻日报》、《纽约邮报》、《休斯敦纪事报》（*Houston Chronicle*）等发行量排在前10名的报纸。卧榻之侧，岂容他人酣睡？身边有这样一个强有力的竞争者，难怪卡罗尔感到不安。

我问的最后一个问题是："您认为报纸的前景如何，会在不远的将来消亡吗？"这也是我向所有大报老总提的问题，因为美国新闻理论界正就报纸的未来展开讨论，很多人持悲观态度，认为年轻一代已不太爱看报纸，他们沉湎于网络，依靠电子媒介获取新闻。但我采访的多数美国报纸老总似乎并不悲观。

"我认为报纸的未来前景美好，"《华尔街日报》执行总编辑保罗·斯泰格尔接受我采访时直截了当地表明自己的观点，"我也承认电子传媒比印刷传媒的效率高，网络和计算机会在信息传递中显得越来越重要。但读者仍会喜欢我们的报纸，未来的10年内，大量读者会通过计算机订阅我们的报纸，这并不意味着报纸消亡，只是改变了投递途径而已。报纸上新闻、信息、分析等内容的重要性仍然存在，我们有足够的人力将这些内容做得很好。我关心的是将报纸按时送达读者手中，至于是通过纸张还是电脑，对我倒无所谓。你知道的，我们欲保持报纸现有的强势，是因为我们通过报纸广告赚很多钱。对于那些喜欢从电脑上读报的人，我们已经开通了付费的网站，可以满足他们的需要。"

《华盛顿邮报》总编辑唐尼也对报纸的未来表示乐观："我觉得报纸承担了非常重要的社会角色，它表现出色并会永远存在下去。我不认为报纸会很快消亡。尽管在报纸与电视、网络公司之间存在激烈竞争，但报纸有自己不可替代的优势：一是绝大多数报纸是地方报纸，这些报纸对本地情况了如指掌，它们对本地新闻的覆盖能力是电视和网络无法企及的；二是报纸读者的数量远远大于其他媒体的数量，这些读者可使报纸处于良好的经营状态；三是所有报纸都有自己的网站，因此它们能够满足读者从网上获取新闻的需求。"

《费城问讯报》的总编辑罗森塔尔在谈到报纸的未来时这样认为："报纸不会消失。我认为报纸会永远生存下去，很多读者会一直以读报为乐。但报纸可能会缩小，这是因为读者希望它小。读者阅读报纸的方式会改变，他们会在互联网上阅读报纸，也会在自己的笔记本电脑上阅读报纸。读者可能会为自己喜欢的新闻付更多的钱，他们可能会获得自己需要的特殊信息。眼下，读者可以在早晨通过家中的电脑浏览报纸，但我不觉得这就很好了，因为你不能从电脑中获得你真正想要的东西。有时你会寻找一些你想要的但又不能确定到底是什么的东西，只有这些东西进入你的眼帘你才觉得有用，这是很多人都有过的经历，而且这对读者也很重要。如果依靠电脑只获得它认为你需要的东西，就会遗漏很多你真正想要的东西。人们不会只对特殊信息感兴趣。所以我认为报纸会生存下去。人们喜欢读《纽约时报》，因为他们相信从中可以发现自己感兴趣的东西，虽然他们预先并不一定知道哪些东西使他们觉得有趣或有用。”

曾担任《芝加哥论坛报》发行人、现任论坛出版公司总裁的富勒也对报纸的未来表示乐观，并有着与罗森塔尔相似的观点。他在他的新著 *News Values* 中认为，书面阅读一定会存活下来，理由是未来社会将借助于书面传播工具来了解每个时期的历史事件，而社会分化程度越高，越需要一个便于共同讨论和行动的信息基础，报纸恰恰是少数几个得以在这种环境下兴旺繁荣的信息机构之一。另一个理由是，尽管未来电子传媒有可能向人们提供剪报式的个性化服务，但人们在阅读报纸时并不仅仅是为了获得这样的个性化服务，他们往往还希望获得一般兴趣之外的东西，并常常为有此斩获而惊喜。

但卡罗尔却有不同的看法。他回答我这个问题时说：“很多人认为报纸的消失是迟早的事，我也很为报纸的将来担心。人们正在改变获取新闻的渠道，例如从互联网。更要命的是，报纸每年消耗大量的新闻纸，这些纸都是用木头做的，报纸每年吞噬大片森林。所以我不太看好报纸的未来。”

说到新闻纸的消费，美国报界普遍有一种忧患意识，即森林的数量逐年减少，报纸要尽量节省用量，否则前景堪忧。因此各报及新闻纸制造商都在采取积极措施，鼓励回收报纸和用再生纸印刷报纸。政府也出台相应政策，让新闻纸的回收利用率达到越来越高的比例。我 2001 年在美国看到一则资料，对全国报纸的新闻纸用量及回收和重新利用状况有如下统计：

2000 年，美国共消耗新闻纸 1215.6 万吨，其中有 931.9 万吨产自国内，其余从加拿大等国进口。用这些新闻纸印刷的报纸，回收率达到 71%，约 900 万吨。而 10 年前的回收率约为 50%。旧报纸回收增长率由 1989 年的 10%增长至 2000 年的 28%。

这组数据表明，全社会对回收旧报纸越来越重视。那么回收的报纸作何用途呢？该资料显示，在 2000 年回收到的 900 万吨旧报纸中，有 37%被用来制造新的新闻纸重新投入美国报界使用；还有很多出口到加拿大的新闻纸生产企业，同样被用来制造新的新闻纸；其余则用作其他产品，诸如纸板、包装盒、建筑墙板、卫生纸、鸡蛋盒等，还有被用作其他建筑材料及农场家畜的保温材料。

关于报纸的未来，美国很多人认为，报纸还会存在相当长的时间，因为目前报纸的资讯比任何媒体都可靠，特别是广告的可信度仍居各类媒体之首。但报纸的形态将会改变，虽然内容安排和版面设计仍将保留，信息将由纸质传播渐渐改为电子传播。现在美国一些高科技企业已经在研究超大储量内存和超高速微处理器，这是随身携带电子报纸的关键技术。一旦研究成功，人们将来就可以将一种轻便的大屏幕电子书带到地铁、咖啡馆或外出旅游时阅读，这种电子书会通过无线信号获得所订阅报纸的电子版，并随意翻阅。甚至有人设想，为减少手动按钮翻阅各版的麻烦，通过眼球的移动即可读到想要读的下一页。同时，这种“电子报”会建立各类链接，使读者轻而易举地获得感兴趣的相关信息或相关广告内容。这类电子报纸同样可安装在家中墙上或办公室桌面上，读者通过超薄大屏幕可随意选阅各种报纸。

但报纸的未来结局究竟如何，还是个备受争议的有趣话题，就看你的想象力是否丰富了。

附一：美国20大日报最新发行量排名

（2003年10月1日～2004年3月31日平均发行量）

排序	报纸名称	所在地	发行量	出版周期	较上年增长
1	今日美国	弗吉尼亚	2,280,761	周一至周五	2.2%
2	华尔街日报	纽约	2,101,017	周一至周五	15.4%
3	纽约时报	纽约	1,133,763	周一至周五	0.3%
4	洛杉矶时报	洛杉矶	983,727	周一至周六	0.5%
5	华盛顿邮报	华盛顿特区	772,553	周一至周五	－3%
6	纽约每日新闻	纽约	747,053	周一至周五	1.4%
7	纽约邮报	纽约	678,012	周一至周五	9.3%
8	芝加哥论坛报	芝加哥	614,548	周一至周五	－1.1%
9	新闻日报	长岛	580,346	周一至周五	0.2%
10	休斯敦纪事报	休斯敦	549,300	周一至周六	0.1%
11	达拉斯新闻晨报	达拉斯	529,879	周一至周五	－0.4%
12	旧金山纪事报	旧金山	501,135	周一至周五	－2.6%
13	芝加哥太阳—时报	芝加哥	486,936	周一至周五	－0.3%
14	亚利桑那共和报	凤凰城	466,926	周一至周六	－4%
15	波士顿环球报	波士顿	452,109	周一至周五	0.7%
16	星报	纽瓦克	407,945	周一至周五	0.0%
17	亚特兰大宪章报	亚特兰大	401,077	周一至周五	－4.4%
18	费城问讯报	费城	387,692	周一至周五	0.2%
19	论坛星报	明尼阿波利斯	377,058	周一至周六	0.4%
20	诚实者报	克里夫兰	367,528	周一至周六	－1.5%

* 以上报纸的出版周期，均未包括星期天刊。有少数报纸，如《今日美国》和《华尔街日报》每周只出五天。

*《华尔街日报》的发行量增长较大，原因在于美国报刊发行量稽核局（ABC）首次允许将网上全年收费的客户计入报纸的有价发行量。该报网络版有61万户付费读者，其中301,162户读者是预先付了全年费用的，因而等同于报纸的有价发行量。这一动向值得关注，说明ABC已经顺应时代潮流，开始将报纸的网络用户列入读者范畴。

* 数据来源：*Editor & Publisher*，2004年5月4日

附二：美国20大星期天刊报纸最新发行量排名

（2003年10月1日～2004年3月31日平均发行量）

排序	报纸名称	所在地	发行量	报纸开本	较上年增长
1	纽约时报	纽约	1,677,003	对开	0.2%
2	洛杉矶时报	洛杉矶	1,392,672	对开	−0.2%
3	华盛顿邮报	华盛顿特区	1,025,579	对开	−2.2%
4	芝加哥论坛报	芝加哥	1,002,398	对开	−1.4%
5	纽约每日新闻	纽约	802,103	四开	−1%
6	丹佛邮报/洛基山新闻	丹佛	783,274	对开	−0.9%
7	费城问讯报	费城	769,257	对开	0.1%
8	达拉斯新闻晨报	达拉斯	755,812	对开	−3.9%
9	休斯敦纪事报	休斯敦	740,002	对开	0.0%
10	底特律新闻/自由报	底特律	705,148	对开	−1.9%
11	波士顿环球报	波士顿	686,575	对开	1%
12	论坛星报	明尼阿波利斯	671,275	对开	0.2%
13	新闻日报	长岛	662,317	四开	−0.5%
14	亚特兰大宪章报	亚特兰大	629,505	对开	−4.4%
15	星报	纽瓦克	610,542	对开	0.2%
16	亚利桑那共和报	凤凰城	587,159	对开	−1.6%
17	旧金山纪事报	旧金山	553,983	对开	0.0%
18	诚实者报	克里夫兰	480,540	对开	−0.4%
19	巴尔的摩太阳报	巴尔的摩	470,453	对开	0.0%
20	西雅图时报/消息邮报	西雅图	465,830	对开	−1.9%

* 数据来源：*Editor & Publisher*，2004年5月4日

附三：美国报纸总发行量最大的报业集团

以千为单位

集团公司	2001 年 平日刊发行量	2001 年 星期天刊发行量	2002 年 平日刊发行量	2002 年 星期天刊发行量
甘尼特公司	7519	6970	7554	6979
奈特—里德报团	3827	5211	3898	5254
论坛公司	3536	4914	3548	4923
前进报团	2791	3560	2793	3544
纽约时报集团	2310	3185	2299	3151
道琼斯集团	2227	435	2250	491
赫斯特报团	1671	2384	1690	2422
媒体新闻公司	1577	2154	1652	2248
麦克拉奇公司	1330	1840	1408	1863
斯克里普斯报团	1320	1943	1302	1930
考克斯报团	1146	1591	1160	1603
自由传播公司	1014	1134	1051	1164
李氏公司	955	999	1002	1042
CNHI 公司	1082	991	938	906
拜罗公司	848	1196	888	1230
媒体总公司	865	1039	878	1041
华盛顿邮报集团	811	1120	848	1108
霍林格国际公司	697	608	708	597
莫里斯传播公司	688	773	693	771
柯普利公司	688	809	672	805

* 数据来源：*Editor & Publisher* 2004 年度报告

附四： 机构译名索引

A Description of New England ——《记新英格兰》

Advocate ——《呼声》

Albuquerque Journal ——《阿尔伯克基日报》

Albuquerque Publishing Company ——阿尔伯克基出版公司

Albuquerque Tribune ——《阿尔伯克基论坛报》

Alicia Patterson Foundation ——艾利西娅·帕特森基金会

American Broadcasting Company ——美国广播公司，简称 ABC

American Society of Newspaper Editors ——美国报纸编辑学会

American University ——美洲大学

American Weekly Mercury ——《美利坚信使周报》

Amsterdam News ——《阿姆斯特丹新闻》

Asbury Park Press ——《阿斯巴利公园报》

Associated Press ——美联社

Aswire——《阿斯瓦》杂志

Atlantic Monthly ——《大西洋月刊》

Audit Bureau of Circulation ——美国报刊发行量稽核局，简称 ABC

Barron's ——《巴伦氏》

Belo ——拜罗公司

Boston Gazette ——《波士顿公报》

Boston Herald ——《波士顿先驱报》

Boston News-Letter ——《波士顿通讯》

Cable News Network ——美国有线新闻电视网，简称 CNN

Canadian Newspaper Group ——加拿大报团

CanWest Global Communications Corp ——加拿大西部环球传播公司

Carroll County Times ——《卡罗县时报》

Central Newspapers Inc ——中部报团

Charlotte News ——《夏洛特新闻》

Charlotte Observer ——《夏洛特观察报》

Chicago Group ——芝加哥报团

Chicago Tribune ——《芝加哥论坛报》

Cincinnati Enquirer ——《辛辛那提问讯报》

Citizen Publishing ——《公民出版报》
City University of New York ——纽约市立大学
Columbia Broadcasting System ——哥伦比亚广播公司，简称 CBS
Combined Communications ——联合传播公司
Community Group ——社区报团
Congressional Quarterly ——《国会季刊》
Customer's Afternoon Letter ——《客户晚函》
Daily Breeze ——《每日快报》
Daily Courant ——《每日新闻》
Daily Democrat ——《民主党人日报》
Daily Graphic ——《每日写真报》
Daily Mirror ——《每日镜报》
Dallas Times Herald ——《达拉斯先驱时报》
Denver Post ——《丹佛邮报》
Detroit Daily News ——《底特律每日新闻》
Detroit Evening News ——《底特律晚新闻》
Detroit Free Press ——《底特律自由报》
Detroit News ——《底特律新闻》
Detroit Newspapers Agency ——底特律报业公司
Detroit Tribune Post ——《底特律论坛邮报》
Dow Jones & Company ——道・琼斯公司
Dow Jones Newswires ——道・琼斯新闻电讯网
E. W. Scripps Co ——斯克里普斯集团
Editor & Publisher ——《总编辑与发行人》
Elmira Gazette ——《埃尔迈拉公报》
Far Eastern Economic Review ——《远东经济评论》
Federated Publications ——联合出版集团
Fortune ——《财富》
Fox Broadcast Company ——福克斯广播网络公司
Fox Broadcasting ——福克斯广播公司
Fox Television ——福克斯电视台
Gannett Co., Inc. ——甘尼特公司
Gannett U. K. Limited ——甘尼特英国有限公司
Georgetown University ——乔治城大学
Global Perspectives ——《环球观察》

Greenwich Times ——《格林威治时报》
HarperCollins ——哈泼—柯林斯出版公司
Hartford Courant ——《哈特福德报》
Hearst Corporation ——赫斯特报团
Henry Ford Museum ——亨利·福特展览馆
Hillsborough Times ——《希尔斯伯勒时报》
Hollinger International Inc. ——霍林格国际公司
Honolulu Star-Bulletin ——《檀香山明星—公报》
Houston Chronicle ——《休斯敦纪事报》
Independence National Historical Park ——国家历史独立公园
International Harold Tribune ——《国际先驱论坛报》
Jerusalem Post, The ——《耶路撒冷邮报》
King Features ——帝王特稿社
Knight-Ridder Newspapers ——奈特—里德报团
Lexington Herald Leader ——《列克星敦先驱导报》
London School of Economics ——伦敦经济大学
Los Angeles Times ——《洛杉矶时报》
Los Angeles Times-Washington Post News Service ——洛杉矶时报—华盛顿邮报新闻社
Louis harris & Associates ——路易斯·哈利斯研究所
Media General ——媒体总公司
Media Management Center ——媒体管理中心
Miami Herald ——《迈阿密先驱报》
Miami News, The——《迈阿密新闻》
Michigan Essay, The ——《密歇根文钞》
Michigan Herald ——《密歇根先驱报》
Mirror ——《镜报》
Morning Call ——《早报》
Multimedia Inc. ——多媒体公司
National Broadcasting Company ——美国全国广播公司
News Corporation ——新闻集团
New England Courant ——《新英格兰新闻报》
News Journal, The ——《新闻日志》
News Week ——《新闻周刊》
New York Daily ——《纽约日报》

New York Herald ——《纽约先驱报》
New York Magazine ——《纽约杂志》
New York Post ——《纽约邮报》
New York Sun ——《纽约太阳报》
New York Times, The——《纽约时报》
New York Tribune ——《纽约论坛报》
New York World ——《纽约世界报》
New York, Illustrated Daily News ——纽约《每日新闻画报》
New York, The Daily News ——纽约《每日新闻》
New Yorker, The——《纽约客》
Newscom ——纽斯康姆公司
Newsday ——《新闻日报》
Newspaper Management Center ——报纸管理中心
Newsquest plc ——新闻公众股份公司
New-York Evening Post ——《纽约晚邮报》
Northwestern University ——西北大学
Old Dominion University ——老多米尼恩大学
Orange County Register ——《奥兰治县纪事报》
Orange County Reporter ——《奥兰治县记者》
Orlando Evening Star ——《奥兰多晚星报》
Orlando Sentinel ——《奥兰多前哨报》
Pennsylvania Evening Post ——《宾夕法尼亚晚邮报》
Pennsylvania Gazette ——《宾夕法尼亚公报》
Pennsylvania Inquirer, The ——《宾夕法尼亚问讯报》
Pennsylvania Packet of General Advertiser ——《宾夕法尼亚邮报及综合广告报》
People's Free Press ——《人民自由报》
Philadelphia Bulletin ——《费城公报》
Philadelphia Inquirer, The ——《费城问讯报》
Philadelphia Public Ledger ——《费城大众纪事报》
Philadelphia, Daily News ——费城《每日新闻》
Poynter Institute for Media Studies ——波医特传播学院
Providence Journal-Bulletin ——《普罗维登斯公报》
Public Occurrence, Both Foreign and Domestic ——《公共事件》
Random House Publishing Company ——兰登书屋出版公司

Reader's Digest，The——《读者文摘》
Reporter Star ——《记者星报》
Richman County Advance ——《里士满县前进报》
Rochester Democrat and Chronicle ——《罗切斯特民主纪事报》
Rochester Times-Union ——《罗切斯特时报—联盟》
San Francisco Chronicle ——《旧金山纪事报》
San Jose Mercury News，The——《圣何塞信使新闻》
Saturday Evening Post ——《星期六晚邮报》
Scripps-Howard Co. ——斯克里普斯—霍华德报团
Sherman Antitrust Act ——《谢尔曼反垄断法》
Simmons Market Research Bureau ——西蒙斯市场调研局
Smart Money ——《精明理财》
South China Morning Post，The《南华早报》
South Florida Sentinel ——《南佛罗里达前哨报》
Southam Inc. ——索瑟姆公司
Speidel Newspaper Group ——斯派德尔报业集团
St. Paul Pioneer Press ——《圣保罗先驱报》
St. Petersburg Times ——《圣彼得斯堡时报》
Star TV ——香港卫视
Staten Island Advance ——《斯塔藤岛前进报》
Sun，The——《太阳报》
Sun-Sentinel ——《太阳前哨报》
Sydney，Daily Telegraph ——悉尼《每日电讯报》
Tennessean，The ——《田纳西人》
American Editor，The ——《美国总编》
Arizona Republic，The ——《亚利桑那共和报》
Asian Wall Street Journal，The ——《亚洲华尔街日报》
Atlanta Constitution，The——《亚特兰大宪章报》
Baltimore Sun，The ——《巴尔的摩太阳报》
Birmingham Post-Herald，The ——《伯明翰先驱邮报》
Boston Globe，The——《波士顿环球报》
Christian Science Monitor，The ——《基督教科学箴言报》
Des Moines Register，The ——《得梅因纪事报》
Detroit Daily，The ——《底特律日报》
Detroit Times，The——《底特律时报》

Honolulu Advertiser，The——《檀香山广告报》

Indianapolis Star，The——《印第安纳波利斯星报》

Louisville Courier-Journal，The——《路易斯维尔信使日报》

Medill School of Journalism，The，Northwestern University ——西北大学梅迪尔新闻学院

Miami News，The ——《迈阿密新闻》

Thomas Pepperday ——托马斯·佩珀德

Thomson Corporation，The——汤姆森报团

Times ——《时代》周刊

Times，The ——《泰晤士报》

Tonight ——《今晚报》

Trend，The ——《大趋势》

Triangle Publications ——三角出版公司

Tribune Broadcasting Company ——论坛广播公司

Tribune Company ——论坛公司

Tribune Publishing Company ——论坛出版公司

Tuscaloosa News，The——《塔斯卡卢萨新闻报》

TV Guide——《电视指南》杂志

U. K. Newspaper Group——英国报团

U. K.，Daily Graphic ——英国《每日写真报》

U. K.，Daily Mirror ——英国《每日镜报》

U. K.，Daily Sketch ——英国《每日简报》

U. K.，The Daily Telegraph ——英国《每日电讯报》

U. K.，The Sun ——英国《太阳报》

U. S. News & World Report ——《美国新闻与世界报道》

United Press International ——合众国际社

United States ——《合众国报》

University of North Carolina at Chapel Hill ——北卡罗莱纳大学查珀尔希尔分校

USA Today ——《今日美国》

Vanity Fair ——《浮华世界》

Viacom Inc. ——维亚康姆公司

Village Voice，The ——《乡村之声》

Virginian-Pilot，The——《弗吉尼亚人导报》

Vogue ——《时尚》

Wall Street Journal Classroom Edition，The ——《华尔街日报课堂版》

Wall Street Journal Europe，The ——《欧洲华尔街日报》

Wall Street Journal Online，The ——华尔街日报在线

Wall Street Journal Special Editions ——《华尔街日报特刊》

Wall Street Journal Sunday，The ——《星期天华尔街日报》

Wall Street Journal，The ——《华尔街日报》

Washington Post，The——《华盛顿邮报》

Washington Star，The——《华盛顿星报》

Washington Times-Herald ——《华盛顿时代先驱报》

Westchester Rockland Newspapers ——韦斯切斯特·罗克兰报团

Westinghouse Co. ——威斯汀豪斯公司

Worcester Journal ——《伍斯特日报》

World News，The——《世界新闻报》

后记

撰写这部考察记，仿佛重又打开一幅刚从记忆中褪色的绚丽画卷，又像再次翻阅一本匆匆记录的粗糙日记。我常常沉浸在欣赏画卷的兴奋中，又每每懊恼于当初采访疏忽的缺憾里。

我的目标始终非常明确，即把自己在美国各大报感受到的有益、有趣的东西如实献给本书读者，同时将源于各类渠道的有用信息尽量注入相关章节。妄改古人一句话：己所大欲，必施于人。因此，材料扎实、数据新鲜、信息密集、大事不漏、实用性强，是我从本书执笔之初即设下的基本标准。

把美国著名报纸和报团这样横扫一遍，面的照应固然可观，点的挖掘仍觉不足。所以，为向上述标准靠拢，我在回国后的近半年时间里，与美国报界朋友一直保持着联系，曾数十次向他们核实或索要资料，同时充分利用在美国注册的 ABC 网站账户及纽约公共图书馆上网密码等资源，不断更新数据，使主要数据尽量为 2002 年上半年的最新结果。

为使被访者以原始面貌示人，本书从近 50 小时的谈话录音中选出大部分内容以直接引语出现，希望给读者一个更加直观的印象。但这样做有时略嫌拉杂甚至繁复，是否妥当，还望诸君评判。

到 7 月最后一天，终于掷笔完稿。这是与出版社协议中的最后期限——南方日报出版社高看这部书稿，拟作为今年重点图书，赶在 10 月初全国书市上推出。说实话，4 个月的业余时间，写得很苦。

幸有多位朋友不吝相助，诸如：甘尼特公司报业副总裁福斯特女士等美国朋友拨冗多次来信来电，提供或核实本书所需之最新资料；中国人民大学博士生导师喻国明教授于百忙中为拙著作序；同学曹鹏博士等业界好友热情勉励参与谋划；李旭先生等深圳同事在美国样报扫描等技术方面给予可贵支持；赵泓先生等出版界朋友积极促成此书并付出艰辛劳动……

凡此种种，心中感激之情，岂“谢谢”二字可以言表！

由于成书仓促和水平有限，拙著错漏之处一定不少。唯盼方家及时批评，亦望读者多加指点。这决非书末文字必备之谦词，本人的确诚惶诚恐敬候指教，为此特附电话及电子信箱于后：但有批评，必回复致谢。

电话：0755－83518910；电子信箱：xjgu@szszd. com. cn 。

辜晓进

2002 年 8 月 20 日

编后记

□赵　泓

《走进美国大报》是中国报人期待已久且终于解渴的一本书。

1991年，胡舒立女士在单枪匹马考察有代表性的美国报纸后，出版了一本《美国报海见闻录》。这是中国大陆报人对美国报业第一次真正意义上的零距离接触和生动细致的描述，许多报人正是通过这部访问记对美国报业有了初步的了解。也就在同一年，已从中国人民大学新闻专业研究生毕业的辜晓进翻译出版了新中国第一部外国报业管理专著《报业管理艺术》。

10多年过去了，中国报业获得长足发展。新的报纸不断诞生，从业人员不断壮大。人们发现，报纸变得越来越厚了，内容越来越丰富了，广告越来越多了，版式越来越活了……但中国报纸产业化、集团化程度还非常低，各地报社还处在转型期的阵痛当中。反瞻西方，报纸产业化风雨兼程数百年，在新闻采编、报业管理及集团化运作等方面积累了丰富经验。现实的巨大渴求使得国内媒体人越来越关注发达国家，特别是英美等国报业发展的最新动向。

涉深水者得蛟龙。2001年，时任深圳特区报业集团助理总编辑兼经济部主任的辜晓进，作为深圳市委第五期出国进修干部赴美国纽约市立大学和哥伦比亚大学新闻学院学习。他利用假期及周末，驱车积两万余公里，访问了《今日美国》、《纽约时报》、《华尔街日报》、《洛杉矶时报》、《华盛顿邮报》、纽约《每日新闻》、《新闻日报》、《纽约邮报》、《芝加哥论坛报》、《波士顿环球报》等18家报社，其中9家报纸位居全国十大报纸行列。另访问了全国首屈一指的报业集团甘尼特公司、目前综合实力排第二的论坛公司、综合实力位居第五的道·琼斯公司共3家大型报业集团以及两大报业集团合作的产物——底特律报业公司。总共采访了近40位报界专家，其中近30位是各报或报团的老总，包括1位发行人、12位总编辑、10多位副总裁，并列席了一些著名报纸的编前会和社论委员会会议，从而获得大量第一手资料。书中不仅介绍了美国报纸在采编、发行、广告诸环节的运作和被访报纸的发行数据、广告数据、员工规模、内部结构等，还介绍了各家报社的沿革，以及2001年美国各报在动荡的社会背景下发生的重大事件。

2002年10月本书编辑（右）与作者在深圳生态海滨公园

辜晓进此行是中国报人窥探美国报业内幕的继续。但这次他带的疑问更多，接触的范围更广，访问也更加深入。事实上，这些年也有不少传媒人士到欧美考察学习，但大多只是走马观花，像他这样取到真经的少得可怜。这一方面由于他有着令人感佩的敬业精神，锲而不舍地走访一家又一家报社，这种脚踏实地的“笨工夫”一般人是做不来的；另一方面由于他来自新闻第一线，有着多年办报的经验，身为内行人自然深谙其中的门道。

辜晓进回国后，与同窗好友曹鹏、展江等人通话长聊，共同分享赴美一年的真切感受，并吐露自己正准备写一本美国大报访问记。曹鹏和展江听说后连忙把我引荐给他。不日，我即收到曹鹏、展江发送来的电子邮件，差不多同时又接到辜晓进从深圳打来的电话。

曹鹏和展江都是有着古道热肠的学人。2000年，为了将美国大众媒介的先进管理经验介绍到国内，我托熟识的传媒学者推荐既有扎实的学术功底，又具有新闻职业背景的合适作者。时任经济日报发展部副主任的曹鹏博士及中国青年政治学院新闻系主任展江教授就在所托之列。展江甚至帮我策划了一套“美国大众传媒研究”丛书，准备约请一些专家分头撰写。因为某种缘故，这套书至今尚未实施。倒是辜晓进的这本《走进美国大报》推出后在新闻圈一炮打响，甚至一度带旺了国内传媒类图书的销售。

当初，在我的不断催逼下，辜晓进仅用了4个月的业余时间就写出了这部长达40万字的著作。他在后记里坦言“这本书写得很苦”，甚至连自己都不敢相信这么短的时间弄出了这么厚的一本书。要知道，他还分管《深圳日报》（*Shenzhen Daily*）的一大摊事！今年5月中旬，我参加桂林书市时巧遇晓进的一位同事，惊悉他生了重病，正在上海一家医院治疗，顿时一阵难过。我有时不免内疚地想，当初是不是把他逼得太紧了！

《走进美国大报》是一部以中国传媒人的视角揭示美国报业运作秘要的力作。我们可以从书中感受到美国同行工作时的氛围——饱经“9·11”劫难之后的《华尔街日报》编辑部，甘尼特公司豪华气派、通体透明的新办公大楼，《芝加哥论坛报》热闹的社论委员会会议，纽约《每日新闻》头版陈列室……一切都有历历在目的现场感。书中很多材料直接采自作者近50个小时的谈话录音，这是本书最有价值的部分。作者对每一次采访都做了充分的准备，用他自己的话说，是带着问题去的，所以这些谈话针对性都很强，对国内同行有着十分重要的参考价值。内容主要涉及诸如报业的兼并与扩张、广告与发行营销的手段、版面的设置与安排、总编辑的职责、报业内部各部门之间如何协调、报业集团跨媒体经营等具体的问题。作者严谨踏实的敬业精神令人感动，如他在2001年11月20日好不容易采访到《纽约时报》的总编辑豪厄尔·雷恩斯先生，得到了两个小时的录音资料，结果录音机出故障弄丢了。但他没有气馁，于12月12日再次造访百忙中的雷恩斯先生。为避免同样的话题令人兴味索然，他又准备了另外的话题。

他不光真实记录了自己的所见所闻，还将源自各类渠道的有用信息及背景资料尽量注入相关的章节，我们从书末列出的大量参考资料和书目中，可以窥见作者的这一匠心。为写好这本书，作者回国后与美国报界朋友一直保持联系，曾数十次向他们核实或索要资料，同时充分利用在美国注册的ABC网站账户及纽约公共图书馆上网密码等资源，不断补充内容和更新数据。所以本书资料翔实、信息密集、事例生动、数据新鲜，加之配有一百多幅精美的图片，使人耳目一新。通过此书，我们不仅可以了解到美国报业发展的历史及最新的格局，而且能够大略了解到美国的媒体企业是如何做大做强的。

《走进美国大报》出版后，好评如潮。《中国图书商报》发表书评指出：“这份来自美国报业现场的最新报告，其中所蕴含的报业老总办报理念和著名报纸的经营要诀，是我们接轨全球化时候最好的参照和归依。”《新闻出版报》、《中华新闻报》、《中华读书报》、《新闻战线》、《新闻记者》、《时代传媒》、《中国报业》、《南方周末》、《中国青年报》、《中国经营报》等海内外20余家报刊纷纷发表书讯、书评或摘登。新浪、搜狐、中国新闻研究中心网等著名互联网站摘要连载了这本书，最多时全国有300多个网站刊登了该书的评论或摘要。南方日报报业集团、深圳报业集团、解放日报报业集团、大众日报报业集团、天津日报报业集团、浙江日报报业集团、长江日报报业集团等全国一大批报社都为骨干员工或领导班子购买此书，以促进业务学习。北京大学新闻与传播学院、中国青年政治学院、浙江日报报业集团、南方日报报业集团、解放日报报业集团、中国企业家世纪论坛、北京晚报、京华时报等数十家新闻单位和相关机构先后邀请作者做专题演讲。另外，作者还收到读者100多封热情洋溢的来信。

令我感愧莫名的是，海南出版社资深编辑张大椿老先生对此书青眼有加，一口气买了好几本分送给《中国日报》（*China daily*）总编辑、新华社海口分社社长等新闻界朋友，自己一边仔细阅读，一边将文字及译名方面的差错校正一遍，之后又将订正过的书与一封语重心长的信寄给我。这样的编辑和读者是我素来最敬重的。

今年2月，以出版高品位文化图书而著名的台湾左岸文化出版公司出版了《走进美国大报》繁体字中文版，读者反响热烈，岛内多位主流媒体负责人纷纷撰文评介。台湾《新新闻周刊》社长王健壮以《辜晓进让我想起容闳》为题作序，认为“《走进美国大报》这本书，可以说是华人世界第一本根据第一手采访资料而用中文写的美国报业书籍”；“甚至还期待有一天他也能成为中国传媒的容闳”。曾任台北市政府新闻处处长、台湾政大新闻系教授，现任台北市副市长的金溥聪，则在为该书写的序言中称“这本书的作者完成了许多新闻人的梦”。该书台湾版一面市，即上了“金石堂”和“博客来”两大连锁书店的畅销书排行榜，并获五颗星的最高读者人气指数。

《走进美国大报》虽价格不菲，但首印6000册不到3个月即告售罄，2003年2月赶紧加印了4000册，结果过了半年又脱销了。

今年春天，晓进先生开始修订此书，后来虽病休在家仍笔耕不辍，以使本书能够跟踪反映美国报业的最新态势。修订版主要做了以下几项工作：一是补充了一些新的内容。如第二章增补“雷恩斯受丑闻牵连辞职”一节，介绍发生于2003年的《纽约时报》记者造假丑闻、该报高层的人事更迭以及现任总编辑状况；第三章增补“伍德沃德仍是明星”一节，介绍水门事件名记者伍德沃德2004年出版披露伊拉克战争决策秘闻的新书《进攻计划》及其在美国社会引起的轰动效应，以及一直守口如瓶的伍德沃德，在“深喉”——水门事件中的白宫神秘线人于2004

年7月27日逝世后，终于揭开真相；第五章增补“女总编辞职令人扼腕”一节，介绍《今日美国》一位参与创刊的资深记者涉嫌造假以至牵连该报总编辑和执行总编先后辞职事件，折射美国报纸自律精神；第九章增补了报业巨子布莱克2003年的酬金丑闻及其辞职情况；第十一章增补了论坛公司发展广电事业的历史及近两年经济发展情况；第十九章增补“虚报发行量造成惨重损失”一节；等等。二是对几乎所有数据作了全面更新。如原版自序《21世纪美国报业现状》中增加了2001年以来直至2004年第一季度美国报纸广告的变化和具体数字；各报的发行量也取自2004年第一季度的数据。附录中美国20大日报最新发行量排名、美国20大星期天刊发行量最新排名及美国最大20家报业集团总发行量排名均取自2004年的最新统计数据。另外，修订版也进行了一些文字上的删改及润色，以使行文更加顺畅，且仔细改正了文字及译名上的差错。

《走进美国大报》是部并非容易过时的书。虽然如今图书在书店摆架的时间越来越短，新书像走马灯似的换，但我对这本书到底能摆放多久还是挺自信的。经过此次修订，相信它的生命力会更持久旺盛。

2004年9月2日